LA CATHARE

Peter Berling

LA CATHARE

roman

Traduit de l'allemand par Olivier Mannoni

JC Lattès

Titre original :
DIE KETZERIN
publié par Verlagsgruppe Lübbe

À Max et Asta Berling,
Nec spe nec metu.

DRAMATIS PERSONAE

Laurence de Belgrave, dite « Laure Rouge ».
Lionel de Belgrave, baron normand, châtelain de Ferouche, son père.
Livia di Septimsoliis-Frangipane, Mère supérieure, abbesse à Rome, *alias* Lady d'Abreyville, sa mère.
Esclarmonde de Foix, noble occitane, « gardienne du Graal », sa marraine.
Gavin Montbard de Béthune, futur templier, son ami d'enfance.
Chevalier du Mont-Sion, *alias* Jean du Chesne, *alias* John Turnbull, *alias* Stephan of Turnham, *alias* Valdemar, prieur de Saint-Félix, un aventurier.

L'Occitanie

Pedro II (Pierre II), roi d'Aragon.
Raymond VI (Raimond VI), comte de Toulouse.
Ramon-Roger II Trencavel, vicomte de Carcassonne, le « Perceval » de la légende du Graal.
Aimery de Montréal, seigneur de Montréal.
Xacbert de Barbeira, chevalier du Roussillon.
Peire-Roger de Cab d'Aret, seigneur de Las Tours.
Roxalba de Cab d'Aret, sa sœur, châtelaine de Roque-fixade, dite « Loba la Louve ».
Titus, son fils, le futur « Vitus de Viterbe ».
Alazais d'Estrombèze, noble catalane, *perfecta* cathare, maîtresse du château d'Olmès.

Raoul, son fils, le futur « Créan de Bourivan ».

Sicard de Payra, noble occitan, seigneur du château de L'Hersmort.

Belkacem, son Maure.

Maureus (En Mauri), *perfectus* cathare.

Dos Y Dos, patron des « Quatre Camins ».

Ramon-Drut, infant de Foix, bâtard.

LA FRANCE

Louis VIII, prince héritier de France.

Blanche de Castille, son épouse.

Claire de Saint-Clair, la dame de cour de Blanche, plus tard grande maîtresse du « Prieuré de Sion ».

Simon de Montfort, comte de Leicester, chef militaire de la « croisade contre le Graal ».

Alix de Montmorency, son épouse, issue de la haute noblesse bourguignone.

Bouchard de Marly, noble bourguignon, son cousin, connétable.

Alain du Roucy, chevalier, général de la croisade.

Florent de Ville, chevalier, son compagnon d'armes.

Charles d'Hardouin, dans la suite de Montfort.

Adrien, baron d'Arpajon, grand propriétaire terrien de l'Île-de-France.

Rambaud de Robricourt, grand propriétaire terrien de la Champagne.

René de Châtillon, noble français de l'Orléanais.

Pierre des Vaux-de-Cernay, abbé cistercien, chroniqueur, dans la suite de Montfort.

PATRIMONIUM PIETRI

Innocent III, pape.

Rainer di Capoccio, seigneur de Viterbe, diacre général des Cisterciens, « l'Éminence grise ».

Roald of Wendower, cistercien, agent des « Services secrets » de la curie.

Guido della Porta, agent de la curie, demi-frère de Laurence, futur évêque d'Assise.

Arnaud de l'Amaury, abbé des cisterciens, légat pontifical pendant la « croisade contre le Graal », oncle de Simon de Montfort.

Pierre de Castelnau, cistercien, missionnaire et légat pontifical avant la croisade.

Étienne de la Miséricorde, « dominicain » du monastère de Fanjeaux.

Maître Tédise, avocat et légat pontifical après la croisade.

Foulques, évêque de Toulouse, ancien troubadour, futur inquisiteur.

Reinhald de Senlis, évêque de Toul.

Marie d'Oignies, béguine et mystique, dirige une léproserie.

Jacques de Vitry, son confesseur et biographe, futur évêque de Saint-Jean-d'Acre.

ROYAUME DE SICILE, EMPIRE LATIN DE CONSTANTINOPLE

Frédéric II, roi de Sicile, futur roi d'Allemagne et empereur romain germanique, dit « Le Hohenstaufen ».

Don Orlando, bénédictin, son *magister*.

Alexios, corsaire crétois au service des Montferrat.

Sancie de la Roche, cousine de Montferrat, fiancée de René de Châtillon.

Anadyomène, dame de cour au palais de ville des Montferrat à Constantinople.

Lydda, sa fille, servante.

Michel, marquis de Montferrat, despotikos de Crète.

Irène de Sturla, l'aulique, chambellane de son palais en Crète.

Iago Falieri, Vénitien, son navarque, amiral de la flotte du despotikos.

Isaac de Myron, archimandrite de Herakleion, confesseur du despotikos.

Angelos, son serviteur muet, dit « l'enfant de chœur », goûteur et bourreau.

Malte Malpiero, Vénitien, capitaine de la Serenissima.

1. LE TOURNOI DE FONTENAY

Des plaies et des bosses

Venus de l'Atlantique, les nuages d'orage approchaient, le nord-ouest s'assombrissait déjà. Les premières rafales de vent faisaient claquer par à-coups les fanions au bout du terrain et les guirlandes tendues au-dessus de la tribune des dames. De temps en temps, on percevait des gloussements et des rires difficilement réprimés. Les deux chevaliers avaient déjà attrapé leurs lances de tournoi, le héraut proclamait le nom des combattants.

— Le noble Gavin Montbard de Béthune ! annonça-t-il en désignant sur sa gauche un champion, dont la stature laissait penser qu'il était encore fort jeune.

Il avait déjà fermé sa visière et se dirigeait tranquillement vers l'extrémité du terrain de joute, sans se soucier de l'annonce.

— Le noble Charles d'Hardouin ! appela le héraut.

Le deuxième combattant faisait assez piètre figure. Il s'inclina gauchement, mais non sans vanité, devant la tribune des dames, à deux, puis trois reprises, avant de se diriger vers l'extrémité opposée du terrain.

Les deux cavaliers tournèrent presque en même temps, braquant leur lance l'un vers l'autre. Le signal de la corne retentit. Depuis la tribune, quelques cris d'encouragement dispersés par le vent parvenaient aux chevaliers qui éperonnaient leur monture. Ils se mirent lourdement en marche avec leur fardeau cliquetant et, par habitude, se lancèrent au grand trot. Ils fonçaient l'un vers l'autre comme s'ils étaient tirés par des cordes. D'Hardouin souleva son bouclier et rabattit sa visière, tandis qu'il pointait sa lance, par-dessus la tête de son cheval, vers le plastron de son adversaire. Alors, le jeune Gavin laissa filer les rênes, écarta son bouclier et croisa la lance derrière le cou de son animal. Le coup de d'Hardouin tomba dans le vide. L'élan manqua le projeter en avant, et il dut lâcher sa lance pour s'accrocher des deux mains à la crinière. Le jeune avait habilement évité l'attaque de son adversaire ; il renonça à le désarçonner en frappant à son tour. Ils se croisèrent sans s'affronter. Le héraut souffla deux fois dans son corps : *ex æquo*.

Des valets rapportèrent sa lance à messire d'Hardouin. Les deux combattants revinrent à leur point de départ. Ils durent passer par le stand de l'arbitre du tournoi : celui-ci vérifiait que la morne, cette petite couronne de bois fixée à la tête des lances, était correctement accrochée. Comme jusqu'ici, ni l'une ni l'autre ne s'était heurtée à la moindre résistance, ces extrémités arrondies qui coiffaient les armes ne s'étaient pas déplacées. Ils n'échangèrent pas un mot. Gavin, cette fois, ne releva pas sa visière ; messire d'Hardouin, quant à lui, s'éventa avec mauvaise humeur. Même si l'on avait déclaré nulle cette première confrontation, c'est lui qui s'en était le moins bien sorti. Il songeait donc à sa revanche tout en revenant vers sa place, sur la longueur du terrain. Si ce lascar mal dégrossi ne connaissait pas les règles classiques d'une joute — c'était d'ailleurs sans doute le cas —, il allait lui rendre la monnaie de sa pièce. Pendant son demi-tour, il fit passer en un éclair sa lance dans la main gauche, la plus forte. Pour cacher sa manœuvre, il changea son bouclier de bras. Cette fois-ci, il partit rapidement : il misait sur la surprise, et ne laisserait pas à son adversaire le temps de se préparer à cette confrontation inhabituelle.

Le jeune homme fonça vers lui, insouciant, mais au galop allongé, la lance de nouveau en biais au-dessus du cou du cheval, comme seuls les gauchers sont capables de le faire. D'Hardouin s'en réjouissait d'avance : c'est lui, à présent, qui porterait le coup le mieux ajusté et tiendrait le mieux sur sa selle. Il vit alors avec effroi que Gavin n'avait pas du tout braqué sa lance sur lui, mais la tenait d'une main lâche ; il la dressa à la verticale et la fit glisser dans sa main droite à l'instant précis où d'Hardouin arrivait sur lui, le flanc sans aucune protection. La lance le prit par le haut, comme l'autour s'abat sur le poulet. Elle l'atteignit à la poitrine et au creux du bras avant même que sa propre lance ait pu seulement toucher le bouclier de l'autre. La douleur, même naissante, était tellement insoutenable que d'Hardouin se jeta volontairement de son cheval pour éviter un nouveau coup. Il tomba, le bras sur son propre bouclier, ce qui lui valut quelques bleus supplémentaires. Mais il y eut bien plus douloureux : l'éclat de rire qui lui parvint au même instant depuis la tribune des dames. Car c'est justement devant elles qu'il était tombé ! C'est lui qui avait choisi la piste intérieure...

Lorsque d'Hardouin se fut redressé avec l'aide de ses valets, il se dirigea vers sa tente. Son jeune adversaire avait déjà disparu. Il ne sut donc pas non plus que Gavin, d'un coup d'éperons et sans mettre pied à terre, s'était rendu dans la tente du seigneur Lionel de Belgrave. Celle-ci était à l'écart. Son propriétaire n'était pas venu participer au tournoi, mais marier sa fille Laurence.

En entrant sous le pavillon, le chevalier dut baisser la tête pour ne pas heurter le tissu. À peine l'ouverture s'était-elle refermée derrière lui que le chevalier ôta son heaume d'un geste brusque. Une longue chevelure cuivrée descendit en cascade sur les ailettes d'acier qui protégeaient ses frêles épaules. Le chevalier était une fille !

D'un bond, Laurence mit pied à terre. Son visage mince rayonnait de fierté après cette joute dont elle était sortie gagnante, même si c'était par la ruse. L'air coupable, elle s'approcha du jeune garçon qui lui tournait le dos, l'air dépité, près du mât de la tente qu'il enlaçait des deux bras. Laurence le contourna. Les poignets du garçon était si bien noués qu'il n'aurait jamais pu se défaire tout seul de ses liens.

— Vous ne vouliez pas me croire, dit-elle d'une voix rauque et repentante, lorsqu'elle vit sa sombre mine. Un chevalier doit aussi savoir perdre un pari avec magnanimité. Il existe des nœuds...

— Sortilèges de bonne femme ! gronda Gavin, un garçon trapu, musclé, qui devait avoir un an de moins que Laurence. Lorsqu'on se laisse entraîner par ces tisseuses de filet...

— ... plutôt que de les observer avec arrogance, on ferait mieux de regarder comment elles font leurs nœuds !

En deux gestes rapides, elle dénoua la corde, qui tomba par terre. Mais Gavin, furieux, garda les bras serrés autour du tronc d'arbre.

— C'est à la lame de l'épée, fit-il en haletant, qu'un véritable chevalier tranche ces chimères produites par les mains de la femme...

— Tel n'était pas notre pari, répliqua Laurence.

Elle détacha le fourreau de ses hanches et le tendit, moqueuse, au chevalier furibond, qui le lui arracha des mains.

— Le pari n'était pas non plus que vous participeriez au tournoi à ma place...

— Je ne vous ai point fait honte, Gavin, dit Laurence en détachant d'abord les brassards, puis les cuissots de son armure. Le plus jeune participant de ce tournoi a envoyé derrière la croupe de son cheval le combattant aguerri qu'est Charles d'Hardouin. Tous ont ri de bon cœur...

— Je ne vois rien là qui prête à rire, Laurence, répondit le garçon. Telle que je vous connais, vous ne m'avez sûrement pas fait honneur, vous avez dû remporter une victoire infamante en usant de vos mauvais tours de Viking.

Gavin parlait à présent d'une voix grave, exprimait un souci presque paternel, si bien que Laurence baissa, l'air coupable, son nez long et droit de Normande. Elle devait éviter que Gavin ne regarde au fond de ses yeux gris et n'y découvre la moquerie. Elle avait bien du mal à réprimer l'hilarité qui la gagnait.

— Vous savez fort bien que mon unique objectif est d'appartenir à l'Ordre des...

— L'honneur des templiers n'a pas été atteint, Gavin Montbard de Béthune. Vous avez sur ce point ma parole de chevalier du Graal...

Ces mots-là parurent franchement grotesques à Gavin.

— Vous continuez à croire qu'une jeune fille peut atteindre à de telles dignités en usant de l'audace, de l'effronterie, de l'illusion culottée et de la quête débridée d'aventure écuma-t-il. Le roi Arthur vous chasserait de la Table ronde avant même que vous n'ayez pu...

— C'est ce que nous verrons ! (Laurence crachait du feu, des étincelles brillaient dans ses yeux, elle rejeta en arrière sa crinière rouge, agacée.) En tout cas, je suis capable de résister à vos lames de templiers arrogants ! Voulez-vous vous mesurer à moi, ici, et sur-le-champ ?

Elle savait, il savait, ni l'un ni l'autre ne pensait vraiment ce qu'il disait. Ce genre de querelles avait agrémenté toute l'enfance de Laurence, au cours de laquelle Gavin, un orphelin de père et de mère, n'avait cessé de surgir. Ils étaient des parents éloignés, et s'appréciaient mutuellement. Mais leur dispute de cette journée-là n'était plus la taquinerie ludique d'antan. Tous deux commençaient à suivre leur propre route, même si chacun ne pouvait accorder à l'autre beaucoup de chances de réussir.

— Vous m'avez fait perdre le plaisir d'aller chercher la gloire à ce tournoi, gronda l'aspirant chevalier de l'ordre des templiers. On n'accordera pas une nouvelle joute au butor anonyme. Je vous remercie, précieuse dame...

— De toute façon, il n'y aura pas d'autre combat...

Laurence, pour le consoler, passa le bras sur les épaules de son compagnon et désigna le toit de la tente, contre lequel cognaient les premières gouttes.

— Vous êtes donc aussi maîtresse des éléments ? demanda Gavin, narquois, avant de se dégager et de se précipiter hors de la tente.

La coiffure rouge feu de la jeune femme brillait comme une torche, depuis la galerie, où elle se découpait sur le ciel qui se teignait de noir. Laurence de Belgrave voyait avec délices arriver la tempête. En dessous d'elle, elle apercevait le champ du tournoi, avec la grande voile blanche en toile de tente qui avait dû protéger la tribune d'honneur des rayons du soleil. Les premières rafales soulevaient à présent les tentures du pavillon ouvert comme une jupe, mugissaient dans les guirlandes et faisaient claquer les fanions. Piaillant et caquetant, les dames invitées, semblables à des poules effrayées, jaillirent de leur cocon devenu incertain et dont le drap se tordait, enflait et tirait sur les cordages. Robes relevées, soutenues par les pages, elles sautaient, bondissaient et trébuchaient vers la porte du château. Quant à messieurs les chevaliers, ils couraient comme des lièvres pour mettre à l'abri leurs chevaux et leur précieux harnachement. Ils hurlaient à leurs écuyers des ordres aussitôt engloutis par le vent furieux.

La tour sur laquelle Laurence comptait braver la tempête était un contrefort du château de Fontenay, une barbacane sans mâchicoulis. Si elle s'était postée ici, ce n'était pas pour mieux voir la place où se donnait la fête, mais parce qu'elle espérait que les yeux émeraude du jeune Châtillon se tourneraient vers elle pour l'épier. Laurence avait choisi pour chevalier le gracieux René. Lorsqu'un bref regard de ses yeux enchanteurs, avec leurs paupières veloutées et liserées de noir, s'était porté l'espace d'un éclair sur la naissance de ses seins, Laurence en avait eu le souffle coupé. Et son cœur battait à tout rompre à l'instant où elle lui avait lancé son mouchoir.

Laurence portait fièrement ses quinze ans. Elle vivait seule avec son père, Lionel, et n'avait jusqu'ici eu d'amour que pour Cœur de Lion. Mais celui-ci avait péri cinq ans plus tôt, d'une mort si triste qu'elle ne voyait plus qu'une issue : le couvent. Sa mère naturelle en dirigeait un dans la lointaine Rome, où elle était abbesse, ce qui l'en avait dissuadée. Laurence avait des problèmes avec cette dame énergique qui leur rendait rarement visite et ne se souciait guère d'elle. Elle ne voulait pas devenir à son tour une mère indigne.

Les gouttes se resserrèrent. Les bourrasques tiraient de plus en plus violemment la voile blanche tendue sur le toit de la tribune. Elle s'était déjà détachée sur un côté. Devant la pénombre bleu-noir qui avait envahi le ciel, le tissu s'élevait en battant furieusement au-dessus des mâts de la tente, enflait puis redescendait, comme piqué par un coup de couteau. Laurence se rappela une image de son enfance, le jour où elle avait été prise dans une tempête avec son père, alors qu'ils traversaient la Manche. Ce n'était pas Lionel qui dirigeait le navire : c'était elle qui avait piloté, droite comme un i, chevelure battant au vent comme une bannière, le navire écumant à travers les flots, affrontant avec témérité les brisants qui s'abattaient sur eux. C'est comme cela que Châtillon aurait dû la voir. Mais il n'avait même pas levé les yeux lorsqu'elle avait envoyé au sol Charles d'Hardouin, cette face de mule. D'ailleurs, pourquoi l'aurait-il fait ? Pourquoi une femme ne pouvait-elle pas se mesurer à visage découvert dans une joute, où l'habileté comptait bien plus que la force brute ? Elle montait sûrement mieux à cheval que la plupart de ceux qui serreraient ici leur selle entre leurs jambes et avaient besoin d'éperons pour lancer leur rosse au galop.

René, bien entendu, était une exception. Même à cheval, il était resplendissant ; ce n'était pas seulement le héros tacite de ce tournoi, mais aussi, hélas, le favori de toutes les dames sur la tribune. La canaille !

Laurence secoua sa crinière, méprisante. S'il n'y avait pas eu ces maudits yeux aux reflets verts dont l'éclat séducteur s'était gravé dans son cerveau comme au fer rouge ! Au diable ! Ce lascar avait accepté son mouchoir, c'est à genoux qu'il devrait le lui rendre !

La pluie tombait désormais sur elle à grosses gouttes. Sur le pré labouré par les sabots des chevaux, qui se transformait peu à peu en bourbier, il ne restait plus que deux silhouettes vêtues de bures. Elles tentaient de dégager une charrette enlisée. Les garçons d'écurie avaient depuis longtemps dételé et mis à l'abri les chevaux de trait. Ceux qui s'échinaient ainsi, arc-boutés ou courbés sur leur carriole, étaient des moines portant l'habit de prédicateurs itinérants.

Le plus vieux des deux s'était présenté à l'assemblée des chevaliers comme un légat pontifical. Qu'il ait espéré, avec son regard de chien berger contristé, convaincre les nobles sires de prêter le serment de croisade avait amusé Laurence. Même la jeune demoiselle de Belgrave, venue de l'Yveline, avait entretemps compris que ceux qui tenaient à participer à cette pieuse entreprise étaient depuis longtemps partis là où les attiraient non point les justes honneurs, mais les riches prébendes et les butins grasseyants : dans la lointaine Constantinople. Il s'agissait cependant d'une ville chrétienne, pour autant que Laurence le sache, et aucun des jeunes nobles restés au pays et qui se donnaient rendez-vous ici ne tenait véritablement à saisir cette offre, pas même en échange d'une absolution générale. Mais le véritable motif n'avait rien à voir avec de pieux scrupules. On disait que la peau de la bête byzantine avait déjà été répartie, coupée menue comme l'une de ces jupes en patchwork que portent les peuplades nomades.

Laurence ne savait pas grand-chose de cette tristement fameuse croisade contre Byzance, bien que toutes les descriptions féeriques de cette ville somptueuse sur le Bosphore, avant-poste hardi de l'Occident chrétien contre un Orient étranger et énigmatique, lui aient tourné dans la tête. S'y rendre en chevalier courageux, voilà un objectif digne d'être visé ! Laurence rêvassait sous la pluie. Elle ne prenait pas garde à l'humidité qui empesait peu à peu sa robe, la faisait coller à sa peau et mettait en valeur d'une manière plaisante, voire provocatrice, sa silhouette de liane et ses seins fermes et ronds. Elle se voyait chevaucher vers la grande aventure, cachée dans une armure étincelante, visière relevée.

Le plus jeune des deux moines, sans doute encore novice, avait entrepris René, qui avait pratiquement le même âge que lui. Laurence avait oublié son nom, son visage de loup ne lui plaisait pas. Comme s'il voulait réaliser son ouvrage de fin d'apprentissage sous les yeux de son supérieur, il avait travaillé René avec une grande habileté. Laurence ignorait si elle devait admirer l'éloquence de ce prédicateur habile à couper les cheveux en quatre, ou se mettre en colère en le voyant ainsi prendre René d'assaut. Et c'était aussi la raison pour laquelle elle s'était retirée sur sa tour, mi-boudeuse, mi-tentatrice : une autre aurait été fière de son chevalier en voyant René plier enfin le genou et prendre la croix. Mais Laurence s'était mise en rage. C'était devant elle que René aurait dû s'agenouiller pour lui réclamer l'hommage amoureux qu'elle lui aurait sûrement accordé !

Mais entre-temps, l'orage était arrivé. Elle était sous la pluie et Châtillon l'avait oubliée. Des larmes de fureur lui auraient jailli des yeux si cela en avait encore valu la peine. C'étaient à présent des gouttes de pluie qui coulaient sur son visage au bout de ses cheveux détrempés. Même les deux moines avaient abandonné leurs efforts autour de la carriole immobile ; ils étaient les derniers à courir sur le pré. Ils ne prêtèrent pas garde à la silhouette qui se découpait sur les créneaux.

Un bras d'homme puissant se posa sur les épaules de Laurence.

— Tu vas attraper la mort, Petit Renard, gronda avec une âpre tendresse Lionel de Belgrave. Le gaillard est depuis longtemps à l'abri dans son trou chauffé...

Il guida prudemment sa fille tremblant de fureur et de froid jusqu'à l'entrée de l'escalier en colimaçon. Laurence accepta avec reconnaissance cette prise ferme contre laquelle elle se serait défendue en temps normaux. Elle savait parfaitement pourquoi son père l'avait emmenée à ce tournoi : c'était moins pour l'introduire dans la société courtoise que pour lui trouver un mari aussi vite que possible.

La salle obscure, dans les entrailles de ce château modeste, presque austère, n'était que faiblement éclairée par le feu vacillant de la cheminée allumé en toute hâte par les serviteurs, en ce milieu d'été. Les fenêtres hautes et étroites étaient protégées par des couvertures et des draps, tant la tempête faisait rage à l'extérieur. Lionel de Belgrave poussa sa fille à proximité du feu, qui diffusait une chaleur bienfaisante. Elle ne s'y rendit qu'à contrecœur. Elle ressemblait certainement à un chat mouillé. Aucun des nobles sires qui réchauffaient leurs pieds devant le foyer, après les avoir libérés de leurs bottes, ne demanderait sa main en la voyant ainsi. Bien fait pour son père !

Laurence se blottit à l'écart. Elle baissa les yeux lorsqu'elle découvrit René parmi les gaillards qui échangeaient de mauvaises plaisanteries. Qu'ils sentaient donc mauvais ! Laurence lança vers l'avant sa chevelure trempée, dissimulant son visage comme derrière un rideau. Tout en peignant ses cheveux emmêlés avec les doigts, elle pouvait garder à l'œil, entre deux mèches, son amour infidèle. Les autres fils de bonne famille qui dévoraient des yeux sa mince silhouette entre deux plaisanteries insolentes laissaient Laurence de marbre. Son père, Lionel, les lui avait présentés par leur nom de famille : le ténébreux sournois, au milieu, était un neveu du comte de Montfort, dont Lionel de Belgrave était un vassal. À côté de lui était assis Charles d'Hardouin, le jeune homme aux traits de cheval et aux dents prééminentes. Son oncle avait été l'un des conquérants de Constantinople, une entreprise que son père avait toujours désavouée : « Leur objectif n'était pas de sauver la Terre sainte, mais d'aller chercher un butin facile sur le Bosphore », disait-il.

Les critiques brutales de son père bien-aimé avaient toujours troublé Laurence : elle considérait que toute participation à une croisade était une mission digne et honorable à laquelle un chevalier chrétien devait se soumettre avec zèle et bonheur. Ses doutes grandirent encore lorsque le légat pontifical, prenant cette fois-ci le ton de zélateur du missionnaire expérimenté, présenta de nouveau « cette affaire qui tient tant au cœur de notre Saint-Père ».

— Cent ans ! Cent ans ! cria-t-il d'une voix proche de l'aboiement tandis qu'il se frayait un chemin vers la cheminée.

Son moinillon, qui le suivait, s'en fut se faufiler entre les jambes tendues des jeunes nobles. Il ne fit pas attention à Laurence, accroupie non loin d'eux.

— Pendant cent ans, reprit-il, Byzance, la grande putain de Babylone, a su priver d'un succès mérité ceux qui avaient accepté efforts, renoncements et sacrifice du sang pour nos croisades en Terre sainte ! Pendant cent ans, elle a bloqué, maltraité, fait chanter les combattants chrétiens marchant sous le signe de la croix !

Il reprit son souffle et observa l'effet de sa diatribe sur les jeunes gaillards. Ceux-ci replièrent timidement leurs jambes nues, mais évitèrent de regarder le prédicateur dans les yeux. Seul le colérique Montfort se permit une objection. Après avoir lâché un pet qui mit aussitôt les rieurs de son côté, il lança d'une voix forte :

— Et que fait donc l'Église avec des concubines ?

Messire le légat avala cette hideuse couleuvre et poursuivit bravement :

— Et derrière le dos des combattants de Dieu (un autre pet de lèvres, lâché cette fois-ci par d'Hardouin, ne put le désarçonner), avec qui se sont alliés ces Grecs schismatiques ?

Missionnaire expérimenté, il laissa le silence qui suivait sa question suggestive alanguir sa langue, comme une hostie imprégnée de miel, puis il reprit :

— Avec les païens, les Turcs, les musulmans, ennemis jurés de Jésus-Christ, notre Sauveur !

— Amen, fit Montfort. Mais dites-moi je vous prie ce que signifie ce « chiemantique ». (Il regarda ses compagnons, attendant une explication.) Nous savons bien que les Byzantins bouffent de l'ail et puent de la gueule. À moins qu'il ne s'agisse d'un mal plus vénéneux qui s'attaquerait aux tripes et ferait même goutter le rossignol, comme lorsqu'on fréquente des filles faciles, cette Babylone, par exemple ?

Ce ne fut pas le mugissement de rire, mêlé à toutes sortes de bruits vulgaires, qui contraignit le légat au silence. Il venait juste de comprendre qu'il s'attaquait vainement à la masse de bêtise accumulée en ces lieux. Il eût volontiers baissé son froc pour montrer ses fesses à ces gamins idiots. Qui sait ce qui se serait passé ! Il lança un regard désemparé à son second, qui semblait n'avoir attendu que cela. Le novice fila comme une flèche et sauta devant ces malotrus.

— *Favete nunc linguis !* s'exclama-t-il en haletant d'excitation.

Il manqua marcher sur Laurence. La présence d'une jeune femme si près de lui, dans son dos, le troubla profondément. Mais il s'en servit comme d'une arme pour repasser à l'offensive :

— Tenez votre langue en présence d'une dame ! lança-t-il, furibond, à un d'Hardouin hébété. Je vous expliquerai ensuite ce qu'est le schisme ! (Sa brutalité eut au moins le mérite d'imposer le silence.) Lorsqu'il y a cent cinquante ans, la Rome orientale accéda au sommet du pouvoir de ce monde, le patriarche de

Constantinople voulut imiter son empereur et s'imagina qu'il était l'égal du Saint-Père sur le trône du Pêcheur. C'est de sa rébellion scélérate qu'est née l'Église « orthodoxe grecque ».

— C'est elle, la « grande putain de Babylone », embraya le légat. C'est elle qu'il fallait anéantir. Le chemin de Jérusalem passait par son corps ! Mais le ventre est encore chaud, d'où est sorti le malheur du schisme ! De nouvelles têtes peuvent encore pousser au dragon byzantin, et c'est la raison pour laquelle nous cherchons des guerriers du Seigneur capables de prêter la main à l'empereur romain de Constantinople dans sa difficile mission.

Le légat cherchait à capter le regard des nobles au premier rang. Seul René lui sourit. Il est vrai qu'il portait déjà avec fierté la croix de tissu qu'on avait accrochée à son pourpoint, sur la poitrine.

— Comment cela, empereur « romain » ? demanda d'Hardouin, croyant être en droit de jouer les ignares à son tour.

Mais le novice accepta l'objection avec reconnaissance.

— Pour exprimer clairement l'opposition et la conquête : la prise de Constantinople, c'était aussi et surtout le triomphe de la seule et unique *Ecclesia catholica romana*, et pas seulement là-bas, sur le Bosphore, mais tout particulièrement en *terra sancta*, où ces traîtres de Grecs...

— Et pourquoi personne aujourd'hui ne part-il libérer la sainte Jérusalem ? (Montfort avait pratiquement craché cette réplique au visage du légat. Il donna lui-même la réponse.) Parce qu'ils chient sur la tombe du Seigneur !

Le représentant du pape recula, effarouché, et marcha sur le pied de Laurence.

— Bougre d'andouille ! s'exclama-t-elle.

La mâchoire chevaline de Charles d'Hardouin s'ouvrit pour laisser échapper un éclat de rire tonitruant. Mais René, lui aussi, avait tourné le regard vers elle et ricanait.

— Ils se vautrent dans le bourbier de la vieille garce de Babylone, se partagent sa tenue de putain, se battent pour le moindre morceau de tissu, comme s'il s'agissait des reliques d'un saint, se moqua Montfort sans s'échauffer particulièrement le sang. Et ils ne songent pas un instant à passer en Asie Mineure pour conquérir Jérusalem, l'objectif céleste dans le renoncement et le sacrifice sanglant, comme l'ont fait nos ancêtres.

Le sombre Montfort remonta un peu dans l'affection de Laurence — mais pour un bref instant seulement.

— Si les choses se passaient ainsi, oui, j'en serais. Mais comme cela ?

Montfort n'attendit pas assez longtemps pour donner au légat indigné l'occasion de répondre. Il résuma son opinion en quelques mots définitifs :

— Je chie là-dessus !

René de Châtillon considéra ces mots comme une provocation et se dressa comme un ressort :

— Retirez ces mots ! exigea le beau garçon.

Laurence était à la fois fière de lui et inquiète.

— Comment cela ? Comment cela ? hennit Charles d'Hardouin.

— Je ne l'accepterai pas. Pas d'un Montfort !

— Ne prenez pas le cadeau s'il ne vous plaît pas, Châtillon.

— Le noble sire René a pris la croix, intervint rapidement le novice. C'était le symbole visible d'une croisade voulue par Dieu et bénie par notre Saint-Père, le *Pontifex maximus*.

S'il n'avait été si gras et si mou, le moine aurait rappelé un chacal. Il était courbé au-dessus de Laurence, qui en était écœurée. S'il lui avait marché sur les pieds, elle l'aurait frappé. Et pourtant, c'était ce novice qui défendait la juste cause de ce chevalier, une cause qu'elle avait aussi faite sienne.

— La croix de la souffrance de Jésus-Christ, signe de son sacrifice et de notre modeste dévouement à sa cause...

— Ha, ha ! éclata Charles d'Hardouin. Mais notre joli René ne connaît que l'art des ménestrels, il se prend même pour un troubadour apprécié, un talentueux trousseur de vers !

— Si messire manie l'épée comme son luth, se moqua Montfort, il est bien possible que les païens déguerpissent !

Le beau visage de Châtillon était devenu blanc comme neige. Laurence retint son souffle. Son chevalier était déjà debout, il n'avait plus qu'à saisir son arme. La main de René tressaillit. La seule chose dont il n'était pas certain, c'était à laquelle de ces deux canailles il devait présenter son épée en premier.

— Vous allez me payer cela ! cria-t-il courageusement.

D'Hardouin se souleva nonchalamment de son siège. Il s'appuya d'une main sur l'épaule de Montfort, retenant celui-ci à sa place.

— Combien voulez-vous ? demanda-t-il, moqueur, en attrapant une hache.

René tira son épée du fourreau et poussa les deux moines de côté : le légat trapu s'était placé entre les combattants. Son moinillon s'esquiva immédiatement. Laurence eut envie de lui faire un croche-pied.

Au même instant, on entendit du bruit à l'arrière de la salle. René rabaissa son épée tandis que Charles d'Hardouin souriait en dévoilant ses grandes dents. Il fouetta l'air avec son fer, comme s'il anticipait le traitement qu'il réservait à son adversaire.

— Que se passe-t-il ici, Roald of Wendower ? fit une voix de femme dont l'accent sonnait comme le sud de l'Occitanie.

Le novice tressaillit, effrayé. Laurence, elle aussi, en fut abasourdie. Seule sa marraine Esclarmonde, comtesse de Foix, pouvait se permettre pareille entrée. C'était une bonne amie de sa mère et, disait-on sous le manteau, une fieffée hérétique devant le Seigneur. Laurence détourna le regard de son chevalier et cessa de se cacher derrière ses cheveux trempés.

René rangea son épée avec un sourire supérieur, et lança à la comtesse un regard provocateur.

— Ce moine a cru, dame étrangère et révérée, devoir défendre l'honneur d'un Châtillon. D'une lignée qui a écrit, pour sa gloire, l'histoire de la Terre sainte et de son royaume.

« Il sait parler, mon chevalier », songea Laurence, qui recommençait à l'admirer beaucoup.

— Et pour ce qui concerne la juste foi, reprit son courageux René, nous pouvons, nous, les Châtillon, en remontrer à saint Bernard. Semblable passé crée des obligations. C'est pour cette raison que j'ai pris la croix, et j'en suis fier.

L'arrivée d'Esclarmonde avait coupé la langue à d'Hardouin. Avant qu'il ne puisse faire des malheurs avec son hachoir, son compagnon le tira par le bras pour le ramener sur sa chaise. Laurence se redressa pour saluer sa marraine. Aux deux chevaliers qui se chamaillaient de nouveau, elle signifia d'un mouvement impérieux de la main qu'ils devaient laisser leur place à leur hôte imprévu.

Esclarmonde de Foix avait une silhouette droite, que l'on aurait presque encore pu qualifier de juvénile. Avec sa chevelure argentée, il était difficile de lui donner un âge. Elle était handicapée par les conséquences d'une chute de cheval, mais son allure n'était pas celle d'une vieille femme impotente. Pour avancer, la comtesse était soutenue par deux hommes. L'un était Gavin, sur le visage duquel Laurence ne parvint pas à déterminer s'il lui avait pardonné, l'autre était son père, Lionel, qui ne faisait pas mystère de son humeur.

— Valeureuse Esclarmonde, commença Belgrave d'une voix oppressée.

Laurence, qui le connaissait, devinait la colère, ou du moins l'agacement que lui causait cette visite inattendue.

— Vous voyez rassemblée ici la fine fleur de la France, ou plutôt ses rejetons qui ne sont pas encore partis pour le pays des Grecs...

Le jeune Montfort l'interrompit brutalement :

— Lionel de Belgrave, ce n'est pas à vous, notre vassal, de déterminer où je dois séjourner. Viens, Karlemann, nous quittons ces lieux.

Tous deux se frayèrent un chemin de côté dans la foule, évitant ainsi le choc avec les nouveaux venus, et quittèrent la pièce.

— Il nous reste donc tout de même, conclut Esclarmonde en faisant signe à René de la rejoindre, le précieux rejeton de la maison des Châtillon, dont la lignée compte effectivement Bernard de Clairvaux. Mais la chrétienté a pu, jadis, tirer toutes les conclusions sur l'action de celui que l'on nomme le « docteur Miel » lorsqu'elle a définitivement été chassée de la Terre promise et repoussée à la mer. Le pillage et la souillure de Byzance n'est qu'un saut supplémentaire du crapaud pourpre dans cette direction.

Ce ne fut pas René, hébété, qui protesta avec indignation, mais le vieux moine cistercien qui avait rang de légat pontifical.

— Il ne vous sied pas, madame, d'injurier l'Église, ses saints et notre seigneur le pape, surtout pas sur le sol de la France catholique. Vous êtes une hérétique, et vous aurez de mes nouvelles.

Puis il se précipita hors de la salle, le visage cramoisi, sans se soucier de son moine. Lequel ne fit pas mine de suivre son maître, mais se serra dans un coin, recroquevillé, ostensiblement plongé dans ses prières.

Esclarmonde de Foix lança à la ronde un regard triomphal.

— La petite averse est passée, annonça-t-elle, enjouée.

Rien n'empêche messieurs les chevaliers d'aller poursuivre leurs batailles sur la verte prairie. Les mouchoirs des dames attendent déjà leurs champions...

La plupart suivirent cette invitation sans équivoque. Laurence serra gentiment dans ses bras sa célèbre marraine, ce qui attira l'attention des hommes restés dans la pièce. Lorsque Roald of Wendower remarqua que nul ne l'observait, il passa rapidement derrière un rideau qui le dissimulait aux regards. Ne voyant plus le novice, ils pensèrent tous qu'il était lui aussi parti.

— Combien d'anneaux se sont ajoutés au tronc ? (La comtesse tenait Laurence devant elle, entre ses bras, et son regard glissait avec plaisir sur la mince silhouette de la jeune fille.) C'est une bien belle créature qui a grandi dans votre maison, lança-t-elle à Lionel, qui eut du mal à dissimuler sa fierté.

— Parfois, effectivement, il me semble que la volonté de Laurence est de me tenir lieu d'héritier mâle.

— Toute jeune femme ne se prête pas au joug du mariage, répondit Esclarmonde d'une voix ferme. Et il arrive aussi qu'elle n'en ait nul besoin.

Laurence se rappela que la dame énergique était veuve depuis longtemps déjà et qu'elle l'était restée malgré des prétendants nombreux et fortunés. Esclarmonde se tourna vers Châtillon, qui ne se sentait pas concerné par l'invitation à quitter la pièce. Les regards honteusement enamourés de Laurence n'avaient pas échappé à la comtesse de Foix.

— Ne brûlez-vous donc pas de prouver au moins au tournoi votre habileté à la lance et à l'épée, noble Châtillon ? Qu'est-ce qui vous retient donc encore ici ? demanda-t-elle au jeune chevalier. Je souhaite m'entretenir en tête à tête avec ma filleule, ajouta-t-elle avec insistance.

C'est Laurence qui se rebella :

— René n'a aucun besoin de se battre avec ces goujats, en tout cas pas pour moi, dit-elle en évitant de le regarder dans les yeux.

Ce fut vers sa marraine qu'elle dirigea son regard incendiaire. Mais son chevalier s'avança devant la grande Esclarmonde et parla, en s'efforçant de prendre une voix ferme :

— Il ne me revient pas de m'opposer aux vœux d'une femme, tout aussi peu qu'un Châtillon se dérobe à la demande de l'Église lorsqu'elle l'appelle à intervenir pour elle, l'épée à la main. Je brandirai aussi volontiers la lance en l'honneur de ma dame si vous... (Il se tourna hardiment vers la jeune femme.) fière Laurence, reprenez votre place sur la galerie.

— Il n'en est pas question ! lui répondit sèchement la comtesse.

Sur ce, Châtillon attrapa Laurence et l'embrassa sur la bouche — dans la bouche. La jeune fille effrayée sentit le serpent qui, en un éclair, glissait entre ses lèvres à demi ouvertes. René, la voyant les yeux écarquillés, lui lança un regard mutin, fit devant elle une profonde révérence et quitta la pièce en quelques pas gracieux.

— Je n'espère pas... (Esclarmonde toussota dans le silence qui régnait à présent)... que vous ayez effarouché le prétendant attendu pour votre fille, mon cher Lionel. Mais consolez-vous : en tant que gendre potentiel, ce lascar n'est pas une bien grande perte. Et il ne mérite pas que tu lui cèdes ton cœur...

Les derniers mots étaient adressés à Laurence, qui paraissait coulée dans le bronze. Le rouge vif de son visage contrastait avec la couleur de ses cheveux qui séchaient peu à peu.

— Il n'a même pas jugé nécessaire de me demander la main de ma fille, dut admettre Lionel dans un grognement.

Laurence baissa les yeux et se remémora le goût du baiser. Elle n'oublierait jamais cette piqûre du plaisir. Ses lèvres lui semblaient avoir été brûlées par des flammes émeraude. Ne sachant que faire, et espérant sans doute retrouver sa bienveillance, elle adressa un sourire à Gavin. Tous tournèrent donc leur regard vers le jeune homme trapu. Rien n'était plus pénible à Gavin que d'être mis dans le même panier que Laurence, son amie d'enfance. Cette créature insolente comme future épouse ?

— Je serai templier, s'écria-t-il, déclenchant le rire de Laurence.

— J'entrerai aussitôt dans l'Ordre ! annonça-t-elle méchamment.

Esclarmonde posa sa main aux fines articulations sur le bras du garçon.

— Gavin Montbard de Béthune est pour moi comme un fils, et s'il a la volonté de servir sous le surcot blanc des moines-guerriers, qu'il suive sa volonté !

— Une vie de renoncement l'attend sous la croix du

Temple, approuva Lionel dans un grondement, une existence qui ne tolère aucun lien familial.

— Gavin est orphelin, précisa la comtesse. Et jusqu'à sa majorité...

— On m'y acceptera avant, l'interrompit le garçon, sûr de lui.

« Il a le crâne aussi dur que le mien », pensa Laurence, et elle adressa de nouveau à son ami au regard grave un sourire encourageant auquel celui-ci répondit enfin. Esclarmonde reprit, impassible :

— ... jusqu'à ce qu'il prenne l'épée, il est à mon service.

L'espièglerie brilla alors dans les yeux du garçon, et Laurence sut qu'ils se comprenaient de nouveau. « Laisse donc parler les anciens », sembla-t-elle lui dire. « C'est ce que je fais ! » Lionel, en revanche, jugea totalement déplacée l'intervention de la comtesse de Foix.

— Voilà une excellente manière de préparer ce jeune homme à son admission dans l'ordre très chrétien des templiers, lança-t-il d'une voix moqueuse.

— Comment dois-je l'entendre, Lionel de Belgrave ? répondit sèchement Esclarmonde.

— Je veux dire que vous autres, dans le Sud, êtes tous des hérétiques dans l'âme, ma chère, dit Belgrave sans vraiment choisir son camp.

Mais Esclarmonde ne l'entendait pas ainsi :

— Sur le siège de Pierre trône l'Antéchrist, qui veut la perte de l'Occitanie, et cela ne convient que trop bien au roi, à Paris. Je vais trouver des moyens pour empêcher une alliance aussi funeste. Mon plan est de...

Ici, Lionel l'interrompit brutalement :

— Je n'en veux rien savoir. En tant que chevalier de la France, je commettrais une haute trahison, et j'y perdrais la tête.

Il s'était rapidement mis en rage. Sa fille souriait discrètement à Gavin, mais celui-ci regardait droit devant lui, comme si tout cela ne le concernait en rien.

— Et vous faites preuve à mon sens d'une bien grande irresponsabilité en impliquant dans cette affaire le jeune homme qui vous a été confié. C'est encore un gamin. Ma fille ne sera pas exposée plus longtemps à la mauvaise influence d'une marraine pareille. Viens, Laurence !

Il s'était dressé, hors de lui. Laurence hésita.

— Je ne suis plus un enfant, répondit Gavin, agacé. Et vous n'êtes pas mon tuteur...

— Séductrice ! tonna Lionel. Vous et vos idées de cathare (il prit la main de sa fille), vous corrompez l'âme d'enfants innocents !

— Calmez-vous, père ! lui ordonna Laurence en évitant de l'appeler Lionel comme elle le faisait d'habitude : elle ne tenait pas à ce que son autorité souffre encore plus de cet incident public. Je vous suivrai docilement, ajouta-t-elle, alors qu'elle venait de prendre la décision de ne plus en faire qu'à sa tête. Si je suis déjà suffisamment adulte pour que vous me cherchiez un époux sans me demander mon avis, alors j'ai aussi le droit de me laisser séduire par qui il me plaira ! (Elle pensait bien entendu à Châtillon, et chacun devait le savoir, à commencer par messire son père.) Je connais suffisamment les hommes. Quant à votre querelle sur l'orthodoxie latine, la juste foi des hérétiques et la doctrine absconse de l'antipape, elle n'intéresse personne ! En tout cas, pas moi ! Voilà ! Sur ce, nous pouvons y aller !

Belgrave en était resté coi. Mais il retrouva ses esprits assez tôt pour faire porter à Esclarmonde la faute de la rébellion de sa fille.

— C'est aujourd'hui la dernière fois que vous voyez Laurence ! annonça-t-il en se redressant. Je vous dégage de votre charge de marraine !

Cette fois, Laurence ne put échapper à son emprise ; et elle ne jugea guère avisé de répondre. Il poussa rudement sa fille devant elle, sans même lui laisser le temps d'un au revoir. Arrivé au seuil de la porte, il se retourna une fois encore.

— Ce ne fut pas un plaisir. Gente dame, valeureux sires...

À peine le père furieux avait-il quitté la salle en claquant la porte, qu'Esclarmonde éclatait d'un rire sonore, aussitôt imité par Gavin. Même le novice, dans sa cachette, ricanait tout seul. Quelle femme, cette rouquine !

— Faites-moi venir Châtillon. Ainsi que Roald of Wendower ordonna la comtesse à son accompagnateur. Ensuite, nous quitterons ces lieux. Je ne veux pas passer sans nécessité la nuit en terre ennemie.

Le jeune homme qui espionnait, revêtu de sa bure monacale, s'était figé d'effroi en entendant son nom : ils allaient le chercher partout ! Mais Roald of Wendower n'osa pas sortir de sa cachette. La comtesse le ferait épouvantablement rosser, sinon pire. Le novice tremblant demeura donc à l'abri de son rideau. Ses tourments allaient vite être récompensés. Lorsqu'il entendit la suite, Roald of Wendower eut du mal à en croire ses oreilles.

La Prophétie

Des serviteurs avaient recouvert de paille le sol en pierre de la salle des chevaliers, et apporté des tapis et des couvertures pour tous les participants de ce tournoi — gâché par la pluie — qui n'avaient pas quitté le soir même le château de Fontenay. Au cours du maigre souper que l'on avait pris dans la cuisine du château (tout de même agrémenté avec le jambon de cochon sauvage suspendu et bien arrosé de vin), Châtillon s'était attiré les bans des chevaliers : il était tout de même parvenu à envoyer derrière la croupe de leur cheval aussi bien le puissant Montfort que Charles d'Hardouin. Tous deux étaient repartis sur leur monture ; les deux moines, eux aussi, s'en étaient allés, si bien que René de Châtillon put laisser sans se gêner ses compagnons célébrer sa victoire. Une coupe après l'autre, il dédia ses victoires à sa *dama*, tout en lançant à Laurence des regards étincelants de ses yeux d'émeraude. Mais il n'en fit pas plus et n'adressa pas un mot au père qui se trouva soûl assez rapidement et que sa fille dut accompagner de bonne heure au campement nocturne. Même la tête lourde, Lionel de Belgrave veilla à ce que Laurence se couche dans un coin protégé, près du mur, tandis que son propre corps massif barrait tout accès, pareil à un fidèle saint-bernard. Il s'était aussitôt endormi en ronflant. Laurence demeura longtemps éveillée, et fit seulement mine de dormir lorsque les serviteurs raccompagnèrent à la torche les derniers buveurs.

À peine l'obscurité était-elle retombée dans la salle, à peine ses yeux s'étaient-ils habitués à la lumière nocturne qu'elle vit, comme une ombre, une main inconnue surgir derrière la tête de son père. Des doigts tâtonnants cherchèrent le visage de la jeune femme et finirent par trouver ses lèvres. Laurence se demandait si elle devait les présenter ouvertes à l'animal qui tentait d'y pénétrer, mais déjà le serpent avait trouvé son chemin. Laurence, effrayée, le mordit. Le reptile recula d'un bond et se déposa de travers sur sa bouche pour l'empêcher de crier. La tête de Laurence était posée au creux d'un bras. Elle n'osait pas bouger. Avec l'autre main, elle chercha les doigts inconnus, les serra fermement et les dirigea vers sa bouche. La méduse prit alors son temps ; les phalanges massèrent tendrement le creux de sa main, glissèrent de haut en bas sur ses articulations. Laurence enfonça ses ongles dans le mont de Vénus endurci et tira à elle la bête poilue qui se trouvait à son extrémité, passa en un éclair la langue sur la peau salée et ne laissa que le majeur entre ses dents de louve. Ses lèvres encerclèrent tendrement l'intrus nu que sa langue gâtait de caresses de plus en plus brûlantes, tandis que l'insolent décrivait des cercles et avançait par à-coups dans la grotte. Laurence l'aspira jusqu'à la garde. Elle aurait tant aimé crier, échanger sa gorge, sa langue et ses lèvres contre tout ce qui s'agitait au tréfonds de son ventre, tourmenté par l'envie et le désir. Elle serra les cuisses et repoussa l'animal. Elle enfonça son visage brûlant dans le tapis, en s'efforçant de ne pas bouger trop brutalement la tête. Elle se serait mise à gémir, tant la fureur, le bonheur, le renoncement et un espoir sauvage et résolu se disputaient en elle. Des larmes de compassion lui vinrent, elle réprima à temps un sanglot. Laurence s'enroula derrière son père qui ronflait, et décida de chercher l'oubli dans les bras de Morphée.

Elle ne l'avait pas encore trouvé lorsque l'homme aux yeux émeraude passa timidement la main dans sa chevelure rousse. Sa main avança doucement vers lui, elle voulait le surprendre. Mais lui savait ce qu'il voulait : il passa doucement sur ses membres étendus jusqu'à ce qu'il ait trouvé le doigt qu'il cherchait. Laurence, tremblante, sentit qu'il lui passait un petit anneau, vérifiait sa bonne tenue, et repartait sans rien dire. Elle n'osa bouger ni l'annulaire, ni la main. Elle aurait aimé s'endormir avec ce bijou, mais il fallait éviter à tout prix que Lionel ne le découvre le lendemain.

Elle cherchait encore un lieu susceptible d'échapper à la vigilance de son père lorsqu'elle entendit un grattement à côté d'elle, dans la boiserie. Elle songea d'abord à des rats. Mais elle retint ensuite son souffle : cet insolent de René allait-il... Elle osait à peine respirer. Elle tourna lentement la tête vers le mur. Une fente s'ouvrit doucement entre les planches. Laurence ne voyait rien, mais elle sentit l'air de plus en plus froid qui s'infiltrait, puis, dans un souffle, la voix de Gavin. Il devait être tout près d'elle : elle croyait sentir dans son oreille la chaleur de son souffle.

— Esclarmonde souhaite vous voir, murmura son ami.

Laurence s'imagina aussitôt une aventure palpitante ; mais les ronflements de son père tempérèrent sa soif d'action.

— Que se passera-t-il si Lionel remarque mon absence ? chuchota-t-elle, soucieuse, en direction de la fente.

Elle perçut un murmure et remarqua une deuxième voix masculine. Châtillon, cette tête brûlée, avait-il inventé la demande d'Esclarmonde dans le seul but de pouvoir l'enlever ? Mais son ami si fiable l'ôta de cette pensée gratifiante.

— Roald of Wendower serait honoré de pouvoir prendre votre place pendant ce temps-là.

La canaille ! Gavin n'avait donc trouvé personne d'autre que ce novice lubrique ! C'est avec les hauts-de-chausses baissés qu'il se presserait dans le creux chaud laissé par son corps dans la litière. Mais après tout, la seule chose importante était qu'elle se débarrasse de lui lorsqu'elle reviendrait sur son lieu de sommeil. Laurence glissa comme une salamandre dans la paille, pour rejoindre l'entrebâillement. Elle sentit le mur froid sur lequel elle se redressa prudemment tandis que le jeune moine passait en rampant à ses pieds. Wendower se plaignit auprès de Gavin :

— Mais où court donc cette flamme rouge feu qui me consume ? geignit-il à voix basse, mais suffisamment forte pour que Laurence ait pu l'entendre. *Statua aenëa*, la déesse que vous m'avez promise ?

— Il faut juste qu'elle s'échauffe un court instant, chuchota Gavin en réprimant un gloussement.

Le jeune chevalier rusé ne donna peut-être pas un coup de botte au novice, mais son pied le poussa en tout cas fortement à travers la trappe entrouverte.

— Et ne bougez pas ! ordonna-t-il encore. Si messire Lionel découvre...

Il n'alla pas plus loin dans l'énoncé de sa menace, prit Laurence par la main dans l'obscurité et s'en fut avec elle.

Ils quittèrent le château par une porte dérobée qui ne servait manifestement plus depuis longtemps. À l'extérieur, Gavin avait attaché son cheval à un arbre. Ils y montèrent à deux ; Laurence dut fermement s'agripper à son ami, car, dans l'obscurité, l'animal pouvait trébucher ou se cabrer à n'importe quel instant.

— Étiez-vous donc forcé de choisir ce prêcheur exécrable ? lui reprocha-t-elle sur le ton de la plaisanterie, tandis qu'ils traversaient en biais le terrain de tournoi, détrempé par la pluie.

— Qui d'autre serait allé se coucher dans un lit vide, à côté d'un père dragon ronflant déjà à l'idée de la vengeance ? répondit Gavin par-dessus son épaule. Nous l'avons trouvé, tremblant, derrière le rideau, suçant un petit foulard humide que vous aviez sans doute laissé tomber, Laurence. Il l'embrassait avec ferveur et disait qu'il voulait mourir pour vous.

— Et maintenant, ce malheureux subit les mille morts à côté de Lionel !

La compassion de Laurence ne dura que l'espace d'un éclat de rire cristallin. Puis elle fut saisie par l'idée que c'était certainement le mouchoir qu'elle avait donné à René, et qu'il avait dû laisser tomber dans la boue sans y prendre garde ! Mais elle se maîtrisa et demanda :

— Et pourquoi Na' Esclarmonde veut-elle me parler au milieu de la nuit ?

— Parce que d'ici le lever du jour, un célèbre oracle, tout près d'ici... Mais je ne puis vous en dire plus : il s'agit de votre avenir...

Esclarmonde attendait sa filleule au bord de la prairie du tournoi, derrière laquelle s'étendait la forêt de Fontenay. Comme toujours, elle voyageait avec sa chaise à porteurs ; elle y fit monter Laurence. Gavin avançait au trot derrière les porteurs ; devant couraient deux serviteurs portant des torches ; à l'arrière, une petite escorte d'une douzaine d'hommes en armes les suivait à cheval. Laurence trouvait tout cela extraordinairement excitant, malgré sa peur d'être découverte.

— Mais si mon père... ?

— Papa, le papaaa ! répondit la vieille dame avec une once

d'impatience. Lionel va ronfler jusqu'à demain matin, son vin est passé par les mains expertes de mon goûteur. (Elle poussa un petit rire.) Il faudrait que le moinillon lui secoue puissamment le corps.

Laurence décida de se comporter en adulte.

— Dans le délire des sens, il pourrait le confondre avec moi...

Cette idée égaya la dame à l'air sévère.

— Ne mets pas ta lumière sous le boisseau, Laurence. Tu connais ton attrait, sur les femmes comme sur les hommes.

Ces mots atteignirent Laurence comme un coup au ventre.

— Pourquoi me dites-vous cela ?

Dans la pénombre de la litière, elle ne pouvait discerner le visage d'Esclarmonde. Lorsque la lumière de l'une des torches qui les précédaient tomba par la fenêtre ouverte, Laurence crut discerner un sourire supérieur.

— Je veux que tu te reconnaisses toi-même à temps.

Laurence se sentit mal à l'aise, mais sa curiosité l'emporta.

— D'où vient cet intérêt subit pour une petite oie blanche comme moi ?

— Les rousses de ton espèce peuvent sans doute jouer le rôle de l'oie, mais le plus souvent elles dissimulent un petit renard malin. Je veux savoir si nous pouvons compter sur toi.

— Qui donc, *nous* ?

— Tu le sauras lorsque le temps sera venu.

L'entretien était arrivé à son terme. Laurence regarda à l'extérieur, dans la sombre forêt dont les troncs jetaient à la lueur des torches d'inquiétantes ombres mobiles, se transformaient en géants dont les bras semblaient se tendre vers elle, tandis que, derrière les buissons au ras du sol, se tenaient accroupis des gnomes qui prenaient le large, effrayés, en voyant apparaître la litière. Elle entendit le roucoulement des pigeons sauvages et le cri de la hulotte, le bruissement des feuilles et celui du sous-bois. La pleine lune perça les nuages, déversant une lueur argentée sur les arbres et leurs branches.

Les événements lui revinrent en mémoire avec force. Alors seulement, Laurence osa laisser libre cours à ses sentiments — l'ambiance de la forêt nocturne était trop puissante pour elle. Elle avait un secret, et même le regard pénétrant de la rigoureuse Esclarmonde ne pouvait le lui arracher. Personne ne devait tenter de la séparer de son prince bien-aimé — que

Gavin, ce sans-cœur, avait échangé contre une grenouille vis-
queuse — pour l'enlever dans la forêt enchantée d'Esclarmonde, la grande magicienne. Laurence laissa échapper un
soupire de délice. *Quel nèy !*

Le petit cortège transportant la litière déboucha dans une
clairière à l'extrémité de laquelle se dressait un mur gris envahi
par le lierre. En approchant, Laurence discerna une porte en
arc cintré et pensa qu'elle trouverait, derrière, une chapelle,
même si aucune croix chrétienne n'en indiquait la présence.

Esclarmonde ordonna que l'on dépose la chaise à porteurs.

— Tu es déjà venue ici, dit-elle seulement à sa filleule, en
laissant Gavin, aussitôt accouru, l'aider à descendre.

Les porte-flambeau lui éclairèrent les marches au fur et à
mesure qu'elle montait. La tonnelle formait un rideau naturel
derrière lequel la dame disparut.

Gavin, l'épée à la main, se posta devant l'entrée, jambes
écartées comme le gardien d'un sanctuaire, interdisant ainsi à
Laurence de suivre sa marraine. Savoir que de mystérieuses
puissances désiraient sa collaboration la préoccupait pourtant
beaucoup.

Gavin finit par l'appeler. Elle sauta de la litière où elle
réfléchissait encore, monta en courant les marches usées.
Gavin écarta galamment le voile de lierre devant elle, comme
s'il s'agissait du rideau masquant l'entrée en scène de la reine.
Laurence pénétra dans une petite église sans toit, dont la voûte
s'était effondrée. La lune paraissait suspendue au-dessus de la
couronne des murailles, rongées par les intempéries. Mais ce
n'était pas ce spectacle-là qui fascinait Laurence : devant elle,
le sol s'ouvrait pour former un trou, de la longueur et de la
largeur d'une tombe. Sous les gravats des tuiles tombées du
toit, des marches menaient vers les profondeurs. Elle y vit briller une lueur, et elle entendit la voix de sa marraine :

— ... toujours jeune comme un veau de lait, qui aime
lécher le sel de l'amour stupide et des aventures irréfléchies,
mais ne cherche nullement la *lapis ex coelis*...

Laurence écoutait, dans un mélange d'excitation et d'agacement. Elle n'était pas un veau idiot que l'on mène, sans
volonté, jusqu'à l'abattoir. Quelle que soit l'identité du boucher.

— Une fois qu'elle aura léché le sang de ses premières
blessures, dit l'autre voix, dont Laurence n'aurait su dire si elle
était celle d'une vieille femme ou d'un grabataire, alors elle se

protégera mieux. Et c'est la première condition pour une gardienne telle que vous la voulez.

Laurence avait fait rouler un caillou sur l'escalier. Les voix se turent. Elle glissa et arriva en trébuchant dans la crypte creusée dans le roc. Seules quatre petites lampes à huile, dans les coins, illuminaient la grotte. Devant elle, sur un banc de pierre, trônait Esclarmonde. Dans la pièce, Laurence ne put discerner d'autre créature vivante. Dans la direction où regardait sa marraine, la paroi rocheuse s'ouvrait pour former une niche haut perchée, dans laquelle se dessinait une noire silhouette féminine. Elle avait été sculptée dans le bois sombre ou repeinte à la poix. Elle paraissait moins balourde que terrienne et vigoureuse : les hanches larges, une poitrine rebondie qui, loin de se cacher, s'offrait sans fausse pudeur à celle qui l'observait. Les lèvres charnues paraissaient légèrement ouvertes, les longs cils au-dessus des globes oculaires ronds et larges étaient en revanche baissés et prometteurs. La statue n'était pas inspirée par une personne vivante : Laurence n'avait encore jamais vu pareille peau sombre, des lèvres aussi rouges et brillantes, une poitrine aussi puissante. La peinture s'était écaillée en de nombreux endroits. Ce personnage était-il une déesse païenne ? Ou était-ce à cela que ressemblaient les « idoles » ?

— Qui cette dame est-elle censée représenter ? demanda Laurence.

Elle était consciente de son insolence, mais ne voulait pas baisser la garde. Esclarmonde ne releva pas le ton de Laurence, et ne la regarda pas. Son regard restait fixé sur la statue.

— Le fait que tu ne reconnaisses pas Marie montre seulement combien tu en sais peu sur elle, dit-elle sans nuance de reproche. Assieds-toi près de moi et parle lorsqu'on te le demandera. Ce ne sont pas seulement tes réponses, mais aussi ton comportement qui révèlent ta personnalité, Laurence.

— À qui ? explosa la jeune fille. À qui dois-je parler ici ? Au milieu de la nuit, dans une grotte de druides, face à...

— Ce n'est pas si mal deviné, la félicita sa marraine. À moi, à toi, à *nous*...(Elle baissa la voix.) Et à présent, prends patience et rappelle-toi bien ce que je t'ai dit.

Et sur ces mots, la vieille dame plongea dans un mutisme qui ne souffrait plus le moindre trouble. Laurence haussa les épaules et l'imita. Na'Esclarmonde priait-elle ? Qui était la gardienne qu'elle attendait ? Ce n'était tout de même pas elle ? Elle voulut dire tout de suite qu'elle ne tenait pas du tout, elle, Laurence de Belgrave, à jouer les bergères, pour quelque troupeau que ce soit. Elle voulait...

— Quelles vertus distinguent le chevalier ? demanda la voix fragile qu'elle avait déjà perçue. Laurence ne put déterminer qui, depuis la niche, lui parlait — ou se moquait d'elle. Elle se rappela la mise en garde d'Esclarmonde.

— Il intervient pour défendre les faibles, il sert la vérité, il est noble... (Elle s'interrompit, furieuse.) Je veux devenir chevalier du Graal, et rien d'autre ! lança-t-elle, à l'adresse de sa marraine qui ne broncha pas.

La voix de la princesse invisible ne trahissait, elle non plus, aucune émotion.

— Tu as bien conscience, Laurence, qu'un chevalier du Graal — pour autant qu'il est admis dans cet illustre cercle — consacre son existence tout entière à la quête du Graal, en renonçant à tout ce qui ne sert pas cet objectif, dans une totale abnégation, sans que nul ne lui apporte la moindre douceur, et sans même avoir la perspective de se trouver jamais devant le Graal. Le chemin qui y mène est la quête. Et la quête est son unique objectif.

Cela plut à Laurence, même si elle ne s'était pas imaginé que tout cela pouvait être aussi exténuant. Il s'agissait peut-être de la première épreuve qu'elle avait à franchir ?

— J'y suis prête, déclara-t-elle d'une voix ferme.

En réalité, cette explication l'avait troublée. Elle lança un regard incertain à Esclarmonde, assise à côté d'elle. Mais celle-ci paraissait cependant aussi éloignée que la lune.

— Là où tu attends des victoires, tu subiras d'amères défaites. De la pire des pertes, tu tireras profit.

Laurence comprit d'un seul coup, et répondit avec ferveur :

— Aucune défaite ne doit m'abattre, aucune victoire me laisser dans l'arrogance.

La voix se tut. Esclarmonde se racla la gorge.

— Ne considérerais-tu pas que tu as perdu une bataille si tu devais cesser de conquérir le statut de chevalier du Graal, et envisager le rôle de gardienne ?

— Jamais ! s'écria Laurence, indignée, en bondissant sur ses jambes. Avec ou sans votre accord ! Même vous, valeureuse et vénérée marraine, ne pourrez m'en dissuader.

— Tu seras chevalier du Graal, reprit la statue de la Vierge noire, si tu parviens à incarner son idéal et si son esprit te fait oublier le corps que t'a donné le démiurge.

La voix s'animait au fur et à mesure que ses mots prenaient de l'importance. Laurence entendait le poids qui paraissait peser sur le souffle de la vieille. Mais elle poursuivit, implacable :

— Si tu ne t'élèves *pas* à cette hauteur spirituelle, celle où se situe le Graal, si tu demeures un chevalier prisonnier de la matière de ce monde, alors ta nature féminine te reviendra brutalement au visage. Car les chevaliers de ce monde n'aiment pas avoir de femmes dans leurs rangs, ils te traiteront avec moins de pitié encore que n'importe quelle scélérate dont la tête a été mise à prix. Tu leur seras livrée sans le moindre droit, ils te déchireront, ils te briseront et te haïront. Tu verras arriver comme une grâce le coup qui t'apportera la mort.

Laurence s'était courbée sous le flot des images atroces, les mains posées sur le visage. Elle resta ainsi, pétrifiée. Elle n'avait jamais imaginé pareilles conséquences !

La jeune femme faisait de la peine à Esclarmonde, mais elle ne le montra pas.

— Tu ne dois pas suivre cette voie, Laurence, dit-elle en brisant le silence. Je t'en ai montré une autre.

Laurence cherchait les mots qui lui permettraient de sortir dignement. Elle n'en trouva pas, mais elle n'accepta pas le chantage. Elle prendrait son destin en main. Seule.

— Je veux sortir d'ici ! cria-t-elle, furieuse.

Cela n'impressionna personne. Elle ne se sentait pas de taille à quitter la salle en tournant simplement le dos à cette diablesse noire.

— Tu ne peux échapper à ta vie, Laurence, fit la voix, presque bienveillante à présent, sauf à la rejeter. Mais tu n'y parviendras jamais, tu l'aimes trop pour cela, quels que soient les coups qu'elle t'inflige. (Les mots de la prêtresse paraissaient désormais de plus en plus lointains. Ils se firent de plus en plus bas, comme soufflés par le vent de lune.) Tu seras depuis longtemps vieille et grise lorsque te seront donnés deux enfants qui portent entre leurs mains le destin du monde. Tu seras leur gardienne, dans la joie. Tel est ton destin.

La voix se tut. Pendant une longue période, Laurence n'osa pas lever la tête et regarder Esclarmonde dans les yeux. Elle leva les sourcils. Elle ne paraissait pas satisfaite du résultat de cette réunion.

— Nous allons voir, reprit-elle sans dire qui était ce « nous », si tu discernes à temps quel chemin tu ne dois *pas* prendre.

— Je vous prouverai, madame ma marraine, que je suis en mesure de faire mes preuves. Comme chevalier ! Comme chevalier du Graal !

Esclarmonde se leva sans un mot et monta les marches après être passée devant Laurence. La jeune femme la suivit, abasourdie.

Lorsque le père et la fille s'éveillèrent, au petit matin, René et tous les autres étaient partis avec leurs chevaux depuis longtemps. Auparavant, le novice, pris d'une rage muette, s'était faufilé par l'entrebâillement de la trappe, lorsque Gavin l'avait enfin délivré de sa mission. À l'aube de ce matin d'été, Laurence s'était levée en silence. Ils chevauchaient à présent dans la forêt encore trempée. Elle n'avait pas échangé un mot avec Lionel.

Une bonne journée de cheval les séparait de leur village de Ferouche. C'est là qu'elle avait grandi, presque seule avec son père ; c'est sans doute là aussi qu'elle était née. Sa très digne mère, la dame Livia di Septimsoliis-Frangipane, apparaissait plus rarement que les mouettes dans son château de l'Yveline, une charmante campagne au sud-ouest de Paris. Eux y venaient au moins une fois par an. Laurence ne voulait pas interroger son père sur la vie de la femme dont il avait fait sa mère — ou qui l'avait fait père de cette fille rebelle. Lionel savait blesser. Il souffrait certainement plus de cette séparation que l'abbesse, qui présidait aux destinées d'un couvent de nonnes portant le nom d'Immacolata del Bosco, à Rome, la superbe. Elle était la preuve éclatante que l'on pouvait donner une forme très divertissante à la vie du couvent.

À deux reprises, Laurence s'était rendue en Angleterre avec son père ; elle avait visité à Leicester les anciennes terres des Belgrave, où grouillaient les gamins normands aux cheveux roux, tous leurs cousins, d'effroyables lascars. Mais c'est auprès d'eux qu'elle avait appris à monter à cheval, à tirer à l'arc et à se battre. Lionel voulait faire de sa fille indocile une jeune dame désirable, lui trouver un parti brillant. Il oubliait juste que le nom ronflant d'une vieille lignée noble de guerriers ne remplaçait nullement l'absence de dot. Cela, le tournoi de Fontenay l'avait prouvé de manière éclatante. Laurence n'était certes pas un vilain petit canard, mais aucun des seigneurs présents n'avait fait quoi que ce soit pour la ramener chez lui. C'est vrai, Châtillon avait finalement mordu à l'hameçon, comme le prouvait l'anneau dans son sac de voyage, mais sa grande famille n'avait aucune possession digne de ce nom. Un *abenturé*, avait dit Esclarmonde, et un coureur de jupons par-dessus le marché. Mais Laurence savait ce qu'il en était. Elle était tombée amoureuse de ce René. Et il l'aimait. Elle n'avait aucune envie de le laisser s'en aller comme cela. Elle devait désormais prendre les choses en main.

Elle aurait aussi volontiers interrogé son père sur ce que l'on avait appelé l'hérésie d'Esclarmonde de Foix. Mais celui-ci aurait peut-être senti, alors, que sa fille bien-aimée s'intéressait plus qu'elle ne l'aurait cru à cet univers religieux des « égarés », à des conceptions que l'on ne pouvait certainement pas concilier avec les dogmes courants de l'*ecclesia catholica*. Mieux vaut ne pas réveiller l'eau qui dort, avait-il lui-même coutume de dire. Elle s'en tint à cela.

Peut-être devrait-elle en parler à Gavin, à la prochaine occasion. Son ami jouait de toute façon un rôle important dans scs réflexions. Il avait dû lui promettre, bras tendu, qu'il ne la laisserait pas vieillir et devenir grise à Ferouche. Gavin l'avait promis à Laurence : il l'enlèverait avant de partir rejoindre les templiers. Et elle était sûre qu'il tiendrait parole.

— Ne soyez pas si soucieux, Lionel.

Laurence avait décidé de parler de nouveau à son père.

— On dirait que l'averse vous a couvert de grêle. Ce n'était pourtant qu'un tournoi gâché par la pluie au fin fond de la province, il suffisait de regarder un peu les participants pour s'en convaincre, car je suis toujours à prendre...

Son père éclata de rire.

— Je devrais peut-être faire le vœu de conserver encore longtemps mon Petit Renard. Ne soyez donc pas triste, ma chère fille, de ne pas avoir pu placer du premier coup votre jolie petite tête...

C'était la première fois que Lionel remplaçait le « tu » familier avec lequel on s'adresse aux enfants par le « vous » en vigueur entre adultes. Cela emplit Laurence de fierté. Mais elle en était triste, en même temps, sachant qu'elle allait bientôt causer à son père une grande souffrance. Pour l'heure, cependant, elle voulait juste le divertir.

— Vous m'auriez sûrement confiée à Charles d'Hardouin ; au moins, j'aurais eu un gentil cheval, plaisanta-t-elle.

Lionel répliqua aussitôt : « Vous l'auriez rapidement mis hors de selle. En revanche, le fils de notre comte...

— Celui-là, je l'aurais abattu avant même la nuit de noces, ou j'aurais mis fin à mes jours, l'informa Laurence. Je suis une petite fille gâtée, s'exclama-t-elle en riant. Qui donc a pour père un homme aussi admirable que l'insigne seigneur Lionel de Belgrave ?

— Ah, mon Petit Renard..., soupira celui que l'on flattait ainsi ; il ne put s'empêcher de sourire.

Laurence éperonna son cheval, et ils accélérèrent le pas. Ils firent bientôt la course au grand galop, franchissant les haies et les barrières, liés, heureux, dans une chasse sauvage, de celles que seuls un père et une fille peuvent livrer avec tant d'insouciance.

Premier rapport de Roald of Wendower

Au maître des Services secrets,
Rainer de Capoccio, diacre-cardinal des Cisterciens

Au cœur de la France, au mois d'août Anno Domini 1205

Excellence,

Permettez à celui que vous ne connaissez pas, le plus petit rouage du moulin de Dieu, de faire dans la plus grande obéissance son rapport à la place du légat par vous envoyé, mon maître vénéré et sans pareil, car c'est à moi seul qu'il a été donné de vous servir comme témoin oculaire.

Dans la poursuite toujours vigilante de l'hérésie en Occitanie et au Languedoc, sous le manteau discret du missionnaire appelant à la croisade depuis peu victorieuse contre les Grecs schismatiques, nous avons prêché au tournoi de Fontenay, où nous avons rencontré avec surprise l'hérétique endurcie qu'est Esclarmonde, comtesse de Foix. Que venait faire ce serpent dans la gueule des lions, fidèles défenseurs de la juste foi ? Le tableau des concurrents, assez peu nombreux par rapport à la moyenne, parut au premier regard n'éveiller aucun soupçon : les fils puînés des maisons de Châtillon, d'Hardouin, de Montfort (pour n'en citer que quelques-uns), mais aussi dans le lot un vassal des deux derniers, un certain Lionel de Belgrave, en compagnie de sa fille Laurence, pour laquelle il espérait sans doute trouver un époux. Lui-même inoffensif, mais sa fille extrêmement séduisante, admettons-le, devint aussitôt et à juste titre l'objet de notre attention, la charnière involontaire d'un mécanisme criminel qu'il nous faudra conserver sous notre surveillance. Avec le flair que m'a donné votre école, Excellence, je me suis cependant collé aux talons de l'hérétique de Foix, car il s'est avéré qu'Esclarmonde est précisément la marraine de cette fille.

Je ne me trompe certes pas en supposant qu'à Constantinople, un religieux du nom de Guido della Porta travaille à votre service. Il ne me revient pas de mettre sa loyauté en doute, mais il est impliqué dans des liens familiaux inextricables qu'il me faut vous exposer. Sa mère, Livia di Septimsoliis, honorable mater superior *du couvent* L'Immacolata del Bosco, *sur le Monte Sacro à Rome, est en effet identique à une redoutable Lady d'Abreyville qui a donné naissance en mariage morganatique avec Lionel de Belgrave, à leur fille Laurence. L'Esclarmonde déjà mentionnée, autoproclamée, vous le savez, « Gardienne du Graal », veut désormais utiliser cette relation comme pivot d'un ensemble d'actions hostiles manifestement dirigées contre Rome et la France. Cette année, elle a déjà ordonné d'achever sur sa cassette personnelle la construction du château de Montségur, qui ressort de son comté, afin d'en faire la citadelle de l'hérésie cathare. Ce même Guido del la Porta, dont le dévouement à votre égard et envers l'Église ne mérite certainement aucune méfiance, doit désormais devenir, avec l'aide de sa demi-sœur Laurence, la clef d'une puissante conjuration contre le pape et la couronne de France. Dieu soit loué, son père a immédiatement rejeté ce projet, et interdit à cette hérétique fieffée tout autre commerce avec sa fille. Mais cette vieille vipère continuerait tout de même à ourdir*

*ses plans, j'en suis sûr, au nom de cette maxime du soupçon
perpétuel dont vous avez fait, Excellence, notre principe d'action :
« cui malo ? » Et ce principe, avec l'aide de notre Sainte Mère, a
porté des fruits abondants.*

 *Après avoir parlé à Laurence, Esclarmonde a rencontré un cer-
tain Jean du Chesne qui, dans son Languedoc hérétique, se fait
appeler avec insolence et orgueil Chevalier du Mont-Sion, en
Angleterre, John Turnbull ou encore Stephan of Turnham (c'est
sous son nom qu'il a négocié avec Saladin, à Jérusalem, à la
demande du Cœur de Lion). Un sujet qui m'est encore incompréhensible (pardonnez l'ignorance du novice), mais sans aucun
doute un caméléon extrêmement dangereux et un redoutable aventurier. Il prendra le chemin de Constantinople comme envoyé du
nouvel empereur latin, dont il a déjà réussi à obtenir la protection.
Par écrit ou oralement, il tentera de transmettre à l'hérétique le plan
que j'ignore encore mais dont je peux tout à fait imaginer les
dimensions menaçantes, si je me fie à la situation, dimensions que
je ne veux point vous dissimuler, si vous me le permettez :*

 *La tenaille qu'il s'agit de forger pour nous écraser débute, à
l'extrémité de sa branche, en Aragon, attaché par un lien féodal
avec tout le Sud de ce pays, et va jusqu'à la Sicile des Hohenstaufen. Un singulier péril provient des Alpes maritimes françaises,
l'unique passage terrestre entre le Saint-Siège, au Vatican, et les
Capétiens catholiques qui occupent le trône de la France. Car
votre protégé, Guido, est tout de même lui aussi et avant tout un
bâtard du margrave Guillaume de Montferrat, que votre prédéces-
seur avait en son temps incité à rompre ses fiançailles avec cette
Livia di Septimsoliis (déjà enceinte à l'époque) et qu'il avait
envoyé comme fiancé à Jérusalem pour qu'il y épouse l'unique
héritière du trône. Comme cette circonstance priva Guido de sa
dignité de margrave et, devenu simple Monsignore della Porta,
lui fit apercevoir la lumière de ce monde injuste, il me semble
concevable que ce Guido ne discerne pas son bonheur véritable
(celui d'être admis au service de l'Église, et tout particulièrement
au vôtre) et ne songe qu'à* corriger la fortune, *comme le disent
les Français. Car vous le savez certainement mieux que moi : le
margraviat allemand de Montferrat domine pareillement les cols
alpins vers la Provence, elle aussi territoire de l'Empire, mais tout
autant berceau des comtes de Toulouse, protecteurs notoires des
cathares, antre de toute l'hérésie occitane. Il se pourrait aussi que
ce Chevalier du Mont-Sion entre aussi comme* secretarius *au*

service de Guido, car il est sans doute prévisible que vous songiez à lui accorder tôt ou tard la prébende d'un évêché. Dieu sait que je ne veux pas vous en dissuader ; mais si tel était le cas, le diable aurait glissé son pied dans la porte de l'Église.

L'autre bras de la tenaille s'étend depuis la Souabe des Hohenstaufen jusqu'à Byzance en passant par Coire, Aglei, Venise, ou encore jusqu'à la maison du souverain grec en exil, ou jusqu'à cet homme avide de pouvoir qu'est Boniface de Montferrat (le frère du sus-nommé), auquel vient de revenir toute la Macédoine, et qui se nomme déjà « roi de Thessalonique ». Quelles possibilités s'offrent ici, et quelle récompense attend un agent des Services secrets menant une réflexion stratégique ?

Vous voyez ainsi se refermer les serres d'acier, qui ne laissent personne s'échapper. Votre haute sagesse, votre élévation grandiose et la lumière de votre esprit immense vous permettront sûrement de me tendre une petite lueur, de telle sorte que, tant que le petit roi de Sicile et futur empereur Frédéric demeure, fidèle comme un lion, au côté de l'Église, tout le reste ne soit que rats des champs fouinant et se prenant pour des éléphants. Mais je vous le dis, en prenant le risque de me gâcher votre bienveillance : cette Laurence a le diable dans son corps blanc comme neige, et elle a les cheveux roux.

Immédiatement après le camouflet que lui a infligé le brave Belgrave, la comtesse de Foix a reçu en tête à tête un lointain rejeton de la famille des Montferrat, un certain René de Châtillon.

Ce qu'elle avait à lui dire a malheureusement échappé à mes oreilles, car la suite des événements s'est déroulée loin de mon point d'observation auditif. En tout cas, ladite Laurence n'a strictement rien à voir avec la conspiration que je vous ai décrite ! J'espère que vous le sentez vous aussi : quelque chose s'ourdit ici. J'attends de vous, par courrier, l'ordre de capturer ce « Chevalier » et de lui faire subir le plus douloureux des interrogatoires. Jusque-là, je me permettrai de ne pas le quitter d'un pouce et de vous informer de tout ce qui me paraît digne d'être relevé.

Aujourd'hui encore page vierge, je brûle d'ambition d'emplir bientôt plus qu'une page du Livre aux Sept Sceaux.

Empli de fierté et de satisfaction à l'idée qu'il m'est permis de vous servir,
Votre très dévoué
Roald of Wendower.

P.S. : Le « Chevalier » sera accompagné par son écuyer, un gamin de la vénérable lignée des Montbard de Béthune. Peut-être prévoit-on d'utiliser les templiers comme huile sur la charnière, puisqu'un Montbard fut membre fondateur et grand maître de l'Ordre — mais aussi, ne l'oublions pas, un oncle de notre Bernard de Clairvaux.

Note du destinataire jointe à son secrétaire Thaddäus.

Que ce Wendower ne soit pas si bavard et ne gâche pas de parchemin dans le seul but de faire le beau avec son « savoir ». Mettez-le à l'amende d'un doublon pour chaque mot superflu — ou faites-lui donner un nombre équivalent de coups de fouet. Il apprendra plus vite ainsi. Toute cette prétendue « conspiratio » peut être résumée en trois phrases courtes :

Primum : Esclarmonde, veuve comtesse de Foix, se voit menacée dans le libre exercice de ses menées cathares.

Deinde : Le « coup de libération » qui lui permettrait d'échapper à cette menace débouche précisément chez un Monsignore qui travaille à notre service à Constantinople, Guido della Porta.

Tertium : L'éminente délégation qu'elle lui envoie est constituée par un certain Jean du Chesne, alias John Turbull, alias Chevalier du Mont-Sion, ainsi que par un orphelin (de bonne famille), Gavin Montbard de Béthune, qui veut devenir templier — et, justement, par cette Laurence de Belgrave, fille bâtarde d'un pauvre hobereau de sang normand et d'une abbesse qui a jusqu'à un certain degré des obligations envers le Saint-Siège.

Legendo mecum ridete.
Riez avec moi, Thaddäus.
LS

2. DES ÉCUEILS DANS LA MER

Adieux à Ferouche

L'automne tombait sur la campagne et Laurence voyait sa jeunesse se faner à Ferouche, car son René ne lui faisait pas le moindre signe, ne lui donnait pas la moindre nouvelle. Elle tournait sur son doigt avec mauvaise humeur la bague, le gage de son amour, qu'elle ne pouvait porter qu'à l'extérieur du château pour ne pas trahir sa langoureuse passion. Elle fut souvent tentée de lancer l'anneau étincelant dans le verger qui constituait son seul lieu de promenade, afin de rayer de sa mémoire ce lointain amant qui se montrait aussi peu fidèle. Mais ensuite, elle laissait parler son cœur, elle imaginait sa silhouette mince percée de flèches ou courbée sous le poids de lourdes chaînes de fer. Pareilles images l'obligeaient à faire preuve de dignité et à supporter son destin sans se plaindre.

La première neige était tombée, toute tendre ; mais au fil des semaines et des lunes, elle avait durci et la glace recouvrait le pays. Laurence ôta ses souliers et marcha, pieds nus, sur cette croûte blanche et craquelée, jusqu'à ce que ses pieds entaillés soient couverts de sang. Une boule de neige dure explosa alors sur son visage. Bondissant du haut d'un moignon de tour sur la muraille externe, Gavin sauta dans le jardin. Il ne lui apportait certes pas de nouvelles de Châtillon, mais une ferme invitation de sa marraine, Esclarmonde, à se préparer à partir pour Constantinople en compagnie d'un certain Chevalier du Mont-Sion.

C'était le signal attendu. Laurence fut aussitôt tout feu, tout flamme. Constantinople ! La légendaire métropole du Bosphore ! N'était-ce pas aussi la ville où séjournait son frère

Guido, *Monsignore* Guido ? Laurence trouvait extrêmement
excitant de s'imaginer sa propre chair, son propre sang, ou
presque, dans une soutane de prêtre.

Gavin, qui lui paraissait bien plus mûr que ne l'aurait
voulu son âge, dut jurer de l'informer en temps utile. En
contrepartie, Laurence lui promit de se trouver chaque jour ici,
au pied de la tour. Mais Gavin ne prêtait aucune foi au « serment d'une femme » et réclama un gage. Laurence dut donc se
séparer, le cœur lourd, de la bague que lui avait donnée René.

— Vous ne serez autorisé à me la rendre, messire le chevalier de l'Ordre, que le jour où nous aurons atteint notre but !

Gavin regarda l'anneau, mordit dedans comme un bouti-
quier et le glissa non pas à un doigt, mais dans sa poche.

— Ne le perdez pas, c'est...

— Je ne suis pas homme à perdre par négligence ce que lui
confie une dame, répliqua-t-il, d'abord vexé, puis en souriant.

Gavin portait déjà une cotte de maille recouverte d'une
tunique blanche : « Pour ne pas être vu dans la neige », expliqua-t-il brièvement à Laurence. Mais elle savait qu'il s'agissait
d'un premier pas vers le surcot blanc des templiers, qu'il attendait avec une impatience mal contenue le jour où la croix rouge
aux pointes évasées de l'Ordre ornerait sa poitrine. Avec le
sérieux qu'affichait ce jeune garçon tranquille, il considérait
vraisemblablement l'enlèvement de Laurence et le voyage
imminent vers la Corne d'Or comme un exercice préparatoire,
une première épreuve des armes.

L'apparition de cet ange harnaché eut au moins un effet
immédiat : Laurence se mit à soigner ses pieds écorchés.
Comme un écureuil, elle accumula désormais désormais toutes
les noix, noisettes et autres fruits secs qu'elle parvenait à éco-
nomiser ou à chaparder dans la cuisine du château. Ce n'était
pas tâche facile, sous les yeux vigilants de la vieille cuisinière
qui la regardait sans doute avec la bienveillance d'une mère,
mais s'étonnait de l'intérêt tout neuf de son Petit Renard pour
des plats ou des boissons qu'elle méprisait d'ordinaire, comme
le poisson en saumure ou la tisane. Laurence se découvrit subitement un goût insoupçonné pour les jambons fumés et les
fromages de chèvre durs comme pierre.

Si elle s'était jusqu'ici fréquemment montrée lunatique, si
elle s'était laissée noyer dans son chagrin d'amour, elle
commença alors à rayonner de bonne humeur et à chercher la

proximité de son père. Ils recommencèrent bientôt à faire ensemble leurs sorties quotidiennes à cheval, ce qu'elle avait longtemps refusé à Lionel. Il s'était fait du souci pour sa fille, et il était ravi qu'elle accepte de nouveau, comme jadis, de s'asseoir près de la cheminée après leur dîner commun, qu'elle s'intéresse vivement à ses travaux et à ses projets, qu'elle se laisse même entraîner dans une partie d'échecs. Belgrave était tout sauf un guerrier — seul son lien de vassalité à l'égard du comte Simon de Montfort le forçait fréquemment à monter en selle, par exemple lorsque les paysans se rebellaient contre des taxes trop élevées, quand il fallait assiéger un château insurgé, ou lorsqu'un couvent ne mettait pas assez de zèle à récolter la dîme.

Lionel savait écrire, il connaissait même les typographies les plus variées, et Laurence lui était reconnaissante de l'avoir forcée, inflexible, à acquérir les mêmes connaissances. Tous deux maîtrisaient la *langue d'oc et la langue d'oil*, mais aussi les langues antiques, et pouvaient aussi bien lire ensemble la Bible que les philosophes païens ou le *Canzò del trobaire*, avec ses fréquentes impertinences. Laurence était brillante en algèbre et savait jouer de la musique sur toutes sortes d'instruments. Avec sa voix sombre et rauque, elle avait fréquemment réjoui les oreilles de son père, au cours des années précédentes, lorsque celui-ci était las ou maussade. Elle n'avait aucune peine à deviner l'origine de cette mélancolie, même si Lionel n'en parlait jamais : c'était l'absence de Livia, sa mère. Elle lui manquait plus à lui qu'à elle : « Lady d'Abreyville » était toujours restée pour Laurence une étrangère, alors que Lionel avait sans doute espéré que cette aventurière trouverait un jour auprès de lui le havre qui la protégerait.

Laurence, elle, était heureuse que cette femme énergique ne soit pas dans les lieux à cette époque. La douleur qu'elle allait causer à son cher père lui suffisait. Laurence se connaissait un demi-frère qui œuvrait pour l'Église romaine dans la lointaine Constantinople. Elle ne l'avait jamais vu en chair et en os : il était le fruit d'une sombre relation que sa mère avait vécue avant sa naissance ; le fait que Livia fût devenue abbesse n'y était pas étranger. En tout cas, ce Guido n'était pas un Belgrave. Après qu'il était entré dans la carrière sacerdotale, Laurence s'était sentie appelée à brandir à son tour l'héritage chevaleresque de cette famille étrange, de préserver et de multiplier l'honneur qui s'attachait à son nom. Elle se demandait parfois si Châtillon méritait de plonger ce bon Lionel dans l'effroi, l'angoisse et le chagrin. Mais au moment précis où elle se posait de nouveau cette question, Gavin rentra dans le verger. Il se moqua des dépôts de provision faits par la jeune fille et de la garde-robe qu'elle s'était installée dans la tour : d'ici peu, les animaux sauvages se seraient abattus sur tout cela, les hérissons y auraient hiberné, les lièvres y auraient construit leur terrier.

De rage, Laurence avait fondu en larmes.

— Êtes-vous venu ici pour vous moquer de moi, Gavin Montbard de Béthune, ou bien venez-vous de la part du noble Chevalier, m'annoncer que nous entreprenons notre voyage ?

Gavin s'assit sur un fragment de mur tombé de la tour, et toisa la créature rousse qui avait à peu près le même âge que lui.

— Vous appelez cela un voyage, jeune dame ; ce sera une entreprise faite de rudesse et de privations. Je ne sais pas...

— Comptez-vous, l'interrompit brutalement Laurence, les yeux enflammés, comptez-vous par hasard me dire que je ne suis pas capable de me plier à ces conditions du seul fait que je ne suis pas un homme ?

— Le Chevalier est encore empêché, répliqua vite le jeune garçon, et le début de notre voyage est provisoirement repoussé. Il reste ainsi suffisamment de temps, précieuse Laurence, pour vous faire comprendre la portée de votre décision.

— Je ne reviendrai pas dessus. Faites savoir au Chevalier qu'il devra compter avec moi.

Gavin se leva, un fin sourire passa sur les traits sévères du jeune homme aux cheveux courts et au visage anguleux.

— La patience fait également partie des vertus du soldat, Laurence. Je dois moi aussi combattre pour l'acquérir, admit-il en lui posant, en camarade, une main sur les épaules. Ensemble, nous y parviendrons, dit-il. Ne vous faites pas de soucis pour l'entretien ou l'habillement. Vous ne devrez pas non plus prendre de cheval, ce serait trop voyant. Il est important que votre disparition demeure inaperçue aussi longtemps que possible.

— Vous me trouverez prête, répondit Laurence en reprenant le ton militaire du futur chevalier. Mais plus tôt vous m'informerez, de bonne heure, plus il me sera facile d'effacer toutes les traces. Fiez-vous à moi !

Le jeune chevalier remonta dans le trou du mur. Il s'y retourna encore une fois.

— Vous avez mon entière confiance, Laurence.

Comme s'il avait déjà trop livré de lui-même, Gavin fit volte-face et disparut dans la tour.

Les cerisiers du verger étaient en pleine floraison lorsque Laurence y aperçut de nouveau le jeune homme.

— Demain matin, l'informa brièvement Gavin, avant que le soleil ne se lève.

— Je serai sur place, répondit Laurence, dont le cœur se mit à battre à tout rompre.

Elle allait enfin devoir s'avancer vers la liberté et l'inconnu. Le soir, après leur dîner commun, elle se força à serrer son père dans ses bras, plus fugitivement que d'habitude. Elle avait simulé un malaise : elle se rendit en courant dans sa chambre, passa sa chemise de nuit et se glissa sous la couette, en frissonnant.

Elle avait bien fait : Lionel frappa à la porte peu après, en compagnie de la vieille cuisinière, pour lui demander si elle se portait mieux. Laurence aurait eu du mal à affirmer le contraire. Son père resta donc encore longtemps à son chevet, et ils burent ensemble, gorgée après gorgée, le vin chaud fortement épicé que cette bonne âme avait préparé. Laurence ne fit qu'y tremper les lèvres, mais veilla à ce que Lionel boive abondamment de ce breuvage. En bavardant avec elle des projets qu'il avait pour l'été, il lui révéla que sa mère, Livia, « *my good Lady d'Abreyville* », avait annoncé sa venue. Ils pourraient alors, ensemble...

Laurence constata avec effroi que son père s'était endormi sur place. Elle le secoua pour le réveiller, ce qui lui donna l'occasion de couvrir de baisers son visage ridé. Lionel, confus, la pria de l'excuser et marcha vers la porte d'un pas lent.

— Je suis heureuse pour vous que dame Livia arrive, lui cria-t-elle dans le dos, en guise de bonne nuit.

Elle était sincère. Mais Lionel de Belgrave s'arrêta :

— Comment cela ? demanda-t-il d'une voix mêlée de soupçon. La nouvelle de l'arrivée de votre mère ne vous emplit-elle pas, vous aussi, de joie ?

— Certes, certes, se hâta de confirmer Laurence. Mais parce que je suis votre fille aimante, je suis toujours prête à soumettre mon bonheur au vôtre. Je vous souhaite de beaux rêves, messire mon père.

— Ah, mon Petit Renard, soupira-t-il en refermant la porte derrière lui.

Laurence resta encore longtemps éveillée dans son lit. Son pouls s'apaisa de nouveau, et elle songea froidement aux démarches qu'elle allait accomplir à présent. Bien sûr, malgré les conseils de Gavin, elle avait préparé un ballot de vêtements et rassemblé une ration de survie de noisettes au miel qu'elle conservait sous son lit, enveloppées dans du parchemin — des pages qui faisaient désormais défaut au chapitre sur la Genèse dans son exemplaire de la Bible. Elle s'était même procuré une outre en cuir qu'elle remplit avec les restes du vin chaud. Lorsque les premiers oiseaux se mirent à chanter dans l'obscurité, elle se leva et forma une silhouette avec sa couverture. Puis elle noua son ballot, y ajouta les vêtements qu'elle comptait prendre pour le voyage, ses souliers, son chapeau et ses bottes, et jeta le tout par la fenêtre du jardin.

Elle se faufila par la fenêtre en chemise de nuit — si quelqu'un la rencontrait, elle pourrait toujours dire qu'elle était allée satisfaire à un besoin naturel. Elle traversa les offices sans croiser personne, et se retrouva dans le jardin. Une grande paix régnait dans la nuit, et elle livra un instant son corps à la lueur de la lune pâlissante. Son ventre était légèrement bombé, pas trop dur ; en dessous poussait sa sombre toison, que Laurence n'avait encore révélée à aucun homme. À peine s'était-elle glissée dans sa chemise de voyage que Gavin toussotait élégamment, juste à côté d'elle.

— Vous devriez épargner à vos compagnons de voyage de telles visions, qui feraient même périr de jalousie la déesse de l'étoile du matin.

Laurence s'était vite reprise.

— Réjouissez-vous donc qu'elles vous aient été offertes, valeureux sire, répondit-elle en chuchotant, tout en s'efforçant de passer ses bottes.

Gavin descendit et l'aida.

— Merci, dit Laurence en embrassant sur la bouche le jeune homme stupéfait. Cela aussi, un futur templier doit le regretter toute sa vie.

Gavin s'efforça de ne pas perdre contenance, et Laurence ajouta :

— Cela pour le cas où votre décision ne vous poserait aucun problème de conscience, mon cher Gavin...

— Elle ne m'en pose aucun, répondit-il. J'y suis décidé, ne serait-ce que pour échapper aux femmes légères de ce monde. Surtout aux rousses.

Gavin, chevaleresque, la prit par la main et conduisit sa protégée à l'abri, au-dessus de l'éboulis qui se déversait depuis la ruine de la tour. Il porta son ballot et sa chemise de nuit jusqu'aux chevaux qui les attendaient, et fourra le tout dans les bâtières. Ils montèrent en selle.

L'aube pointait lorsque les prés luisant de rosée les virent s'éloigner de Ferouche. Laurence se retourna juste une fois brièvement, à l'instant où ils plongeaient dans la forêt. Elle revit le havre de son enfance. Une mince colonne de fumée s'élevait de la cheminée. La cuisinière faisait chauffer le four à pain. Elle monterait bientôt frapper des coups insistants à la porte de Laurence.

Ils avaient chevauché sans s'arrêter ni être inquiétés, jusqu'à Montbard, en Bourgogne. Ils avaient passé la nuit dans des granges à foin. Laurence appréciait le naturel et le calme avec lesquels Gavin lui apportait sa galante protection. Pour la première fois, elle se sentait libre.

Bien que Gavin n'eût plus de parents et ne fût nullement issu de la branche héritière, le jeune comte fut reçu avec le plus grand respect dans le château imprenable de sa famille. Le fait qu'il ait formé publiquement le vœu d'entrer dans l'ordre des templiers, c'est-à-dire de renoncer à tous les biens de ce monde, y contribuait certainement, se dit Laurence, dont l'apparence surprenante fournit aux nombreux membres de la famille, notamment aux femmes, matière à des bavardages excités.

Pour que nul ne voit en elle la compagne aux mœurs légères d'un futur templier tenu à la chasteté, ils inventèrent que le jeune Gavin conduisait Laurence auprès du Chevalier du Mont-Sion, auquel la jeune femme avait été fiancée. Ils trouvèrent tous cette histoire palpitante, d'autant plus qu'aucun d'entre eux n'avait jamais entendu parler de cette lignée. Laurence et Gavin rivalisèrent en outre pour faire du pauvre

Jean du Chesne un légendaire héros des croisades, un bâtard engendré par le Cœur de Lion avec la fille préférée de Saladin : c'était lui, le mystérieux treizième chevalier de la Table ronde, le porteur noir du sceau de Salomon, le sauveur longtemps attendu du Saint Sépulcre, le dernier gardien du Graal. Même si tous ne prirent pas cette histoire pour argent comptant, certains préférèrent y croire. Ensuite, les garçons du château sautèrent sur leurs chevaux pour accompagner leurs invités mystérieux jusqu'à Chalon. Ils y trouveraient des radeaux sur lesquels ils pourraient parvenir à Lyon, au confluent de la Saône et du Rhône.

Laurence ne perdait pas le moindre détail de ces rivages florissants où volaient des oiseaux aquatiques inconnus. Elle voulait connaître le nom de chaque château qu'ils croisaient et celui de leur propriétaire. Elle trouva encore le temps d'observer comment les bateliers pilotaient habilement les radeaux à l'aide de longues tiges. Gavin se révéla comme un excellent connaisseur de cette région. Pour ne pas donner l'impression d'être une petite campagnarde ignorante, Laurence raconta pour sa part ses traversées tempétueuses vers l'Angleterre, décrivit la haute falaise blanche de Douvres et la gigantesque cathédrale de Winchester. Ainsi allait leur voyage insouciant, du moins jusqu'à cette matinée où ils découvrirent, après avoir franchi Mâcon, que l'équipage avait entièrement changé pendant la nuit.

— Aucune raison de s'émouvoir, dit Gavin pour tranquilliser sa protégée. Les nouveaux, eux aussi, me semblent bien connaître leur métier.

— Mais ils ont le regard tellement noir, répondit Laurence. N'avez-vous pas dit que nous approchions des chutes ?

— Les cataractes ne sont que quelques petits bonds, répliqua Gavin en riant. Vous allez voir, les lourds troncs d'arbres, habilement guidés par ces hommes à la sombre mine, vont se faufiler comme des truites entre les rochers saillants.

Laurence, un peu honteuse, répondit à son sourire — elle n'allait pas passer une deuxième fois pour une couarde. Au crépuscule, ils se laissèrent fasciner par le paysage plongé dans un rouge flamboyant ; prévenants, les bateliers leur avaient apporté un cruchon de vin emprunté à la dernière taverne. Une nuit de lait se mêla peu à peu au vermillon du soleil couchant ; ils observaient avec bonheur les lueurs qui passaient sur la rive et le feu que l'on avait allumé au bord du fleuve, là où s'ancraient les bateliers qui évitaient de voguer après la tombée du soir.

Gavin avait décidé que leurs embarcations, quant à elles, navigueraient jour et nuit. Les troncs qui les portaient au-dessus de l'eau continuaient à descendre quoi qu'il arrive, même si le gros radeau de bois frôlait de temps en temps le rivage pour que l'un des mariniers saute à terre et aille remplir les cruches en courant.

Les hommes qui avaient pris la tête du train de radeaux avaient depuis longtemps allumé les torches. Leur chant monotone et mélancolique parvenait jusqu'aux jeunes passagers du dernier radeau. Avant même d'avoir vidé leur cruche, Gavin et Laurence déroulèrent leur couverture et se couchèrent. Malgré la lourdeur du vin, l'ambiance qui régnait entre eux était si légère que Laurence sentit monter en elle un puissant désir pour son ami, couché à côté d'elle. Elle se serait volontiers donnée à Gavin, mais elle se rappela à temps que le jeune homme s'était juré de rester chaste, une règle sans laquelle on ne pouvait être admis dans cet Ordre d'élite. C'est Gavin, pas elle, qui se serait fait des reproches par la suite. Elle évita donc le tendre contact des mains par lequel ils se souhaitaient bonne nuit d'ordinaire. Laurence se roula sur le côté et fit semblant de dormir jusqu'à ce que le souffle profond de son compagnon de voyage lui indique que les rêves l'avaient déjà emporté dans son temple. À un moment ou à un autre, elle aussi s'assoupit à son tour.

Le coup manqua les envoyer par-dessus bord, d'autres suivirent, les faisant rebondir comme des tonneaux sur le sol de bois. Laurence se retrouva dans les bras de Gavin. La nuit était noire, l'eau giclait de toutes parts, s'abattait sur eux par paquets. En-dessous d'eux, les troncs gémissaient, craquaient, éclataient.

— Accrochez-vous ! hurla Gavin en tentant pour sa part de trouver un appui. Ne vous levez pas. Il nous faut...

Le reste fut avalé par le mugissement de l'eau et les craquements du bois.

Laurence comprit instinctivement qu'il leur fallait à présent éviter d'être assommés et broyés entre les rochers et les troncs. Elle n'avait pas peur de se noyer : elle savait nager, elle parviendrait, même en pleine nuit, à regagner la rive.

Gavin serra des deux bras le tronc le plus proche, et Laurence se tint fermement à lui. Les coups perdirent de leur virulence, même si quelques morceaux de bois surgissaient encore des flots comme les doigts d'un homme qui se noyaient et battaient les uns contre les autres, menaçants, avant de retomber dans les flots tourbillonnants et de disparaître dans la noirceur de la nuit. Les trois troncs sur lesquels ils étaient couchés étaient restés attachés par miracle, mais tous leurs biens — chevaux compris — avaient disparu, et il ne restait plus la moindre trace du reste du train de radeaux.

Ils regagnèrent le rivage, et restèrent accrochés aux broussailles. Ils remontèrent péniblement le talus jusqu'à ce que leurs pieds ne soient plus dans l'eau. Puis ils se serrèrent dans les bras pour se réchauffer. Ils étaient trempés, mais trop fatigués pour ôter leurs vêtements ou accomplir tout autre geste qui aurait rendu leur situation plus supportable.

— De sombres hommes très habiles, fit encore Laurence, sarcastique, avant que la fatigue ne les plonge tous deux dans un nouveau sommeil.

Lorsque les rayons du soleil les réveillèrent, Gavin fut le premier à s'éveiller en clignant des yeux. Au-dessus de lui, en haut du talus, un homme à cheval le regardait. Il conduisait aussi leurs propres montures, qui n'avaient même pas perdu leurs bâtières.

— Quelle heure est-il ? demanda l'aspirant templier, une question stupide, car le soleil était au zénith.

Laurence se redressa encore tout endormie.

— *Mierde* fut son premier mot.

— Cela aussi, ma Dame, est un élément entrant dans la composition du fleuve que vous avez choisi pour prendre votre bain.

Ils n'eurent pas même besoin d'entrer dans Lyon, la riche ville des drapiers : le Chevalier avait déjà tout prévu pour l'arrivée de ses compagnons. Monsieur « l'Ambassadeur » ne ressemblait pas du tout au personnage chatoyant qu'ils s'étaient imaginé. C'est sans doute du pays vaincu des Hellènes que Jean du Chesne avait rapporté un bonnet de feutre rigide avec un gros pompon. Mais le cordon tressé était beaucoup trop long, si bien que la boule de tissu pelucheuse lui dansait constamment sur le nez. Il portait en outre des culottes à genouillères en damas pourpre, et une cape précieuse ourlée de fourrure, qui aurait admirablement convenu au patriarche de Constantinople. Au lieu d'un cheval, le Chevalier utilisait des ânes, dont l'un servait à transporter son fardeau : l'animal était chargé de ballots de tissu noués et d'une corbeille en osier.

— Riez donc, jeunesse, lança-t-il d'une voix rude à Gavin, son « écuyer », et à Laurence. L'expérience enseigne qu'un déguisement voyant est le meilleur des camouflages.

Un peu honteuse, Laurence songea à l'éventuelle véracité de cette maxime, et se demanda si on pouvait l'appliquer à ses cheveux roux. Elle en conclut que l'on ne peut espérer ce genre d'avantages de ses atouts ou de ses défauts naturels. Seul le bonnet de bouffon offre un camouflage fiable. Mais elle garda cette réflexion pour elle, et répondit seulement :

— C'est la raison pour laquelle je me suis aussi pourvue de vêtements d'homme, si bien que je puis à présent jouer le rôle de votre serviteur, et Gavin celui de la suivante...

Son fidèle compagnon de voyage n'avait vraiment pas mérité cela. Il se vengea froidement.

— Si vous voulez parler des culottes de cuir qui se trouvaient dans votre ballot imbibé de vin et collé par le miel, très chère Laurence, sachez que je les ai laissées à Montbard. Vous n'avez ici que votre tenue de nuit en fine mousseline.

Il brandit comme un trophée ce vêtement intime. Laurence réprima un cri de rage : le Chevalier s'était rendu près de son âne, et sortait de la corbeille et des ballots des chausses en velours et des pourpoints brodés de soie.

— Je m'étais bien dit moi-même, annonça-t-il joyeusement, que notre jeune dame, pour des raisons évidentes, ne devait pas être reconnue.

La dernière chose qu'il pressa dans la main de Laurence, ahurie, en la priant sans équivoque de bien vouloir s'en servir pour dissimuler sa chevelure, fut une casquette à trois pointes ornées de clochettes : un bonnet de bouffon ! Laurence accepta son sort. Elle n'avait pas mérité mieux. Mais ses yeux étincelants trahissaient sa colère.

Gavin passa un bras autour de ses épaules.

— C'est juste pour la durée de la descente en gabare le long du fleuve, jusqu'à Marseille. Car si quelqu'un vous cherche, il s'enquerra de votre coiffure de feu.

Le Chevalier l'approuva :

— Une fois en pleine mer, vous vous promènerez comme il vous plaira.

— Nue comme un ver, répliqua Laurence. Je vous le promets !

Mais devant Gavin, elle réprima sa fureur :

— Qui pourrait bien me chercher dans cette ville portuaire mal famée ? Certainement pas Lionel de Belgrave.

— Vous oubliez, Laurence, que vous n'êtes plus en voyage pour chagrin d'amour, mais chargée d'une mission politique. Comme vous venez de l'éprouver physiquement, certaines puissances ne tiennent nullement à ce que vous-même et ma modeste personne achèvent ce voyage sur un succès.

— Comment cela ? Voulez-vous dire que le radeau... (Gavin paraissait incrédule, ou bien pareilles intrigues étaient trop étrangères à son caractère.)

— Les bateliers, répondit seulement le Chevalier, confirmant le soupçon qui s'était déjà emparé de Laurence lorsque l'équipage avait été changé du jour au lendemain.

— Sinistre..., marmonna-t-elle.

Laurence se reprocha de ne pas avoir agi plus tôt. Elle aurait dû s'opposer plus fermement à ce que l'on poursuive ce voyage, dès qu'elle avait conçu le premier soupçon : cette imprudence aurait facilement pu leur coûter la vie.

— Sur le débarcadère où je vous attendais, j'ai trouvé aux premières heures du matin des flotteurs qui se souciaient comme de leur première chemise des bois que vous aviez acheminés. Ils ont laissé les troncs dans l'eau, comme s'ils ne s'inquiétaient pas d'être payés. Quand je les ai vus accueillis par des personnes dont on sait qu'elles sont à la solde des Services secrets...

— C'est donc bien l'Église, dit Laurence, dont les soupçons se confirmaient.

— Je ne puis y croire, protesta Gavin.

— Il ne s'agit pas d'une question de foi, répondit doucement le Chevalier, mais du pouvoir séculier de l'Église, tel qu'il s'exerce en réalité. Dans ce domaine, les paroles de la Bible ne sont d'aucun poids...

— ... ou bien on en fait une autre interprétation. (Laurence voyait dans cet échange de propos la possibilité d'apprendre enfin quelque chose sur la différence entre la juste foi et la grande hérésie.) Comment se fait-il que l'*ecclesia romana catholica* poursuive les hérétiques avec tant d'acrimonie ?

— L'explication se trouve déjà dans le nom qu'il se donne à eux-mêmes : *oi katharoi*, le terme grec à l'origine du mot « cathare » signifie « les purs ». Il renvoie par là même le clergé romain à son impureté, son faste, à la laideur de ses fonctions séculières...

— Honorer Dieu ne peut pourtant pas être injuste ? Et où le faire, si ce n'est sur terre ?

Gavin n'était pas disposé à laisser son amie Laurence poser toutes les questions : il savait bien que ses sympathies allaient à l'autre camp. Nager à contre-courant avait toujours été le suprême plaisir de la jeune femme.

Le Chevalier sourit finement.

— En tant que futur templier, Gavin, vous devrez renoncer au faste déployé pour la plus grande gloire de Dieu. L'Ordre se démarque heureusement, sur ce point, de son supérieur le plus élevé, le pape. Mais la discorde est plus profonde, reprit-il se tournant vers Laurence. Les cathares doutent que le Dieu adoré des catholiques, mais aussi des juifs, puisse effectivement être la divinité véritable, globale et omnipotente. Ils font une distinction entre le Dieu créateur, le démiurge qui gouverne ce monde, y compris le mal, la chair, sa corruption, et un autre monde de lumière, celui où arrive leur âme une fois qu'ils ont quitté notre vallée de larmes. C'est le royaume du Paraclet, du consolateur qui les aide à trouver la vie véritable dans la divinité, lorsqu'ils ont poussé la porte de la mort terrestre et que leur âme libérée peut ne plus faire qu'un, de nouveau, avec le Dieu unique.

— C'est admirable, soupira Laurence, mais pourquoi faut-il mourir pour cela ?

— Cela signifierait, intervint Gavin, que nous avons ici le destin de damnés...

— Tout à fait, l'interrompit le Chevalier. En tant que catholique, vous pouvez jouir de cette vie, pécher, confesser et expier. En tant que cathare, vous devez tout faire pour vous en débarrasser aussi vite que possible. Les cathares ne connaissent pas la notion de « péché » ; la confession et l'expiation leur paraissent ridicules. Ils ne reconnaissent ni le pape, ni la Vierge Marie...

— Ni notre Seigneur Jésus ? demanda Gavin, bouleversé.

— Si, répondit le Chevalier. Ils voient en lui le Paraclet que l'Église a confisqué à la terre en lui ravissant son message, en le déformant et en le falsifiant. Son royaume n'était pas de ce monde.

— Je comprends à présent pourquoi les prêtres de Rome redoutent les hérétiques, releva sèchement Laurence, tandis que Gavin se tourmentait beaucoup.

— En tant que templier, je peux contribuer, l'épée à la main, à ce que le faux dieu des ténèbres soit chassé de cette terre et...

— Ce n'est pas aussi simple. Le démiurge n'est pas seulement le créateur et le destructeur, le séducteur et le maître de nos sombres pulsions. Il est aussi celui qui apporte la lumière. Tant que nous, humains, ne parvenons pas à concilier en nous tous les contraires, nous ne pouvons être sauvés.

— Peut-on vivre ainsi en être humain ? laissa échapper Laurence, profondément impressionnée.

Le Chevalier sourit :

— Comme le prouve votre propre exemple... Mais plus un mot à présent sur ces hérésies. Sur les navires aussi, les murs ont des oreilles.

La fausse épouse

Ils redescendirent le fleuve en gabare jusqu'à Marseille, et accostèrent dans le bassin portuaire. Les bateliers lyonnais y mirent leurs passagers dehors avec une hâte brutale : ils ne tenaient pas à nourrir les Marseillais avec une taxe d'ancrage superflue. Laurence, le pitre que les marchands avaient couvert de *bakchichs* pendant leur voyage, allait d'un étonnement à l'autre. Tous les peuples de la terre semblaient s'être donné rendez-vous ici. On y remarquait aussi peu le Chevalier à culotte bouffante que son fou et son *escudé*. Des hommes noirs comme du charbon, le buste huilé, portaient des ballots et des caisses. Des femmes voilées, les yeux cachés derrière des grillages brodés, plongeaient leurs mains teintes de henné dans les épices et les minéraux pulvérisés que l'on proposait dans des sacs ouverts. De petits hommes aux yeux en amande, coiffés de chapeaux pointus, tendaient au nez de Laurence des flacons d'essences aux parfums puissants. Des gaillards aux cheveux crépus et à la peau brun olive extrayaient des vêtements bigarrés des grandes piles amassées devant eux et les faisaient tournoyer devant son visage, comme s'ils savaient parfaitement que ce bouffon était une femme qui ne possédait rien d'autre qu'une chemise de nuit. Laurence voulut en attraper, mais le Chevalier la retint.

— Disparaissons de ces lieux où un homme sur deux est un mouchard, et où un sur trois peut être un assassin en mission.

Ils prirent leurs montures par la bride et le suivirent. Le Chevalier était assis en amazone sur son cheval bai et le guidait à la badine. Jean du Chesne, qui connaissait fort bien les lieux, sortit du grouillement des portefaix, échappa aux cris des marchands qui vantaient leurs produits et aux glapissements des clients qui discutaient les prix, quitta les quais du port pour entrer dans le labyrinthe formé par les ruelles sombres et couvertes de la vieille ville. Ici régnait une activité moins bruyante, un silence presque religieux, mais où l'on devinait une menace. Au fond des grottes ouvertes, on voyait des tailleurs assis qui piquaient, des tanneurs qui attendrissaient le cuir, des forgerons qui martelaient le fer. Mais on y trouvait aussi des hommes qui observaient tout nouveau venu d'un regard méfiant, souvent hostile. Les quelques mots concis qu'ils lançaient dans la pénombre, par-dessus leur épaule, n'annonçaient rien de bon.

Gavin serrait de près Laurence, heureuse de savoir à ses côtés le garçon courageux. Le Chevalier continuait son chemin, insouciant, tirant son âne derrière lui, franchissant les flaques boueuses des rues étroites et mal pavées.

— On peut nous barrer le chemin à n'importe quel moment, chuchota Gavin en souriant. Se défendre ici contre des brigands n'aurait aucun sens.

— Je n'ai que mon innocence à leur offrir, tenta de plaisanter Laurence.

— Le genre de choses que l'on ne perd pas deux fois, la

consola-t-il sans la regarder. Je n'aimerais pas être ces jours-ci dans la peau d'une putain aux cheveux roux, ajouta-t-il sèchement.

— Est-ce pour cette raison que vous m'avez transformée en bouffon ? répondit Laurence, moqueuse, mais le reste de sa phrase se coinça dans sa gorge.

Devant eux, de part et d'autre de la rue, des hommes étaient sortis des maisons sans dire un mot ; ils leur barraient à présent le chemin comme un mur humain. Gavin attrapa aussitôt le cheval de Laurence par la bride et l'arrêta. Le Chevalier sauta de sa selle et se dirigea sans crainte vers les hommes. Tous s'inclinèrent respectueusement, et le plus âgé le serra dans ses bras. Ils saluèrent aussi en riant Laurence et Gavin, saisirent les rênes de leurs chevaux et les menèrent dans une vaste cour intérieure. Une soupe de poisson bouillonnait dans un chaudron de fer, au-dessus d'un feu de camp. Laurence inspira le parfum avec délices, mais le Doyen — ils l'appelaient Alexios — annonça :

— Nos amis se changeront avant le repas. Nous voulons offrir aux regards curieux de la rue l'image d'un couple heureux, qui reprend des forces avant de partir pour son voyage de noces.

Laurence, qui se voyait déjà tenir le rôle de l'épouse, voulut protester ; mais le Chevalier la tira aussitôt à l'écart.

— Ce sont tous des gens du prince Montferrat, que je sers à Hellade.

— Ce nom me paraît étrangement familier, répondit Laurence, imperturbable. Cette sonorité me rappelle ma mère...

— Je vous l'expliquerai volontiers, mais plus tard. Pour l'instant, contentez-vous de savoir que les Montferrat sont une puissante lignée de l'Occident, et qu'ils sont même rois en Macédoine. Mais pour l'heure, je vous prie de vous conformer aux ordres.

On la conduisit dans une salle réservée aux femmes, au rez-de-chaussée. L'habit préparé pour Laurence n'était certes pas à son goût, mais elle était heureuse de pouvoir changer de tenue après cette longue traversée. Les femmes qui la servaient prirent cependant grand soin de contenir sa chevelure rousse. Elles en firent trois longues tresses qu'elles nouèrent solidement autour de sa tête, les attachèrent et dissimulèrent le tout sous un foulard rigide au-dessus duquel elles posèrent encore un bonnet semblable à celui que portent les pieuses sœurs infirmières. Laurence n'apprécia guère cet ornement, mais les servantes étaient ravies de leur ouvrage.

Elle sortit dans la cour, en hésitant, et tomba nez à nez avec une créature rousse couverte de bijoux et vêtue d'une robe précieuse. Elle portait en outre des bottines brodées de perles et, sur sa longue chevelure de feu, un superbe diadème. Seul le visage de la jeune fille n'avait pas la splendeur d'une princesse : il était juste bienveillant, son expression avait une grossièreté toute paysanne. Loin de paraître arrogante, la jeune femme semblait plutôt intimidée.

— Je m'appelle Josépha, se présenta-t-elle en zézayant, et en la déshabillant aussitôt du regard. Vous devez être ma servante, dit-elle d'une voix alanguie, sans détourner de Laurence son regard concupiscent.

— À votre service, majesté, répondit celle-ci en réprimant l'hilarité qui la gagnait. Appelez-moi Magdalena.

Son attention fut détournée par le Chevalier et par Gavin, qui venaient de les rejoindre. Tous deux portaient une cuirasse sous leur manteau, avaient passé une épée à la taille et tenaient sous le bras un casque orné de plumes de cygne.

— Mais où est donc passé l'heureux époux ? demanda Laurence à mi-voix.

— La suivante rejoint sa place, parmi les domestiques, répliqua Gavin avec un regard sévère.

Constatant que Laurence n'avait toujours pas saisi le sérieux de la situation, il changea de disposition :

— Elle se tiendra pendant tout le repas derrière l'épouse, afin de la servir.

Laurence lui aurait volontiers sauté au visage, mais Gavin avait déjà galamment offert son bras à Josépha, et la mena jusqu'à la table. Le Chevalier ayant été accaparé par le seigneur Alexios, elle suivit rapidement les deux hommes. Personne ne se préoccupant d'elle, elle marcha d'un pas décidé vers la porte derrière laquelle ils avaient disparu. Des marches taillées dans le roc menaient à la cave.

Laurence se fraya lentement un chemin vers les profondeurs, tâtonnant à la lumière vacillante des torches installées dans les anneaux scellés au mur. En bas, elle entendait des voix animées et des cliquetis métalliques. Laurence se colla à la pierre froide et regarda la gigantesque cave voûtée. C'était un arsenal ! Des épées par pleines corbeilles, des lances nouées comme des fagots, des flèches et des arcs à profusion. On y voyait aussi une masse d'objets de cuir, selles et harnachements, harnais, brides et caparaçons ornés d'étriers de fer. Des hommes ne cessaient d'aller et de venir, chargés de caisses et de faisceaux. Ils disparaissaient dans une sombre galerie d'où d'autres revenaient les mains vides. Le Chevalier et l'ancien se tenaient à l'entrée et contrôlaient. Le vieux arrêtait chaque corbeille, chaque ballot de flèches, et les pièces de cuir regroupées par ballot. Lorsqu'il tendit au Chevalier le rouleau de parchemin où celui-ci devait apposer sa signature, Laurence sut qu'il était temps de se retirer. Mais lorsqu'elle se retourna, elle trouva Gavin qui fronçait les sourcils derrière elle. Sans dire un mot, il lui fit signe de la rejoindre. Ils remontèrent tous deux l'escalier à grands pas avant qu'il ne se décide à parler de nouveau.

— Depuis ce maudit tournoi de Fontenay, Laurence, les choses ne sont plus ce dont elles ont l'air.

Gavin avait prononcé ces mots avec un grand sérieux, ce qui donna envie de rire à Laurence.

— Votre voyage de noces, mon cher Gavin, sert lui aussi exclusivement à camoufler un transport d'armes clandestin des Montferrat. Il espère peut-être que cela lui permettra de devenir empereur de Romagne. Moi, cela me convient.

Ils étaient arrivés dans la cour.

— Cela ne peut convenir ni à toi, ni à moi.

Gavin, sincèrement inquiet, retrouva le tutoiement familier de leur enfance.

— Le doux parfum des armes, reprit-il, va attirer une tout autre vermine que les mouches noires qui te suivaient jusqu'ici à la trace.

— Tu veux dire que les sombres bateliers...

Mais Gavin lui avait déjà mis la main sur la bouche.

La nuit était tombée, et outre le grand feu de camp, au centre de la cour, des torches brûlaient désormais tout autour, plongeant la longue table des noces dans une lumière de fête.

— Jusqu'ici, je n'ai pas vu un seul moine, le tempéra Laurence. Je ne me sens nullement menacée en ces lieux. Je veux profiter de cette fête, et surtout de la soupe chaude.

Gavin, lui, paraissait en avoir perdu l'appétit.

— Les armes sont directement acheminées au bateau par une galerie souterraine. Dès que tout sera chargé, la fête s'arrêtera.

— Rejoignez donc votre ravissante promise, l'invita Laurence en plaisantant. Elle se réjouit certainement déjà de passer une nuit de noces avec un aussi joli garçon.

— Votre place est à notre côté, lui rappela-t-il. Si vous ne parvenez pas à éviter le pire, je m'attaquerai plutôt à la servante. Une simple erreur...

— Ne vous surestimez donc pas, Gavin. Veillez souvent à ce qu'il me reste une écuelle de cette délicieuse soupe de poisson. Sans cela, je vous abandonnerai tout seul, ce soir, à la dame de votre cœur.

Elle finit tout de même par le suivre à table, où se succédaient les bans aux jeunes mariés. C'est au moment précis où l'on ôtait le chaudron de soupe du feu et où les serviteurs voulurent commencer à la servir aux convives que leur arriva l'ordre de se mettre immédiatement en route. On fit sortir d'une écurie une chaise à porteurs fermée, on chassa sans ménagement les poules qui y avaient passé la nuit, l'épouse et sa suivante durent prendre place derrière les rideaux. À peine Laurence s'était-elle assise que la caisse noire se mettait déjà en mouvement — Josépha, qui avait trop bu, en tomba à ses pieds. De l'extérieur, Laurence entendit la voix du Chevalier :

— Au port, et vite.

Les porteurs pressèrent le pas, mais cela n'empêcha pas Josépha de glisser son visage couvert de maquillage entre les cuisses de Laurence, qui sentit les cheveux de la jeune femme contre sa peau.

— Mais qu'est-ce que tu fais là ? demanda Laurence, ahurie.

Elle se demandait si elle n'avait pas senti la langue de la paysanne tout en haut de ses cuisses. La tête de la jeune fille se souleva et apparut de sous son jupon. Sa voix exprimait l'étonnement et la réprobation :

— Comme ces deux chevaliers ne m'ont prise ni par-devant, ni par-derrière, j'ai pensé que je devais me charger de votre bien-être. On me paie tout de même pour quelque chose..., ajouta-t-elle avec franchise.

— Ah ! laissa échapper Laurence. Vous êtes une servante d'amour ?

— Ne vous gênez pas, dites tranquillement putain, et faites-moi savoir ce que vous aimeriez.

Laurence serra les cuisses, effrayée ; mais elle se sentait de plus en plus confuse. Bien sûr, on lui avait toujours appris que la prostitution était un péché mortel ; mais, d'un autre côté, personne ne voyait ce qui se passait dans la pénombre de la litière. À moins que Dieu ne voie vraiment tout ? Mais elle ressentait une telle chaleur sur le bouton de rose qu'elle dissimulait entre ses jambes, sa propre chair lui paraissait si tendre et si faible, si sauvage et si forte à la fois...

Laurence était à deux pas de fermer les yeux et de se donner à l'inconnue. De la sueur lui perlait sur le front. Alors lui vint l'idée salvatrice qu'elle était une Belgrave, une femme qui prend, pas une qui laisse les autres lui donner. Elle repoussa donc d'un geste doux, mais déterminé, la tête de Josépha, et mit un terme à cette situation indigne.

— Pas ici, pas maintenant, dit-elle d'une voix posée en rabaissant sa robe sur ses genoux.

— Ne me croyez pas maladroite, s'excusa Josépha. À chaque fois que vous le voudrez, je vous offrirai tout le bonheur de cette terre et toutes les joies de l'enfer...

Elles étaient sans doute déjà arrivées au navire : on souleva leur chaise à porteurs par-dessus bord, dans un angle tel que les jeunes filles se retrouvèrent dans les bras l'une de l'autre. Elles ne purent quitter leur habitacle qu'au moment où le voilier leva l'ancre et se mit à glisser dans le port assombri par la nuit.

> *Altas undas que venez suz la mar,*
> *Que fay lo vent çay e lay demenar,*
> *De mun amic sabez novas comtar,*
> *Qui lay passet ? No lo vei retournar !*
> *Et oy Deu, d'amor !*
> *Ad hora.m donna joi et ad hora dolor !*

Leur navire battait pavillon de l'empereur de Constantinople. Laurence passait son temps à s'exercer, en compagnie de Gavin, à l'usage de la flèche et de l'arc — la tenue à manches longues qu'elle devait toujours porter dans son rôle de servante la gênait considérablement. Mais les seigneurs ne lui permettaient même pas, à présent, de se débarrasser de sa coiffe hideuse et de laisser l'air du large la rafraîchir. Elle considérait cela comme une pure brimade et le faisait sentir au Chevalier en le battant impitoyablement à chaque fois qu'ils jouaient aux échecs.

Oy, aura dulza, qui vens dever lai
Un mun amic dorm e sejorn'e jai,
Del dolz aleyn un beure m'aporta-y !
La bocha obre, per grand desir qu'en ai.
Et oy Deu, d'amor !
Ad hora.m dona joi et ad hora dolor !

Laurence n'eut pas non plus à accomplir son service auprès de l'épouse : Josépha souffrait atrocement du mal de mer, et passait le plus clair de ses journées à gémir sur sa couchette. De temps en temps, soutenue par le bon Gavin, elle titubait jusqu'au pont arrière pour adresser une nouvelle offrande à Neptune. Cela évita aussi à Laurence d'interroger plus longuement sa conscience chrétienne pour savoir si les femmes sont en mesure de se prodiguer les unes aux autres les délices qu'elles prêtent aux hommes dans leurs rêves. Gavin demeurait la vertu incarnée. Il faisait certes une cour gracieuse à Laurence, et il ne l'aurait certainement pas chassée de son lit. Mais tout s'y opposait : leur différence d'âge considérable, et le rôle qu'assumait Gavin, à la tête de cette ténébreuse entreprise. Laurence se sentit encore moins séduite par toute cette opération lorsqu'on finit par lui expliquer pourquoi elle devait continuer à jouer la servante :

— À votre avis, pourquoi ai-je fait teindre en roux la chevelure de cette prétendue épouse ? (La voix du Chevalier était d'une dureté inhabituelle.) Tant que je ne suis pas sûr que ma servante anonyme est en sécurité, c'est la putain qui tient le rôle d'une certaine Laurence. Compris ?

Laurence préférait de toute façon la compagnie du vieil Alexios, qui la traitait avec respect, mais sans aucune soumission. Elle l'avait observé, immédiatement après leur départ : il se livrait à d'étranges exercices, passant soudain de la position debout à celle de l'archer agenouillé. Ses mains semblaient jaillir, tantôt plates comme un sabre, tantôt refermées en un poing, elles taillaient en pièces des ennemis nombreux et imaginaires. Puis, avec une étonnante agilité, le vieil homme se relevait, faisait tourner en un éclair sa jambe tendue à hauteur du menton. Enfin, il envoyait en avant le genou plié, sautait en l'air à la manière d'un danseur, et s'enroulait sur lui-même comme une boule.

— À quoi bon tout cela ? avait demandé Laurence, un peu moqueuse.

Mais le vieux lui avait donné une réponse qui lui occupait l'esprit :

— Le bien n'est qu'en apparence plus faible que le mal. S'il focalise ses énergies, s'il concentre sa spiritualité supérieure pour imposer sa volonté à un moment précis, il est irrésistible. Comme une belle femme...

Ce qui avait incité Laurence à se soumettre désormais quotidiennement à ces exercices rigoureux, sous la direction de son maître patient. Elle comprit bientôt qu'en maîtrisant ainsi son corps elle pouvait être supérieure à des personnes plus fortes qu'elle : les hommes.

Laurence réclama aussi une explication au Chevalier : pour quel type de mission s'était-il permis de l'accaparer, sans rien lui demander et sans se soucier de ses peines d'amour ? Elle ne ressentait pourtant plus de douleur à l'idée de cet amant qu'on lui avait ravi. Tout juste aurait-elle souhaité savoir si René méritait vraiment qu'elle lui consacre encore la moindre de ses pensées. Pour le reste, désormais, elle était prête à tout.

— Alors, la mission, mon cher Chevalier ? demanda-t-elle sur un ton brutal, avec un geste menaçant.

Sa main en creux ne s'arrêta qu'à quelques millimètres de la pointe du menton, comme on le lui avait appris. Le Chevalier, lui, n'avait pas bronché.

— Vous savez qui en a donné l'ordre, commença-t-il. La comtesse de Foix joue ici un rôle subalterne. Il s'agit du destin d'une terre, d'une civilisation unique : l'Occitanie. Prenez connaissance, je vous prie, de sa situation, ou plutôt de celle des jaloux. L'orgueilleux royaume franc des Capet est coupé par la Méditerranée. La Provence fait partie du domaine féodal de l'Empire romain germanique, le Languedoc et Toulouse sont indépendants et jouissent de la protection du roi d'Aragon, par-delà les Pyrénées. La liberté démesurée de l'Occitanie a fait fleurir un univers de croyance qui ne se soumet pas à l'*Ecclesia catolica*, mais a trouvé sa propre forme, la doctrine des cathares. Le pays a donc trouvé un deuxième ennemi, plus acharné encore que le premier, parce qu'il était guidé par des sentiments obscurs, le zèle religieux amassé, la volonté haineuse de se venger, ou le reniement. Je parle de l'Église du pape romain.

— Il me semble que Rome hait encore plus les hérétiques et les schismatiques, songea Laurence.

— L'Église pardonne l'incroyance et l'ignorance, pas la trahison.

— Et quel est le but de cette mission ? Quel résultat peut-elle avoir ? demanda Laurence en se redressant.

Le Chevalier ne put s'empêcher d'observer son corps de liane. Cette fille d'un Normand et d'une Romaine associait les avantages des deux races. Ses longues jambes du Nord et son torse mince et méditerranéen s'harmonisaient admirablement. Certains hommes la jugeaient sans doute trop grande, d'autant plus que Laurence se tenait toujours droite, presque raide. Il ne se rappelait pas l'avoir jamais vue autrement qu'ainsi, jeune dame à la tête haute.

— Si l'on n'empêche pas, fit le Chevalier, revenant sur sa question, que ces deux éléments hostiles, Rome et Paris, forment une alliance, alors la Couronne de France transpercera la riche, grasse et odorante Occitanie, elle l'embrochera, la fera cuire dans son jus d'hérétiques, rôtir aux flammes des autodafés, le tout épicé par la bénédiction de l'Église. En revanche, une attaque contre la Provence les priverait de ce pieux tablier de cuisine qui les protège des taches de graisse hideuses ; elle leur vaudrait en outre de violents démêlés avec l'empereur allemand.

— Et qu'envisagez-vous comme remède purgatif ?

Le Chevalier, ravi, contempla cette large bouche aux lèvres charnues et fermes. Jointes à ses grands yeux, elle donnait souvent à la jeune fille un air d'étonnement puéril. Mais il ne fallait pas s'y laisser prendre. Derrière le front élevé, l'esprit était éveillé, n'évitait aucune charge — le Chevalier avait même le sentiment que Laurence recherchait constamment la confrontation. Elle paraissait animée par un puissant désir de montrer sa valeur. Comme un homme, ou plutôt parce qu'elle était une femme.

— Voir la France devenir une puissance marchande en Méditerranée, poursuivit le Chevalier, ne peut réjouir aucune des Républiques maritimes traditionnelles, de Barcelone à Pise et à Gênes. Pas même Naples, et surtout pas Venise. Toutes devraient craindre pour leur monopole. Elles sont donc nos alliées naturelles — de l'Aragon à la Grèce, en passant par la Ligue lombarde.

— Et Jean du Chesne, *alias* le Chevalier du Mont-Sion, se croit capable de mettre ce mécanisme en branle sans l'aide de quiconque ?

La belle bouche de Laurence demeurait parfaitement formée, même lorsqu'elle se moquait. C'étaient ses yeux gris qui révélaient la raillerie.

— Il prendra la deuxième de ces identités. Et il lui faudra votre aide.

Laurence projeta l'une après l'autre ses minces jambes vers le haut, tandis que son corps se courbait comme une badine. Elle frappa de ses pieds nus un adversaire invisible, se lança en arrière, tournoya dans l'air et atterrit, bien en équilibre, derrière le Chevalier.

— Je n'aime guère être sous-estimée, dit-elle en respirant bruyamment. Mais voir quelqu'un se faire des illusions sur mes capacités m'est encore plus désagréable.

Elle essuya avec un chiffon de grossier tissu la sueur qui luisait sur sa peau couleur olive.

Laurence était l'unique rousse qu'il ait connue jusqu'ici et qui ne lui fasse pas penser à un petit cochon rose. Il ne discernait même pas de taches de rousseur sur sa peau. Ses cheveux avaient le même teint cuivré, et sa peau, blanche comme marbre en hiver, recevait les rayons du soleil sans rougir le moins du monde.

— Je ferai ce qui sera en mon pouvoir, répondit au Chevalier cette Diane cuivrée.

Il ne devinait pas dans quelle confusion il avait plongé Laurence. Elle savait seulement que toute cette affaire avait un rapport avec son frère ou demi-frère Guido, qu'elle n'avait encore jamais vu, et qui devait manifestement jouer un rôle clef dans cette « mission ». Et elle-même ? Jouait-elle le rôle de serrure ? Cette image lui déplaisait autant qu'elle l'excitait. Laurence aimait son image de personne ouvrant les portes d'une main résolue ; mais elle ne se voyait guère en pêne animé par les autres. Elle était naturellement disposée à accepter des sacrifices pour cette « mission » tellement importante, voire des souffrances ; mais non à y perdre sa dignité. Elle décida de rester sur ses gardes et de ne pas se fier à l'honnêteté des hommes. Y compris à celle du Chevalier.

Au bout de quelques jours de traversée tranquille, le voilier contourna la pointe méridionale de la Corse. On prenait volontiers ce raccourci par la mer Tyrrhénienne, parce que les pirates de la côte berbère y apparaissaient rarement et n'y commettaient guère de violences. Ils n'avaient pas encore doublé le cap nord de la Sardaigne que deux coquilles de noix à mât court leur barrèrent le passage, d'une manière qui n'inspirait pas du tout confiance. Et lorsqu'ils se retournèrent, ils virent trois de ces voiliers agiles jaillir de baies rocheuses et dissimulées.

— Ce sont des marchands d'esclaves maures ? demanda Laurence, tout excitée, tandis que l'équipage prenait les armes et faisait rouler sur le pont les balistes jusqu'alors camouflées sous des draps.

— Malheureusement pas, répondit Alexios. On dirait qu'il s'agit de ces Corses qui, pour le compte des Génois, raflent tout ce qui a le parfum de Venise, la Serenissima. Un parfum qui a tout, pour eux, de l'odeur du putois, comme notre empereur, ce « latin » par la grâce de Venise.

— Et que comptez-vous faire ? intervint le Chevalier, qui avait déjà passé toute sa cuirasse.

Derrière lui, Gavin portait son bouclier et un faisceau de lances.

Alexios dodelina du chef.

— S'ils nous abordent, nous ne pourrons pas nous défendre.

— Voulez-vous leur livrer notre précieux chargement ? dit le Chevalier, indigné.

— Nous nous laissons prendre et remorquer vers le plus proche port corse, lui expliqua le Doyen, impassible. Ensuite, il reviendra à votre habileté diplomatique d'expliquer au gouverneur local de la « Superba » que notre seigneur, le prince de Montferrat, roi de Thessalonique, ne se trouve en aucune manière dans le camp des Vénitiens, qu'il s'apprête au contraire à détacher la Crète de sa zone d'influence, et que nous l'y attendons avec impatience. Du reste, les services d'espionnage de Gênes devraient l'avoir eux aussi établi. Ils pourraient ainsi nous laisser repartir sans dommages.

— Ou pas du tout, ajouta Gavin, pour lequel ce débat manquait de virilité, et qui brandissait ostensiblement son épée.

— Rangez votre arme, l'implora le vieil homme. Voulez-vous donc connaître la mort du héros avant même d'avoir reçu le droit de porter l'épée ?

Entre-temps, le cercle s'était refermé autour d'eux, même si les petits navires demeuraient à bonne distance des balistes.

— Un parlementaire arrive ! s'exclama Gavin. Ils veulent négocier.

Effectivement, un canot s'approchait à grands coups de rames, transportant quelques gaillards à l'allure audacieuse. Ils brandissaient un drapeau blanc et avancèrent jusqu'à ce qu'ils soient à portée de voix.

— Suivez-nous de votre propre gré dans le port de Bonifacio ! cria leur chef.

— C'est le pire de leurs nids de pirates, chuchota Alexios.

C'est le Chevalier qui répondit :

— Donnez-nous sauf-conduit !

— Pour votre corps et votre vie, si vous nous laissez en otage le couple des jeunes mariés.

— Et notre chargement ? demanda Alexios, suspicieux.

— Si votre navire le supporte, nous voulons y ajouter vingt chevaliers en armes et leurs écuyers, qui brûlent tous de se battre pour Montferrat.

Alexios déglutit. Le Chevalier fut le premier à retrouver la parole :

— Dans ce cas, pourquoi réclamez-vous des otages ? cria-t-il aux occupants de la barque, passée, entre-temps, sur le flanc du navire.

Cela fit rire ces gaillards sauvages.

— Parce que nous leur avons préparé une fête. Vous êtes tous invités, comme l'exige l'hospitalité corse.

— Je fais appeler l'épouse, dit Gavin.

Il poussa Laurence sur le côté. Josépha sortait déjà de sa tente. Elle avait apparemment surmonté sa nausée, et s'était soigneusement préparée. Gavin lui offrit son bras et l'aida à descendre l'échelle de corde. Des bras nombreux et puissants la soulevèrent dans le canot. Gavin sauta après elle. L'embarcation s'éloigna aussitôt et s'apprêta à revenir vers la flottille.

Ce fut la dernière image qu'ils virent du brave Gavin et de son épouse : surgissant de nulle part, deux lourdes charges de catapulte atterrirent dans l'eau à côté de la barque, qui chavira aussitôt.

« Des Pisans ! » cria une voix, et Laurence vit deux puissants navires de guerre, la voile gonflée, arriver à toute vitesse depuis le cap, en tirant constamment avec leurs trébuchets.

— Éloignons-nous des Corses ! hurla Alexios à ses hommes. Sans cela, ils nous couleront aussi.

La flottille corse se dispersa. Dans la mer soulevée par les projectiles, Laurence ne put voir si les naufragés du canot étaient parvenus à se sauver.

— Nous ne pouvons pas abandonner Gavin à son sort ! se lamenta Laurence.

— Le propre du destin est justement que l'on doit s'y plier, répliqua Alexios.

Même s'il avait voulu s'attarder sur le lieu du naufrage, il n'aurait de toute façon pas pu le faire : un Pisan s'était interposé entre le navire des Montferrat et ceux des Corses en fuite, tandis que l'autre interdisait toute tentative de fuite vers le large. Ils auraient d'ailleurs été perdus : avec leur surface de voiles et leurs coques profilées, les trirèmes des Pisans étaient deux fois plus rapides qu'eux.

— On nous fait signe qu'il nous faut suivre, annonça Alexios au Chevalier, en pointant du doigt l'avant du bateau.

Le Pisan avait jeté un cordage à l'eau. Son extrémité, accrochée à une vessie de porc, flottait à la surface.

— Ces messieurs exigent aussi que nous abattions notre voile, ajouta le Chevalier, déchiffrant le message émis par un miroir.

— Nous devrions peut-être aussi nous passer nous-mêmes la corde au cou, grogna Alexios, mais il ordonna tout de même d'aller chercher le cordage dans la mer et de l'accrocher à la proue.

— Soyez remerciés, nobles sauveurs, répondit insolemment le Chevalier.

Il ne reçut pas de réponse, mais une secousse parcourut le navire. Le cordage s'était tendu, et le navire de combat pisan mettait le cap au sud.

— Si nous nous fions à leur trajectoire, on nous dirige vers la Sicile, conclut le Chevalier. Pise est censée être fidèle à l'empire. De là l'attaque contre les corsaires génois.

— Et dans quel camp place-t-on Montferrat ? demanda Laurence, moqueuse.

Alexios lui lança un regard désapprobateur.

— Nous le saurons au plus tard en constatant quelle

réception l'on nous prépare. Mieux vaudrait ne pas nous attendre à des manifestations d'hospitalité ostentatoires.

Le Chevalier regarda derrière lui. L'autre navire avait disparu. Confuse, hagarde, furieuse de se laisser ainsi traîner comme un chien en laisse, Laurence revint dans la tente qu'elle était désormais seule à occuper. Gavin s'était peut-être sauvé, mais Josépha ne savait certainement pas nager. Elle imagina la petite prostituée disparaître dans l'eau, sa chevelure teinte en roux auréolant son visage de paysanne où coulait le maquillage, comme si elle avait pleuré. Laurence décida de haïr la mer, ce bleu infini et profond qui faisait des vagues, des rouleaux, qui s'aplatissait, changeait de couleur comme il lui plaisait, dissimulait ses mystères dans ses abysses et dont n'importe quel point de l'immense surface était capable de semer peur et destruction. Ce n'était pourtant pas la mer qu'elle détestait, mais ce sentiment de totale impuissance qu'elle dégageait. Elle était couchée sur le dos, sur sa rude paillasse, elle avait soulevé sa robe et caressait le haut bombé de son pubis.

Le petit roi

Un matin, au bout de trois jours et de trois nuits, la côte rocheuse de la Sicile fut en vue.

— Ils mettent le cap sur la baie de Castellamare, annonça le Chevalier.

Laurence l'entendit. Les voix des hommes, à bord, trahissaient de nouveau leur besoin d'action. On leur avait permis de détacher le cordage et de lever la voile pour mener eux-mêmes la manœuvre d'accostage.

Laurence sortit sur la poupe, savoura le soleil levant et l'odeur de la mer. On apercevait les maisons du bourg, avec son château fort imprenable. Le port naturel, protégé par les rochers, s'ouvrit au navire de fret grec, qui abaissa sa voile et passa à la rame. Le Pisan jeta l'ancre à l'extérieur, devant le môle, et céda la priorité à sa proie. Le petit chien au bout de sa laisse se transforme en souris prise au piège, songea Laurence. Et le gros chat noir l'attend tranquillement.

On vit bientôt que telle n'était pas exactement la réalité. Pour la première fois, le capitaine pisan fit l'effort de monter à bord du navire qu'il avait arraisonné et réclama sans ambages la moitié de la cargaison. Mais, dans le même temps, le commandant allemand du port arriva pour saluer ses hôtes venus de Grèce. Le Pisan n'évoqua plus ensuite que le navire « sauvé » de Montferrat, lorsqu'il eut compris que ce nom était connu et respecté de tous. Le Chevalier profita même de ce changement de situation pour remercier le Pisan de son mauvais service et lui offrir une épée de Tolède forgée avec grand art.

— À Pise, ma ville natale, vous eussiez été tout aussi bienvenu, Chevalier, répondit le capitaine, qui savait s'adapter aux situations imprévues. Mais je savais bien que votre objectif était la terre des Grecs, et c'est la raison pour laquelle je vous ai aidé de bon cœur aujourd'hui à y mener en toute sécurité ce chargement qui y était attendu avec impatience.

Puis il redescendit du bord avec le commandant, un homme des Hohenstaufen ; ils invitèrent le Chevalier à les suivre. L'équipage de Montferrat réclamait lui aussi de pouvoir débarquer.

— À Pise, ce lascar n'aurait pu mettre la main sur notre chargement, on le lui aurait confisqué, expliqua Alexios à Laurence, perdue sur le pont. C'est pour cette raison qu'il a tenté sa chance ici. Mais je parie que nous ne sommes pas près de reprendre notre voyage, et surtout que nous n'en sortirons pas indemnes. (Il sourit en notant l'expression incompréhensive du regard de Laurence.) Sur cette île, même les fonctionnaires des Hohenstaufen ne tardent pas à prendre des habitudes fâcheuses.

— Alors nous devrions sans tarder aller profiter de la beauté du lieu avant que quelqu'un ne nous prive aussi de ce plaisir.

Laurence gravissait les décombres, consolidés par des galets, de l'étroit escalier qui devait mener à ce château perché bien au-dessus des cabanes voûtées et accrochées à la roche.

De temps en temps, elle se retournait vers le port, en bas, qu'elle distinguait de mieux en mieux. Le seul navire étranger, ancré entre les bateaux de pêche, était celui de Montferrat ; à l'extérieur, le Pisan surveillait l'entrée, aux aguets, devant le môle formé par un hémicycle de blocs rocheux. Laurence sentait même ici, tout en haut, la tension menaçante qu'elle avait perçue au moment où l'on avait emmené le Chevalier. Elle espérait pouvoir trouver une explication à cette situation dans ce château qui dominait tout. Mais elle ne s'attendait pas à une explication agréable.

Une somnolence de plomb était tombée comme un filet invisible sur la ville et le port. Entre les cours qui paraissaient mortes, derrière les murs élevés, elle découvrit, caché sous des portes voûtées, un escalier encore plus raide qui annonçait un raccourci. Mais elle se retrouva malgré elle devant les murs surélevés du château. Laurence n'était pas disposée à faire demi-tour. Elle évoluait déjà au-dessus des toits des dernières maisons. Elle grimpa donc sur les pierres qui jonchaient le sol au pied de la muraille, s'accrochant aux buissons de genêts lorsqu'elle glissait dans les éboulis. Mais sa ténacité fut récompensée.

Elle vit soudain un pigeon blanc couché à ses pieds, le plumage rougi par le sang frais. Même un pigeon ne pouvait être assez idiot pour aller se fracasser le crâne contre un mur de château ! Laurence, en lui cherchant une pierre tombale adaptée, découvrit, cachée derrière un nez de roche, une porte de fer rouillée qui céda à la première pression de son épaule. Laurence s'arrêta et se mit aux aguets. Elle était arrivée dans une sorte de conduit de puits. Au-dessus d'elle, elle pouvait voir le ciel bleu, mais aussi l'escalier en colimaçon encore intact qui menait à une issue inconnue. Laurence ressentit certes une certaine inquiétude, mais son goût de l'aventure l'emporta. Elle monta donc, vérifiant la solidité de chacune des marches, tout en s'efforçant de ne pas faire de bruit. À l'extrémité de l'escalier s'ouvrait un passage étroit, l'ancienne porte du puits, dont le treuil et la manivelle d'acier étaient tombés dans les profondeurs — Laurence les aperçut, tout en bas, dans l'eau claire et lisse. Derrière se trouvait un jardin revenu à l'état sauvage qui avait encore un peu de sa splendeur passée et du savoir-faire oriental : une fontaine tarie depuis longtemps sous une coupole recouverte de lierre, les rigoles de marbre ensablées et envahies par les herbes. De gigantesques dattiers dispensaient leur ombre, indifférents. Une pierre tomba sous elle, dans le socle de la tour. Laurence s'était donnée tant de mal pour ne pas révéler sa présence par un bruit inutile ! Elle regarda autour d'elle, et son regard monta lentement. Sur la couronne du mur se tenait un gamin. Il lui lança une deuxième pierre.

— Es-tu Ariane, venue me libérer ? demanda une voix claire et très autoritaire.

— Ah, cher Thésée, j'ai oublié ma pelote de laine, répondit-elle du tac au tac. Le labyrinthe de la vie nous réserve donc à tous les deux la mort par famine.

Cela ne décontenança pas le jeune garçon perché sur les murailles. Il était plus jeune qu'elle. Laurence lui donnait onze ans, douze tout au plus.

— Je peux te faire rôtir un pigeonneau, garni de miel et d'amandes.

Il tendit la main ; Laurence remarqua alors qu'il portait un gant de cuir. Un faucon approcha et décrivit deux cercles au-dessus de lui avant de se poser sur le gant en battant des ailes. Dans ses griffes, il tenait un pigeon fraîchement abattu. L'enfant lui prit la bête ensanglantée et le jeta négligemment par-dessus son épaule.

— Pourquoi ? laissa échapper Laurence, malgré elle. Ce noble animal n'a-t-il pas mérité sa proie, en récompense ? ajouta-t-elle aussitôt.

— Je ne supporte pas les pigeons, répondit le gamin en secouant la tête, l'air revêche. C'est la raison pour laquelle nous devons tous trois mourir de faim, avec la dignité des rois, dit-il en caressant la tête du faucon et en lui remettant sa cape sur les yeux.

— Sauf si des pigeons rôtis nous volent tout droit dans la bouche, fit Laurence.

— Pas même rôtis ! répondit le jeune fauconnier.

— Bien, dit Laurence. Puisque tu disposes ainsi de ma vie, tu pourras aussi me faire entrer à l'intérieur de cette forteresse. Je cherche...

— Je suis le roi ! fit le garçon en lui coupant la parole.

Puis il sauta avec agilité du haut de la muraille, en faisant manifestement attention à ne pas troubler le faucon.

— Veux-tu une île ? demanda-t-il encore.

— En cadeau ? répliqua Laurence avec une certaine irritation : le roi lui avait tourné le dos et faisait pipi contre le mur.

— En fief, évidemment ! s'exclama-t-il rudement par-dessus son épaule. Et uniquement si tu peux nous procurer un navire qui nous y conduira.

Laurence se donna quelques instants pour réfléchir, ce qui laissa au gamin le temps de poser le faucon sur la branche d'un figuier sauvage et de remonter son pantalon.

— J'aurais un beau navire pour toi. Il est en bas, dans le port.

Il lui coupa à nouveau brutalement la parole :

— Alors il va être pillé.

Mais cette fois, Laurence ne se laissa pas désarçonner, d'autant plus que les propos du jeune roi confirmaient ses pires craintes.

— Le Chevalier est donc lui aussi votre prisonnier au château ?

— Pas le mien ! répondit-il sèchement. Je suis moi-même enfermé ici au pain sec et à l'eau, entouré de gardiens perfides qui en veulent à ma vie — moi, leur roi !

Cette fois-ci, l'étrange bonhomme manifesta une émotion : il paraissait sincèrement indigné.

— Et pourquoi ne t'enfuis-tu pas ? s'enquit Laurence.

Le gamin la regarda pour la première fois dans les yeux. Les siens étaient d'un bleu aqueux, sans la moindre tendresse dans le regard. La chevelure châtain avait une forte nuance de roux cuivré, et ses boucles crépues, qui couronnaient comme des lauriers invisibles son front élevé, lui donnaient l'allure d'un César. Mais il avait une stature malingre et la peau blanche, comme un enfant qui a passé le plus clair de son temps loin de la lumière du soleil.

— Un souverain ne peut pas s'enfuir *comme ça*, dit-il, songeur. Ça ne serait pas seulement indigne : ce serait aussi faire le jeu de nos ennemis.

Laurence avait soutenu le regard scrutateur du jeune garçon, ne serait-ce que pour gagner sa confiance.

— Mais il peut partir en exil, proposa-t-elle.

Cette idée paraissait effectivement le travailler.

— Si tu viens avec moi...

Il eut alors, tout d'un coup, l'air d'un enfant solitaire, et Laurence fut prise de pitié. Elle tenta de le dissuader de réfléchir plus longtemps à son idée.

— Comment t'imagines-tu une vie avec moi sur une île déserte ?

Elle rit, un peu nerveusement, mais ne parvint pas à communiquer sa bonne humeur au garçon.

— Tu es trop rousse pour moi ! la repoussa-t-il. D'ailleurs, comment t'appelles-tu ? Comment se fait-il que tu sois arrivée jusqu'à moi, alors que toute visite m'est interdite ?

— Je suis Laurence, fille unique du baron Lionel de Belgrave, répondit-elle. Et toi, comment t'appelles-tu ?

Ce fut à lui, alors, de s'étonner.

— Tu ne le sais pas ? Si tu ne joues pas la comédie, tu es véritablement Ariane, venue pour me sauver !

— Pourquoi mentirais-je ? répondit Laurence, indignée. Je ne suis pas non plus de Naxos. Le destin nous a menés sur cet îlot. Nous étions en route pour...

— Cet « îlot », comme tu dis, est mon royaume, la Sicile ! reprit le jeune garçon, furibond. Je suis Federico, son souverain couronné !

Un fou, songea Laurence en baissant humblement les yeux pour ne pas l'exciter encore plus, car de tels personnages peuvent devenir dangereux lorsqu'ils perdent leur calme.

C'est alors que Laurence vit approcher un gros bénédictin qui portait plusieurs livres et annonça joyeusement : « Majesté, il **est** l'heure de vos études ! »

Une couronne de bouclettes blanches soulignait le crâne du moine ; la tonsure avait depuis longtemps cédé la place à la calvitie, mais il émanait de lui une autorité insouciante.

— Le rayonnement irrépressible de notre astre, ajouta-t-il doucement, n'est guère propice à votre tête, demeure de l'esprit.

— Ne vous faites donc pas de souci pour l'état de mon chef oint par les dieux, don Orlà. Je compte bien demeurer à la lumière éclatante du soleil !

Laurence fut émue de voir le bon élève transparaître dans les propos de Federico, qui se piquait de briller par son expression poétique.

— Vous, don Orlando, mettez-vous donc à l'ombre, proposa-t-il d'abord courtoisement avant de retrouver le ton d'un enfant capricieux. Mais moi, je ne retournerai pas dans ma cellule de prisonnier !

Le gamin avait manifestement l'habitude d'imposer sa volonté, comme le prouvaient les livres apportés par son maître.

— Au fait, je vous présente Laurence de Belgrave ! ajouta-t-il. Elle est venue pour nous faire allégeance.

Laurence adressa un sourire tourmenté au moine rondouillard lorsqu'il s'assit en gémissant sur une pierre, à l'ombre du figuier, sans chercher à discuter plus longtemps.

— En vérité, elle a été envoyée pour me libérer des chaînes de cette forteresse ! ajouta l'enfant royal.

Mais son enseignant aux cheveux blancs le mit en garde en chuchotant :

— Nous avons de la visite !

Il se leva et laissa son siège de pierre au jeune roi, qui s'y installa tout naturellement et se mit à jouer avec le faucon. Alors apparut entre les buissons du jardin montant vers le château le commandant du port, cet homme poisseux et sale que Laurence connaissait déjà. Il releva cette présence inattendue avec un bref accès d'étonnement agacé et s'arrêta dans sa progression, respectant la distance qu'imposait la hiérarchie. Comme nul ne le saluait ou ne l'invitait à s'approcher, il attendit quelque temps et toussota.

— Je suis votre serviteur dévoué, Majesté, commença-t-il avec componction. À ce titre, et en tant que fonctionnaire des Hohenstaufen, j'ai le devoir de vous informer que, dans le port de Castellammare, un navire de fret grec, propriété d'un certain sire de Montferrat, est entré dans le port pour une halte. Il fait route pour Constantinople. J'ai pensé...

Le commandant du port passait trop rapidement du bavardage à la familiarité. Federico lui coupa la parole.

— Nous en délibérerons avec notre châtelain, Gentile di Manupello !

— Mais il est parti ce matin à cheval, pour Palerme ! osa objecter le commandant. Et l'on n'attend pas son retour avant plusieurs jours.

Laurence crut déceler dans ses propos une once de triomphe. Elle écouta attentivement.

— Pour ne pas vous presser dans vos décisions, reprit le commandant du port, mielleux, je me suis permis, dans un premier temps, de faire enchaîner le Grec.

— Comment cela ? laissa échapper Laurence.

Mais Federico, d'une main, lui fit signe de s'apaiser — l'autre était de toute façon occupée par son faucon, qu'il ne quittait pas des yeux.

— Vous pensez donc, fit le jeune garçon, que mes servi-teurs peuvent se permettre de me servir sur un plateau des navires étrangers qui me permettront de quitter la Sicile dès que possible ?

La voix de Federico s'était faite de plus en plus basse, pour atteindre un niveau presque inquiétant. À chaque instant, Lau-rence s'attendait à le voir éclater dans une terrible fureur. Mais Federico continuait à jouer avec sa victime, qui ne devinait nullement le danger imminent et continuait son bavardage, sur un ton qui se faisait implorant :

— Les forces impériales vous menacent, confia-t-il à son roi. Pour quelle raison pensez-vous que l'on ait éloigné Manu-pello du castel ? À mes yeux, c'est une manière rapide de...

Federico l'interrompit d'une voix tranchante :

— Protégez vos yeux ! Et éloignez-vous, maintenant, sur-le-champ !

L'enfant venait de soulever le capuchon du faucon. Crai-gnant pour sa vue, le commandant fit demi-tour et se jeta presque dans les buissons. Au bruit sourd de sa chute, on comprit qu'il s'y était d'abord étalé de tout son long. Le crisse-ment du gravier sur le sentier indiqua ensuite qu'il partait en courant. Laurence ne put réprimer un éclat de rire, mais le regard sévère du jeune souverain la fit taire.

— Ce type est assez bête pour donner le nom du traître, commenta Federico. Lui non plus n'est pas un partisan des Hohenstaufen, mais un misérable guelfe ! Il tente de nous faire saliver avec un navire grec !

— Qui a été conduit ici sous la menace ! ajouta Laurence. Il ne vous a pas parlé du Pisan, un navire de guerre servi par un imposant équipage. Il attend à l'extérieur du port et ne pro-met rien de bon.

— Je l'ai vu, répondit Federico. Et je vous donne raison, mon amie.

— Pour moi, le gardien suprême du port a dit la vérité, dit, songeur, le bénédictin lettré. Un complot se prépare. La seule question qui se pose est de savoir pourquoi l'on vous en informe si clairement.

— C'est ce qu'il y a de terrible avec les gens idiots ! répon-dit son élève. Ils sont imprévisibles. Le faucon les fait fuir, comme si une aussi noble créature allait s'attaquer à eux. Mais ils sont tout à fait en mesure de porter sur leur roi une main insolente !

Malgré son indignation, Federico ne dissimulait pas sa répugnance.

— Après l'échec de cette tentative, d'autres ne se feront pas attendre, résuma l'enseignant. Majesté, vous devriez surmonter l'aversion que vous inspirent les murs solides de ce château, et vous retirer dans vos appartements, en ma compagnie.

— Et les rares fidèles sur lesquels nous pouvons compter devront veiller devant ma porte pendant cette nuit, ajouta l'élève, désormais très docile. Nous demanderons à notre amie de redescendre à présent au port, d'ouvrir grand ses oreilles et de nous faire de nouveau, demain, le plaisir de sa visite.

Federico s'inclina légèrement devant la jeune dame, qui fut ainsi congédiée. Laurence redescendit par le puits en ruine et laissa rapidement les murs du château derrière elle. Elle espérait ardemment rencontrer Jean du Chesne sur le navire. À son retour, le vieil Alexios l'informa cependant que le Chevalier n'était pas revenu, et qu'il passerait sans doute la nuit dans la citadelle, comme hôte du châtelain. Laurence savait qu'il n'en était rien, mais se tut. Comme elle regrettait Gavin à présent ! Elle lança un regard à la lourde chaîne de fer qui retenait le navire. Le Doyen le remarqua et haussa les épaules avec fatalisme. Laurence alla se mettre au lit. Comme elle resta longtemps éveillée, elle songea au jeune roi qui paraissait souffrir de la faim mais gâtait son faucon, à ce prisonnier qui avait l'air d'un souverain. Cet étrange enfant-roi n'avait pas besoin de trône doré ni de couronne sur la tête : c'est depuis une pierre nue qu'il tenait cour. Toute la Sicile lui appartenait, et bien plus encore. Il pouvait donner des îles en fief, mais n'aspirait à rien tant qu'à un navire plein d'hommes auxquels il pourrait se fier. Quel monde ahurissant s'ouvrait devant lui ! Laurence s'était endormie. Elle ne fit aucun rêve.

Le lendemain matin, elle fut réveillée par les rayons du soleil. Laurence se réveilla avec un sentiment de honte et se mit aussitôt en marche vers le château. Cette fois, elle prit une route bien pavée qui montait, sinueuse, vers le portail. Les gardes lui barrèrent brutalement le passage dès qu'elle eut demandé le roi. Lorsque les jeunes soldats firent mine de chasser l'importune, Laurence se réclama du Chevalier du Mont-Sion, qui était l'hôte du châtelain Gentile. Elle ne se rappelait plus son nom complet. Personne ne semblait connaître le Chevalier. Sa demande lui permit toutefois de franchir le portail, et personne ne l'inquiéta plus. On envoya un page s'enquérir de la présence du Chevalier.

Laurence tourna le dos aux gardes et contempla, songeuse, les toits qui s'étalaient en dessous d'elle, vers la mer. On ne distinguait pas la baie du port, mais elle aperçut le Pisan qui avait mis toutes voiles dehors et s'éloignait tranquillement. Il disparut bientôt derrière le cap, à l'extrémité de la petite baie. Ce retournement subit donna aussitôt de l'espoir à Laurence : il ne pouvait signifier que la fin des menaces. Elle ne s'étonna pas du changement d'intentions soudain du Pisan. Elle s'arma donc de patience et attendit qu'on la laisse accéder au roi.

Le Chevalier avait mal dormi sur sa couche de pierre. Avec ses trente-cinq printemps, il ne supportait plus ce genre de traitements. Et les « conversations » qu'il avait eues la veille n'avaient guère contribué à son bien-être. Les deux messieurs, le commandant du port et le capitaine pisan, ne l'avaient pas du tout accompagné au château, mais l'avait prié de se rendre pour remplir quelques formalités dans les *uffizi* lépreux de l'administration du port. On l'avait laissé pendant quelques heures tout seul dans une pièce aux fenêtres barrées de tiges de fer, près d'une cour ornée d'une potence. Des gardiens surveillaient sa porte. On lui refusa même un peu d'eau.

Lorsque ses deux geôliers se montrèrent enfin, ils lui présentèrent des excuses obséquieuses et lui donnèrent largement de quoi se désaltérer. Mais la discussion vira aussitôt à l'interrogatoire. Ils lui présentèrent un « document » qu'il lui suffirait de signer pour pouvoir repartir librement et sans délai. Il s'agissait tout simplement d'avouer que les armes transportées par le navire de Montferrat étaient destinées à soutenir les insurgés contre le pouvoir monarchique. Le Chevalier comprit que cette formulation floue pouvait non seulement convenir aux intentions de Montferrat dans la lointaine Hellade, mais tout aussi bien — ou plutôt, tout aussi mal — à la situation dans le royaume de Sicile, où les Sarrasins se rebellaient contre la couronne depuis l'époque des Normands. En signant, il se serait livré, lui-même et son équipage, à la justice du pays où il se trouvait. La potence semblait déjà attendre cet instant. Le Chevalier avait donc résolument refusé. On ne l'avait pas torturé, mais rendu à sa solitude. Lorsque le soir tomba, on lui proposa un maigre repas, en l'invitant sans aucune équivoque à s'abstenir de faire le moindre bruit. Pour souligner cette exigence, le gardien fit mine de se passer sous le cou le poignard du Chevalier, qui lui avait été confisqué lors de son arrestation. Il n'y avait rien d'étonnant à ce qu'il ait mal dormi.

Laurence était déjà plus que lasse d'attendre devant la porte du castel lorsque l'un des gardiens lui lança des gravillons dans le dos.

— Pardonnez-moi, noble jeune fille ! s'excusa-t-il. Nous ne sommes pas autorisés à quitter notre poste. Pendant l'absence du châtelain Gentile, Maître don Orlando le remplace. Mais celui-ci est déjà descendu à la ville.

Laurence n'était pas disposée à se laisser mener en bateau par les gardiens. Elle tourna la tête vers l'homme qui lui parlait, mais c'était uniquement pour mieux le comprendre.

— Le roi vous recevrait volontiers, mais on nous a ordonné de ne laisser passer personne. Nous sommes responsables, sur notre tête : personne ne doit pouvoir porter la main sur notre jeune souverain.

— Son désir de me voir ne peut sans doute rien contre cet ordre ! constata Laurence avec agacement, et elle se releva. Transmettez mes salutations à votre seigneur. Je ne puis attendre plus longtemps, et je ne le veux pas non plus.

Alors qu'elle s'apprêtait à partir, un autre gardien fit courageusement un pas en avant et lui barra le passage avec sa hallebarde.

— Nous nous ôtons le pain de la bouche pour que notre roi puisse en profiter, s'exclama-t-il, furieux, et une jeune femme ne veut même pas prendre quelques minutes pour attendre qu'on la laisse passer !

Cette manifestation de fidélité toucha plus Laurence que la menace de l'arme pointée contre sa poitrine.

— L'amour que vous portez à votre roi me fait honte, dit-elle en s'asseyant à nouveau.

Elle était désormais elle-même prisonnière de ce château

sur lequel semblait peser un mauvais sort. Elle tourna le dos à la pointe d'acier et regarda la mer qui s'étendait devant elle, immensément bleue.

En dessous, dans le bâtiment en pierre de la capitainerie, le Chevalier reçut une visite inattendue. On commença d'ailleurs par lui nouer les mains dans le dos. Puis Alexios, lui aussi poings liés, fut poussé dans la pièce où le détenu avait passé la nuit. Le commandant du port le suivit immédiatement. Cette fois, les gardes ne quittèrent pas la cellule, mais restèrent à proximité en brandissant leurs épées. L'accusateur ne tourna pas autour du pot et ne s'embarrassa pas de la vérité.

— Nous disposons de vos aveux, fit-il d'une voix presque mielleuse au Doyen qui regardait par la fenêtre sans le voir.

La potence, à l'extérieur, ne pouvait lui avoir échappé.

— La tentative de trafic d'armes au profit des rebelles sarrasins..., reprit le commandant.

— Eh bien, voilà, nous savons enfin à quoi nous en tenir ! constata le Chevalier avec satisfaction.

— ... tentative dont vous êtes convaincus, vous-mêmes et tous les hommes de Montferrat, est obligatoirement punie de mort.

Le commandant du port continuait à débiter ses accusations d'une voix presque aimable. Il s'arrêta un bref instant pour observer l'effet produit par ses paroles. Le Chevalier se contenta d'observer le Doyen et regarda la potence avec une pointe d'amusement. Mais il s'était trompé : on ne voulait pas sa mort.

— Il existe tout de même une issue, proposa le commandant. Si vous ne l'acceptez pas, il ne vous reste qu'à franchir cette porte et à passer dans la cour, où le bourreau vous attend déjà.

Et de fait, un personnage musculeux, le visage caché sous une cagoule noire, les yeux apparaissant à peine sous la fente, était en train de s'activer autour de la potence. À cet instant précis, il lançait avec beaucoup de savoir-faire une corde au-dessus de la poutre transversale.

— Cette issue, reprit le commandant, constitue l'unique possibilité de sauver votre tête.

— La ferme ! répondit le Doyen sans même lui accorder un regard.

Après avoir tenu le rôle du juge, le fonctionnaire se transforma alors en conspirateur. Il baissa la voix comme un conjuré :

— Il vous suffira d'attirer sur votre navire un gamin qui loge en haut, dans le château.

— Ça n'est certainement pas toute la vérité ! répondit le Chevalier, moqueur. Pourquoi ne faites-vous pas cela vous-même, puisque le navire est déjà en votre possession ?

Le conjuré, qui manquait de talent aux yeux du Chevalier, répondit certes à son objection, mais en s'adressant exclusivement au Doyen.

— Le gamin que nous voulons libérer est retenu prisonnier au château. Cela ne compliquera guère votre mission. Ce détail peut même la faciliter, puisque vous exaucerez son plus vif désir : fuir ce château et cette île.

— Ce que vous nous présentez comme une vétille, commenta le Chevalier en riant, est donc une attaque armée contre le château, et nous n'en connaissons même pas l'issue...

— Ce n'est pas à vous que je parle ! répliqua le commandant avec impatience.

Mais le Doyen ne se montra pas moins hostile à son projet.

— Quoi que nous fassions, la garnison aura le temps de tuer votre petit protégé avant que nous...

— Ce n'est pas mon... (le commandant crachait de fureur)... si c'est cela que vous voulez insinuer. (Sa silhouette se raidit, il redevint l'officier impérieux qu'ils connaissaient.) Les gardes n'oseront pas porter la main contre lui ! clama-t-il avec suffisance. Et puis vous pourrez vous servir de votre rouquine qui tente déjà de s'attirer ses faveurs. Elle, il la suivrait depuis le château jusqu'à votre navire.

— Allez-vous enfin vous décider à nous dire qui est ce gamin extraordinaire ? lui demanda brutalement le Chevalier.

— C'est Federico, le jeune Hohenstaufen ! avoua le commandant, habitué à obéir aux ordres.

— N'est-ce pas votre roi ? s'enquit le Doyen, ému.

— Aucun mal ne lui sera fait, répondit d'une petite voix l'officier pris entre deux feux. Federico doit seulement disparaître de Sicile. Les Allemands...

— Quels Allemands ? l'interrompit le Chevalier.

— Ne vous en souciez pas ! fit le commandant du port, presque implorant, au Doyen. Vous n'avez qu'à l'amener à poser le pied sur les planches de votre navire, qui n'attend que votre évasion, et vous serez un homme libre. Tous les deux !

Tous ! (Son imploration frisait l'hystérie.) Le reste, ce sont les Pisans qui s'en chargeront !

— Non, dit le Doyen.

— Vous êtes fou ! glapit le commandant du port. C'est un dément ! Il a déjà la corde au cou et il dit...

— Non ! répéta l'ancien en dirigeant fermement son regard sur la potence, dans la cour.

Entre-temps, le bourreau avait préparé son nœud coulant, et vérifiait qu'il glissait correctement.

Au nom de l'Empire

En haut, devant le château, don Orlando montait en haletant le chemin pierreux qui menait au portail. Laurence bondit.

— C'est vous, maître, que j'attendais ! Ils ne veulent pas me laisser accéder à votre roi !

— Ils font leur devoir ! grogna le *magister*, le visage rougi par l'effort. Suivez-moi !

Cela suffit aux gardiens du portail. Laurence se hâta de lui emboîter le pas. Ils empruntèrent un chemin creux qui montait entre les mâchicoulis intérieurs et le château proprement dit, que l'on n'atteignait pas sans franchir une passerelle suivie d'une herse. Laurence s'imagina un instant en chevalier, à l'attaque sur sa monture : ici, au plus tard, son assaut se serait arrêté net, elle aurait été transpercée par les flèches et les projectiles lancés de toutes parts. Des gardes stationnaient jusque devant cette porte hors d'atteinte. Ils exigèrent de fouiller la visiteuse afin de s'assurer qu'elle ne portait pas d'armes. Laurence se laissa faire, elle était même curieuse de savoir quel effet produiraient sur elle les mains de ces hommes. Mais le jeune garçon qu'ils lui envoyèrent était incapable de remplir correctement sa besogne. Il ne fouilla pas son corselet et ne remonta pas sur la face intérieure de ses cuisses, deux points où elle aurait facilement pu coller une lame avec un peu de résine, sans même parler de la raie des fesses. Il lança un regard rayonnant à Laurence, après avoir constaté que sa quête avait été vaine.

Don Orlando n'avait pas attendu le résultat : il avait disparu derrière une porte. Un escalier abrupt descendait en vrille vers les profondeurs, traversait plusieurs caves à l'air vicié dans lesquelles s'accumulaient les fûts de vins et les amphores à huile hors d'âge, posés sur des lits de sable. C'est là qu'elle rattrapa son *magister*, qui n'était pas si agile que cela.

— Avez-vous appris quelque chose sur le sort du Chevalier ? lui demanda-t-elle, impérieuse.

Mais don Orlando répondit par un geste agacé, comme si la question ne convenait ni à l'instant, ni à la personne. Il sortit au contraire un trousseau de clefs, et la lourde porte ferrée s'ouvrit dans un grincement.

Ils se tenaient dans la partie supérieure du jardin livré aux herbes folles. Laurence le reconnut tout de suite. Elle se mit à courir si vite que ses pieds projetaient des graviers, et se jeta avec joie entre les buissons en fleur dont les branches lui fouettaient le visage. Il s'agissait bien du portail au puits, mais la couronne qu'il cachait était vide. Pas de Federico ! Elle s'arrêta, déçue, ses yeux cherchèrent les environs : il s'était peut-être caché. Elle écouta attentivement. Des pas descendirent sur le chemin en gravier. Elle entendit la voix de don Orlando.

— Pour haute trahison !

— S'il peut le prouver..., répondit Federico.

— Le *corpus delictii* est amarré dans le port. Le spectacle qu'il offre exclut le moindre doute. Des témoins ont corroboré l'accusation : trafic d'armes au profit des...

Laurence n'y tint plus. Mais elle était suffisamment avisée pour ne pas se laisser entraîner par ses sentiments.

— C'est une question d'interprétation ! dit-elle en coupant froidement la parole au *magister*.

Federico, qui sortait des buissons à côté de son précepteur — sans son faucon, cette fois —, la regarda avec étonnement. Laurence vit dans cette attitude une invitation à poursuivre fièrement son plaidoyer :

— Il n'existe pas un seul document à charge, pas la moindre preuve que ces armes étaient destinées à des rebelles, dans votre royaume. La meilleure preuve que ce soupçon n'a aucun lieu d'être, c'est le fait que nous ayons été abordés par les Pisans sur la route qui nous menait vers la Grèce. On nous a forcés à mouiller dans ce port. Je peux en témoigner !

Elle s'était mise en rage. Le visage du jeune roi s'assombrit.

— Les témoins ne parlent que s'ils en sont priés. J'étais en train d'écouter mon vénéré précepteur m'expliquer ce qui se passe dans le port. Je ne souhaite pas que l'unique être auquel je voue une totale confiance soit interrompu dans ses propos.

Laurence s'installa à genoux sur la pierre. Les deux hommes, le gamin à la couronne invisible et le moine grisonnant, restèrent à portée de voix.

— Continue, l'encouragea Federico.

— J'ai donc prêté foi aux indications de l'équipage : son capitaine avait été arrêté sans motif et entraîné dans les bureaux du commandant du port. Lorsque j'y suis entré, celui-ci m'a souhaité la bienvenue avec un soulagement visible et m'a aussitôt...

— Voilà qui aurait déjà dû vous laisser pantois ! objecta Federico, de bonne humeur.

— On m'a accompagné dans la cour ; mais c'est seulement au moment où je me trouvais dans le couloir que l'on m'a informé de l'objet de cette visite : je devais apporter les derniers sacrements de l'Église à un délinquant. Je refusai spontanément : seul le prêtre en a la compétence. Mais il insista avec tant de ferveur, en appela à ma conscience chrétienne...

— Ce serviteur hypocrite ! l'interrompit Federico en riant. Ce chien infidèle !

— Justement, il voulait éviter de passer pour tel, il souhaitait être considéré comme un serviteur consciencieux du royaume.

Don Orlando ne se laissa pas contaminer par la gaieté de son jeune souverain ; il la jugea même déplacée. Mais il s'efforça de garder contenance et de mener son récit à son terme. Laurence paraissait pétrifiée par la peur.

— Ensuite, me dit-il, il me donnerait volontiers accès aux dossiers, à l'acte d'accusation et à la version écrite de la sentence...

— Après-coup..., souligna Federico, qui avait cessé de rire.

— Il ne me restait plus d'autre échappatoire, affirma-t-il. Entre-temps, nous avions franchi une porte donnant sur une cour entourée de murs. En son centre se dressait une potence. Le condamné avait déjà été remis au bourreau. C'était un vieil homme digne, qui se tenait droit et s'était fait à son destin. Je lui offris la consolation des saints sacrements, mais il me repoussa : il était Grec, me dit-il, et je n'étais pas prêtre de son Église orthodoxe. D'ailleurs, aucun fils de putain allemand ne pouvait s'arroger le droit de parler au nom du roi. Le capitaine de Montferrat n'alla pas plus loin : le soldat qu'il venait d'injurier frappa la bouche du vieil homme avec le pommeau de son épée, si fort que j'entendis les dents se casser. Je présentai le crucifix au malheureux lorsque le bourreau le reçut. Puis, après un petit verre à l'*osteria*, je me suis rendu auprès de Votre Majesté : rien ne pressait plus.

— Vous êtes encore pire que son assassin !

Laurence ne se tenait plus. Elle criait à la face du prêtre, elle lui aurait volontiers sauté à la gorge, mais elle ne tenait pas à heurter Federico, le seul à pouvoir l'aider.

— Pour l'amour de Marie, empêchez ce meurtre, Federico ! dit-elle en sanglotant.

— Je ne peux que vous mettre en garde contre toute espèce d'intervention, Majesté. Vous n'allez tout de même pas mettre votre sécurité en péril pour ce...

Laurence n'entendit pas la suite : elle avait disparu en criant : « Bande de pleutres ! Vous êtes répugnants ! » Les deux hommes entendirent encore ses pas rapides sur l'escalier de pierre, le couinement et le battement de la porte de fer. Ensuite, Laurence, sortie de l'enceinte du château, courut comme une furie sur le pavé de la rue qui descendait vers le port. Un silence consterné se répandit dans le jardin. Même Federico se passa de toute remarque déplacée.

— Et qu'est-il arrivé à ce chevalier dont parlait notre amie enflammée ? demanda finalement Federico avec une pointe d'agacement. Vous ne l'avez pas vu ?

Le moine sentit sans doute que sa résistance sur ce point ne ferait que mettre le roi hors de lui :

— Le visage de l'homme dont vous parlez sans doute, Majesté, je l'ai vu derrière les barreaux d'une geôle. On l'y avait attaché par les poignets, pour le forcer à assister à l'exécution. Je n'ai pu lui parler.

— Eh bien, moi, je souhaite lui parler ! dit alors le jeune roi. Et je souhaite aussi que ma chère amie poursuive son voyage avec ce navire grec, même si je dois beaucoup regretter sa compagnie rafraîchissante !

Federico nota avec amusement que son maître, à court d'arguments, se détournait de lui. Sa grosse panse semblait s'être transformée en un bloc de plomb. L'enfant-roi décida de mettre un terme à ce combat.

— Vous allez m'accompagner au port, afin de vous assurer que le nom du roi ne sera plus souillé par de mauvais serviteurs. Cela me permettra de mieux supporter le départ de Laurence de Belgrave !

Don Orlando comprit que ses efforts étaient vains ; il se mit en mouvement malgré lui, mais renâcla encore un peu :

— Si vous avez l'intention de rendre visite à cet homme peu fiable qui commande le port, mieux vaudrait vous faire accompagner par votre garde du corps.

— C'est précisément cette impression que je veux éviter de donner : l'exercice du pouvoir par la violence. Si le roi veut réclamer des comptes pour ce que l'on fait en son nom, sa seule apparition doit produire l'effet souhaité !

— Mais vous entrez en terre étrangère ! fit le maître.

— Nous allons bien voir si le valet ose lever la main contre son maître.

— Je prie pour avoir la protection de Dieu, dit don Orlando, résigné.

Federico laissa son précepteur entrer avant lui dans le puits.

Dans sa course folle, Laurence était tombée à plusieurs reprises sur les pierres. Ses genoux étaient en sang lorsqu'elle arriva comme une tempête dans la capitainerie du port. Les gardes, à l'entrée, ne lui opposèrent pas de résistance. Elle ne trouva âme qui vive ni dans la première pièce, ni dans la deuxième, et elle épancha sa colère sur le hallebardier qui surveillait la troisième porte.

— Où est ce..., voulut-elle lui crier, mais son cœur battait trop fort, elle manquait d'air après sa course, elle se sentait comme étranglée par la corde du bourreau.

Elle était disposée à se jeter à poings nus sur le garde s'il osait s'opposer à elle. Mais il n'en fit rien : il se mit de côté, prévenant, et lui ouvrit la porte. Laurence entra en titubant, et la porte se referma derrière elle. Elle entendit le verrou que l'on enclenchait.

C'est à cet instant seulement qu'elle vit le Chevalier. Il lui tournait le dos, les bras levés devant la fenêtre, plus suspendu que debout. Ses poignets étaient toujours accrochés aux barreaux. Laurence aperçut la potence, dans la cour, avant même d'avoir rejoint son compagnon de voyage.

— Tiens, il ne nous manquait plus que vous ! la salua-t-il d'un ton sarcastique sans tourner la tête vers elle. Par tous les diables, qu'est-ce qui a bien pu vous amener ici ?

Laurence ravala sa réponse. Les dents serrées, elle regardait fixement la grille, dans la cour. Le bourreau faisait basculer le condamné, il le tirait lentement vers le haut jusqu'à ce que la langue lui sorte entre les dents et que son visage devienne bleu. Puis il laissa la corde retomber tout d'un coup, et le vieil homme s'abattre au sol comme un sac.

— C'est écœurant ! gémit Laurence, incapable de détourner son regard de ce spectacle dégradant.

— Le roi va-t-il venir ? demanda le Chevalier, sceptique. J'ai entendu dire que vous aviez fait connaissance.

— Je vous cherchais au château, Jean du Chesne ! répondit sèchement Laurence. Et je peux seulement espérer que Frédéric arrivera ici à temps. Jusque-là, nous devons trouver un moyen pour repousser le moment où les tortures du bourreau deviendront irréversibles. Je pourrais affirmer qu'un messager à cheval apporte sa grâce...

— Par tous les cieux ! Si le commandant du port apprend que quelqu'un, fût-ce le roi lui-même, veut entreprendre quelque chose pour sauver ce vieillard, sa vie ne vaudra plus un bezant : il a décidé de le voir se balancer au bout de sa corde !

— Mais nous ne pouvons tout de même pas le laisser...

— Et comment comptez-vous vous y opposer ?

Laurence comprit qu'elle avait les mains aussi liées que celles du Chevalier, et que celui-ci s'était déjà résigné à son sort. Seul un miracle pouvait encore aider le vieil homme. Un miracle, ou bien le roi !

Federico connaissait admirablement les étroits sentiers qui séparaient les maisons ; ils arrivèrent ainsi au port, assez vite et presque sans être vus. Le sombre mur de la capitainerie s'élevait à leur gauche. Derrière s'étendaient le golfe, puis la haute mer. Le Grec était toujours amarré au quai, au premier plan, accroché à une lourde chaîne de fer visible de tous.

— Souhaitez-vous que je fasse accourir quelques hommes de Montferrat ? demanda le moine.

Le port était vide, cela ne paraissait guère naturel au moine, ce silence avait quelque chose de menaçant.

— Un martyr qui recule en présence de la mort ? répondit Federico au moine, à voix basse. Vous avez pourtant bien entendu le vœu du roi.

Ils entrèrent dans le bâtiment et trouvèrent le commandant du port seul derrière son bureau. Il bondit aussitôt sur ses pieds et s'inclina ; mais au même instant, ses gardes entrèrent dans la pièce et prirent position derrière lui, le visage dénué de toute expression. Des hommes en armes se tenaient désormais eux aussi derrière la porte ouverte par laquelle ils venaient d'entrer. Le roi s'arrêta.

— Vous avez aidé à mettre aux fers un navire du marquis de Montferrat qui croisait sur nos côtes. Et ce en mon nom.

Le commandant répondit avec un sourire oblique :

— Les Pisans, fidèles alliés du royaume, ont surpris le Grec au moment où il s'apprêtait à débarquer secrètement des armes près des grottes de San Vito.

— Avez-vous des preuves ? demanda don Orlando, qui avait retrouvé son autorité de maître d'école.

— Je mets à votre disposition le compte rendu de l'interrogatoire du coupable, dit le fonctionnaire en tendant au maître un rouleau de parchemin. Vous devriez le lire à messire votre roi avant de me...

— Je peux le lire moi-même ! aboya Federico en prenant le texte.

— Ce sera d'autant mieux ! se permit de dire le commandant. Dans ce cas, avec votre permission, je vais me retirer afin de ne pas troubler votre lecture.

Sans attendre la réponse, il quitta la pièce ; mais ses soldats restèrent devant les deux portes, immobiles. Federico les ignora et commença à lire.

Ensuite, tout alla très vite. Laurence vit le bourreau faire une révérence, peut-être dans sa direction. Cette fois, il souleva le vieil homme plus haut que d'habitude, ses pieds perdirent le contact avec le sol, battirent l'air un bref instant, sa tête s'inclina mollement sur le côté, et ses jambes pendirent dans le vide. Laurence serra les barreaux jusqu'à ce que les jointures de ses mains en deviennent blanches, elle entendit à côté d'elle le gémissement du Chevalier :

— Et merde !

Cela sonnait comme un amen.

Elle frappa du front contre les barreaux de fer et perdit connaissance. Elle ne sentit pas les gardiens desserrer l'étau que formait chacun de ses doigts autour du barreau et la porter à l'extérieur par une issue de secours. Ils posèrent la jeune fille entre deux rochers, lui renversèrent un seau d'eau sur le visage et s'éloignèrent à grands pas. Laurence s'éveilla, sentit la bosse sur son front, et se redressa en vacillant. Devant elle, le ressac claquait contre les écueils ; derrière elle s'élevaient les sombres bâtiments de la capitainerie et son mur d'enceinte. Elle aperçut ensuite la potence, et ce bon vieillard qui y pendait encore. Laurence sentit la fureur normande des Belgrave s'emparer d'elle. Elle se dirigea d'un pas incertain vers le portail ; mais elle savait ce qu'elle allait faire. Sa chevelure rouge battait comme un pavillon de guerre lorsqu'elle écarta les gardiens. Elle entendit le commandant qui triomphait :

— ... complicité avérée !

— C'est un mensonge ! s'exclama Laurence, mais l'homme qu'elle accusait ainsi lui accorda à peine un sourire supérieur.

— Alors, c'est la parole du *capitano* pisan contre la vôtre, jeune dame. Pour ce qui concerne mon devoir de fonctionnaire consciencieux exerçant son pouvoir au nom du royaume de Sicile, je vous rappelle que je représente son gouverneur en son absence. Avec tous les droits afférents, y compris celui d'exercer la justice !

— Assassin ! répliqua Laurence en tournant son regard vers Federico. Il l'a...

Elle n'alla pas au bout de sa phrase : d'un geste bref, le roi lui avait fait comprendre qu'il était déjà informé.

Le maître, qui s'était tenu en retrait jusque-là, fit un pas en avant et parla :

— À son départ, c'est à moi que le noble Gentile di Manupello a confié les pleins pouvoirs.

— Pour le château, peut-être, répondit froidement son adversaire. Mais certainement pas pour le port ni pour la mer, avec tout ce qui y nage et s'y enfonce !

— Au nom du gouverneur, vous avez déjà fait passer de vie à trépas un étranger qui pouvait espérer jouir de l'hospitalité de la Sicile. Vous en rendrez compte à son retour.

Le commandant s'inclina vers Federico en signe d'allégeance, mais le maître poursuivit son discours avec colère :

— Et c'est sur le même motif infondé que vous tenez le Chevalier du Mont-Sion en votre pouvoir ?

Un sourire indifférent se dessina sur les traits de l'homme — à moins qu'il ne se fût agi d'une satisfaction mal dissimulée ?

— Voulez-vous, madame, repartir immédiatement sur votre navire avec le Chevalier ? Je vous en prie, c'est un homme libre !

— Mais le navire est en chaîne !

Le commandant donna deux ordres à ses hommes. Certains allèrent chercher le Chevalier, d'autres coururent au quai pour défaire la chaîne.

— Vous voyez, Majesté, fit le commandant d'une voix mielleuse. Vos désirs sont des ordres.

Federico ne pouvait rien faire contre pareille docilité : cet homme n'offrait aucune prise. Il se retourna sans mot dire et repartit.

Le commandant s'inclina profondément.

— Me permettez-vous, Majesté, en l'honneur de votre éminente visite en ces lieux, de hisser le drapeau du royaume ?

Le roi n'en avait certes aucune envie, il avait l'impression qu'on le raillait ; mais il lui répugnait encore plus d'échanger ne fût-ce qu'un seul mot avec cet homme. Les prisonniers n'avaient pas encore quitté la pièce ; les gardes les saluaient déjà. Le maître du port et de la mer leur lança, triomphal :

— Je vous souhaite un bon voyage !

On fit alors entrer le Chevalier. Il ne connaissait pas le roi, mais avait vu le prêtre exercer son sacerdoce un instant plus tôt. Il commença par donner l'accolade à Laurence. Le commandant poussa le jeu jusqu'à saluer le Chevalier comme s'il s'agissait de son meilleur ami, et regretta qu'il n'ait pu être son hôte qu'une seule journée. Le Chevalier s'abstint de poser la moindre question jusqu'à ce qu'ils se soient tous éloignés de ce lieu de la terreur ordinaire.

— Le Pisan est-il reparti ? demanda avant toute chose le Chevalier à Laurence qui marchait à son côté, derrière le jeune roi et son précepteur.

Elle hocha la tête :

— Il a levé les voiles ce matin !

Ils laissèrent pourtant tous deux leur regard parcourir le port et le golfe. Ils virent ainsi que l'on hissait le drapeau du royaume sur le mât, devant la capitainerie. Pourtant, lorsqu'ils l'observèrent plus attentivement, ils aperçurent l'aigle noir de l'Empire allemand sur le tissu doré.

— Le jeune roi Hohenstaufen censé avoir trouvé refuge dans le château, confia discrètement Jean du Chesne à son accompagnatrice, court le plus grand risque, sinon pour sa vie, du moins pour sa liberté. Les Pisans, qui sont alliés au parti des guelfes de l'Empire, veulent s'emparer de lui !

— Federico, le roi, est cet enfant qui marche devant nous pour m'escorter jusqu'au navire et m'y faire ses adieux ! dit Laurence en désignant l'adolescent qui marchait si rapidement, au côté de don Orlando, que son maître trop corpulent avait toutes les peines à soutenir son rythme.

— C'est le petit-fils de Barberousse ? demanda le Chevalier, incrédule.

Laurence avait réussi à ahurir le Chevalier, et cela lui causait un plaisir diabolique.

— C'est précisément cette situation que les Pisans voulaient provoquer pour se...

Les mots restèrent coincés dans sa gorge. À la pointe du cap de San Vito, qui contournait la baie, le Pisan venait d'apparaître, toutes voiles dehors, et arrivait à grande vitesse vers le port. Au même instant, Laurence vit des gens d'armes se dresser derrière les rochers du môle. Ils grouillaient au loin comme des fourmis, descendant des flancs de coteaux jusqu'au mur d'enceinte du quai où mouillait le Grec.

— Fuyez, Majesté ! cria le Chevalier au roi, qui était déjà presque arrivé au navire. Nous couvrons votre retraite !

Laurence était immédiatement partie en courant et rattrapa Federico sur la passerelle.

— Je vous en prie, montez à bord ! dit-elle, hors d'haleine. Nos gens donneront leur vie pour vous...

Le jeune roi s'était tourné vers elle, avec une attitude qui ne souffrait pas de réplique.

— Cela, ma chère amie, je ne le veux pas. Et je ne prendrai pas non plus la fuite !

— C'est par ma faute que vous êtes ici, laissez-moi la réparer ! lança-t-elle en tentant de lui prendre la main. Mais il la lui retira d'un geste brusque.

— C'était un piège. Et vous, Laurence, vous en étiez l'appât ignorant. Mais cela ne change rien au fait qu'un roi doit se défendre lui-même !

Et sans se retourner vers elle, il marcha droit sur les Pisans, déchira sa chemise et leur offrit sa poitrine nue :

— Je suis le roi !

Les premiers s'arrêtèrent aussitôt, déconcertés, et laissèrent retomber leur lance.

— Rendez-vous ! cria leur capitaine en se frayant un chemin vers le premier rang.

— Tuez-moi ! demanda Federico aux soldats qui se trouvaient juste devant lui et regardaient à présent le sol, embarrassés.

Le capitaine fit encore un pas supplémentaire, comme poussé par une puissance invisible, jusqu'à ce qu'il soit forcé de voir les yeux furibonds du roi.

— Votre épée, capitaine ! ordonna Federico à l'homme ahuri.

Celui-ci, comme hypnotisé, remit effectivement son arme entre les mains tendues du roi et, sans y avoir été invité, s'agenouilla devant le souverain.

— Si vous voulez vous emparer du roi, prononça alors celui-ci d'une voix triste en pointant l'épée sur son cœur, je vous laisse son cadavre. Mais son sang sacré s'abattra sur vous, sur vos enfants et sur les enfants de vos enfants.

C'en était trop pour de simples soldats. Sur le môle, leur navire de combat avait certes baissé les voiles et jeté l'ancre pour débarquer les renforts annoncés. Mais Laurence constata que les Pisans ne semblaient plus décidés à quitter le bord. Son regard glissa vers le haut de la citadelle. Un convoi de chevaliers lourdement cuirassés descendait dans un bruit de tonnerre la ruelle qui menait au port. Gentile di Manupello, le châtelain et gouverneur de l'île, était enfin revenu !

Sur le quai, les Pisans comprirent que tout repli vers le môle leur était désormais interdit. Leurs propres hommes, sur le navire de guerre, faisaient de grands signes excités, et l'on hissait déjà les voiles. Le capitaine, aussi confus soit-il, garda tout de même sa dignité :

— Je prie Dieu que vous portiez un jour aussi notre couronne, et celle de l'empereur !

Il s'inclina devant le jeune roi et ordonna à ses soldats de se replier en bon ordre ; mais après avoir décrit quelques dizaines de mètres au pas régulier, ils détalèrent comme des lapins.

— Si j'avais été son général en chef, cet homme aurait perdu sa tête, commenta sobrement Federico. Aucun soldat n'a le droit d'oublier son épée ! ajouta-t-il à l'attention de Laurence.

— Soyez plutôt heureux qu'il vous l'ait confiée, répliqua-t-elle, car il n'aurait pas dû le faire non plus !

— Il se tenait face au roi !

Pour Federico, l'affaire était ainsi réglée. Il envoya son précepteur à Manupello, qui arrivait au trot.

— Dites-lui d'attendre ! ordonna-t-il. Je veux prendre congé de mon amie. Et le faire dans le calme, pour une fois.

Le Chevalier était déjà monté à bord, et se tenait à la rambarde. Laurence vit le Pisan disparaître une deuxième fois au large. Elle le suivit longtemps des yeux.

— Eh bien, Laurence de Belgrave ! s'exclama Federico. Avez-vous encore un vœu que je puisse exaucer ?

— L'île ! lui répondit-elle insolemment, avec un éclat de rire. Une île qui flotte sur la mer, avec un opulent château fort où vous pourrez me rendre visite. Et le titre de comte, par-dessus le marché !

Le jeune roi trouva l'idée tellement drôle qu'il se mit à rire. Laurence le tira vers elle avec les deux mains et l'embrassa sur la bouche. Federico répondit à son baiser. Puis elle le relâcha en riant et bondit vers le navire. Les matelots relevèrent la passerelle dès qu'elle fut à bord. Elle ne se retourna pas vers l'enfant-roi, et Federico ne lui fit pas signe non plus : il s'était dirigé depuis longtemps vers le *magister*, près du gouverneur. Gentile di Manupello avait mis pied à terre et s'agenouilla devant le roi.

— Le commandant du port sera élevé au rang de comte de Castellammare, ordonna Federico. Ensuite, vous le ferez aveugler !

Lorsqu'ils eurent rendu à la mer, avec tous les honneurs, le corps du vieil Alexios, Laurence et son accompagnateur voyagèrent tranquillement sur la mer Ionienne. Ils atteignirent le port du nord de l'île de Crète où on les attendait avec grande impatience, eux-mêmes et, surtout, le fret qu'ils transportaient. Les Crétois regrettèrent beaucoup que leur nouveau seigneur, le prince Michel, de la Maison des Montferrat, séjourne justement à l'autre bout de l'île et ne puisse saluer en personne cette haute visite. En l'honneur de Laurence, ils donnèrent à la file plusieurs fêtes enivrantes. On chanta autant sa témérité que sa rouge chevelure. Ensuite, le Chevalier trouva un passage sur un voilier rapide de la Serenissima, qui les emporta tous deux jusqu'à Constantinople.

Au secrétariat de Sa Sainteté le Pape Innocent III
Aux mains du Cardinal Savelli

Memorandum menstrualis

Philosophiae Magistris
Orlandus O.B. Doctor utroque

Castellammare, septembre Anno Domini 1205

Excellence,

Après avoir été nommé précepteur et éducateur de votre fil-leul Frédéric, aujourd'hui détenu, ou caché ou, pire encore, retenu en ce lieu comme un animal sauvage, je me suis trouvé à mon retour confronté à une évolution pour moitié étonnante, et même admirable, pour moitié regrettable, du jeune roi, selon que j'en juge comme son précepteur ou comme son éducateur. Il faut cependant en accuser et en rendre responsable au premier chef les conditions catastrophiques dans lesquelles grandit ce garçon. Je prends la liberté du philosophe pour désigner les circonstances et citer par leur nom ceux qui en sont à l'origine.
Le parti « allemand », devenu très puissant du fait de la jeu-nesse de l'orphelin royal, se sent moins attaché à la pensée de l'Empire qu'aux intérêts de la lignée au pouvoir. Les « Hohens-

taufen » se trouvent dans l'expectative : ils n'attendent que le
moment où ils pourront reprendre la chaîne ininterrompue de
leurs successeurs ; pour cela, ils ont besoin de Federico. Les
« guelfes » établiraient volontiers leur propre dynastie, mais ils
devraient pour cela se débarrasser de Federico. Il n'en reste pas
moins que les gouverneurs de l'empire nommés ici, en Sicile,
n'ont toujours pas accepté le fait que, à la mort soudaine de l'empereur Henri, Constance leur ait chipé sous le nez l'enfant de
quatre ans et l'ait fait couronner roi de l'île, à Palerme, sans rien
demander à personne. Il leur est difficile de l'enlever, d'autant
plus qu'entre-temps le guelfe Otton guigne désormais, après la
couronne allemande, le trône impérial, et que l'enfant ne serait
donc pas du tout le bienvenu, pour l'heure, en Allemagne. L'autre
parti, ce sont les « Normands », que beaucoup (vous n'êtes certainement pas sans le savoir) nomment aussi « le parti du pape ».

Lorsque Federico sera majeur, et cela ne tardera pas, il pro-
met, ne serait-ce qu'en raison de ses dispositions de caractère,
qui sont connues de tous, de soumettre le pays à un régime extrêmement sévère. Dès aujourd'hui — à onze ans ! — il est déjà
possédé par l'idée de sa « royauté sacrée » et ne tolère ni tutelle,
ni restrictions, sans même parler de privilèges accordés à
d'autres. On n'est donc pas étonné que le parti normand suive
avec une certaine inquiétude la croissance de Federico. D'un
autre côté, « Federico » est le fils unique de Constance, la fille du
roi, celle que nul n'oubliera, et cela fait aussi battre le cœur de
bien des patriotes. Les « mesures de sécurité », vos liens invisibles, ces menaces et ces promesses permanentes font l'effet de
deux meules invisibles qui broient son caractère. Extérieurement,
votre pupille vit dans la plus grande liberté, totalement abandonné à lui-même — je dis bien : abandonné. Le château de
Manupello n'a lui aussi que l'apparence d'un château fort imprenable. En réalité, il a plus de trous que n'en ont besoin les rats
pour y aller et y venir comme bon leur semble.

Federico, extraordinairement éveillé et endurci d'un côté,
sensible et méfiant de l'autre, ressent l'incertitude qui pèse sur
son existence. Comme il n'a pas encore le pouvoir d'intervenir,
de faire le ménage, de faire appliquer la loi et de donner la paix à
son pays, il utilise les trous dans le filet que jettent sur lui ses
ennemis. Il se promène sans escorte dans les rues, parle avec les
gens simples et accepte volontiers leurs invitations à manger. Je
lui avais strictement interdit l'accès au port, où il est exposé, sans

protection, aux agressions de ceux qui lui veulent du mal. Nous venons d'échapper avec beaucoup de chance — et des pertes seulement minimes — à un complot infâme lancé par les Pisans.

Laurence, fille d'un certain Lionel de Belgrave un vassal de Simon de Montfort issu de l'Yveline, en France, a joué un rôle opaque lors de cet incident. Cette Laurence, une sorcière rousse à peine majeure, voyage en compagnie d'un homme que nous soupçonnons depuis longtemps déjà de menées hérétiques, le « Chevalier du Mont-Sion », désormais entré au service du prince de Montferrat. Ce couple diabolique a fait étape à Castellammare avec un navire plein d'armes cachées, pendant une traversée qui le menait de Marseille à Constantinople. S'abusant sur le danger que représentait cette femme, les autorités de l'île, secrètement alliées aux Pisans, n'ont arrêté que le Chevalier ; quant au capitaine, ils l'ont pendu au lieu de lui faire subir un interrogatoire douloureux. C'est ainsi que cette Laurence a pu se frayer tout droit un chemin vers notre protégé, et conquérir rapidement la confiance de Federico. Seule ma réserve expresse a permis qu'il n'y ait pas d'union charnelle, car notre jeune roi a été sensible a l'argument selon lequel cette donzelle était de basse extraction, puisqu'issue de petite noblesse normande. Elle fit pourtant en sorte que Federico n'ait plus toute sa raison et, malgré moi, succombe à sa séduction. Le port continue à exercer sur lui un attrait particulier. C'est la face cachée de ses pulsions encore rentrées, de sa colère et de sa perfidie, de sa cruauté froide, qui lui font explorer les zones intermédiaires entre l'élément humide et l'élément sec et dur, je veux dire : entre l'eau de la mer et la terre rocheuse, les profondeurs ou les sommets de son âme. Avec l'aide de Dieu et du Christ, l'aspect divin finira par l'emporter : son dévouement pour ses prochains dans la détresse, sa générosité à l'égard de ses ennemis et sa hardiesse. Grâce à la fermeté avec laquelle il tient son rôle de « roi sacré », une attitude incroyable pour des âmes simples comme la mienne, Federico a libéré le Chevalier de sa geôle, fait détacher les chaînes qui entravaient le navire de Montferrat et repoussé le coup de force des Pisans, sans armes, juste par la force de son apparition. Le jeune roi a ainsi tout retourné en sa faveur, et les suppôts de Satan n'ont rien pu y faire. Il est cependant conseillé à l'Église de suivre avec la plus haute vigilance la suite du chemin de cette Laurence de Belgrave, avant que cette chienne errante ne provoque de véritables malheurs parmi les gens de faible caractère. Loué soit Jésus-Christ.

3. SUR LA CORNE D'OR

Cabale et amours

Le voilier rapide vénitien avait abattu sa grand-voile dès que les murs de Constantinople étaient apparus, avec ses contreforts qui se redressaient comme la proue d'un navire.

Laurence, qui avait l'habitude des fortifications, avait été moins impressionnée par la hauteur ou l'épaisseur des murailles que par leur étendue. Elles s'étiraient à perte de vue, ruban interminable et régulier de créneaux et de tours anguleuses, le long de la mer de Marmara, et se perdaient dans la brume du Bosphore. Quelqu'un lui avait raconté qu'au-delà de cette limite débutait Chrysokeras, la légendaire Corne d'Or. Son regard scrutateur avait déjà été troublé par la double installation de murailles stratifiées qui, à sa gauche, se dirigeaient vers l'arrière-pays en franchissant les collines et les lits de rivières. Un large fossé creusé devant ces remparts leur donnait l'air plus majestueux encore — et cette puissante ceinture, elle non plus, ne semblait pas avoir de fin.

— Pour la partie occidentale de cette forteresse jadis imprenable, on ne compte que quatorze portes, lui indiqua le Chevalier avec un sourire.

Il se tenait à côté d'elle sur la poupe surélevée du bateau, et la curiosité de la jeune femme l'amusait. Il reprit :

— Mais tout cela ne sert à rien si l'empereur ne commande pas une armée disciplinée, suffisamment puissante pour défendre efficacement chaque pan de ces remparts. La taille, en elle-même, ne suffit pas. Au contraire...

Laurence ne l'écoutait plus lorsqu'il lui fit l'éloge militaire du triangle. Celui-là était pour elle empli de chefs-d'œuvre, d'églises débordant de trésors : la basilique Sainte-Sophie, que l'on appelait aussi *Hagia Sophia*, des palais impériaux à chaque coin de rue, de gigantesques arènes, comme le fameux hippodrome, des citernes souterraines composées de milliers de piliers plongés dans l'eau sombre, hautes comme des cathédrales et construites dans le seul but d'alimenter les bains et les thermes somptueux. Le Chevalier lui avait décrit le luxe de cette ville ; elle allait à présent la voir de ses propres yeux, la sentir, la toucher. Laurence aurait presque oublié la raison qui l'avait incitée, elle aussi, à assumer les peines et les périls de ce voyage : René de Châtillon. Elle n'avait aucune idée de la manière dont elle pourrait le retrouver. À présent, face à cette ville aux dimensions pour elle totalement inattendues, elle perdait courage. Mais le perdait-elle jamais vraiment ?

— La grande Putain de Babylone, poursuivit le Chevalier, n'a pas un, ni deux, mais sept ports protégés ; et chacun d'entre eux constitue un repaire humide et chaud pour cette vermine que fait fuir la lumière, ces sangsues qui aspirent l'écume du monde entier, se battent dans des gargotes infâmes, s'enrichissent sans vergogne et se trompent mutuellement.

— Quelle belle image, répliqua Laurence avec mordant, quelle consolation pour une petite campagnarde innocente !

— Il est vrai que vous êtes arrivée sous cette apparence, mais...

Le Chevalier s'abstint d'achever sa phrase. Dès qu'elle avait aperçu la ville, Laurence avait arraché son foulard et sa capeline, qu'elle avait ensuite jetés à la mer. Puis elle avait défait sa tresse, nouée en couronne. Sa chevelure rouge feu l'auréolait de nouveau.

— Votre apparence discrète, reprit-il, vous offrira tout ce que vous souhaitez, sauf la solitude.

— Si je pouvais me débarrasser de votre langue de vipère, Jean du Chesne, ce serait déjà un bon début.

Laurence éclata de rire tandis que le navire se faufilait lentement dans l'entrée du port.

— Voici Kontoskalion, nota avec satisfaction le Chevalier. Les maisons de joie les plus soignées se trouvent sur le port, à la même distance que la plupart des palais de ville décrépis des grandes familles. C'est ici que se situe le palais princier des Montferrat, où nous allons descendre.

Des portefaix se ruèrent à bord dès que le voilier se fut

amarré juste devant l'arsenal des Vénitiens. Le Chevalier avait déjà complété sa garde-robe lors de leur étape en Crète. Laurence, elle, ne possédait que la tenue de servante qu'elle portait encore sur elle. Mais elle s'était promis de se faire tailler de nouveaux habits dans cette ville d'entre les villes. D'ici là, elle ne voulait pas voir René en face à face.

Le palais du prince de Montferrat était un édifice de pierre suffisamment massif pour ne jamais risquer la ruine. En revanche, les immondices s'accumulaient dans la cour obscure et recouvraient le large escalier jusqu'au premier étage. Des rats sautèrent même en couinant vers les nouveaux venus dès leur entrée dans la grande salle d'accueil. Les serviteurs se laissèrent finalement convaincre, avec une ardeur modérée, de diriger les invités vers leurs chambres. Depuis les hautes fenêtres, on pouvait voir loin au-dessus de la ville. La vue allait jusqu'à l'Acropole ; derrière, l'entrée de la Corne d'Or était plongée dans la brume rougeoyante du soleil matinal.

La chambre de Laurence, reliée à celle du Chevalier par une porte communicante, était gigantesque. On avait installé au milieu de la pièce une baignoire de marbre qui avait dû, jadis, permettre à toute la cour de jouir des plaisirs du bain. Des cancrelats desséchés en jonchaient à présent le fond ; mais l'alimentation en eau accepta de fonctionner après que deux serviteurs l'eurent décoincée à coups de marteau. La couche princière, protégée par un baldaquin fermé, semblait ne pas avoir été utilisée depuis longtemps. Lorsque la femme de chambre trapue (elle se nommait Anadyomène, « celle qui est née de l'écume ») éloigna les toiles d'araignées, deux geckos quittèrent le sommier en catastrophe, et un scorpion tomba du plafond.

Laurence ne supportait plus de rester dans le palais. Elle voulait partir, seule comme elle en avait l'habitude, afin d'aller visiter le plus proche bazar. Mais elle fut rattrapée sur l'escalier par la grosse Anadyomène, qui lui imposa sa compagnie : elle était certaine qu'en sortant seule, cette petite créature idiote mettait sa vertu en péril. Sa décision ne souffrant aucune réplique, elles partirent toutes deux en ville, où Laurence put faire provision d'essences, d'huiles et de belles tenues.

Dans la salle que Laurence avait choisie comme demeure, on avait si bien avancé le nettoyage que des pétales flottaient déjà dans l'eau tiède du bain. La servante ne se laissa pas priver du plaisir de frotter doucement Laurence avec un drap de lin attendri, après avoir essayé tous les flacons rapportés du bazar, et lui avoir soigneusement brossé les cheveux lavés au henné. En quelques gestes habiles, Anadyomène détendit les épaules et la nuque de Laurence. Puis elle lui massa les jambes, du genou à la plante des pieds. Laurence se laissa faire avec délices et sombra bientôt dans un profond sommeil.

L'après-midi était déjà bien entamé lorsqu'elle se releva en sursaut, réveillée par les coups du Chevalier contre sa porte. Il voulait savoir s'il pourrait compter sur sa compagnie. Laurence se rappela qu'elle devait chercher son amoureux infidèle — il serait plus facile de trouver une aiguille dans une botte de foin —, mais elle accepta. Combien de temps avait-elle attendu un signe de Châtillon, même minuscule ? Combien de nuits blanches avait-elle passées à cause de lui ? Ce seigneur pouvait bien patienter un peu, à présent. Le beau René avait été une épine dans son cœur. Mais elle ne la piquait plus.

Une toute jeune servante était assise au pied de son lit. C'était elle qu'elle avait vue, juste avant de s'endormir, qui lavait à grande eau le sol de marbre afin d'en faire disparaître les taches de sang qu'avait laissées le massacre de centaines d'insectes ailés ou rampants.

Laurence lui sourit :

— Comment es-tu entrée ?

La servante désigna du pouce les lambris, derrière elle. Laurence fut aussitôt aux aguets.

— Une porte secrète ?

— Une sorte de secret, oui, bredouilla la petite avec nonchalance.

Mais elle ne s'en sortirait pas ainsi avec Laurence.

— Et où arrives-tu, en passant par là ? insista-t-elle.

— Dans la paille.

— C'est-à-dire en bas, dans l'écurie, supposa Laurence. Il faut que tu me montres ça. Comment t'appelles-tu ?

— Lydda, répondit la jeune fille en se levant lentement,

comme un chat qui s'étire après la sieste. Je suppose que je dois vous aider à vous habiller...

Manifestement, elle ne tenait guère à lui rendre ce service. Laurence eut d'abord envie de mettre dehors cette créature paresseuse et de se vêtir toute seule, comme elle en avait l'habitude. Mais elle changea d'idée et resta couchée sur ses oreillers. Puis elle fit courir la jeune fille entre le lit et les corbeilles ou les ballots qu'elle avait rapportés du bazar, se fit présenter tous les vêtements, roula en boule ceux que Lydda venait de replier soigneusement, ou les jeta au sol, jusqu'à ce que la jeune fille en ait les larmes aux yeux. Alors, Laurence se leva d'un bond, serra la servante dans ses bras et se fit habiller en vitesse par Lydda, dont les mains tremblaient à présent. Laurence choisit la plus simple des tenues qu'elle s'était fait tailler sur mesure au bazar : des pantalons à coupe large en cuir de gazelle teinté en vert sombre, un pourpoint découpé dans le même matériau. Puis elle offrit à la jeune fille la plus belle de ses robes, accompagnée d'une ceinture, et la poussa hors de la pièce.

— Va faire savoir au Chevalier que je suis prête, à présent.

— Mais vous vouliez connaître le passage secret ? protesta Lydda.

Laurence perdit patience :

— Prends-le, toi, et attends-moi près des chevaux.

— Quand on descend, ça n'est pas la même chose qu'à la montée, tenta d'indiquer Lydda à sa maîtresse. Et c'est beaucoup plus rapide.

Elle tira sur un tapis, au pied du large lit, et fit tourner l'un des poteaux qui portaient le baldaquin. Alors, le plancher de bois s'ouvrit vers le bas en dévoilant l'entrée. Lydda sauta dans le puits comme un lapin dans son trou et rentra la tête.

— N'oubliez pas de bien remettre le tapis par-dessus, ordonna-t-elle malicieusement à sa maîtresse, et elle referma la trappe derrière elle.

Laurence s'attendait à percevoir un bruit quelconque, mais elle n'entendit rien. Elle fit tourner le poteau du lit, le couvercle s'ouvrit, l'espace creux qui se situait en dessous était vide. C'est seulement au moment où Laurence se baissa qu'elle découvrit l'extrémité en entonnoir d'un tuyau de cuivre assez large pour qu'un homme y passe : un toboggan. Vraisemblablement aménagé pour permettre le départ rapide d'un amant. Du bout de sa botte, elle remit le tapis à sa place.

Elle était à présent d'humeur à rencontrer René et à le soumettre à l'interrogatoire. Même le diable ne parviendrait plus à la retenir à présent ! Avec une broche précieuse et quelques épingles ornées de faux saphirs, elle releva sa chevelure rousse et marcha, impérieuse, vers le couloir de marbre. Elle ne devait pas faire attendre Jean du Chesne. Le Chevalier avait commandé une calèche, mais Laurence insista pour parcourir à cheval les rues de la ville. Constantinople devait être au courant : elle arrivait, la femme aux cheveux de feu. La cruelle conquérante !

— Notre premier objectif est le palais du patriarche romain, annonça le Chevalier lorsqu'ils furent à l'écurie, où Laurence dénicha effectivement, derrière la paille, une échelle qui donnait sans doute sur la porte secrète de sa chambre.

Le Chevalier avait choisi un cheval moreau que Laurence lui jalousa aussitôt. Il finit par le lui céder, à condition qu'elle le monte en amazone. Laurence s'exécuta en protestant :

— Que Châtillon ne me voie pas dans cette position !

Le Chevalier tenait courte la bride du cheval lorsqu'il sortit avec la jeune femme par la porte du palais.

— La puissance fatidique que nous servons a décidé que notre visite à votre frère religieux Guido passerait avant la recherche du noble sire René, répondit le Chevalier. Il y a certainement une raison à cela...

C'est à ces mots que songeait Laurence tout en savourant les regards admiratifs des gens qui, dans la rue, levaient les yeux vers elle. Ils passèrent devant l'hippodrome, dont les bâtiments étaient dans un état épouvantable, et se retrouvèrent devant le palais du patriarche, qui avait sans doute été somptueux autrefois. Le toit était découvert, on lui avait volé ses plaques de cuivre. Les fenêtres vides étaient surmontées des traces noires de l'incendie.

— Pour vous faire entendre, persifla-t-elle, vous n'avez pas besoin de moi. Un coup de pied suffira...

— Je vous en prie, ne jouez pas à l'éléphant dans une échoppe de porcelaine, l'implora le Chevalier, agacé, tout en regardant des hommes en armes se dresser devant la porte cintrée. Laurence de Belgrave souhaite parler à messire le prélat della Porta, lança-t-il au gardien le plus avancé, un géant à cou de taureau.

Celui-ci se retourna et siffla dans ses deux doigts :

— Une fille veut parler en personne au gros Guido, et elle est rousse jusque sous le... euuh !

Le reste ne fut qu'un cri de douleur. Laurence, en un éclair, lui avait assené un coup de cravache en pleine face. Un petit homme, revêtu d'une bure de moine élimée, jaillit et, d'un geste, ordonna au géant de baisser la tête et de lui faire son rapport. Il écouta à peine le bredouillement sorti des lèvres éclatées, et lui porta, de la tranche de la main, un coup si rude sous le nez que la brute poussa un deuxième cri.

— Le *Coordinator maximus*, fit le moinillon en s'inclinant à peine devant le Chevalier, ne reçoit que sur recommandation.

— S'il vous en faut une autre..., répondit Laurence en allongeant ses mots et en jouant avec sa cravache. Adressez-lui les saluts de Maman Livia. Et dépêchez-vous !

Elle avait déjà lancé une jambe au-dessus du cou de son cheval et, revenue en position de cavalier, elle le fit se cabrer en serrant les cuisses contre la selle. Les gardiens reculèrent d'un bond, effrayés ; seul le petit moine ne manifesta aucune crainte : il se contenta de sourire.

— Ah, c'est vous ! Veuillez me suivre, je vous prie, Monseigneur votre frère va être extraordinairement réjoui.

Laurence sauta de cheval. Le Chevalier confia les rênes au gardien qu'elle avait rossé, et la suivit.

L'intérieur du siège du patriarche ressemblait à l'entrepôt d'une bande de brigands qui se seraient spécialisés dans le pillage des églises. Dans les couloirs, dans les salles s'empilaient des martyrs en cercueil de verre, des icônes et des plaques votives empoussiérées, des personnages de saints en tenues élimées. Même les balustrades et les larges escaliers étaient jonchés d'autels en morceaux, de chaises de confessionnal ; partout, on butait dans les monstrances, les lustres et les calices dont on avait ôté les pierres précieuses.

— C'est tout ce que nous avons pu arracher aux pillards, fit le petit moine pour s'excuser en se frayant un chemin dans ce bric-à-brac. Les églises auxquelles ceci appartenait ont été victimes d'incendies ou d'autres destructions insensées.

Le moine fit passer les deux invités par une porte gardée. Derrière, Laurence ne trouva pas la personne qu'elle attendait avec inquiétude, mais un comptoir tenu par des moines qui pesaient en murmurant les dons en or d'un format maniable, et les évaluaient avant de reporter les chiffres dans leurs gros livres et d'entasser dans des coffres les cœurs, les petites croix, les miniatures en ivoire de la Vierge et de l'enfant Jésus. Le moine leur demanda d'attendre.

Tandis que le Chevalier considérait les trésors accumulés au profit du clergé (il doutait qu'ils se retrouvent jamais dans les chambres du trésor pontifical), Laurence pensait à Lionel dont elle était la fille, tandis que ce Guido était le fruit du jet de semence trop hâtif d'un Montferrat que Rome avait ensuite nommé à de plus hautes fonctions. La pauvre Livia aurait dû lui faire de la peine ; mais elle ne parvenait pas à éprouver pareil sentiment envers sa mère.

Pendant ce temps-là, le Chevalier repassait en revue la stratégie qu'il lui faudrait élaborer. Le premier point à étudier ne serait pas la position politique ou même l'attitude morale de Monsignore — c'étaient des données variables — mais ses sujétions. Dans quelle mesure Guido était-il un homme de Montferrat, puisqu'il en avait été jusqu'ici un partisan ? Considérait-il toujours son seigneur comme le futur porteur de dignités plus élevées — ou comme un navire en cours de naufrage ? Ou bien était-il secrètement demeuré un fidèle serviteur de cette Église papale qui, jusqu'ici, s'était assez bien occupé de lui, comme on pouvait le constater ? On disait que Monseigneur le *Coordinator maximus* avait un penchant pour le beau sexe, mais lui ferait-il perdre son sens des réalités, même s'il se présentait sous les traits de Laurence ? Il restait donc la possibilité de l'acheter avec forces biens ou titres. Mais n'en disposait-il pas déjà en abondance ?

Le moine leur fit signe de le rejoindre, depuis la porte située au bout de la salle. Laurence céda le pas au Chevalier. Assis derrière une gigantesque table de réfectoire en chêne, le prélat était plongé dans l'étude d'innombrables parchemins. C'était du moins l'impression qu'il voulait donner. Mais en entendant la voix claire de Laurence, qui n'avait pu se retenir, il leva ses yeux de myope.

— Ma sœur !

Guido bondit d'un seul coup sur ses jambes, avec tant de vivacité qu'il manqua renverser la chaise à haut dossier. Avec une agilité étonnante pour sa corpulence, il fit en courant le tour de la table et se précipita vers elle. Laurence crut étouffer sous son accolade — devait-elle l'embrasser ? Elle lui donnait la trentaine ; sa bouche sensuelle, ses petits yeux coquins et lumineux ne lui étaient pas antipathiques. Laurence s'apprêtait à ouvrir les bras pour recueillir son frère, mais il se laissa tomber à genoux devant elle et lui serra les jambes.

— Laurence, sœur ardemment aimée, bredouilla-t-il en tentant de presser sa tête et ses boucles brunes sur le bas-ventre de la jeune femme.

— Très cher frère, répondit-elle dans un souffle en s'agenouillant à son tour : c'était la seule manière de tenir cette canaille à distance.

Elle jeta sa tête par-dessus son épaule, mettant ainsi ses lèvres à l'abri de toute attaque.

— Comme notre chère mère serait heureuse, chuchota-t-elle en le serrant d'assez près pour qu'il n'ait plus la moindre marge de manœuvre. Comme elle se réjouirait de nous voir enfin réunis ! ajouta-t-elle avec un petit sanglot.

Mais ce n'était pas du tout l'effet qu'espérait produire ce demi-frère vicieux.

— Livia ? s'exclama-t-il. Peu lui chaut le malheur de sa progéniture !

Il se leva d'un bond et releva d'un geste ferme sa sœur à sa hauteur. Tiens, il a tout de même un ventre, remarqua Laurence : son membre érigé sous sa bure l'avait à peine frôlée. Elle le garda à distance, les bras tendus, comme si cela lui permettait de mieux le contempler.

— Ne dites pas de mal de la femme à laquelle nous devons ce bonheur ! (Laurence s'étonna elle-même de la facilité avec laquelle elle était capable de prononcer pareil mensonge.)

— Je pourrais louer la fortune, répliqua sèchement Guido, si votre chair n'était pas de mon sang. (Il se détacha d'elle brutalement et s'adressa d'une voix cassante à son accompagnateur.) À moins que l'union avec sa demi-sœur n'ait devant Dieu que la valeur d'un demi-inceste, Chevalier ?

— Votre Très Saint-Père ne jugera certainement pas cela très conforme au vœu de chasteté, répondit le Chevalier, moqueur. Vous feriez mieux de vous mettre sous la protection du maître des ténèbres ; celui-là n'est pas si regardant.

— Vous avez beau jeu, vous autres hérétiques, grogna le prélat en revenant à son siège, derrière la table. Quel est votre désir ? demanda-t-il ensuite, sans aménité, depuis son trône surélevé.

— Mon désir, c'est vous, Guido, répliqua Laurence avec

insolence. Mais comme l'amour entre frère et sœur est l'un des péchés capitaux...

— N'exagérons rien, l'interrompit le prélat. En toute pureté des pensées, et dans la mesure où les personnes concernées sont fermement ancrées dans la foi catholique, une dispense serait certainement concevable.

— Et puis on a toujours la possibilité, ensuite, de se confesser, de regretter, de faire pénitence.

Le Chevalier ne cachait nullement sa moquerie. Mais Laurence se défendit vivement :

— Je suis vierge, et préfère devenir une épouse du Christ qu'être en proie au déshonneur et dans les griffes du Malin...

— Par tous les saints ! s'exclama le prélat. Mais il n'est pas question de cela ! Nous devrions discuter de tout cela en tête à tête et dans la prière, Laurence, proposa-t-il d'une voix onctueuse. Au cours d'une discussion spirituelle...

— Ce sera bien volontiers, mon cher frère. Et à la prochaine occasion, ajouta-t-elle avec soulagement. Nous pouvons donc à présent en venir au fait.

Le prélat en resta bouche bée : avait-il sous-estimé cette petite bête rousse ? Laurence ne lui laissa pas beaucoup de temps pour se poser la question :

— Ces gens, dans le sud de la France, que vous aimez à qualifier d'hérétiques, craignent pour leur vie et pour leur liberté.

— Il n'existe pas de liberté pour l'hérésie, fit l'homme d'Église en lui coupant la parole. Leur vie dépend de leur reconnaissance de la juste foi. Mais le fil s'amincit en permanence. Si le feu de l'autodafé le réduit à néant, il ne leur restera plus que le salut de leur âme.

— C'est certainement une consolation, intervint le Chevalier. Mais l'enveloppe corporelle, montée au Paradis sous forme de fumée, ne peut plus attraper la bourse aux écus. Vous avez certainement entendu parler de ce que l'on nomme le trésor des hérétiques ?

— S'il existe, nous le retrouverons bien dans la cendre.

— À votre place, je n'en serais pas si sûr, rétorqua le Chevalier.

— Et quelles garanties comptez-vous me donner, pour autant que vous pouvez parler au nom de tous les hérétiques ?

Seule une légère vibration de la voix trahissait l'intérêt croissant du prélat.

— Esclarmonde, la comtesse de Foix, une amie de votre mère, apporte la caution de sa fortune.

— Ne venez pas me parler de la *Mater superior* du Monte Sacro, fit Guido, agacé. Je veux voir l'or sur la table ! (Il retrouva son calme.) Enfin, ce n'est qu'un principe, au cas où. Qu'attendez-vous d'un petit prélat comme moi ?

— Ne mettez pas votre lumière sous le boisseau, le flatta le Chevalier. Si vous n'étiez pas un confident avéré de certains milieux religieux, on pourrait vous prendre pour un partisan des Allemands. Vous servez Boniface de Montferrat...

— Je mets parfois mes conseils à sa disposition, dit-il en souriant. Une certaine sentimentalité. Vous connaissez les tendres liens familiaux...

— Votre Boniface, un bienfaiteur au sens le plus pur du terme, reprit le Chevalier, impassible, n'a pas épousé pour rien l'impératrice mère des Grecs, la veuve du souverain assassiné. Il lorgne à présent, plein d'espoir, sur le trône latin de Constantinople.

— Qu'il louche autant qu'il le voudra. Le puissant doge de Venise est certes aveugle d'un œil ; mais, de l'autre, il veille soigneusement au maintien du *statu quo*, et cela plaît exceptionnellement à la Serenissima. Un déplacement des forces en faveur de l'Empire germanique ne serait guère apprécié par les Vénitiens. Et ce sont eux qui font la pluie et le beau temps ici, car la France est loin.

— Mais pour les cathares du Languedoc et de l'Occitanie, Paris est à une proximité menaçante, et ne cesse de se rapprocher, fit le Chevalier, qui continuait à tisser son fil. Ainsi, mis à part les Espagnols, le voisin allemand est l'allié naturel.

— On ne peut pas transposer cela à la situation grecque, objecta le prélat. La plupart des seigneurs féodaux, ici, sont Français, à commencer par l'empereur...

— À l'exception de Montferrat !

— Lequel, dans l'Empire romain germanique, n'a pu se hisser plus haut qu'au titre de margrave. Ici, il pourrait devenir duc, prince, peut-être même « roi de Thessalie ».

— Chez vous, même un chevalier de pacotille comme de la Roche a pu se bombarder Grand Seigneur d'Athènes...

Guido ne paraissait toujours pas impressionné par l'obstination du Chevalier ; mais il semblait encore se demander ce qu'il avait derrière la tête. Comme il ne voulait pas heurter son visiteur en lui opposant un refus brutal, il tenta de changer de sujet.

— Sa nièce est justement en ville ces temps-ci. C'est du reste une charmante petite créature...

Il s'arrêta, ne sachant pas comment Laurence allait réagir.

— Je vois, le gronda-t-elle en souriant, que vous gardez toujours les yeux ouverts.

— Pour les charmes de la féminité, oui, toujours. Mais je suis perdu lorsque je me retrouve face à une rouquine comme vous.

— Tiens donc, répliqua-t-elle. Eh bien, puisque je ne vous parais pas unique, allez donc voir cette femme qui vous ahurit tellement que vous parlez comme un sot.

Guido crut sentir de la jalousie chez Laurence et décida de l'amadouer.

— Le palais de ville des la Roche se trouve à proximité du taudis des Montferrat, où vous êtes sans doute descendus.

— Dans ce cas, vous pouvez vous épargner le chemin pour vous rendre chez moi, et mener votre conversation spirituelle avec la dame en question, dit Laurence, furieuse de tant de balourdise.

— Hélas, Sancie de la Roche est déjà promise, répondit Guido. Elle a succombé aux beaux yeux d'un aventurier français, les bans sont déjà publiés, un certain René de Châtillon.

Laurence crut défaillir.

— Je dois m'absenter un instant, dit-elle d'une voix plaintive. Où peut-on faire ses besoins ici ?

Son frère lui décrivit le chemin, et Laurence sortit de la pièce en courant. Mais elle ne trouva pas les lieux, et s'installa dans le premier confessionnal pour y déverser le contenu de sa vessie. Elle ne réfléchit pas longtemps : elle quitta le palais du patriarche sans même dire au revoir à son frère, monta sur son cheval et repartit au port.

Les deux hommes se regardèrent un long moment en silence.

— Une grosse affaire, apparemment..., ricana le prélat.

Le Chevalier sortit brusquement de sa rêverie.

— Nous pouvons la mener à son terme, proposa-t-il. Vous épousez Sancie de la Roche, la comtesse de Foix pourvoit l'épouse d'une dot qui écarte brillamment tout autre prétendant, tel ce Châtillon.

— Et que devrais-je...

— Vous faites en sorte que messire Boniface soumette son royaume macédonien à l'Empire occidental — à la condition que celui-ci s'allie avec tous les ennemis de la France avant de se refermer, comme une pince gigantesque, sur toute la Méditerranée occidentale, de Barcelone à Constantinople, expliqua le Chevalier avec passion. Unis, nous libérerons le Saint Sépulcre, ce qui réjouira bien plus le pape, à Rome, que ces misérables bûchers pour des hérétiques qui ont certes avoué, mais n'ont nullement proclamé leurs remords.

— Cela paraît puissant, soupira le prélat, et pourtant d'une simplicité frappante. Laissez-moi dormir là-dessus.

— Volontiers, dit le Chevalier en se relevant. Faites de beaux rêves.

Il était déjà au seuil de la porte lorsque Guido cria dans son dos :

— Mais où a bien pu passer ma sœurette ? Elle n'est tout de même pas tombée dans le trou des latrines ?

— Dans un trou noir, certainement, lui répondit le Chevalier, ambigu. Mais ne vous faites pas de soucis : Laurence sait ce qu'elle fait et va où elle veut.

— Oh, ces rouquines, soupira le *Coordinator mundi* en faisant signe au petit moine de raccompagner le visiteur.

Laurence descendit à cheval la pente qui menait au port de Kontoskalion, sans savoir vraiment ce qu'elle devait penser. C'est là, à proximité du château de ville des princes de Montferrat, que devait aussi se trouver le palais de la Roche. Elle le dénicherait bien toute seule : en tout cas, elle ne voulait demander son chemin à personne. À qui aurait-elle d'ailleurs pu poser la question, parmi toutes les créatures qui traînaient ici ? Les exhalaisons puantes de la pauvreté et de la violence sortaient des moindres failles des murs, des passages étroits qui séparaient les maisons en ruine, ces goulets où le soleil ne pénétrait jamais, où des enfants rampaient au sol entre les immondices, et où les excréments coulaient en formant un ruisseau trouble et lent. De temps en temps, un cri de terreur aigu ou un hurlement de rage subit sortait d'une gorge d'ivrogne et égayait les essaims de mouches. Puis, de nouveau, un gémissement retentit aux tympans de la cavalière — étaient-ce des chiens qui se disputaient des abats, ou un cri de douleur ?

Bien que ces notes discordantes aient été aussi désagréables à Laurence que le silence qui leur succédait brutalement, la jeune fille gardait l'œil et l'ouïe aux aguets. Tout en avançant, elle évaluait les différentes possibilités d'intervenir, et les rejetait l'une après l'autre — elle repoussa ainsi l'idée de se faufiler dans le bâtiment comme un voleur.

Sous les chambranles bas qui avaient perdu leur porte, elle voyait des femmes de tous âges. Des Tcherkesses à la peau blanche montraient leurs jambes, en remontant très haut. Des brunes aux yeux doux, une tache noire sur le front, étaient accroupies dans les portes cochères, attirant le chaland de leurs cuisses largement ouvertes. Des femmes de la mer Noire balançant la poitrine firent douter Laurence du caractère rationnel de la nature. Les femmes des Balkans, avec leurs solides fesses de cheval, lui paraissaient déjà plus logiques. Le blanc de leurs yeux rayonnait de nostalgie, leur langue rose courait, lascive, sur leurs lèvres aux teintes pourpres et vives, elles avaient le visage blanc comme craie. Elles roucoulaient, invitaient, envoyaient des baisers et gémissaient.

La fière cavalière se frayait son chemin. Quelle attitude aurait-elle face à son amant infidèle ? Se montrerait-elle indifférente, comme si elle ne faisait que passer, comme si elle ne savait rien ? L'air réprobateur, sans se plaindre, mais en réclamant son dû. Mais alors, il la repousserait d'un air narquois, peut-être même en présence de sa victime. Il n'en était pas question. Elle ne voulait pas offrir ce triomphe à René, et surtout pas à cette misérable donzelle !

Sans vraiment le remarquer, elle touchait déjà au but de ses désirs, de ses espoirs et de ses craintes. Le palais était constitué d'une solide tour ronde fortifiée auquel se rattachait un long bâtiment en bois ; celui-ci, monté sur des pilotis qui le protégeaient des crues, descendait jusqu'au port où il s'étendait pour devenir une sorte d'entrepôt. Il n'y avait vraiment rien de somptueux là-dedans. Des bateaux de pêche en miettes, des ancres rouillées, rongées par l'eau salée, des filets en lambeaux et des cordages jalonnaient son chemin ; partout, des rats filaient en couinant pour échapper aux sabots de son cheval. Laurence se dirigea vers le môle. Une activité fébrile régnait dans la fournaise, l'eau qui battait contre les murs empestait, des hommes musclés, le buste nu luisant de sueur, déchargeaient des bateaux. Cela n'aurait pas intéressé Laurence plus que cela si son attention n'avait pas été attirée par une circonstance particulière : ils traînaient les sacs sur une rampe de planches épaisses menant tout droit à l'entrepôt des la Roche.

On ne voyait aucun surveillant, aucun garde ne barrait le chemin. Son plan fut aussitôt arrêté : elle monta sur la rampe à
cheval, l'air le plus naturel du monde.

Une fois arrivée dans les entrepôts à l'odeur suffocante,
elle n'offrit pas non plus le moindre regard aux portefaix et
laissa son cheval progresser rapidement dans la direction où
elle savait que se trouvaient la tour et le bâtiment d'habitation
sur pilotis. L'entrepôt avait une autre rampe à l'arrière, mais
celle-là était en pierre et s'achevait, entre de hauts murs, dans
une cour déserte. Laurence évita donc de descendre et passa
au trot sur un pont de bois couvert, mais en prenant des précautions supplémentaires : Où, sinon ici, aurait-on installé des
herses pour se protéger des visiteurs indésirables ?

Arrivée à l'autre bout, elle constata, de son regard exercé,
que l'ensemble du pont pouvait être refermé depuis le bâtiment
principal. Elle aurait de toute façon dû mettre pied à terre :
devant elle s'élevait un lourd portail orné de ferrures et ver-
rouillé. Sa courageuse incursion allait-elle s'achever piteusement ici ? Elle qui se voyait déjà apprendre, du haut de son
cheval, les bonnes manières à un René ahuri ! Elle tambourina
contre la porte massive, folle de rage, jusqu'à ce qu'elle
découvre une fente fine comme un cheveu à hauteur de ses
yeux. Elle la suivit du bout d'un ongle et buta sur son extrémité
inférieure. Il y avait une porte dans la porte !

On devait donc forcément y trouver un pêne. Elle essaya
avec les heurtoirs de bronze — des mains qui tenaient une
sphère. Elle leva celui de gauche jusqu'à ce qu'il produise un
bruit métallique, mais rien ne bougea. Elle ne renonça pas
pour autant, essaya avec le droit, sans élargir le moins du
monde la fente minuscule. Découragée, elle s'adossa à la paroi
de chêne — et manqua tomber à l'intérieur. Une trappe s'était
ouverte à hauteur de ses mollets. Aucun cheval n'y passerait ;
elle accrocha donc le sien par la bride à la main de bronze.

Elle dut se baisser en entrant, et se retrouva aussitôt dans
une grande salle de banquet. Une faible lueur tombait du haut
de la pièce, où des lustres aussi larges que des roues de char-
rettes pendaient depuis l'infrastructure de poutres où s'enchâs-
saient des caissons dorés. Tout était silencieux. Elle était aux
aguets. Le palais tout entier semblait vide. Il n'y avait donc pas
de serviteurs ici ? Le silence lui sembla d'autant plus accablant
que Laurence crut entendre le battement de son cœur.

Sur le mur, de l'autre côté, s'ouvraient plusieurs portes : une haute, à deux battants, trônait au milieu. De part et d'autre, de plus petites ouvertures se succédaient, leur taille se réduisait à chaque fois, jusqu'aux trappes basses qui auraient tout juste permis à des chiens ou à des nains d'entrer dans la salle. « Dans le péril et la détresse, le juste milieu mène à la mort. » C'était l'une des sentences préférées de Lionel, et Laurence l'avait faite sienne. Mais cette fois, elle emprunta sans hésiter la porte centrale. Les battants s'ouvrirent sans bruit, et elle se trouva auprès d'un large escalier montant. Des torches y brûlaient, fixées à des anneaux, signe que l'édifice abritait bien une vie humaine. Mais elle ne monterait pas cet escalier : où pouvait-il bien mener ? Le palais n'avait pas d'étage supplémentaire ; du moins, elle n'en avait pas discerné depuis l'extérieur.

Laurence remonta donc le grand couloir, en s'efforçant d'assourdir le bruit de ses pas. Elle passa devant de nombreuses portes fermées. Mais elle s'arrêta subitement : derrière l'une d'elles, elle avait perçu un bruit qui ressemblait à un cri. Elle resta aux aguets — mais la personne qui se trouvait de l'autre côté de la paroi faisait sans doute de même : on n'entendait plus rien dans la pièce. Laurence appuya lentement sur la poignée de la porte et regarda par l'entrebâillement. Lorsqu'elle prit conscience de la présence d'une jeune fille sur le lit, elle sut aussitôt qu'il s'agissait de Sancie de la Roche. Mais elle ne ressentit ni haine, ni hostilité. Laurence vit une paire d'yeux écarquillés par la peur, sur un visage blême entouré de boucles brunes. Sa bouche rouge sembla saluer l'inconnue avant même qu'elle ne se soit ouverte.

Elles se regardèrent sans rien dire. Sancie était d'une beauté tendre et fragile qui avait saisi Laurence immédiatement.

Laurence ferma la porte derrière elle. Comme un fauve attiré par l'odeur du sang frais, elle se dirigea dans la lumière crépusculaire vers la couche en bataille. Toute peur s'était dissipée sur le visage de Sancie, on n'y lisait même plus d'étonnement. Ses lèvres rouges commencèrent à s'ouvrir comme une fleur, et les deux femmes sentirent qu'elles n'avaient pas besoin de prononcer un mot. Laurence s'agenouilla, ses yeux verts fixèrent la bouche de l'autre jeune fille. Sancie souleva le drap qu'elle avait, dans sa terreur, remonté sur ses jambes croisées et jusqu'à la naissance de sa poitrine ; sa chemise laissait deviner ses seins, leurs tétons sombres transparaissaient à travers la mousseline. Laurence lui décroisa doucement les genoux, Sancie écarta les bras et serra l'inconnue, tira vers elle sa chevelure enflammée et y plongea le visage. Comme des salamandres, les lèvres fermes de Laurence glissèrent sur son cou et son menton jusqu'à ce qu'elle trouve la bouche, leurs deux langues se mirent à jouer comme deux serpents et leurs corps serrés l'un contre l'autre se pétrifièrent de bonheur, juste avant que le plaisir s'empare d'elles et qu'elles se roulent sauvagement sur le lit.

Sancie, une femme d'expérience, libéra d'abord Laurence de son pantalon, puis elle ôta leur chemise. Elles haletaient. Le corps de Sancie (elle avait au maximum trois ans de plus que Laurence) avait été fait pour l'amour. Sa chair ferme et blanche resplendissait ; le corps hâlé de Laurence rappelait plutôt une rose épineuse dont les bourgeons commençaient à peine à s'ouvrir. Mademoiselle de la Roche allait lui servir de tuteur. Elle dirigea les lèvres exigeantes, la langue avide et les mains empressées sur ses douces rondeurs, depuis sa poitrine dressée et tendre jusqu'à la courbure du ventre et aux méandres de sa grotte noire, luisante de désir, tandis que ses ongles longs s'enfonçaient dans le dos, puis dans les fesses de la jeune amazone qui, protégée par ses boucles brunes, s'enfouissait comme une taupe dans la roseraie de Laurence de Belgrave. Celle-ci ne savait plus du tout ce qui lui arrivait, elle ne se serait jamais imaginé pareille tempête, pas même dans ses rêves les plus sauvages, ceux où elle rendait coup pour coup à la lance de son chevalier aux yeux émeraude. Toutes les idées de vengeance et de punition avaient abandonné Laurence. Elle avait voulu souiller la bien-aimée de son infidèle, pour sauver son amour-propre. Et c'était elle à présent qui se donnait en gémissant, qui se livrait aux tournoiements et aux tressaillements de son propre corps. Elle sentait le feu brûler dans sa vulve comme si la magicienne y avait allumé du feu grégeois. « Cela va me déchirer », pensa Laurence avant de plonger dans un tournoiement d'étincelles. Elle sentit juste un tremblement parcourir le tendre corps de Sancie, elles s'accrochèrent l'une à l'autre comme si elles étaient en train de se noyer, tressaillirent encore une ou deux fois avant de s'étendre, les membres étroitement enlacés.

Les doigts de Sancie s'étaient posés sur les lèvres de l'inconnue. Jusqu'ici, elles n'avaient pas échangé le moindre mot. Laurence sentit avec gratitude le doigt effleurer à tâtons les traits de son visage, pour parvenir jusqu'au front et le caresser.

C'est Sancie qui brisa le silence.

— Je t'attendais, Laurence, dit-elle doucement, d'une voix étonnamment rauque et basse.

Laurence se retourna vers elle et sourit, amusée :

— Je ne peux pas en dire autant. Tu m'as surprise.

Sancie se redressa et observa la jeune fille couchée en dessous d'elle avant de rire à son tour.

— Je veux te revoir et te surprendre à chaque fois. Quand *tu* le voudras. (Elle regarda Laurence de ses grands yeux, et sa bouche rouge tressaillit.) Laisse-moi être ta putain. Je t'en prie.

Laurence, confuse, la tira vers elle, posa ses boucles brunes sur sa poitrine et lui caressa la tête.

— Ne parle pas comme ça, Sancie, chuchota-t-elle. Sans cela je vais de nouveau avoir envie de toi. Nous devons être raisonnables.

Cette dernière phrase déclencha chez Sancie, au bord des larmes un instant plus tôt, un grand éclat de rire :

— De ce côté-là, je prendrai volontiers exemple sur toi, s'exclama-t-elle en jappant de bonheur. Je veux traverser les mers à tes côtés pour aller chercher des bons à rien évadés dans des pays lointains, entrer dans les palais inconnus de ports dangereux... La belle raison, en vérité !

— J'ai tout de même trouvé un trésor ! (Laurence souleva la tête bouclée de sur sa poitrine et l'embrassa sur la bouche.) Et je veux bien te garder, Sancie.

— Nous ne pouvons pas rester ici, chérie, fit Sancie en défaisant son étreinte. Nous devrions nous rencontrer ailleurs.

Laurence en convenait. Elle bondit sur ses jambes et prit ses vêtements, tandis que Sancie s'apprêtait à revêtir sa tenue de mousseline. Laurence ne put résister à l'envie de couvrir une fois encore de baisers le corps de son amante. Puis elle ouvrit les persiennes de bois et laissa la lumière du soleil inonder la pièce. En dessous, se trouvait la cour de l'office, déserte, où donnait la rampe de pierre. Elle était jalonnée de petits piliers en pierre reliés par de lourdes chaînes de fer, sans doute pour délimiter la zone intérieure, dont les carreaux étaient disposés comme un gigantesque jeu d'échecs. Sancie l'avait rejointe.

— Cela ne me posera aucune difficulté, expliqua Laurence, de te faire conduire sans être vue au palais des Montferrat, dans un lieu discret où nous pourrons...

— Tu n'as qu'à me faire savoir quand, répondit Sancie. Je me laisserai descendre par une corde, sans éveiller le soupçon de notre René.

Cette formule les fit rire toutes les deux.

— Tu vois cette pierre, là, en bas ? dit Laurence en attirant le regard de Sancie sur les piliers. Chacune vaut un jour, à partir du moment où tu verras sur la première ma suivante Lydda. Elle portera une corbeille, qui indiquera l'heure selon le carré de pierre où elle se trouvera, à partir de la ligne d'ombre que projette le pilier. Tu m'as comprise ?

— Moi, oui, répondit Sancie en riant. Mais ta suivante ?

— Je l'instruirai moi-même, fit Laurence pour tranquilliser son amante. Je veux me faire voir aussi peu que possible, tu le comprends ?

— Certainement, lui confirma Sancie. Mais pour te dire, je préférerais la première pierre, celle qui désigne cette soirée.

Et elle écarta énergiquement Laurence de la fenêtre.

— Sans préparation, nous courons le risque d'être découvertes, chuchota celle-ci. Je te ferai prendre dans les écuries.

— C'est bien pour cette raison que tu dois disparaître à présent, insista mademoiselle de la Roche. Le seigneur peut revenir à n'importe quel instant.

— Auprès de sa fiancée ? plaisanta Laurence en partant.

Sancie lui courut après dans sa chemise translucide pour l'embrasser encore une fois.

— Auprès de son infidèle future. Ou de sa future infidèle, comme tu préfères...

Laurence parcourut en courant le couloir et le hall des banquets, avant de se retrouver devant la lourde porte. Mais elle ne put ouvrir le passage secret de l'intérieur. On n'y avait fixé ni mains de bronze rotatives, ni quoi que ce fût ressemblant à des verrous dissimulés. Laurence était prise au piège. Elle passa les doigts sur le bois, tâtonna, appuya — en vain. Il était pourtant difficile de penser que ceux qui se trouvaient dans la salle puissent la quitter autrement que par cette porte. Cette fois, elle ne parvenait pas à trouver le mécanisme. Le fin contour de la porte secrète se dessinait pourtant clairement devant elle. Elle constata que la trappe n'était pas totalement refermée. Mais elle se cassa deux ongles en tentant vainement de tirer le bois dans sa direction.

Laurence avait attaché son cheval à l'extérieur. Elle attira l'animal, lui parla, imita même son hennissement. Il finit par pousser la trappe du bout de son museau, suffisamment pour que Laurence s'en empare et puisse sortir de la salle des banquets.

Elle tenait le cheval par la bride. Au moment où elle s'apprêtait à franchir dans l'autre sens le pont-levis menant à l'entrepôt, elle vit son chevalier qui paradait dans la cour. Il était descendu par la rampe de pierre. Laurence lui serait donc tombé droit dans les bras si la trappe s'était totalement refermée.

Elle posa sa main sur les narines de son cheval et le fit reculer à l'ombre. Elle s'étonnait de pouvoir observer René sans le moindre battement de cœur, comme on contemple un insecte rare, un papillon aux couleurs singulières ou une libellule. Il ne lui inspirait plus aucune émotion, juste une certaine curiosité. On aurait dit que ce n'étaient pas des mois, mais des années qui s'étaient écoulées depuis cette soirée à Fontenay. René de Châtillon était toujours un beau gaillard, son visage n'avait pas changé, elle le constata au moment où il souleva sa toque et adressa un salut vers les fenêtres, au-dessus de lui. Elle attendit qu'il ait disparu dans la maison avant de reprendre son chemin.

Arrivée dans l'entrepôt où l'on ne travaillait plus, elle bondit sur son cheval et descendit la rampe de bois, vers le quai. Pour aujourd'hui, cela lui suffisait. Laurence se réjouissait à l'idée de prendre un bon bain avant de se livrer aux mains habiles de la grosse Anadyomène. Elles calmeraient le bouillonnement de son sang, détendraient chaque fibre de son corps, que la découverte de l'amour avait fait renaître, et la plongeraient imperceptiblement dans le sommeil désiré.

Message strictement confidentiel adressé à

S. E. Rainer di Capoccio,
Diacre cardinal des Cisterciens,
Et expédié par le soussigné à Constantinople
Fin octobre, Anno Domini 1205

Précieux Oncle et respectable Parrain,

Je vous témoignerais volontiers mon affectueux respect par cette adresse officieuse qui vous revient en raison de vos hautes fonctions, mais que vous n'aimez guère entendre. Je vous témoi-gnerais d'autant plus volontiers mon respect que les relations familiales (pas les liens) me mettent cette fois-ci à rude épreuve et que (cela est déjà si souvent arrivé) l'on pourrait me calomnier auprès de vous. Le cas échéant, mettez en doute ma loyauté envers l'ecclesia catolica, mais jamais mon indéfectible dévoue-ment envers votre personne, quel que soit le masque sous lequel vous apparaissez.

L'estafette d'Esclarmonde dont je vous ai déjà parlé, Jean du Chesne, alias *le Chevalier du Mont-Sion, est arrivé ici, mal informé. Il ne savait même pas — du moins au moment de son débarquement — que notre premier empereur Baudouin est tombé aux mains des Bulgares lors de la malheureuse bataille de Constantinople, et qu'il est enfermé dans un quelconque château des Balkans. Il y restera jusqu'à la fin de ses jours, car nul ne tient à le racheter. Son frère et successeur, Henri, promet toujours de donner sa voix au meilleur souverain ; en tout cas, il compte intervenir brutalement. Cela rend cependant Montferrat, partisan de l'Empire allemand, et son escorte burgonde, particulièrement sensibles aux projets soigneusement agencés de la comtesse de Foix. La dame peut aussi agir par souci justifié pour les héré-tiques qui peuplent ses terres ; cependant, son projet ne trahit nullement une peur panique, mais un froid calcul.*

Le margrave de Montferrat se situe en effet, dans sa Savoie natale comme ici, en Thessalie, aux charnières des zones d'in-fluence. Si l'Empire romain l'élève au rang de duc, peut-être même avec la dignité d'un prince électeur, les Allemands n'au-raient pas de mal à trouver les maillons qui lui manquent encore entre la Provence, qui lui est déjà revenue, et ses alliés de l'Ara-gon, en passant par les comtes de Toulouse, Carcassonne et Foix. Tandis que son frère princier, ici, dans le « vide byzantin », si je puis utiliser cette expression, n'a qu'à établir une liaison par la Hongrie pour obtenir la réunification méritoire de la Rome orien-tale avec l'Empire occidental. Dans le même temps, il contrôlerait l'accès à la mer Noire — je ne mentionne pas la sainte Jérusalem, dont nous ne voulons plus parler.

Ainsi se mettrait en place un verrou allemand ininterrompu à travers tout le monde occidental, la France serait coupée de la Méditerranée et livrée aux Anglais — ce qui ne nous préoccupe-rait que dans la mesure où le Patrimonium Petri *serait lui aussi exposé à l'inexorable morsure de cette pince de fer, cette funeste* *alliance entre les Hohenstaufen de Sicile et de Lombardie qui se donne le nom d'*unio regni ad imperium.

Or une France forte demeure l'unique espoir de conserver l'intégrité du Saint-Siège. Si l'on coupe ce cordon ombilical, qui défendra encore les hautes ambitions de Rome ? Même si notre pape visionnaire se considère comme un souverain intouchable, au-dessus des rois et des empereurs, il aura cessé depuis longtemps d'être le maître de la situation. Si Paris veut s'approprier les riches pays de sa côte méditerranéenne, nous ne devrions donc pas l'en empêcher, mais littéralement encourager le roi de France, d'autant plus que les projets expansionnistes forgés par Sa Majesté catholique à cette occasion élimineraient aussi radicalement l'hérésie cathare, comme le souhaite notre Saint-Père. L'œuvre diabolique d'Esclarmonde, gardienne du Graal, cet opus magnum *du Malin, ne doit donc aboutir en aucun cas.*

Je me propose — et vous devriez me faire confiance pour y parvenir, vous, mon père adoptif par l'esprit — de faire échouer la mission du Chevalier. Mes moyens et mes voies paraîtront déconcertantes, peut-être même hautement suspectes aux non-initiés. Quoi qu'il puisse venir à vos oreilles, fiez-vous à votre élève et Coordinator minor

Guido della Porta, Prelatus

Des invités inattendus

C'était par l'une de ces journées de fin d'automne où le soleil recommençait à brûler dans un ciel sans nuages et faisait peser, vers midi, une fournaise caniculaire sur la ville du Bosphore. Après une brève sortie à cheval, Laurence revenait dans les écuries ombragées de Montferrat. Elle avait guidé sa suivante sur le chemin qu'elle devrait emprunter non pas depuis le port, mais dans les rues sinueuses de la vieille ville, pour rejoindre la grande cour du palais de la Roche, et lui avait désigné le pilier (c'était le troisième) sur lequel il lui faudrait s'installer d'ici à la tombée du jour. La petite avait bien grogné à propos de la dureté du plot de granit et de la tristesse du lieu. Mais Laurence n'était pas entrée dans la discussion. Elle avait aussi disposé la corbeille sur la plaque de pierre noire — comme convenu avec Sancie — qui devait indiquer la onzième heure *post meridiem*, si bien qu'elle pouvait être sûre de recevoir son amante le surlendemain, pendant la nuit.

Cette idée donnait des ailes à Laurence, mais ce sentiment dépassait de loin le picotement causé par une aventure dangereuse, ou au moins indécente.

Laurence rangea la selle et fit boire son aubère. Elle-même était en nage, mais cela ne l'empêcha pas d'aller inspecter cette histoire de monte-charge. Le toboggan glissant en cuivre ne pouvait certainement pas servir de chemin dissimulé vers sa chambre, à l'étage supérieur.

Laurence monta donc la courte échelle qui menait à la porte discrète. Elle se trouvait dans une sorte de puits légèrement éclairé par le haut, sans doute depuis le toit. Il s'agissait, à mieux y regarder, de deux tuyaux à la verticale. Dans l'un d'eux, juste sous son nez, pendait un fût de vin découpé sur sa longueur, assez grand pour accueillir un homme debout ; dans l'autre, tout en haut — à hauteur de ses appartements, estima-t-elle —, on avait suspendu un récipient allongé, d'assez grandes dimensions, un seau de cuivre, pour autant qu'elle pouvait en juger depuis le bas. C'était certainement lui qui servait de contrepoids. Mais elle aurait été bien incapable de dire comment fonctionnait l'ensemble. Le fût était attaché par une grosse corde certainement liée au seau par le biais d'une poulie ; il était suspendu une main au-dessus du sol, où l'on distinguait une évacuation grillagée. L'eau intervenait donc dans ce système.

Laurence, curieuse, posa son pied dans le tonneau, la corde se tendit et, à sa grande terreur, le seau de cuivre cogna contre un battant — du moins, cela sonnait comme une cloche, voire un carillon. Chaque mouvement de Laurence se transmettait au fût de métal, tout en haut. Elle ignorait à quel point ces coups pouvaient retentir dans le palais ; mais pour elle, tout en bas du puits, ils résonnaient comme le marteau aux oreilles du forgeron, et ils étaient assez forts pour réveiller ceux qui dormiraient de l'autre côté de la paroi. Comment ferait-elle alors pour hisser son amante vers le haut ? Laurence décida de remettre la question à plus tard. Elle quitta l'écurie, songeuse, sans aller inspecter le débouché du toboggan, comme elle s'était aussi promis de le faire.

Dans la grande salle du palais, Laurence rencontra le Chevalier.

— J'espère que vous n'avez pas oublié, madame, que nous avons ce soir pour invité le prélat, votre frère.

Un regard rapide avait suffi à Laurence pour découvrir le troisième couvert ; mais elle avait mal dissimulé son étonnement. Anadyomène remplissait fièrement son office de maîtresse de maison ; elle avait pris dans la caisse où se trouvait la part du butin des Montferrat toute l'argenterie qu'elle avait pu y trouver, des plats d'hostie aux candélabres d'autel.

Les éléments n'étaient pas toujours assortis, le couteau ciselé était doré, la poignée de la louche était une sculpture précieuse en ivoire tandis que les cuillers étaient simplement taillées dans la corne. Les assiettes, elles aussi, étaient en pierre grise ; mais les plateaux étaient bordés de pierres semi-précieuses, et les coupes en fine porcelaine blanche. Anadyomène protégeait comme la prunelle de ses yeux ces objets précieux provenant de la lointaine terre des Chinois. Mais ce jour-là, elle tenait à rendre hommage à leur haut visiteur.

— Aujourd'hui ? demanda Laurence en bâillant. Je pensais...

— C'est *demain* qu'arrive le jeune Michel, le fils du prince, corrigea le Chevalier. Il a un rendez-vous ici avec le percepteur de l'empereur.

Laurence pensait à tout autre chose. Dieu soit loué, ça n'est pas après-demain, songea-t-elle. La soirée du troisième jour n'appartenait qu'à elle et à Sancie. Même le Chevalier n'était pas autorisé à les déranger.

— Je vais me rafraîchir, annonça-t-elle en affichant sa bonne humeur.

Elle saurait bien se débrouiller avec les avances que ne manquerait pas de lui faire Guido.

— Le *Coordinator mundi* semble disposé à suivre nos propositions, papota le Chevalier, non sans fierté. Mais nous devrions le renforcer dans ses velléités de conspirateur. (Il lui lança un clin d'œil.) De petites attentions...

Il ne conclut pas sa phrase.

Cette invitation était destinée à Laurence, et elle eut l'impression que le Chevalier jouait grossièrement l'entremetteur.

— Vous ne devez cela qu'à votre charme, Chevalier, dit-elle, l'air mutin. Guido succombera certainement à vos attraits si vous ne lésinez pas.

— Je vais déjà lui annoncer que vous lui rendrez sa visite après-demain.

Laurence ne prononça pas un mot de plus. Elle se retira dans sa chambre. Anadyomène, prévenante, lui avait déjà fait couler le bain.

Au bout de deux heures passées sous le soleil dardant du début de l'après-midi, Lydda n'était plus disposée à supporter encore cette torture. Quitte à être mal assise ici, ce serait au moins à l'ombre. Deux piliers plus loin, dans le coin de la cour, les rayons ne la toucheraient plus. Lydda changea donc de place. Et pour ne pas laisser sa corbeille toute seule, elle la prit et la plaça à ses pieds. Sa nouvelle maîtresse avait de drôles d'idées. En tout cas, il arrivait que Lydda n'en voie pas du tout le sens. Mais d'un autre côté, Laurence lui avait généreusement offert tout ce qui se trouvait dans la corbeille. C'était une raison suffisante pour la garder à portée de main : ce quartier grouillait d'aigrefins et de coupe-jarret.

À peine éveillée de sa sieste, sous la fournaise accablante, Sancie ouvrit les volets de bois et aperçut dans la cour la silhouette de la suivante assise sur le pilier d'angle. Comme la pierre ne projetait plus d'ombres, elle compta les carrés de l'échiquier d'après sa propre mesure et en conclut joyeusement que sa bien-aimée l'attendait pour le début de la soirée. Toute heureuse, elle s'apprêtait à refermer les volets — la lumière de cette fin d'après-midi lui faisait mal aux yeux. Elle vit alors son fiancé descendre lentement la rampe qui donnait dans la cour. Messire de Châtillon eut l'audace de s'arrêter à la hauteur de la bonne et de lui adresser la parole. René ne vérifia même pas qu'il n'était pas observé depuis les fenêtres du palais — il se comportait comme s'il pouvait tout se permettre. Sancie referma les volets en dominant sa colère.

Laurence était au bain. Elle appréciait les dimensions impériales de cette baignoire de marbre où elle pouvait s'étendre et s'étirer de tous les côtés. Mais ce qu'elle préférait par-dessus tout, les bras et les jambes posés sur le rebord molletonné de la baignoire, c'était de laisser son corps flotter comme une plume dans l'eau tiède. Il serait certainement très piquant de savourer en compagnie de Sancie ce sentiment d'apesanteur, de s'ébattre avec son amante dans ce bain rafraîchissant. Le désir de Sancie rappela à Laurence qu'elle n'avait toujours pas élucidé la question du monte-charge. Elle avait déjà cherché une porte dans les lambris pour observer l'installation depuis le haut, mais elle n'avait pas pu y découvrir de trappe secrète. On ne pouvait sans doute l'ouvrir que du côté du puits. Mais Laurence ne voulait en aucun cas se rendre tributaire de sa suivante en partageant des secrets avec elle. Elle devait donc trouver et expérimenter elle-même la solution.

La baignoire avait deux robinets à croix. Elle tourna précautionneusement l'un des deux ; elle entendit aussitôt un bruit fracassant derrière la paroi, et le niveau de l'eau se mit à descendre rapidement. Elle referma aussitôt le robinet, et ouvrit le deuxième. Cette fois, elle entendit un crépitement, qui se transforma bientôt en un glouglou régulier : le seau se remplissait. Il mettait vraisemblablement le mécanisme en mouvement dès que l'on avait atteint l'équilibre entre le seau et le fût, et au plus tard au moment où il était rempli à ras bord. Il lui faudrait peut-être expérimenter le système avec Lydda, pour ne pas faire courir de risques à Sancie. Laurence referma le robinet et remplit la baignoire jusqu'à ce qu'elle retrouve son ancien niveau, tandis qu'elle-même se séchait.

Le soleil s'était couché depuis longtemps. Pourquoi sa suivante n'était-elle pas encore revenue l'aider à s'habiller ? Agacée, elle alla choisir elle-même parmi ses tenues celle qui lui paraîtrait le plus à même de tourner la tête de Guido : elle se para d'un assortiment de voiles turquoise dégradés. Chacun d'entre eux était fin et assez transparent pour laisser voir la peau nue. Mais ensemble, ils égareraient l'œil du voyeur.

La table était mise, les torches installées le long de l'escalier qui menait à la salle des fêtes brûlaient en tressaillant, comme si l'agitation de l'hôte les avait contaminées. Le Chevalier du Mont-Sion était vêtu de damas blanc, jusqu'à sa large cape, et avait renoncé à toute espèce de bijou. Seule une fibule d'argent portée à l'épaule indiquait aux initiés la fraternité secrète à laquelle il appartenait.

En dessous, dans la cour, escortée par des gardes, apparut la litière du *Coordinator mundi*. La maîtresse de maison, les joues roses d'excitation, fit allumer les bougies et appela le goûteur et ses hommes en frappant énergiquement dans les mains. Anadyomène avait renforcé son équipe : elle voulait faire honneur à la maison des Montferrat.

Guido della Porta était vêtu d'un habit de prêtre, noir et austère, agrémenté sur sa poitrine d'une croix massive en or. Il commença à monter l'escalier ; le Chevalier l'attendait sur le premier palier. Le prélat portait solennellement entre ses mains une cassette d'aspect insignifiant, comme s'il s'agissait d'un trésor sacré pour tous les catholiques. Laurence resta encore un instant à l'abri d'un pilier. Ces deux hommes tellement différents devaient d'abord se saluer et monter ensemble le reste de l'escalier. Elle-même comptait les retrouver ensuite en traversant la salle du banquet : une sorte de récompense.

Le chevalier blanc et le prêtre noir se rejoignirent et se saluèrent. Ils ne l'auraient pas fait avec plus de froideur si chacun d'entre eux avait planté un poignard dans le dos de l'autre. Le Chevalier accompagna son invité sur les dernières marches. Le premier page se tenait au seuil de la porte ; il leur proposa trois coupes sur un plateau d'argent. Le sommelier servit la boisson de bienvenue, tandis que le prélat cherchait sa sœur du regard. Lorsqu'elle se dirigea vers eux, Guido, mais aussi le Chevalier, restèrent abasourdis ; Laurence couronna ce spectacle en se courbant gracieusement devant le dignitaire religieux.

— Fermez les yeux..., gémit Guido en ouvrant la cassette.

C'était un collier de perles à sept rangées. Laurence cligna des yeux, aperçut la fermeture en émeraude qui, à elle seule, aurait justifié un meurtre, et attendit la délicieuse sensation qu'elle éprouverait lorsque les perles froides toucheraient sa poitrine avant d'être attachées autour de son cou, jusqu'au léger claquement de la fermeture, qui en ferait la propriétaire définitive. Mais il ne se passa rien de semblable. Le prélat brandit le bijou comme un trophée et referma la cassette.

— C'est mon privilège que de vous le passer ultérieurement, très chère, dit-il, la bouche en cul de poule. L'instant sera si précieux que nous ne voulons le partager avec personne.

Laurence bondit, l'œil étincelant, et leva sa coupe remplie.

— La vie ne nous offre certaines occasions que si nous savons les saisir à temps. Un ajournement annonce déjà une perte irrémédiable.

Elle s'inclina gracieusement devant le Chevalier.

— À votre réussite, messires. Que cet exemple soit pour vous un avertissement.

Elle but sans hâte avant de se retourner d'un seul coup et de se diriger vers son siège.

Laurence s'installa à la partie frontale de la table et fit signe à Anadyomène de commencer à servir. Le Chevalier et le prélat se hâtèrent de prendre place à côté d'elle. L'entrée était composée de fruits de mer frais, oursins, bigorneaux, huîtres et autres mollusques de la mer Noire, abondamment poivrés et assaisonnés de vinaigre noir, et arrosés d'un vin blanc de Crimée. Mais le silence était total. Aucun des deux messieurs n'osait adresser un mot à Laurence, qui se faisait ouvrir une huître après l'autre. C'est Guido qui, le premier, rompit ce mutisme. Un petit sourire éclaira son visage flasque, et il se passa les doigts dans sa chevelure brune et graisseuse.

— Avez-vous un goût particulier pour ces mollusques de piètre apparence ? demanda-t-il pour tenter de faire sortir Laurence de sa réserve.

Elle ne le regarda même pas : elle se tourna vers le Chevalier pour répondre :

— Un grain de sable qui, par la volonté de Dieu, est devenu une perle chatoyante et tombe, par un acte de son insondable bonté, dans le giron de sa bonne indigne, représente plus de bonheur que toute une chaîne de ces boulettes de perles autour du cou d'une grosse vache qui se fait mener au taureau afin d'être montée au service d'une cause supérieure...

— Vous comptez donc refuser mon cadeau, répondit Guido plusieurs minutes plus tard, alors qu'ils mangeaient déjà le poulpe aux oignons grillés qui avait succédé aux fruits de mer. Avant vous, c'est l'impératrice de Byzance qui a porté ces perles !

Laurence s'adressa une fois de plus à son accompagnateur :

— Pourquoi devrais-je me rabaisser à accepter des bijoux de seconde main ? Ne parlons même pas du fait que leur acquisition ne s'est certainement pas faite selon les lois, ni de la malédiction qui s'y attache à coup sûr, songez seulement au destin de la malheureuse impératrice.

Le Chevalier était manifestement embarrassé ; son nez plongea profondément dans la mousse de citrouille qui accompagnait le poulpe. Mais il n'eut pas le temps de répondre. Lydda, tout excitée, approcha de Laurence et lui chuchota à l'oreille :

— Une jeune dame vous attend dans votre chambre.

— Comment cela ? laissa échapper Laurence. Tu n'as pas...

Lydda avait mauvaise conscience, mais cela n'était pas lié au fait qu'elle avait changé de pilier, et donc modifié le rendez-vous : elle n'avait pas compris qu'elle avait pu provoquer ce décalage. En revanche, elle tentait anxieusement de cacher ce qu'elle faisait dans les écuries au moment où cette dame était arrivée.

— Elle, la dame...

Laurence ne laissa pas la suivante se perdre dans les explications : elle se releva et attrapa la suivante par le bras. Lydda reprit en bafouillant :

— Elle a expliqué qu'elle avait rendez-vous avec vous, maîtresse... Que vous l'attendiez...

Comme Laurence ne répondait pas, Lydda continua son récit :

— La dame a insisté pour que je la conduise chez vous. C'est ce que j'ai fait.

— Fort bien, mon enfant, dit Laurence en se maîtrisant. Nul ne doit t'interroger sur ce dont nous venons de parler. Disparais donc à présent, et ne te montre plus ici ce soir.

Cela causa manifestement à la suivante une joie indicible. Elle embrassa les deux mains de Laurence et s'en alla en bondissant avant même qu'Anadyomène n'ait pu la rappeler. Le Chevalier prit alors l'initiative. Il fit débarrasser l'entrée et ordonna que l'on serve le plat de résistance. « La vierge armée des mers en manteau de sel », annonça-t-il.

On fit entrer un espadon dans une longue poêle en terre cuite, entièrement recouvert de gros sel. Comme seule la tête en dépassait, cette créature aux yeux bleus et arrondis rappelait, dans sa partie inférieure, la fourrure blanche d'un petit phoque ; sa gueule grande ouverte faisait plutôt penser au bec démesuré d'un oisillon affamé.

Laurence prit ce spectacle comme prétexte pour se retirer.

— Vous avez sans doute encore des sujets de discussion entre hommes, dit-elle, provocatrice, au Chevalier. Vous m'excuserez...

Et elle s'en alla, comme portée sur un nuage de tulle bleu turquoise, surmonté de sa chevelure rouge. Le chevalier blanc et le prêtre noir échangèrent un regard, puis se consacrèrent à l'espadon, dont on ôtait justement la croûte de sel.

Laurence rejoignit sa chambre à petits bonds. Sancie était couchée sous le baldaquin, lascive et tentatrice.

— J'espère que Laurence de Belgrave a été suffisamment excitée par la cour qu'on lui donnait pendant qu'elle faisait attendre sa putain ici.

— Je ne t'attendais pas, ma chérie.

— Dans ce cas, bats donc ton esclave, elle n'a pas mérité mieux, se moqua Sancie. Tu m'aurais oubliée si vite ?

— J'avais demandé à ma suivante de s'installer sur le troisième jour, une heure avant minuit, se défendit Laurence.

— Elle avait étalé ses larges fesses sur cette journée à la huitième heure. Je pourrais même citer messire de Châtillon comme témoin : il s'est aussitôt collé à ton petit cabot.

— Je vais mettre à la question cette servante oublieuse de son devoir.

— Allons, allons, l'apaisa Sancie. Mieux vaudrait m'embrasser. Car cela aussi, tu l'as oublié. Je brûle par tous les orifices.

Elle étendit les bras, et Laurence se laissa tomber.

Le Chevalier et son hôte se faisaient face et observaient la chair rose clair du poisson que l'on découpait en tranches. Guido della Porta utilisait pour ce faire son propre couteau. Il était dissimulé dans sa croix en or, et jaillissait par la partie inférieure lorsqu'on tournait un petit peu les branches. Ils avaient à peine entamé le dos solide de l'animal, mais ils ne parvenaient pas vraiment à le savourer.

— Le butin dont vous parlez, Chevalier, grommela le prélat, la bouche pleine, ne montre certes pas d'arêtes visibles ; mais son opulence pourrait tout de même causer bien des douleurs d'estomac.

Le Chevalier lança un regard dédaigneux à son interlocuteur bien en chair.

— Ne vous chargez pas plus que vous ne pouvez en supporter, Monsignore.

— Il ne s'agit pas de ma modeste part, corrigea celui-ci avec un bruit de bouche. Mais ce gigantesque banc de poissons qui regroupera toute la Méditerranée doit être mis sur la table dès qu'il aura été pêché, réparti rapidement et consommé aussitôt. Sans cela, il pourrira, et rien n'est plus indigeste que du poisson corrompu.

— Dans les cas regrettables, cela peut même être mortel, confirma le Chevalier, méditatif. C'est bien pour cette raison que l'on s'adresse à vous, *Coordinator mundi maximus*. Les parts doivent êtres fixées avant. Et dès qu'elles seront faites, hop ! dans l'eau frémissante ou l'huile bouillante. Sans cela, le poisson se mettra à puer.

— Votre confiance m'honore. Mais je ne suis ni assez naïf, ni suffisamment ébloui pour négliger le caractère de la Table ronde, sa cupidité, son indécision, sa jalousie et sa fierté, sa fidélité et sa propension constante à trahir, sans même parler des...

Le prélat s'interrompit : son vis-à-vis s'était tout d'un coup relevé. La grosse Anadyomène avait fait comprendre d'un signe au Chevalier qu'elle avait une information inquiétante à lui communiquer en aparté.

— Lydda, ma chère petite poulette, a disparu, lui chuchota-t-elle à l'oreille.

Cela ne parut pas au Chevalier un motif vraiment suffisant pour l'arracher à sa conversation. Il s'apprêtait à revenir à table avec un geste de mauvaise humeur lorsque la mère poule ajouta :

— On a vu un homme, un inconnu, qui s'est faufilé en secret dans notre écurie. Peut-être un brigand ou un voleur.

Qui pourrait bien vouloir voler les chevaux de Montferrat ? s'étonna le Chevalier en secouant la tête. Mais il se sentit tout de même obligé d'aller vérifier ce qui se passait. Il attrapa son épée.

— Vous m'excuserez auprès de messire le prélat ! lança-t-il au gros homme. Faites en sorte que notre hôte ne manque de rien.

Et il descendit l'escalier à grands pas. Monsignore se retrouva tout d'un coup seul à table. Les domestiques s'étaient retirés dans la cuisine où la gouvernante se perdait en lamentations. Guido della Porta pensa que le moment d'agir était venu, il prit avec lui la cruche de vin et la coupe où avait bu Laurence, coinça sous son bras le coffret au collier de perles, regarda une fois encore tout autour de lui et se déplaça sur la pointe des pieds, avec une agilité dont on ne l'aurait guère cru capable, dans la direction où Laurence avait disparu.

Laurence faisait tout pour rétablir le charme de la première rencontre avec sa bien-aimée, mais elle n'y parvenait pas. Sancie continuait à raconter la peur qu'elle avait ressentie lorsque la suivante l'avait mise dans le tonneau et lorsque celui-ci s'était subitement mis en marche, avec un bruit qui rappelait celui d'une chute d'eau. Elle avait monté de plus en plus vite et avait ressenti un grand choc au moment d'arriver. Un poing invisible l'avait catapultée vers le sol, et c'est à quatre pattes qu'elle était sortie de cet épouvantable véhicule, qui se balançait horriblement au-dessus d'un puits sans fond. Elle ne recommencerait plus jamais...

— Connaîtrais-tu, par hasard, le propriétaire du palais ? demanda Laurence en lui coupant la parole et en s'efforçant de mettre un terme à son lamento. Il sera chez nous demain.

— Ah, le pauvre Michel ? laissa échapper Sancie, qui avait déjà retrouvé son ton plaintif. Un si bel homme, ce prince de Crète. Et pourtant...

— Et pourtant quoi ?

— Lorsqu'il était enfant, ils lui ont enlevé... sa virilité.

— Qui a fait cela ?

— Sa marâtre, pour que ses propres enfants... (Sancie gloussa joyeusement.) Si ce n'était pas aussi triste, on pourrait presque trouver cela comique. Tous les autres héritiers ont été empoisonnés, et tous du même coup, après avoir absorbé un plat de champignons mal triés !

— Et à présent, ce prince sans bourses est redevenu l'unique héritier ?

— Oui, confirma Sancie. N'est-ce pas horrible ? Une si belle silhouette, une forme agréable... Et il ne trouve pas de femme.

— Tu lui aurais tout de même...

— Comment aurais-je fait ? gémit Sancie. Et puis Michel n'a pas toutes les idées bien en place.

— Il ne manquait plus que cela, se moqua Laurence.

— C'est certainement lui qui a inventé ce seau à cloche et toute cette machinerie diabolique.

Laurence éclata de rire.

— L'essentiel est que tu aies trouvé la porte, sans cela tu serais encore assise dans ce trou humide. C'est comme cela que je procède, en général, avec mes amants des deux sexes, ajouta-t-elle méchamment, lorsqu'ils me font des visites surprises.

— Trois démons ne me ramèneront pas dans cette machine ! bêla Sancie. Je préfère rester ici toute la nuit.

— Et ton fiancé ?

— René a pris ses quartiers libres pour la soirée, annonça Sancie avant d'ajouter, méditative : ce qui n'est pas dans son genre...

Comme pour chasser ses idées noires, elle éclata bruyamment de rire.

— Allez, reviens au lit.

Elle aspergea d'eau Laurence, qui ne put s'esquiver à temps. Sancie se lança, exubérante, sur le lit défait.

Au même instant, on gratta à la porte, et une voix flagorneuse retentit :

— C'est moi, petite sœur, votre joaillier. Dégagez donc votre cou...

— Qui ? chuchota Sancie, effrayée.

— Mon frère Guido, répondit Laurence entre ses dents. Disparais ! Par les tuyaux !

Sancie refusa d'un geste vif et horrifié.

— Ouvrez, Laurence, pardonnez à l'homme repentant. Écoutez la voix du sang ! (Monsignore tirait sur tous les registres de la rhétorique.)

— Jamais ! répliqua Sancie à Laurence, dans un souffle.

— Alors c'est *moi* qui emprunterai le conduit !

L'idée était venue spontanément à Laurence, mais elle lui plaisait de plus en plus.

— Si Guido ne me trouve pas, il va penser qu'il s'est trompé de chambre.

Laurence ouvrit la trappe dans le sol, derrière le baldaquin. Sancie, horrifiée, la vit descendre, les pieds devant, dans l'entonnoir formé par le toboggan de cuivre.

— Mais tu ne peux pas me..., gémit la jeune femme.

Cette fois, les coups sur la porte se firent impérieux.

— Je dois vous parler, menaçait le prélat. Ne me forcez pas...

— Joue l'indignée, lui lança Laurence. Jette-le dehors.

Ce fut le dernier conseil qu'elle donna à son amante, suivi de cette brève instruction :

— Remets le tapis sur le plancher !

Laurence referma la trappe.

— Nous nous reverrons !

Et sur ces paroles de consolation, elle abandonna Sancie à son destin.

Deux personnages se roulaient dans la paille de l'écurie plongée dans la pénombre.

— Ta mère ne t'a-t-elle donc jamais tanné le derrière, pour que tu ne puisses pas restée courbée l'espace de trois sonneries de la cloche ?

La voix qui exprimait ce reproche, mi-amusée, mi-agacée, était celle de messire de Châtillon.

René attrapa une nouvelle fois par les hanches les fesses qui brillaient dans l'obscurité et les souleva vers lui. Ce qui empêcha le seigneur de mener correctement l'affaire *a tergo* fut moins l'inexpérience de la servante que ses propres pantalons descendus, qui s'enroulaient autour de ses chevilles.

— J'aimerais pouvoir observer votre noble visage pendant la chose, noble chevalier, regretta Lydda.

Mais son galant lui répondit froidement :

— Pour demeurer toujours aux aguets, jeune vierge, je dois pouvoir voir ce qui se passe autour de moi...

Lydda se plia à la règle en gémissant et en frissonnant sous les poussées du seigneur. Elle l'aurait si volontiers pris dans ses bras et serré contre sa poitrine. Elle ne se plaignait pas : il venait de lui saisir les seins, et Lydda adorait cela. Mais tout d'un coup, comme si la servante avait perçu quelque chose, elle serra les fesses sans prévenir et se laissa tomber en avant.

— Quelqu'un vient..., chuchota-t-elle. C'est sûrement mademoiselle Laurence, annonça-t-elle, non sans fierté. Cachez-vous ! lança-t-elle à son galant, qui tentait d'ôter la paille de ses pantalons. Il y a un fût derrière la porte... (Elle le poussa au pied de l'échelle.) Je vais la retenir. Ne bougez pas avant que je ne vienne vous chercher, lui ordonna Lydda d'un ton décidé.

Elle bondit vers Laurence, autant qu'il était possible de le faire dans l'obscurité. Elles se bousculèrent, ce qui n'empêcha d'ailleurs pas Laurence de la gifler avant de l'interroger :

— Que fais-tu ici ?

Lydda se mit à gémir, mais elle avait une réponse toute faite :

— C'est vous-même qui m'avez ordonné de disparaître.

Elles entendirent alors la voix du Chevalier résonner à l'entrée de l'écurie :

— Qui va là ?

Et elles virent sa silhouette pâle se détacher sur le ciel bleu de la nuit, l'épée à la main.

— Des amis, cria Laurence en poussant Lydda devant elle.

Le Chevalier baissa son arme, heureux de ne pas avoir à en découdre avec un voleur de chevaux. Au même moment, un bruit de baignoire qui se vidait attira leur attention. Mais le Chevalier ne s'y attarda pas. Ils traversèrent la cour afin de rentrer dans le palais par le perron ; c'est alors qu'ils virent la deuxième litière posée à côté de celle du prélat, tout aussi noire et dépouillée que la première. Laurence et le Chevalier, chacun pour des raisons différentes, tenaient à voir qui était le nouveau venu. Seule la servante ne semblait pas vouloir être présente — elle aurait en réalité préféré que la terre s'ouvre sous ses pieds et l'engloutisse.

À la tête de la table, que l'on n'avait toujours pas débarrassée, se tenait Mater Livia, une dame maigre et sévère dont la chevelure brillait déjà des premières mèches grises. Elle observa en fronçant les sourcils sa fille, dont la tenue de tulle qu'elle portait contrairement à toutes ses habitudes était encore couverte d'herbes séchées. Elle lança le même regard réprobateur au Chevalier, mais c'est à sa fille qu'elle adressa la parole. Laurence s'était immobilisée au bout de l'escalier, en clignant des yeux, comme si elle ne parvenait pas à croire à ce qu'elle voyait. Puis la jeune fille se reprit, esquissa une courbette du genou, mais ne voulut pas baisser les yeux.

— Bienvenue, Mère, dit-elle d'une voix ferme. J'espère que vous avez fait bon voyage.

L'austère personnage ne se laissa pas déconcerter.

— Tu vas emballer tes affaires immédiatement, juste l'indispensable — elle laissa son regard méprisant glisser une fois encore sur cette tenue de rêve bleu turquoise —, je veux dire : ce qui convient à une jeune fille.

Elle se tourna brutalement vers Anadyomène :

— Où se trouve la chambre de ma fille ?

Laurence voulut devancer la grosse femme.

— C'est la première à gauche ! lança-t-elle, mais elle n'obtint de la sorte qu'un haussement de sourcils de sa mère.

— Ne m'aviez-vous pas dit que c'étaient les appartements du Chevalier ? demanda-t-elle, implacable, à la grosse femme qui suait déjà de peur.

Puis elle s'adressa au Chevalier, qui regardait ailleurs, perplexe :

— C'est donc ainsi que vous utilisez la confiance que j'avais placée en vous ? En partageant le lit de ma fille ?

— Mais non, voulut rectifier Laurence. Le seigneur dort à côté, décemment séparé de moi...

Elle n'alla pas plus loin : depuis sa véritable chambre, on entendit un bruit de bois volant en éclats, suivi par les hurlements féroces de plusieurs hommes. Au milieu de ce vacarme, Laurence parvenait à distinguer les cris stridents de son amante. La porte s'ouvrit dans un fracas terrible, et toutes les personnes impliquées dans cet imbroglio se précipitèrent ensemble dans le couloir, Sancic en tête, nue comme le bon Dieu l'avait faite, mis à part le rideau de perles qu'elle portait comme un pagne autour des hanches et qui mettait plus en valeur son pubis qu'il ne le dissimulait. Elle avait dû être surprise dans la baignoire : elle était aussi trempée que Monsignore. Mais celui-ci ne s'était pas débarrassé de sa soutane, elle lui collait au ventre et aux cuisses. Et de toute évidence, ce n'était pas un goupillon qu'il cachait en dessous.

— *Apage Satanas !*

Il tenta en vain de faire jouer son autorité religieuse, mais cela ne servait à rien : le cornu de l'histoire n'était pas Belzébuth, mais René de Châtillon, qui avait été hissé dans la chambre par le mécanisme hydraulique. Le prélat avançait à reculons, repoussant des deux mains le nobliau assoiffé de vengeance qui lui tapait dessus en criant sans arrêt :

— *Pontifex praecox !* Ton pape est impuissant ! *Pontifece Gallarum !*

Ce que René considérait comme la pire injure que l'on puisse faire à un prêtre.

Mais lorsque le jeune homme fou de rage attrapa le couteau à trancher orné de joyaux et se mit à crier « Je vais te couper les couilles ! » Monsignore rassembla toutes ses forces et, envoyant toute la masse de son corps contre l'adversaire, le projeta au sol avant de s'affaler dessus. Alors seulement, tandis que les deux hommes étaient couchés l'un sur l'autre, Laurence remarqua que René ne portait pas non plus de pantalons. Elle détacha la partie supérieure de ses sept voiles et s'en servit pour y cacher Sancie, qui sanglotait.

— Nous étions justement dans la salle de bains lorsque René a surgi à travers la paroi, tenta-t-elle d'expliquer. Pourquoi avez-vous vidé l'eau ? demanda-t-elle au lieu de regretter son double adultère.

Les deux hommes, quant à eux, se roulaient au sol.

— Grande putain de Babylone ! gémit Mater Livia, écœurée.

Ce qui incita Laurence à répliquer aussitôt :

— Avec votre fils Guido, au moins, ma chérie était dans le giron de l'Église. Je lui pardonne du fond du cœur.

Elle eut tout juste le temps d'embrasser la bouche rouge de Sancie avant que sa mère ne l'écarte brutalement.

— Cela suffit maintenant, gronda Mater Livia. Que ton frère s'adonne aux joies de la chair avec Dieu ou avec le diable, peu m'importe. Mais toi, ma fille, je vais te sortir de ce marécage peuplé de débauchés.

Et elle tira Laurence dans l'escalier, sans lui laisser le temps de changer de tenue.

— Gardes ! ordonna-t-elle en poussant la jeune fille récalcitrante dans la litière. Les porteurs bondirent et emmenèrent la mère et la fille vers le port voisin, où un navire de la Serenissima au service de la curie était prêt à prendre le large.

Le Chevalier avait suivi la chaise à porteurs sur son destrier.

— Je ne veux pas entendre d'explication de votre part, l'informa Mater Livia, qui avait repris contenance, à présent que Laurence était enfermée sous le pont. Mes enfants sont tous deux des rejetons du mal. L'enfer se déchaîne lorsqu'ils se rencontrent. (Elle respira lourdement et regarda derrière elle, le regard fou.) En conséquence, afin d'éviter d'autres malheurs, je tiendrai Laurence éloignée de lui. Dans le cas contraire, il me faudrait la confier à l'exorciste, peut-être même la livrer à la sainte Inquisition.

Le Chevalier ne répondit rien. Voir Laurence entre les mains de cette mère zélatrice qui déblatérait lui faisait de la peine.

Le navire quitta Constantinople la nuit même.

4. DANS LE LABYRINTHE DU MINOTAURE

Le saut dans l'eau

Pendant toute la journée et le lendemain, Laurence resta dans sa cahute à la poupe du navire. Elle aurait aimé sentir le vent frais qui soufflait sur le pont, mais elle estimait plus important de montrer à sa mère, Livia, qu'elle n'était pas disposée à lui céder en quelque manière que ce soit. Couchée dans son hamac, Laurence suffoquait dans l'air étouffant et passait en revue les possibilités d'échapper à la *Mater superior* avant d'atteindre la côte italienne. La fenêtre de derrière était certes assez grande pour qu'elle s'enfuie, mais il fallait sauter avec suffisamment d'habileté pour éviter de tomber sur le gigantesque safran qui plongeait à la verticale dans la profondeur de l'eau. Laurence repoussa cette idée. Pareille évasion, aussi séduisante qu'elle lui paraisse, n'aurait eu que deux issues possibles : ou bien on l'aurait aussitôt repêchée, ou bien elle se serait lamentablement noyée.

Elle ne pourrait s'échapper avec quelques chances de succès qu'en plongeant à proximité immédiate d'une côte. Il lui faudrait ensuite faire en sorte de ne pas être découverte. Laurence tenta de tracer dans son esprit l'unique itinéraire possible et vraisemblable du voilier. Elle se remémora le chemin qu'elle avait suivi à l'aller. Ils avaient longé la Crète, un petit port au nord-ouest de l'île. Il se situait dans une crypte rocheuse et elle se souvenait de son nom : Kastéllion. Le Chevalier et elle-même y avaient escorté un transport d'armes secret destiné aux Montferrat. Laurence ne savait pas précisément contre qui devaient être utilisées ces armes. La seule cible possible était la « Serenissima » qui régnait sur tous et sur toute chose dans la mer Égée. Il s'agissait donc d'un soulèvement des Crétois contre la cité de la lagune. Les opprimés et les déshonorés voulaient s'insurger, avec à leur tête la noble maison des Montferrat ! Cette idée fit aussitôt battre plus fort le cœur de l'aventurière. À cet instant seulement, Laurence se rappela l'histoire du vieil Alexios, qui avait perdu la vie en Sicile à cause de cette affaire ; elle se souvint ensuite de celle du malheureux prince Michel, que Sancie lui avait raconté à Constantinople. Cet homme frappé par le sort était-il un combattant clandestin de la liberté ? Laurence pressentit aussitôt l'existence d'une âme parente qui se rebellait, comme elle, contre toute tutelle, qu'il s'agisse d'un monopole commercial rigide ou d'une vie inexorablement dévouée à Dieu, comme dans le couvent de sa mère. Liberté !

Laurence bondit sur ses jambes et s'étira. Le navire sur lequel elles voguaient était placé sous le commandement d'un capitaine vénitien. Elle ne pouvait pas s'attendre à ce qu'il participe au plan qui germait dans son esprit. Elle attendit jusqu'au soir. Le repas modeste lui était servi dans la cahute. À chaque fois, on l'invitait auparavant à venir le prendre sur le pont avec sa mère. Et à chaque fois, elle refusait. Elle entendait ensuite Livia qui allait se reposer à côté, dans sa cabine, sans adresser un mot à sa fille butée ni lui souhaiter une bonne nuit. La vieille femme était aussi entêtée qu'elle-même. Laurence ne quittait jamais sa couchette avant la tombée de la nuit, et lorsqu'elle le faisait, c'est qu'elle pouvait être certaine de ne pas rencontrer sa geôlière.

Le capitaine — il s'appelait Malte Malpiero — avait déjà profité de l'obscurité pour lui faire les yeux doux, mais il n'avait encore jamais osé aborder la fière prisonnière. Le marin était profondément agacé que la vieille ait pu profiter de sa richesse — ou d'un autre pouvoir — pour se servir de son navire et enlever sa jolie fille afin de la cloîtrer ! Malte Malpiero était un homme dans la force de l'âge, toutes ces années passées sur la mer lui avaient tanné le cuir. Le soir, il se débarrassait de sa tunique pour attendre, le buste nu, la levée de la brise fraîche, mais aussi et surtout l'apparition de la jeune rouquine.

Il se tenait au gouvernail. L'air perdu dans ses pensées, Laurence monta l'escalier de bois et, à sa grande joie, se dirigea vers lui.

— Nous devrions arriver en vue de la Crète d'ici demain ? demanda-t-elle d'un ton léger.

Malte la regarda, étonné, avant de répondre en des termes qui ne répondaient pas aux espérances de sa passagère :

— Nous ne verrons pas l'île, fit-il pour s'excuser. Nous n'empruntons le passage habituel situé au nord de Cythère que lorsque le temps est très beau...

— Dommage, dit Laurence en lui lançant un regard dont elle connaissait l'effet sur les hommes comme sur les femmes. Vraiment dommage !

— Qu'est-ce qui vous attire donc en Crète ? demanda le capitaine. Je pourrais évidemment...

— Loin de moi l'idée de vous poser des problèmes...

— Je vous en prie, Laurence ! Tout ce qui sera en mon pouvoir...

— On dit qu'il se trouve là-bas un temple, situé au-dessus de la mer, dans une baie discrète. Le lieu s'appelle Kastéllion, et c'est lui que j'aurais si volontiers visité.

— Kastéllion ? répondit le capitaine. Je ne connais qu'un seul nid de pêcheurs portant ce nom ; un peuple insurgé, peu hospitalier. Mais je n'y ai jamais vu de temple. Vous pensez peut-être à Héraklion, le palais de Knossos, le labyrinthe du Minotaure ?

— Non, celui-là, je le connais, mentit Laurence avec aplomb. Ce que je cherche, c'est le temple de Kastéllion, totalement inconnu, caché dans les rochers au-dessus du port.

— M'autoriseriez-vous à vous y accompagner ?

Laurence lui lança un long regard pénétrant.

— Comment comptez-vous justifier ce changement d'itinéraire ?

Malte Malpiero était déjà entre ses mains.

— Ce petit détour... (Il fit un geste négligent qui aurait pu exprimer la magnanimité s'il n'avait ajouté :) L'eau potable ! C'est la dernière possibilité avant notre entrée dans la mer Ionienne !

— C'est exact, dit Laurence. On ne trouve pas à cent lieues à la ronde une source fraîche qui puisse se mesurer avec le pétillement de l'eau sortant du temple de Kastéllion.

Elle lui rit au visage, lui lança un regard prometteur et le laissa seul à son timon.

Le quatrième jour, en fin d'après-midi, ils entrèrent dans la baie. Livia avait accepté une brève halte destinée à refaire des provisions d'eau douce. Pour Laurence, il s'agissait désormais d'être immédiatement reconnue par ceux qu'elle voulait rallier. Depuis qu'elle y était passée, à l'aller, elle savait qu'on l'appréciait et qu'on l'aimait dans ce port. Mais cette fois, elle arrivait sur un voilier de la Serenissima, et les Vénitiens n'étaient certainement pas les bienvenus ici. Lors de son entrée dans le port, elle vit, ancré, le navire des Montferrat qui les avait acheminés à l'époque. Laurence fut donc la première à sauter du bord, parmi les habitants hostiles rassemblés sur le quai. Malte Malpiero et Livia, qui l'avaient suivi du regard avec une certaine inquiétude, eurent du mal à en croire leurs yeux : la foule fut bientôt en liesse, on saisit en toute hâte les cordages lancés par les matelots et, quelques minutes plus tard, le navire que l'on avait jusqu'ici considéré avec mépris était fermement amarré.

On organisa aussitôt une réception solennelle. Laurence, sa mère et le capitaine se retrouvèrent sous une tente érigée en catastrophe et échangèrent avec les *archontes* du lieu les formules de salutation, chacune étant accompagnée d'une nouvelle gorgée de *malvasier*. La mère de Laurence ne résista pas longtemps : elle se fit raccompagner à bord du navire. Laurence profita de l'occasion pour demander rapidement aux *gerontes* si le prince Michel séjournait sur l'île. Comme elle le craignait, on lui répondit que le jeune marquis était parti pour Constantinople, mais qu'il reviendrait « sous peu ». Elle demanda aux *gerontes*, qui comprirent aussitôt, de ne rien précipiter, de prolonger au contraire la liesse qui avait salué son retour en offrant des spectacles de danse et des concerts. Ces braves gens jugèrent que leur hôte inattendu devait être épuisé par son long voyage. Comme la pénombre avait déjà commencé à se répandre, et que l'on ne pouvait plus songer à reprendre la mer, Laurence se fit mener dans une maison où elle comptait se reposer jusqu'à la grande fête prévue pour le soir.

Le capitaine, qui s'était aussitôt mis en quête du temple mais ne l'avait pas trouvé et attendait toujours un signal de Laurence pour l'accompagner à la recherche de la mystérieuse source du sanctuaire, en fut pour ses frais. Les Vénitiens s'adonnèrent à la boisson. La colère de Livia, qui avait souhaité pouvoir surveiller sa fille depuis le pont et l'avait vue disparaître sans prévenir, n'eut aucune conséquence. La *Mater superior* considérait que le prestige dont jouissait ici Laurence était fort inconvenant — et surtout extrêmement étonnant. Elle appela Malte, qui était déjà ivre.

— Sortez-moi la petite téméraire de cette maison ! exigea-t-elle.

Mais le capitaine secoua énergiquement la tête.

— Je ne risquerai pas l'insurrection du port tout entier, répondit le marin vacillant, mais ferme dans sa réponse. D'autant plus que nous devons à présent y passer la nuit. Laissez-la donc !

Tandis que Malte s'étonnait encore de son courage, Livia fit savoir au capitaine qu'il répondait, sur sa tête, du retour de sa fille à bord.

— Comment expliquez-vous cette réception extraordinaire ? demanda-t-elle brutalement. Je pensais que les Crétois haïssaient la Serenissima comme la peste ?

Cette question, à laquelle il n'avait pas de réponse, dégrisa un peu le capitaine. Elle éveilla surtout sa colère à l'idée que Laurence ne lui avait toujours pas donné la récompense qu'il croyait assurée. Il jura à la vieille femme de ramener Laurence à bord avant le départ du navire. « Morte ou vive ! » manqua-t-il ajouter. Mais il s'arrêta à temps, sans être vraiment sûr que la mère ne préférerait pas reprendre la traversée avec la tête de sa fille plutôt qu'avec les mains vides. Lui, Malte Malpiero, tenait beaucoup plus au corps blanc de la rouquine. Cette nuit même, la drôlesse devrait lui montrer sa source !

— Nous quitterons cette île avant le lever du soleil ! annonça Livia, agacée, avant de partir se reposer.

Laurence était couchée sur un divan, la tête surélevée, et pouvait voir par la fenêtre ouverte le soir tomber rapidement sur le port. La haute mer, à l'horizon, à l'extrémité de la baie, échappait peu à peu à ses regards. L'espoir qu'elle continuait à nourrir se dissipait lui aussi : l'arrivée du sauveteur inconnu auquel elle s'accrochait de plus en plus, comme à un fétu de paille. Le prince accourut et libéra la malheureuse des griffes du dragon... Mais la nuit serait noire d'ici peu. Et la nuit, aucun miracle ne se produit.

Sous sa fenêtre, elle entendit le bruit et les rires de la foule. Le reflet chatoyant des torches éclairait le haut plafond de sa chambre, elle entendit les flûtes, les cymbales et les tambours, on criait son nom, de plus en plus fort, de plus en plus vivement. Laurence se redressa et descendit les escaliers. Malte Malpiero, ivre mort, voulut s'emparer d'elle. Mais les Crétois repoussèrent le Vénitien et menèrent leur invitée d'honneur à sa place, à une grande table. Laurence s'assit sous les hourras et les applaudissements. Elle était désespérée. Mais c'est précisément pour cette raison qu'elle riait devant ses hôtes.

Minuit était passé depuis longtemps lorsque Malte Malpiero entreprit une nouvelle tentative pour avancer jusqu'à l'objet de ses désirs, qu'il ne percevait plus que confusément. Il avançait en tâtonnant à travers la foule houleuse. Lorsqu'il fut parvenu à son but, il s'assit à ses pieds, par prudence, mais aussi, sans doute, parce qu'il ne tenait plus très bien sur ses jambes.

— Nous deux, bredouilla-t-il, un peu trop fort pour un conjuré, nous devrions nous échapper ensemble, en profitant de cette nuit ! (Il lui pressa les jambes.) Oubliez la source ! fit-il d'une voix basse et rauque. La Crète est grande !

— Aussi grande que votre bon cœur ? Ou que votre soif de la source secrète ? fit Laurence en riant.

Mais elle évalua tout de même la proposition que lui faisait le capitaine. Chercher à s'enfuir ? Ils n'iraient pas loin : ces braves Crétois la retrouveraient vite, ils lapideraient Malte Malpiero pour l'avoir enlevée, et sa mère, qui dormait sur tout cela du sommeil du juste, sortirait une fois de plus vainqueur de cette épopée. Elle devrait parvenir jusqu'au labyrinthe légendaire du Minotaure, avec les mêmes connaissances qu'Ariane. Elle s'y cacherait là où nul ne pourrait plus retrouver sa trace. Et elle-même ne trouverait pas la sortie ! Laurence était en train d'écarter cette idée lorsqu'il y eut du tumulte sur le quai du port. Les gens interrompirent leurs danses et leurs jeux et regardèrent vers la mer. Les Crétois étaient-ils abusés par leurs sens avinés ?

Laurence ne voyait rien dans l'obscurité. Mais elle perçut les chuchotements autour d'elle, puis les cris isolés.

— Le *Despotikos* !

Elle crut alors percevoir à son tour cette minuscule étoile scintillante qui ne cessait de disparaître et de resurgir : un faisceau d'étincelles qui menaça de s'éteindre, jusqu'au moment où il se fut définitivement imposé sur les vagues sombres, à l'extérieur. Le cœur de Laurence battait à tout rompre. Elle repoussa de ses pieds Malte, qui bavait, et bondit sur ses jambes.

Les gens se pressaient sur le mur du port, on allumait des torches que l'on agitait furieusement. L'animal crachant du feu ne cessait de se rapprocher. On distingua bientôt le gréement du navire à l'éclat vacillant de ces étranges sources de lumière. Des amphores enflammées les illuminaient, eux et les vagues des deux côtés de la coque, jetant des ombres furtives sur les rochers de la baie. Le navire avançait toujours toutes voiles dehors.

— C'est un fou ! gémit à côté d'elle le capitaine expérimenté de la Serenissima. Franchir ces écueils de nuit, c'est de la folie furieuse !

— Claires comme mille soleils, répondit Laurence, qui jubilait, les étoiles dirigent le téméraire qui veille !

— Du feu grégeois ! brailla Malte Malpiero, pris entre l'admiration et la mauvaise humeur. Qu'un seul de ces pots éclate, et tout leur rafiot est en flammes ! Aucune eau n'est capable de l'éteindre !

— C'est vous qui éclatez de jalousie, Malte Malpiero ! répliqua Laurence, parce que vous ne vous croyez pas capable de transformer la nuit en jour !

Et sur ces mots, elle se fraya à son tour un chemin jusque sur le quai.

Le voilier du Despotikos n'était pas un navire agressif. On le vit bien lorsqu'il abattit sa voilure à l'entrée du port comme un papillon rabattant ses ailes, et sortit les rames pour filer sur l'eau comme une libellule. Sa largeur et sa longueur étaient bien inférieures à celles du Vénitien auprès duquel il s'apprêtait à accoster, mais sa quille était bien plus tranchante : c'était un cimeterre brillant qui fendait les vagues.

Laurence se dressa sur la pointe des pieds pour apercevoir l'homme qu'elle attendait. « La Rousse » avait cessé depuis longtemps de monopoliser l'attention. L'enthousiasme naïf qui s'était abattu sur elle fit place à la vénération que l'on accordait au prince. Elle le vit alors sauter du bord, et elle prit peur.

C'était une tête de lion majestueuse qui surmontait cette mince silhouette, une puissante crinière châtain et indocile encadrait son visage presque dissimulé sous une barbe abondante et frisée. Était-ce cet animal, « l'homme sans virilité » dont Sancie lui avait parlé en termes émus ? Laurence ne voulait pas y croire.

— Soyez sur vos gardes, lui siffla Malte Malpiero par-dessus l'épaule, comme s'il avait deviné son désir et ses doutes. Vous ne savez pas entre quelles mains vous vous placez là !

Laurence ne se retourna pas. Elle marcha comme une somnambule. Une haie d'honneur s'ouvrit tout d'un coup devant elle. À son autre extrémité se tenait le Lion, Michel de Montferrat. Laurence sentit ses jambes se dérober sous elle ; elle ne devait pas trébucher à présent. Elle ralentit le pas. C'était à lui de venir vers elle ! Le Despotikos marcha vers elle d'un pas souple et la captura. Il ne la prit pas dans ses bras : il lui saisit les poignets comme pour la tenir éloignée de lui — mais sans jamais la laisser repartir.

— Je savais que nous nous rencontrerions encore, Laurence ! dit-il avec une voix étonnamment douce pour son aspect physique. Je ne veux plus vous perdre !

Cela toucha Laurence, qui était pourtant bien décidée à résister.

— Moi aussi, je veux rester chez vous, Michel, s'entendit-elle dire.

Puis ils se turent tous les deux, comme pour assimiler le coup que la déesse leur avait assené. Fortuna avait noué leurs liens, c'était elle qui portait désormais la responsabilité du destin de ces deux êtres, qui ignoraient ce qui leur arrivait et devaient pourtant tenter de devenir au plus vite maîtres de la situation.

L'agitation qui régnait dans le port et l'arrivée nocturne d'un navire étranger attira Livia sur le pont. Elle aperçut sa fille avec un homme qu'elle n'avait jamais vu. Indignée, elle appela Malte Malpiero, qui ne voulut pas l'entendre.

Laurence, par-dessus l'épaule du Lion, avait assisté à la sortie irritée de la *Mater superior*.

— Ma mère ! chuchota-t-elle à celui qui était déjà devenu son familier. Il faut l'occuper !

Pour la première fois, elle parvint à faire rire l'homme à la large bouche de prédateur. Le Despotikos se tourna vers les deux personnes qui se tenaient à deux pas derrière lui et avaient assisté avec attention, voire avec méfiance, à tout ce qui s'était produit jusqu'ici. Le premier était un pope à barbe blanche, sans doute haut placé, comme l'indiquait la croix splendide qu'il portait sur la poitrine et la crosse qu'il tenait à la main ; l'autre était une matrone quinquagénaire un peu ronde.

— Vénérable Isaac de Myron, et vous, précieuse dame Irène de Sturla, leur dit le Despotikos, allez donc présenter mes hommages à la très estimée *Mater superior* Livia di Septimsoliis-Frangipane, abbesse de Rome et *de facto* ma tante non mariée, afin de l'empêcher de nous déranger, ma chère cousine et moi-même, jusqu'à ce que nous nous joignions à son équipage !

Les deux créatures inclinèrent légèrement la tête et se rendirent à bord, où le capitaine, Malte Malpiero, venait enfin d'arriver.

Le Lion défit son étreinte et posa la main sur l'épaule de Laurence, mais celle-ci le repoussa :

— Comment cela ? demanda-t-elle, furieuse. Vous voulez me livrer à ma mère ?

Le Despotikos éclata de rire.

— Iago ! cria-t-il, et un homme corpulent, qui s'était constamment tenu derrière Laurence, campé sur ses jambes, fit un pas en avant.

— Iago Falieri, commenta Michel. Mon *Strategos !*

Le guerrier contempla Laurence, sans craindre la présence de son maître, avec une délectation que celle-ci trouva choquante.

— Vous, Iago, vous ferez en sorte qu'une corbeille tressée suive le canot de la Serenissima au bout d'une longue corde teintée de noir, lorsqu'il partira, demain à l'aube. Vous pourrez ainsi plonger sans être vue après un saut audacieux, et espérer que nous vous sauvions !

Le Lion fut seul à en rire ; mais c'est le Strategos qui commit le véritable faux pas en demandant au Despotikos :

— Sait-elle seulement nager ?

Michel crut un instant que Laurence allait lui arracher les

yeux ; il parvint à sauver la situation en désignant son second et en précisant :

— Lui, il ne sait pas.

Ce geste apaisa Laurence.

— Un marin dans l'eau est aussi piteux qu'un poisson sur la terre ferme ! lança-t-elle. Veillez plutôt à ce que l'on cache un poignard dans les entrelacs de l'osier. Je n'aimerais pas que l'on me traîne jusqu'en pleine mer, si c'est vous-même qui devez acheminer à la rame le canot qui me récupérera.

— Je m'en chargerai personnellement, la consola son prince. Maintenant, allons saluer Tante Livia, et prenons congé l'un de l'autre !

Tandis que Iago se mettait à l'ouvrage, Laurence montait décemment, au bras de Michel de Montferrat, sur le navire de la Serenissima.

— Iago Falieri, lui expliqua-t-il, travaille au service de Venise ; il est chargé de me surveiller. Il est amiral de ma flotte, composée de deux navires et demi et d'une trirème d'apparat. À ce titre, il est aussi payé sur ma caisse.

Laurence lui fit enfin le plaisir de rire de ses plaisanteries. Lorsqu'ils franchirent la passerelle vacillante, un groupe de personnes entourait Livia, comme un troupeau de moutons sous l'orage. La *Mater superior* aboyait littéralement. Laurence n'entendit que ses derniers mots :

— ... favoriser la désobéissance de ma fille !

— Je vous apporte ici ma petite parentèle, ô cousine très bienvenue, lança Michel pour apaiser Livia.

— S'il s'agit d'une allusion au comportement de votre oncle — Dieu le protège ! —, le seul cousin que vous ayez est à la rigueur mon fils, Monsignore Guido, et certainement pas ma fille tout aussi dégénérée, Laurence !

Michel de Montferrat ne se laissa pas intimider par la complexité de ces liens généalogiques.

— Si je comprends bien, vénérée *Mater superior*, vous avez déjà fait la connaissance de votre collègue *in servitu Christi* ?

Livia toisa le dignitaire aux cheveux blancs, avec un regard destructeur.

— Depuis quand une abbesse de l'*ecclesia romana* est-elle mise sur le même plan qu'un... qu'un *archimandrite* orthodoxe ?

Le Lion aimait la querelle et répondit avec plaisir :

— Dans ce cas, la rencontre avec mon *Aulika Pro-epistata* vous aura certainement réjouie ? Madame Irène de Sturla possède de nombreuses qualités qui devraient vous sembler familières — toutes choses que j'ai appris à apprécier depuis que j'ai porté des langes.

La femme qu'il avait ainsi présentée se contenta de tirer la commissure des lèvres.

— Le bon comportement n'a jamais été une qualité prépondérante dans la famille des Montferrat, expliqua Madame Irène à la *Mater superior*. Depuis que je n'ai plus mon petit Michel sur les genoux...

— La carrière qui vous a menée de la fonction de nourrice à celle de grand chambellan de la cour ne m'intéresse pas ! l'interrompit froidement Livia. Mais je suis rassurée de savoir, fit-elle en s'adressant brutalement au prince, que je n'ai rien manqué en passant à côté d'un mariage avec votre parent ! Viens à présent, Laurence ! ordonna-t-elle sèchement en tirant sa fille vers elle. Tes adieux ont duré suffisamment longtemps !

Elle la poussa vers les Vénitiens qui attendaient à l'arrière-plan avec leur capitaine.

— Je te prie à présent de rejoindre immédiatement ton lit. Demain, à la première lueur du jour, nous lèverons les voiles et nous quitterons cet îlot hospitalier !

— Comme vous voudrez, Mère ! s'exclama-t-elle gracieusement. Je suis lasse, et ne souhaite point être troublée jusqu'à l'heure du déjeuner. Bonne nuit à tous !

Elle évita de regarder le Despotikos dans les yeux ; après tout, elle se savait unie à Michel. Elle regagna à pas ailés sa cabine de proue et verrouilla bruyamment la porte derrière elle.

— Moi aussi, je suis exténué ! annonça en bâillant le Lion à Livia. Votre visite sur mon île de Crète m'a honoré au plus haut point, et me paraît avoir été un succès complet.

Il désigna les gens encore attardés sur le quai, les danseurs amollis qui tournaient de plus en plus lentement sur eux-mêmes et lançaient lourdement leurs jambes au son stridulé d'un instrument à cordes. Les feux s'éteignirent les uns après les autres pour ne laisser qu'une braise incandescente, les cruches étaient vidées, les coupes bues.

— La fête est finie ! dit-il tristement avant de descendre

du bord, la tête basse. L'archimandrite et l'aulique le suivirent dans la même attitude.

Laurence ne ferma pas un œil du reste de la nuit. Elle savait qu'elle ne devait pas manquer l'unique moment propice. Elle lutta contre la fatigue en laissant ouvert le hublot de proue et en évitant son hamac, préférant se coucher sur le dur sol en plancher.

Lorsque l'aube pointa, elle entendit les ordres du capitaine, immédiatement suivis par le cliquetis de l'ancre que l'on remontait. Le Vénitien se plaça, à la rame, la poupe vers le môle, et Malte Malpiero orienta le navire dans le vent. Laurence, pour autant que la lumière du crépuscule le lui permettait, regardait fixement de l'autre côté, vers la tour de garde qui flanquait le port sur une longue jetée. Immédiatement après avoir franchi la longue entrée du port, le voilier devait mettre brutalement cap à bâbord pour éviter la paroi rocheuse qui lui faisait face. Ce serait le moment où elle devrait sauter, d'une part, parce que tous, alors, accorderaient leur attention à la manœuvre et, d'autre part, parce que sa tête sortant des vagues devrait peu à peu être dissimulée par les écueils situés en dessous de la tour. Laurence eut l'impression que le navire mettait une éternité ; la clarté du jour se faisait de plus en plus vive à chaque coup de rame. Elle dut se maîtriser pour ne pas sauter trop tôt par la fenêtre. Le socle de la tour fut enfin dans sa ligne de mire. Elle se hissa sur le cadre de la fenêtre, crut voir danser la corde qui devait la guider depuis l'extrémité du gouvernail jusqu'à la corbeille, évalua encore une fois brièvement la distance — et se laissa tomber. Le voilier de la Serenissima obliqua dans la baie, vers la pleine mer, sans que nul n'ait poussé un cri. Laurence vit la corbeille qui faisait des bonds sur les vagues. Elle avait réussi à attraper la corde, mais ne devait surtout pas commettre l'erreur de la lâcher avant de s'être emparée de la corbeille ! Elle avala une bonne quantité d'eau salée avant de pouvoir l'attraper, s'emparer du poignard et, avec ses dernières forces, couper le cordon ombilical qui reliait le panier au navire. Personne, sur le navire de la Serenissima qui s'éloignait, ne semblait avoir remarqué sa plongée. Laurence nagea ainsi derrière cette corbeille tressée sur laquelle elle se reposait de son épuisement.

Le jour se leva au-dessus de l'eau — et depuis le môle du

port, une barque s'approcha. Debout, crinière au vent, son prince s'approchait.

La cathédrale se dressait, visible de loin, avec ses quatre tours finement ciselées, sur un coteau montagneux dégarni, au-dessus d'une campagne vallonnée. Laurence la voyait toujours devant elle, dans une tendre alternance de chatoiements argentés lorsque brillait la lumière froide du soleil d'hiver, puis, de nouveau, silhouette noire découpée dans le ciel gris, entourée de nuages, enveloppée d'une brume qui n'en laissait dépasser que les flèches et dans laquelle on ne faisait plus que deviner les masses rocheuses travaillées avec art.

« Ma caverne céleste ! » s'était décidé à commenter le prince, révélant le rapport ambigu qu'il entretenait avec ce que d'autres auraient appelé leur palais.

— Qui a bâti ce château aérien ? finit par demander Laurence à son hôte.

— Le dernier architecte s'appelait Daedalos. Il s'est enfui. Un génie ! gronda le Lion.

Laurence, couchée sur sa poitrine, passait la main dans ses cheveux et rêvait des journées où il lui avait fait traverser le pays, où les lèvres tendres du Lion s'étaient collées contre les siennes, où la crinière lui avait barré la vue sur les innombrables portes ferrées que franchissait leur véhicule, des portes qui s'ouvraient sous l'action de mains invisibles et se refermaient ensuite derrière eux. Ils traversèrent de superbes cours intérieures qui se révélèrent comme de gigantesques volières dans lesquelles des fontaines artésiennes projetaient leur rayon, où des chutes d'eau sortaient en bouillonnant de la pierre avant de disparaître, devenus des ruisseaux murmurant et prisonniers du marbre. Ils roulèrent dans des chemins creux et des grottes, au-dessus de murs élevés et abrupts et de portails somptueux qui, semblables à des ponts, surmontaient les ravins.

Ils étaient couchés sur un gigantesque divan, haut comme une tour de siège, sur un gigantesque coussin monté sur quatre roues et surmonté d'un baldaquin que l'on dépliait lorsque les premières gouttes tombaient. Bien en dessous d'eux, les valets marchaient, poussaient les bœufs, actionnaient eux-mêmes les rayons lorsque la pente devenait raide, ou s'accrochaient à la longe des animaux pour les retenir lorsqu'elle devenait trop dangereuse, de l'autre côté. Les roues étaient entourées d'épaisses peaux de bélier, si bien que, hormis le grincement de la construction en poutres de bois et les bruits sourds qui sortaient de la gueule des animaux, presque aucun bruit ne leur parvenait. Ils étaient sans doute aussi trop occupés à avancer en tâtonnant à la découverte du corps de l'autre — même si cette découverte se limitait pour l'instant à leur visage respectif.

— Quand arriverons-nous enfin ?

Elle désigna la gigantesque cathédrale qu'ils semblaient contourner en décrivant des spirales de plus en plus étroites, mais interminables.

— Où ? demanda le Lion, étonné comme un enfant.

Laurence comprit qu'il n'avait jamais eu l'intention de s'y rendre. Elle changea donc de sujet.

— Où ? où ? où ? reprit-elle en singeant sa réponse laconique. Où est au juste le fameux labyrinthe ?

Le Lion se refroidit, le Despotikos dirigea ses yeux sur la jeune fille aux cheveux rouges.

— Avez-vous peur, Laurence ?

— Pas le moins du monde lorsque vous êtes auprès de moi, mon prince.

Une profonde lassitude s'insinua dans les yeux de Michel.

— N'y entrez jamais si je ne suis pas à côté de vous, dit-il d'une voix sombre. Je vous l'ai montré sous son côté agréable, depuis plusieurs jours. Gardez-vous bien de jamais découvrir l'autre !

C'était une menace à peine voilée, et la fille d'un Normand n'en acceptait jamais. Elle se redressa, les mains toujours posées sur le visage du Lion, mais les pouces fichés aux commissures de ses lèvres et les autres doigts placés sur les narines et les orbites : elle aussi pouvait lui faire mal, il fallait qu'il le comprenne.

— Cela fait donc des jours que nous tournons en rond, et vous croyez pouvoir m'abuser, Michel de Monferrat ? (Elle renforça légèrement la pression de ses doigts.) C'est moi qui vous mets en garde : si j'entre dans le labyrinthe sans vous, ne m'y suivez pas ! Je me transformerai alors en animal sauvage.

Elle laissa glisser ses pouces de la bouche vers les yeux, ce qui lui donna la possibilité d'attraper le Lion par les oreilles.

— M'avez-vous entendue ? Espèce de monstre !

Elle le tira par les oreilles jusqu'à ce que les lèvres de Michel se trouvent à la hauteur de sa bouche. Puis elle l'embrassa longuement, avec ardeur, et le libéra de nouveau.

— Qui, de nous deux, est le monstre ? demanda-t-il en haletant. Et ils se roulèrent dans les coussins, en s'embrassant et en se mordant.

La rousse et la bête

La vue dont on jouissait depuis les fenêtres du palais allait loin sur le paysage raviné. Les plaques vert sombre que l'on distinguait devaient être d'épaisses forêts, les taches plus claires des prairies ondulées où s'élevaient des falaises nues, carrières abandonnées qui avaient jadis fourni le matériel servant à la construction de la cathédrale.

Au loin, Laurence reconnaissait le ruban de velours bleu cobalt formé par la mer. Elle habitait l'une des deux tours de la façade, dont la jumelle, au-delà de la gigantesque rosette qui occupait la quasi totalité du bâtiment, était habitée par le Lion. L'aulique logeait dans la troisième, à la gauche du chœur ; et de l'autre côté, la quatrième était réservée au « comte de Knossos », dans la mesure où l'accomplissement de son service comme amiral de la flotte permettait à Iago Falieri de séjourner à la cour. L'archimandrite d'Héraklion devait se contenter de la crypte, au sous-sol, où l'on entretenait aussi une sorte de chapelle du palais, juste à côté de la grande cuisine. La nef gigantesque servait de salle de repas ; mais une seule table se tenait en son milieu, et elle offrait tout juste de la place pour une douzaine d'hôtes. Mais le plus souvent, elle n'était remplie qu'à moitié, par ces quelques personnes qui constituaient la cour du Despotikos. La nourriture austère était acheminée depuis la crypte par un monte-charge dissimulé dans l'un des piliers. Il était actionné par un géant muet que l'archimandrite appelait son « enfant de chœur » et qui répondait au nom d'Angelos. On disait qu'il était privé de l'usage de la parole depuis sa naissance, et qu'il était donc *a fortiori* incapable de chanter. Il était aussi le seul à servir à table. Les menus étaient monotones : le prince était végétarien. On servait de la *pantzária*, de la mousse de concombres, de la *pásta manitária* au lait caillé et amer, des *dolmádes*, des *revitopourés*, des *melintzanos*, du fromage frais ou en *saganáli*, du *tzatzíki* vert haricot, du *taramasalata* rose, des haricots noirs, rouges ou blancs, avec ou sans oignons, bouillis, rôtis, à l'étuvée.

La composition du menu quotidien était le privilège de l'aulique, et dame Irène l'aurait défendu au poison et au poignard si la « Rousse » avait osé y déverser ne fût-ce qu'une épice, un grain de poivre ou une pincée de sel. Cela valait aussi pour la disposition de la table. Son petit prince présidait, elle-même s'installait à son côté, tandis que l'autre flanc demeurait réservé à l'amiral — même s'il n'était pas présent. Laurence n'avait commis qu'une seule fois le crime consistant à glisser d'une place sur l'autre : comme elle refusait de reprendre l'ordre initial, on avait prié Angelos de rapporter à son emplacement d'origine l'indocile sur son siège à haut dossier. Le malheureux géant fit de la peine à Laurence, et elle se laissa faire.

Depuis chaque fenêtre de la chambre qu'elle occupait dans sa tour — c'étaient de gigantesques salles, où des voûtes en ogive faisaient office de plafonds —, Laurence avait une tout autre vue : elle pouvait apercevoir la mer lointaine d'un côté, de l'autre, le parc du labyrinthe. Elle n'en distinguait qu'un enchevêtrement de murs. Souvent, ils couraient en deux lignes parallèles sur la montagne et la vallée ; puis ils s'interrompaient brusquement pour réapparaître de l'autre côté, sans que rien ne l'annonce. Pour Laurence, ce labyrinthe redouté ressemblait au jeu anodin : on aurait dit qu'un grand enfant avait aménagé à des fourmis invisibles de nouvelles voies jonchées d'obstacles. De temps en temps se dressait une tour ronde dont Laurence ne pouvait deviner la fonction — c'était peut-être d'elle que provenaient les sons de cloche aigus qui résonnaient la nuit dans sa direction, à brûle-pourpoint et sans la moindre logique temporelle.

La troisième perspective qui s'offrait à Laurence, et qui

l'attirait tout autant, menait son regard sur le toit de la cathédrale : un fouillis de contreforts gracieux, fins et élancés, et leurs répliques exposées à leurs pieds, les flammes ornées de crabes épineux et couronnées d'une fleur cruciforme, ainsi que des lanterneaux aériens lui avaient immédiatement inspiré le désir de pénétrer dans ce jardin de pierre. Malheureusement, l'unique porte qui y menait depuis sa tour était verrouillée.

La quatrième et dernière vue était celle qui s'offrait à Laurence sur la façade à rosette, à côté d'elle. Ce n'était pas la surface lisse du mur qui l'attirait, mais les étranges activités qui se déroulaient à l'intérieur des doubles murs et de la fenêtre ronde, creuse elle aussi : une gigantesque roue paraissait tourner derrière le vitrail coloré et monté au plomb, utilisant le centre en pierre de la rosette comme support de son axe, tandis que se dressaient sur son moyeu invisible des rayons de bois dont les extrémités demeuraient cependant cachées dans le mur, tout comme le pourtour de la roue. Le mouvement uniforme, renforcé par la lumière du soleil, actionnait un jeu de couleurs kaléidoscopique, en mutation permanente. Laurence l'avait déjà remarqué lorsqu'ils étaient assis à l'intérieur, à la table du déjeuner. Elle en oubliait souvent de manger, tant elle était fascinée par ce spectacle à couper le souffle — le combat de la lumière et de l'ombre, les éclairs stellaires éblouissants, les incandescences rouge rubis, la plongée dans le bleu de la nuit ou le vert de la mer. Laurence n'avait pas encore découvert le sens de cet ouvrage merveilleux. Rien ici, au royaume du Lion, ne se tenait ou ne se déplaçait pour la seule gloire de la beauté ! Elle ne tenait pas non plus à lui poser la question. S'il s'agissait de l'un de ses secrets, il le lui révélerait bien un jour de son propre chef. Ou bien elle le déterminerait elle-même. Il était possible que la solution de l'énigme soit liée au canal qui allait tout droit, tranquillement, vers les portails, mais y disparaissait brutalement, comme s'il passait en dessous ou s'enfonçait dans le sol.

Laurence n'avait jamais vu ouvertes, non plus, les portes aux sculptures précieuses qui ornaient l'église. Secrètement, comme une voleuse, elle descendit dans cette tour d'où elle pouvait pénétrer dans le triforium de la cathédrale, cette galerie qui, à l'intérieur du bâtiment, contournait la haute nef centrale et menait jusqu'au chœur. Elle ouvrit et ferma précautionneusement la petite porte derrière elle et se faufila le long de l'étroite balustrade, jusqu'à ce qu'elle puisse jeter de biais un regard sur la rosette, sans trop s'éloigner d'elle. Elle crut alors entendre distinctement le clapotement de l'eau, et même le bruit d'un courant rapide. S'agissait-il d'une roue à aubes dissimulée ? Servait-elle à acheminer de l'eau sur le toit de la cathédrale ? Ou dans le jardin de pierre du Lion, ce lieu qui lui était interdit ? Combien de fois Laurence avait-elle déjà cru y apercevoir des feuillages verts, des palmes bercées par le vent ! Mais elle avait toujours refusé d'en croire ses yeux, pensant qu'il s'agissait du fruit de son imagination, ou de plantes sauvages dont les graines avaient été déposées par les oiseaux dans les gouttières ou les fentes de l'édifice.

— Vous rêvez du paradis, très chère ? Un jour, je vous le montrerai !

Le Lion, qui la surveillait depuis un moment derrière l'un des piliers, éclata de rire. Laurence vit sa langue violette entre ses dents d'ivoire, et ressentit le désir de ses baisers pressants. Elle le laissa la prendre dans ses bras puissants, et la porter jusqu'au début de la galerie du chœur. Depuis son pilier d'angle, un pont suspendu qui vacillait considérablement menait de l'autre côté, vers un filet à grosses mailles que trois autres passerelles à cordes du même type tendaient comme un trampoline. Sur la surface, qui planait au-dessus de l'autel, on avait étendu les plus beaux tapis de l'Orient. Des coussins de Damas et des oreillers de toutes tailles avaient été disposés sur le pourtour. Mais en dessous, c'était le vide, béant.

— Déposez-moi, mon prince, exigea Laurence lorsqu'il fit mine de poursuivre son chemin. Je peux marcher à ma perte sur mes propres jambes et l'œil ouvert.

Il la laissa passer. Laurence ne connaissait pas le vertige ; elle se laissa cependant tomber sur le dos, avec un cri de soulagement, ou d'attente du plaisir à venir, et en se donnant un tel élan qu'elle rebondit sur les coussins comme une balle. Le Lion se jeta sur elle. Le cou et les seins de Laurence étaient depuis longtemps les domaines de prédilection de ses tendres morsures et du jeu de sa langue. Celle-ci chercha un chemin sur le ventre de la jeune femme, tourna un bref instant autour du nombril avant de descendre comme un reptile. Laurence jouissait de l'excitation de sa peau, des petites douleurs et du feu qui s'étaient emparés de ses lèvres. Mais ses véritables sensations attendaient dans la pénombre de son corps : le battement de son cœur, le bouillonnement de son sang, le désir sourd qui montait en bas de son ventre. Elle ne se releva qu'au moment où ce lézard habile avait déjà humecté son jardin secret et réclamait l'entrée à la porte étroite.

Instinctivement, Laurence referma les cuisses et sortit la tête du Lion de son jardin de roses. C'est seulement au moment où il la reposa sur son ventre qu'elle eut des doutes sur le bien-fondé de son attitude — n'était-ce pas elle-même qui avait souhaité l'assaut de cet « homme dépourvu de cette stupide virilité », puisque c'était ainsi que Sancie s'était exprimée à propos de son cousin. Et Sancie était certainement bien placée pour le savoir !

— Si vous me refusez cette satisfaction, très chère, que nous restera-t-il encore ? demanda le Lion ; il ne se plaignait pas, mais une profonde amertume transparaissait dans sa voix.

Jusqu'ici, Laurence n'avait jamais consacré beaucoup de temps aux sentiments de Michel. Elle ne voulait pas le décevoir.

— Nous devrions nous garder cela pour plus tard, mon prince, répliqua Laurence en tentant de se convaincre elle-même qu'elle parlait sérieusement. Autrement, comme vous l'avez si joliment dit, que nous restera-t-il à vivre ensemble ?

Son gémissement, un miaulement profond et déchirant qui fit vibrer le corps de Laurence, ne brisa sa résistance qu'en apparence.

— Mais si vous pensez que vous devez faire ce genre de choses..., soupira-t-elle, décidée à remporter la partie, alors laissez-moi...

Laurence ne voulut pas prendre pour des sanglots le bruit doux et saccadé que faisait le Lion, interrompu par de profonds soupirs. Mais il n'avait pas mérité sa compassion : la tête de lion se releva à la hauteur de sa chevelure rouge, mêla sa crinière à la sienne ; ils pouvaient au moins, désormais, pleurer, rire, se consoler et s'embrasser. Ils sautèrent sur le filet élastique qui les entourait, s'attrapèrent, se poussèrent, se tombèrent dans les bras et demeurèrent finalement couchés, épuisés, jusqu'à ce que le prince remarque :

— À l'heure qu'il est, mon prêtre dit sa messe du soir. Nous devrions lui faire l'honneur de notre présence.

Laurence, couchée sur le ventre, regarda la profondeur du chœur en penchant la tête au bord du filet.

— Si nous nous prenions par la main, Michel, dit-elle d'un seul coup, et si nous sautions, le poids de notre amour percerait le plafond de la crypte... et nous atterririons juste devant l'autel de l'archimandrite !

— Au prix de la beauté de nos corps ! se moqua le Despotikos. Mais unis dans la mort ! Choisissons plutôt la voie lente. J'aime entendre le chant des moines crétois, voire la lumière vacillante des bougies et l'allure solennelle de mon pope lorsqu'il distribue le Saint-Esprit. En règle générale, il est déjà soûl avant son office !

Depuis qu'ils étaient ensemble, c'était la première fois que son prince la laissait seule. Laurence s'était attendue à ce qu'il l'invite à l'accompagner dans son voyage sur les îles ; mais elle avait vu l'esquif apparaître sur l'eau du canal, juste en dessous de sa fenêtre ; il s'était arrêté sans bruit devant les portes verrouillées du palais. Les rameurs attendaient encore lorsque s'ouvrit la porte du jardin suspendu en pierre. Michel, prêt pour le départ, entra dans ses appartements.

— Laurence, dit-il à brûle-pourpoint comme s'il n'y avait rien d'autre entre eux qui eût mérité une explication, vous interdire l'entrée du labyrinthe est une entreprise plus désespérée encore que notre amour.

La froideur de son ton effraya Laurence. Mais dans le même temps, le Lion l'attira contre lui. Elle sentit la chaleur de son corps, le battement du cœur sous sa poitrine.

— Faites-moi donc au moins le plaisir de prendre, lorsque vous exaucerez votre plus cher désir, un accompagnateur connaissant les détours du labyrinthe : je veux parler de l'aulique ou de l'archimandrite !

Le prince déposa sur ses lèvres un baiser fugitif et partit en compagnie de son navarque, Iago Falieri.

Effectivement, Laurence ne se retint pas très longtemps. Dès le déjeuner suivant, avant que l'*Aulika Pro-espistata* ne soit arrivée, elle prit rendez-vous avec Isaac de Myron. Elle souhaitait, lui dit-elle, visiter la lointaine tour dont le vent poussait vers elle les tintements de cloche aigus, la nuit. L'archimandrite ne manifesta aucune espèce d'étonnement, et ils se retrouvèrent peu après dans la crypte.

Les voûtes, sous la cathédrale, étaient bien plus vastes que

Laurence ne se l'était imaginé. La plupart reposaient sur des piliers trapus, leurs murs étaient massifs, et les couloirs s'éparpillaient aux quatre points cardinaux. Un bruit permanent résonnait dans les salles ; elle l'attribua au sous-sol de la façade à la rosette et des deux tours qui la flanquaient. Laurence suivit le bruit de l'eau ; elle se trouva bientôt aux pieds d'une gigantesque roue à aubes en bois, dont seule une infime partie dépassait par le plafond. Le flot des masses aqueuses qui dévalaient de la roue se déversait dans des coupes de bois qui balançaient sur leur axe, les faisait monter, puis disparaître, tandis que les suivantes descendaient déjà, vides et dégoulinantes, pour se remplir à nouveau et maintenir le circuit en marche. Les poutres qui soutenaient l'ouvrage craquaient et grinçaient, l'eau déferlait et giclait. Le jardin de pierre, sur le toit — c'était le seul usage possible de ce système d'acheminement —, devait consommer des quantités d'eau considérables !

Laurence resta longtemps à méditer devant cette géniale prestation d'ingénieur, avant de se rendre à la chapelle souterraine du palais. Son chemin lui fit traverser la cuisine, où des gnomes sans visage, trempés de sueur, trottaient et bondissaient devant les flammes crépitantes des âtres et la fumée des fours à pain. Laurence ne distingua que leurs ombres et les exhalaisons des cuisiniers qui se mêlaient à celles des plats. Elle atteignit ainsi le *sanctum* de l'archimandrite. Alors que tout ce qui l'entourait était sombre et grossier, la salle du religieux, habillée de mosaïque d'or, avait l'éclat d'un antre magique : on se serait cru dans une druse de quartz, de cristal et d'améthyste. Les roches recouvraient les parois et les plafonds, formaient des candélabres et se dressaient, sur l'autel resplendissant, pour émettre une unique source de lumière chatoyante. C'étaient peut-être les innombrables bougies de cire, dont le reflet brillait dans le saint des saints, qui captaient leur lueur et se focalisaient pour nourrir cette mystérieuse incandescence ? Le prêtre reçut Laurence au seuil du portail grand ouvert.

— Je suppose que vous n'êtes pas venue avec l'intention de faire une prière avant notre départ, dit-il en guise de salut, en gloussant dans sa barbe blanche. Nous entreprendrons donc sans la bénédiction du Seigneur notre voyage dans le monde souterrain.

Il alluma une torche et la posa dans la main de Laurence. Il la précéda, déverrouilla une porte discrète, à l'avant de sa chapelle. Quelques marches descendaient en tournant. Laurence vit l'eau qui gargouillait et un canot qui se cabrait contre le courant. Un canal souterrain ? C'était sans aucun doute le prolongement de celui qui disparaissait dans le néant devant la cathédrale, si l'on oubliait l'eau qui actionnait la roue géante de la rosette. Isaac monta dans l'embarcation vacillante, lui tendit la main et lui fit prendre place sur le banc. Puis il détacha le cordage, et le canot fut emporté d'un seul coup par le flot. Laurence ne voyait pas au-delà de ce qu'éclairait sa torche. On ne distinguait de toute façon que des arêtes de rochers découpés dont les formes transformaient en permanence les ombres qui les entouraient. Ils avançaient dans un boyau de pierre.

— Ma tête de vieillard, fit son vis-à-vis, entamant à brûle-pourpoint une conversation dans l'obscurité, appartient de toute façon au protecteur bienveillant de l'Église grecque. Cela me permet de parler franchement. (Son toussotement se transforma en un petit rire.) Avez-vous l'intention, Laurence de Belgrave, de choisir pour époux le Despotikos de Crète, Michel, marquis de Montferrat, nonobstant toutes les difficultés liées à la consommation d'un tel mariage ?

Laurence se tut. Elle leva la torche pour que sa lumière tombe sur le visage de l'archimandrite. Il perdit sa belle assurance.

— Vous voudrez bien me pardonner cette liberté que je prends au nom de la position que j'occupe...

— Je vous excuserai, répliqua Laurence, si vous m'avouez en toute franchise qui vous a incité à me poser cette question.

L'homme à la barbe blanche se défendit en gesticulant.

— Personne ! Par Dieu, vous devez me croire sur ce point ! Je ne suis guidé que par le souci que m'inspire l'avenir de mon Église !

C'était à Laurence, à présent, de l'observer d'un air dubitatif : il paraissait pourtant sincère et sans arrière-pensée.

— Et quels dangers ma petite personne fait-elle courir à l'orthodoxie ? demanda-t-elle, amusée.

Le vieil homme soupira.

— On peut exposer une brèche du mur à l'ennemi jusqu'à ce que le mur tout entier s'effondre. L'autre solution est que les assiégés réparent le mur en permanence, une pierre après l'autre, jusqu'à ce que l'assaillant comprenne la vanité de son action et lève son siège.

— Quel rôle m'attribuez-vous dans votre métaphore ?

— Vous êtes une représentante de la Rome occidentale. Votre alliance avec la maison des Montferrat renforcerait le parti du pape, ne serait-ce que pour une raison : elle empêcherait le mariage avec une princesse byzantine de foi orthodoxe.

On n'entendait plus que le glougloutement de l'eau sous le canot qui glissait sur le flot.

— Souhaitez-vous que je me convertisse ? demanda Laurence, comme si elle se posait elle-même la question. Alors il resterait encore le Despotikos et son problème spécifique, que vous avez vous-même évoqué : quelle femme, de quelque religion que ce soit, s'engagerait sur cette voie ? (Laurence ne le laissait pas se dérober à la lumière vive de la torche.) Car, si je comprends bien vos paroles, le règne des Montferrat sur la Crète représente avant tout à vos yeux une question dynastique. Ce qui suppose donc que l'on engendre des héritiers... ?

Le canal s'ouvrit d'un côté, entre les roches, et leur offrit un regard sur les terres qui se situaient en dessous d'eux.

— À moins que l'archimandrite ne compte sur une fin prématurée du Despotikos, et ne veuille, dans ce cas, garantir les prétentions héréditaires au trône byzantin ?

Isaac de Myron dévisagea son interlocutrice, l'air épouvanté.

— Vous êtes une étonnante jeune femme, Laurence de Belgrave. Je ne voulais pas vous chasser...

— Si ! répondit-elle d'une voix si vive qu'il en tressaillit, d'autant plus qu'ils replongeaient dans la pénombre d'une grotte. Si, vous êtes en train de me suggérer de disparaître !

Elle prit son temps, et vit de nouveau de la lumière à l'extrémité du tunnel.

— Et si je me déclarais prête à adopter le rite gréco-orthodoxe ?

— *Kyrie eleison !* s'exclama l'archimandrite, épouvanté. Vous ne reculez devant rien !

— Eh bien ! prenez-en note, Isaac de Myron, répliqua-t-elle. Vous pouvez compter sur moi si vous défendez loyalement votre cause. Mais vous *devrez* compter avec moi si vous menez un jeu hypocrite !

Ils n'échangèrent plus un mot jusqu'à ce qu'ils soient parvenus au socle de la tour. Le canal y traversait l'étrange bâtiment. Il s'agissait en réalité d'une simple enveloppe de pierre, percée d'innombrables arcs-boutants et ouverte jusqu'en haut. Là, on apercevait des tuyaux métalliques dont l'épaisseur variait entre celle d'une épaule et celle d'un poignet. Un méli-mélo de cordes, de mailloches en bois et de marteaux d'airain les entouraient de toute part.

La curiosité de Laurence l'emporta sur sa colère :

— Qui donc actionne ce carillon que j'ai si souvent entendu dans la nuit ?

L'archimandrite ne parut guère soulagé de ce changement d'humeur.

— Le vent, répondit-il en cherchant visiblement une échappatoire crédible ; mais il changea d'avis en voyant la ride de colère se dessiner sur le front de Laurence. Les prisonniers, les condamnés à mort, ajouta-t-il en hésitant. Et Angelos.

— Ah ! laissa échapper Laurence. Votre enfant de chœur fait aussi office de bourreau ?

L'archimandrite ne répondit pas.

— Et où mène ce canal ?

— Il retourne au palais, répondit l'archimandrite d'une voix tourmentée. Mais je ne puis vous le montrer. Cela m'est interdit.

Laurence lui lança un regard provocateur, en évaluant la force de l'homme aux cheveux blancs. Elle tenait la torche à la main.

— Et si je vous y contrains ?

Isaac de Myron secoua la tête en riant.

— C'est vous qui allez devoir vous plier aux règles, Laurence.

Derrière l'un des arcs apparut alors le géant, dont le buste nu luisait sous une pellicule d'huile. Dans le pli de son pantalon bouffant, il avait rangé une dague dont les dimensions valaient celles d'un cimeterre. Il adressa à Laurence un sourire apaisant. Elle vit dans ses grandes mains le morceau de tissu avec lequel il n'aurait eu aucun mal à l'étouffer. Elle se laissa docilement poser le bandeau sur les yeux.

Le canot poursuivit sa progression ; un bruit de plus en plus puissant annonçait une chute d'eau. La barque s'arrêta, vacilla — et Laurence se sentit soulevée vers les airs. Les bruits qui accompagnèrent cette montée lui rappelèrent la roue géante de la rosette, mais elle préféra ne pas étaler ses connaissances. Le canot où elle était assise atterrit dans un claquement liquide sur un plan d'eau et s'éloigna du fracas de la cascade. Le silence se fit peu à peu.

— À présent, Laurence, vous pouvez de nouveau ôter vos liens, lui annonça l'archimandrite, qui s'efforçait de prendre une voix aimable.

Ils voguaient désormais sur un vaste canal à ciel ouvert, presque un lac, qui se situait sans doute plus haut que les tuyaux par lesquels ils étaient venus. Il passait au-dessus de ponts qui franchissaient des vallées entre les collines, et suivait les doux méandres des coteaux. Ils glissèrent à travers les forêts et les prairies jusqu'à ce qu'ils voient, tout d'un coup, le palais s'élever devant eux. Le canot accosta devant les portes verrouillées de la cathédrale. Laurence lança un regard timide vers la rosette, dont les couleurs étaient à présent illuminées par le soleil couchant. L'archimandrite avait déjà sauté sur la terre ferme. Il offrit sa main à Laurence, qui descendit sans la prendre et se dirigea, sans un mot, vers sa tour.

Lorsque Laurence, peu après, arriva dans la « crypte » où l'on servait le dîner — c'est ainsi qu'elle avait pris l'habitude de nommer la haute nef de la cathédrale —, elle ne fut nullement étonnée d'y retrouver Angelos qui y accomplissait son office. Comme elle-même et l'archimandrite avaient pris un peu de retard, le placement à table avait été modifié, apparemment au grand dam d'Irène de Sturla ; quant à Iago, arrivé en avance, il était déjà ivre. Il avait pris la place de son seigneur à la tête de la table, et l'aulique, furieuse, épancha sa fureur sur Laurence lorsqu'elle voulut s'installer à gauche du seigneur, comme elle en avait pris l'habitude.

— Je vous prie de laisser libre la chaise du navarque ! feula-t-elle. Vous voyez vous-même où nous mène cette effroyable anarchie ! Je ne tolérerai pas..., glapit-elle.

— Tolérez donc, ma sœur, l'interrompit l'archimandrite, qui venait d'entrer dans la salle. C'est la meilleure tradition chrétienne, tant qu'il s'agit de la souffrance des autres !

Il se rendit de l'autre côté de la salle et y dit sa prière du repas tandis que son enfant de chœur lui apportait ses couverts. Pour des raisons qui tenaient plus à la volonté de garder ses distances qu'à un souci de symétrie, et surtout pour préserver la paix de ces lieux, Laurence s'abstint de défendre le droit qu'on lui contestait et s'installa au milieu de la largeur de la table, laissant ainsi une chaise vide entre elle et le seigneur des mers éméché, et évitant d'avoir comme vis-à-vis la colérique maîtresse de la cour.

— Pourquoi donc êtes-vous déjà revenu, demanda Laurence à Iago, alors que le Despotikos n'est pas encore là ?

— C'est pour mettre votre fidélité à l'épreuve ! répondit-il avec un éclat de rire tonitruant. L'aulique pense même que vous devez avoir couché avec le pope, pour avoir pris un retard aussi indécent.

— Ne me calomniez pas ! cria celle qu'il avait ainsi dénoncée. Vous qui ne respectez aucune vertu, qui méprisez ma réputation... et qui vous adonnez à la boisson !

Manifestement, ce dernier point constituait le pire des péchés pour dame Irène. Laurence se fit servir un verre par Angelos.

— Je constate que nous souffrons tous beaucoup, ici, de l'absence du prince, dit-elle en levant sa coupe. Buvons donc à sa santé ! Il serait mort de rire s'il pouvait nous voir ensemble à cette table.

Laurence but seule. Un instant après, la voix de l'aulique s'éleva, grinçante, dans le silence de la salle.

— Voilà que cette personne se permet de lever des toasts à notre seigneur, dont je suis ici l'unique représen...

— C'est *moi* qui représente le Despotikos ! tonna aussitôt l'amiral. C'est aussi pour cette raison que je tiens à avoir à côté de moi non pas une vieille volaille comme vous, mais cette petite poule rousse !

Il se pencha au bord de la table et tenta d'approcher de lui, par l'accoudoir, la chaise de sa voisine, trop éloignée à son goût. Laurence tenait encore sa coupe dans la main gauche et rien n'annonçait sa réaction lorsqu'elle enfonça son poing sur le revers de la main tendue de Iago et, à la vitesse d'un scorpion, envoya un coup de coude dans le pli du bras du marin. Iago fut entraîné par sa propre force, bascula avec son fauteuil à haut dossier et s'effondra au sol dans un fracas considérable.

L'archimandrite se mit à rire doucement, la Sturla à geindre. Personne, pas même l'amiral, n'avait compris comment il était tombé. Angelos accourut et remit le siège sur ses pieds. L'amiral ivre mort s'apprêtait à s'y installer de nouveau, mais il commençait peut-être à reconstituer le cours de sa chute. Il avait encore le dos tourné à Laurence lorsque, d'un geste de serpent, il se retourna de biais au-dessus de la table et attrapa le poignet de la jeune fille.

— Vous ne devriez pas vous refuser à moi, Laurence de Belgrave ! fit-il en haletant et en commençant à la tirer sur la table, lentement mais sûrement. Laurence, feignant l'indifférence, avait repris ses couverts depuis longtemps. Elle n'avait pas abandonné son couteau, dans sa main droite, mais la prise l'empêchait de s'en servir. En revanche, la brute épaisse n'avait pas fait attention à la fourchette à trois dents que Laurence tenait dans la main gauche.

— Embrassez-moi ! grogna le marin. Vous allez m'embrasser !

Laurence planta si bien sa fourchette dans sa chemise et dans le bois de la table que son bras y resta bloqué.

— Misérable putain ! hurla l'homme.

Laurence prit alors tranquillement sa coupe, la brandit à la ronde et en lança le contenu à la face du navarque.

— La table est levée ! déclara-t-elle à l'aulique en s'éloignant d'un pas très mesuré. Et Laurence quitta la crypte familiale pour retrouver la sécurité de sa tour.

Le Lion avait fini par revenir. Laurence ne lui dit pas un mot de l'incident, et les personnes qui y avaient participé préférèrent elles aussi se draper dans le silence. Elle ne posa pas non plus de questions à son prince — elle ne lui demanda même pas si elle lui avait beaucoup manqué. Mais Michel la convia à une sortie à cheval. C'était la première fois qu'il lui présentait ses chevaux. Ils étaient logés dans le chœur de l'abside. Des grilles dorées séparaient les écuries de la nef. Leurs exhalaisons étaient déjà fréquemment montées au nez de Laurence. Elle aimait cette odeur, le souffle tranquille des animaux que l'on percevait pendant les repas, et qui savaient hennir à chaque fois que l'aulique se lançait dans l'un de ses lamentos.

Ils partirent au trot vers les collines, chacun sur son cheval. Son prince était un remarquable cavalier, ce que Laurence n'aurait pas supposé. Mais elle ne le défia pas et se tint sagement à son côté, attendant qu'il lui adresse la parole. Mais Michel se taisait.

Ils arrivèrent sur une hauteur, sous laquelle s'étendait un

petit lac. À côté de l'esquif que Laurence connaissait déjà, une puissante trirème de combat y manœuvrait à la rame. La bannière de guerre des Montferrat, une ramure de cerf rouge sur fond d'argent, battait joyeusement au vent. La trirème avançait sur le lac comme une puce d'eau trop grasse. Ses trois rangées de bancs étaient occupées ; elle disposait d'un bélier à sa proue, et d'une catapulte légère sur la poupe rehaussée. Ce navire de combat, qui paraissait bien pompeux pour ce petit lac, était commandé depuis le charmant esquif dans lequel était campé le navarque, en grande tenue de chevalier.

Laurence reconnut Iago Falieri malgré son gigantesque casque orné de plumes épaisses. Il frappait lui-même, sur une timbale, le rythme des coups de rame. Puis il s'arrêta, les courroies de la catapulte se levèrent, il donna un unique coup de timbale, et la cuiller envoya son projectile. Il décrivit un grand arc au-dessus de l'esquif et atterrit dans un jaillissement d'eau. Le navarque exprima violemment, aux timbales, la colère que lui inspiraient ses artilleurs.

— Mon *Strategos* se prépare pour la prochaine bataille navale, commenta le Despotikos d'un ton sec et sarcastique.

— Contre qui ? demanda Laurence, amusée et incrédule.

— Certainement contre une invasion de l'île par la flotte de la Serenissima.

Le Despotikos avait espéré tourner la question de Laurence en ridicule. C'était raté.

— Pour réprimer l'insurrection dont vous allez prendre la tête...

Son prince devint tout d'un coup très grave.

— Les Crétois le verraient peut-être d'un bon œil ! lui répondit-il avec impatience. Mais je n'y songe pas, à présent que je vous ai trouvée...

— Vous voulez dire que c'est *moi* qui devrais en prendre la direction ?

Le Despotikos fit mine d'acquiescer ; mais son seul but était de passer à un sujet moins brûlant.

— Si les Vénitiens vous voient ainsi, la chevelure rousse au vent, déesse furieuse de la guerre, ils décamperont aussitôt et se disperseront aux quatre vents.

— C'est donc ainsi que vous me voyez ? demanda Laurence en riant ? Moi, le tendre agnelet ?

Michel éclata de rire à son tour. Laurence profita de cet

instant de détente pour éperonner son cheval. Ils filèrent alors sur leurs chevaux, jusqu'à ce qu'ils atteignent une clairière. La calèche haute qui avait porté Laurence et le prince au palais, le premier jour, y était stationnée. On avait dressé à côté d'elle une tente en pavillon. L'archimandrite et l'aulique en sortirent. Ils s'inclinèrent devant le Despotikos.

— Tout est prêt ? demanda-t-il en sautant de cheval.

Leur silence ne parut pas lui suffire.

— Que les choses soient bien claires : celui qu'il attrape sera le prochain !

Et il disparut dans sa tente.

— Qui est cet « il » ? demanda Laurence à voix basse à l'archimandrite.

— Le Minotaure, petite idiote ! répondit l'aulique.

— Le taureau sacré de la Crète, précisa Isaac de Myron, vient chercher son sacrifice, il fait son tri parmi les jeunes filles...

— Ici, il aura l'embarras du choix, rétorqua Laurence à l'attention d'Irène.

À l'entrée de la tente apparut alors une silhouette qui, enveloppée d'une peau de taureau, portait sur ses épaules la tête puissante de l'animal, couronnée de cornes vigoureuses et dressées. Les bras et les jambes étaient eux aussi recouverts d'une peau noire et velue et s'achevaient sur des reconstitutions des sabots. La créature qui avançait lentement paraissait trop grande et trop musculeuse pour la stature de Michel. On y avait rajouté un peu de rembourrage, cela faisait sans doute partie du jeu. Laurence regarda attentivement les grands yeux sombres de l'animal. Ils étaient aussi tristes que ceux de son prince. L'archimandrite passa un bandeau autour de la tête du taureau et le serra fortement : l'animal était désormais aveugle. Puis il bondit en arrière et s'écria : « *Kyrie, Kyrie eleison* ! » La partie commençait.

Laurence comprit très rapidement que le taureau l'avait choisie comme proie. Le Despotikos pouvait-il voir à travers des fentes qui se situaient bien au-dessus du bandeau, peut-être par les narines ou par des orifices aménagés dans la peau bouclée de l'animal ? Laurence en eut rapidement assez de cette course ; à plusieurs reprises, elle n'échappa à la bête que de justesse. Elle ne se laisserait pas capturer ainsi. Elle ne pouvait utiliser Isaac et sa barbe blanche pour échapper à la bête. Mais dame Irène, frissonnant peut-être de plaisir à l'idée d'être attrapée par le taureau, dansait devant le nez du Minotaure, qui devait certainement consacrer une bonne partie de son énergie à ne pas attraper celle qui ne l'intéressait pas. Laurence se campa donc devant l'aulique, d'un pas lent, apparemment épuisée. Mais lorsque le Minotaure dressa les pattes dans sa direction, déjà sûr de sa victoire, Laurence se laissa tomber comme un sac aux pieds de l'intendante. Laquelle se retrouva entre les bras de cet homme taureau, et s'accrocha, tout heureuse, à sa poitrine bouclée.

— Madame de Sturla est le taureau de Crète !

Le Despotikos sortit alors du pavillon. Le Minotaure, épuisé, ôta la tête de taureau. On vit apparaître les épaules trempées de sueur, le cou, puis le visage du gigantesque Angelos. Sur un signe du Despotikos, le serviteur entraîna la matrone consternée sous la tente.

— Mais à quel jeu joue-t-on au juste, ici ? glapit-elle par-dessus l'épaule, tandis qu'on l'emmenait à l'abattoir.

— Vache aveugle ! s'exclama l'archimandrite en riant. Et stupide, par-dessus le marché !

Lorsque l'aulique ressortit de la tente, coiffée de la tête de taureau, guidée par Angelos, Laurence et son prince étaient remontés depuis longtemps à cheval. Le seigneur et son escorte — même « l'enfant de chœur » dut participer à la séance — taquinèrent le taureau en l'appelant de tous les côtés et en faisant danser l'animal autour d'elle. Puis ils s'en allèrent.

— Vous tenez fort bien en selle, ma bien-aimée ! lui lança le Despotikos un peu plus tard. Il me suffit de voir comment vous avez dressé les monstres écumants qui peuplent mon palais !

Laurence brida son cheval :

— Ne venez surtout pas me confesser à présent, mon prince, lança-t-elle avec un regard incendiaire, que toutes les méchancetés que j'ai supportées jusqu'ici sans mot dire étaient nées de votre cerveau créateur !

— Vous êtes si belle quand vous êtes en colère, très chère, je dois...

— Mieux vaut vous taire, Michel de Montferrat ! lança-t-elle au Lion. Dites-moi plutôt la vérité. Que sont devenues les armes destinées à la Crète ? Elles ont tout de même été acheminées sur l'île à bord de votre navire ?

Mais même cette question sérieuse ne put inciter le prince à se départir de sa joyeuse insouciance.

— C'est mon navarque qui dispose de ma flotte, tenta de lui expliquer Michel. Je ne peux supposer qu'il n'ait *pas* informé la Serenissima. Par conséquent, ce convoi peut avoir deux objectifs : ou bien attirer les Crétois dans un piège, ou bien me démasquer.

— Et vous le tolérez ? demanda Laurence, indignée.

— Si j'y réagissais comme il le faut, je forcerais les conjurés à frapper ! Je fais donc comme si j'étais aveugle et muet. Et imprévisible !

— Et cette épée de Damoclès plane sans cesse au-dessus de vous ?

— Au moins, elle n'est pas invisible ! Chaque matin, lorsque je me réveille, je me réjouis qu'elle ne se soit pas encore abattue sur moi.

— Mais ça n'est pas une vie !

— Oh que si ! Une vie très consciente, même. *Memento mori !* dit-il en souriant. Votre présence, ma bien-aimée, pèse beaucoup plus lourd à mes yeux que tout un faisceau de lames affûtées. C'est en vous que je vois le plus grand danger. Car vous seriez en mesure de me transformer !

Comme s'il jugeait avoir livré une trop grande part de lui-même avec cet aveu qui fit longtemps réfléchir Laurence, Michel revint à ses plaisanteries légères.

— Je suis tout de même parvenu à empêcher Iago d'entreposer les armes dans la crypte de la cathédrale. À présent, il en a rempli tous nos cachots. Il faut qu'il trouve un accord avec l'archimandrite, sans quoi elles finiront par tomber entre les mains des Grecs !

Le culte de la corne de taureau

Le Despotikos disparaissait fréquemment de son palais, sans prendre congé de Laurence, mais en la couvrant de serments d'amour lorsqu'il réapparaissait soudainement. Un matin, elle le trouva dans ses appartements. Il était arrivé dans sa chambre à coucher par la porte toujours verrouillée qui menait à ce que l'on appelait le « jardin de pierre ». Le toit de la cathédrale était toujours resté pour elle un mystère inexploré — peut-être le dernier.

— Je veux vous prouver ma confiance, très chère, dit Michel, mais aussi mettre en balance votre intelligence rapide et votre désir de savoir. Ce que je vais vous montrer aujourd'hui, vous ne le verrez que deux fois.

— Je sais, répliqua Laurence en prenant le ton badin qui était d'ordinaire celui de Michel. La première et la seconde fois *ensemble* !

— Erreur, répondit sèchement le prince. Si j'étais vous, je n'aspirerais pas trop à vivre la deuxième fois : cela signifierait qu'une infidélité avérée m'oblige à me séparer de vous. Pour toujours !

— C'est bien ce que je disais ! se moqua Laurence. Manifestement, vous vous attendez fermement à ce que je ne survive pas à pareille faute.

— Ce n'est pas ce que j'ai dit, et ce n'est surtout pas ce que je souhaite, ma bien-aimée. Mais la séparation est toujours une arme à double tranchant, elle est plus douloureuse pour celui qui reste.

— Commençons donc par *vivre* ensemble, mon prince ! Notre fin est entre les mains de Dieu.

Laurence serra subitement le Lion dans ses bras et lui donna un baiser sauvage, espérant sentir sa langue exigeante, mais il ne se passa rien de tel. Michel la prit par la main et la mena par un petit escalier vertigineux, lui fit traverser les arcs et parcourir le lanterneau praticable que l'on avait aménagé au milieu du faîtage, comme un colombier en roche. De là, on avait vue sur tout le jardin de pierre. La première impression, terrassante, était l'omniprésence de la verdure et de l'eau : petits ruisseaux coulant dans le marbre, fontaines jaillissantes et étangs reposant tranquillement entre de gigantesques galets et des morceaux de granite grossièrement taillés. Entre tous ces points d'eau, des buissons et des haies, de nombreuses plantes rares, des fougères et des mousses. Mais aucune fleur ni aucun fruit ! Le jardin de pierre était une reproduction exacte du labyrinthe. Elle découvrit alors aussi un campanile rond. Cela ne faisait aucun doute, il s'agissait d'une maquette du jardin des errances, en miniature !

— Je dépose à vos pieds mon véritable royaume, Ariane, annonça Michel d'une voix solennelle. Et je vais vous expliquer l'utilisation du fil de laine, pour que vous ne vous égariez pas sans moi à l'avenir.

Laurence n'était pas femme à se laisser submerger par l'émotion, et encore moins par des mythes mélodramatiques.

— À quoi bon la pelote ? demanda-t-elle, l'air mutin. Je ne vois aucun Thésée à la ronde.

Cela ne plut nullement au Despotikos.

— Gardez-vous, Laurence, d'utiliser pour une tierce personne le savoir que je vous aurai confié !

— Que restera-t-il de la pauvre Ariane, si elle ne peut sauver personne du labyrinthe malgré l'interdiction du souverain ? Pas même l'entrée dans l'immortalité...

— Vous payez ma confiance de votre moquerie ! Quel crime ai-je donc commis pour mériter cela ?

Le Despotikos, redevenu lui-même, l'entraîna brutalement loin de la tour :

— Vous en avez assez vu.

Mais Laurence se dégagea et descendit en bondissant, et plus rapidement que lui, l'escalier en colimaçon.

— J'en ai assez de vos petits jeux, Michel de Montferrat ! Vous voulez me faire plier avec vos alternances de promesses cousues de fil blanc et de sombres menaces ! Je ne veux pas terminer comme les monstres de votre cour, ceux que vous incitez à me mettre à l'épreuve et que vous ridiculisez pour m'apaiser.

Son prince avait laissé passer cette tirade en souriant.

— Vous souhaitez baigner dans un amour pur ? Mais le bain est prêt, chérie ! répondit-il en riant.

Il le lui paierait ! Ou bien elle réussirait à contrôler Michel, ou bien son séjour en Crète n'aurait plus aucun sens. Laurence décida de prendre son bien-aimé au mot. D'en haut, elle avait vu ce lac dans lequel le navarque — *in natura* — s'était amusé avec ses petits navires. Sur ce modèle réduit, c'était un bassin de marbre plat. Elle y dirigea ses pas et, avant que le prince n'ait pu réagir, Laurence laissa glisser sa robe et se retrouva au milieu de cette pataugeoire, dans la tenue où Dieu l'avait créée.

— À vous, maintenant, Michel ! exigea-t-elle sans la moindre gêne. Débarrassez-vous de vos hardes ! Nous devons être nus si nous voulons « baigner dans l'amour pur ».

Il porta les mains à ses yeux, non pas par pudeur, comme Laurence le constata trop tard, mais parce qu'il avait les larmes aux yeux. Il se retourna sans dire un mot, courut à sa tour et claqua la porte derrière lui. Laurence paraissait figée. Elle n'avait pas voulu le blesser, pas comme cela ! Elle n'avait pas pensé à sa faiblesse, à sa virilité absente ou détruite. Elle devait à présent savoir ce qu'il en était réellement : son imagination n'y suffisait pas. Cela lui paraissait constituer la principale condition, non seulement pour une réconciliation, mais pour toute entente future. Car elle aimait Michel à présent — plus que jamais !

Laurence rassembla ses vêtements, sortit du bassin et rentra vers sa tour, songeuse.

Le soir, Laurence n'alla pas manger. Le lendemain à midi, elle apprit que le Despotikos était déjà parti au petit matin. Elle se tenait seule à table avec Irène de Sturla, dans la crypte ténébreuse. La roue à eau grinçait dans la rosette. Les chevaux, dans l'abside, soufflaient nerveusement.

L'aulique paraissait métamorphosée. Pendant tout le repas, elle veilla à ce que Laurence reçoive les meilleurs morceaux. Lorsqu'elles se retrouvèrent toutes deux face à face, à table, elle lui fit servir un vin de premier choix.

— Mon cœur est une tombe, Laurence, commença dame Irène, et vous pouvez lui confier vos secrets. Est-il exact que Michel vous a fait une demande en mariage ?

Laurence ne s'était pas attendue à pareille ouverture.

— Pas que je sache, répondit-elle en toute sincérité. Qu'est-ce qui vous le fait penser ?

L'aulique avala son verre de vin, Laurence l'imita.

— Le fait que Michel était totalement bouleversé par votre refus. Le pauvre garçon n'a plus les idées en place.

— Je les lui ai justement remises ! fit Laurence pour couper court au lamento. Ce qui a pu, pour le Despotikos, ressembler à une demande en mariage, s'est présenté à moi comme un ordre de me mettre volontairement en esclavage.

L'aulique se mit à rire — d'un rire amer, mais un rire tout de même. Laurence ne l'avait jamais vue rire depuis qu'elle était arrivée.

— Qu'est-ce que le mariage, pour une femme, sinon justement cela ? Je n'en ai jamais fait l'expérience, parce que je me suis d'emblée jetée de toute mon âme dans le rôle de mère, au profit d'un enfant malheureux qui n'était pas le mien, mais auquel je tenais tant...

Cette fois, Laurence ne voulait pas l'interrompre ; mais la question jaillit d'elle comme un cri :

— Michel ?

La femme qui lui faisait face avait les larmes aux yeux. Elle se contenta de hocher la tête. Laurence insista :

— Vous devez me raconter ce qui s'est vraiment passé à l'époque.

L'aulique se sécha les yeux du revers de la main, but et commença :

— La jeune mère, elle-même encore une enfant, Nathalie de la Roche, mourut de la fièvre des couches. J'étais sa nourrice. Le vieux marquis de Montferrat avait toujours eu un goût pour le pays des Grecs. Au moment de la naissance, il séjournait sur le Bosphore. Lorsqu'il apprit le malheur... (l'aulique reprit un verre de vin, d'une main tremblante)... il en ramena aussitôt une autre, venue de Constantinople, une princesse byzantine avec toute sa cour.

Laurence but avec elle. Elle pouvait s'imaginer ce qu'avait pu représenter cette arrivée pour une brave habitante des Préalpes.

— Prétextant que le petit garçon devait être circoncis puisqu'il devait être élevé comme son propre fils, avec sa couvée personnelle — elle était déjà enceinte —, elle confia Michel aux médecins qu'elle avait amenés à sa suite.

— Et après ? demanda Laurence. Ils n'ont tout de même pas... (Elle se rappela le discours irréfléchi de Sancie.) Le père l'aurait vu tout de suite, il aurait fait couper le nez, les oreilles et certainement aussi le cou des responsables s'ils avaient...

L'aulique fit un geste indigné.

— Vos idées ne sont pas à la hauteur de l'art chirurgical. Pourvu qu'on le veuille, il suffit d'une minuscule entaille qui, de manière totalement invisible, barre définitivement la voie naturelle de la semence masculine ! Terminé ! (Elle fondit de nouveau en larmes.) Nous n'avons appris le malheur que le jour où le *medicus* habile qui avait pratiqué l'opération en a fait la confession sur son lit de mort. Le marquis, rendu fou de rage, fit soulever le mourant de son lit, on l'attacha à la roue et on lui coupa tout, en commençant par ses mains de gredin. Ce sont les corneilles qui lui ont arraché les yeux, avant qu'il ne parte pour l'enfer, je l'espère ! Le *doctor medicinae* n'avait pas prononcé un seul mot pour dénoncer l'infâme Grecque, mais je suis certaine que c'est elle qui l'avait incité à commettre ce méfait. Dieu l'a punie ! conclut dame Irène, bouleversée.

Elles se virent peu au cours des jours suivants. L'archimandrite se présentait au déjeuner, le Strategos apparaissait le plus souvent le soir, taciturne et très pressé. Il n'avait jamais présenté la moindre excuse à Laurence pour son comportement déplacé. Elle ne lui adressait donc plus la parole. Au moins s'abstenait-il de toute nouvelle tentative d'approche.

Dès le petit matin, Laurence profitait de sa « liberté » pour partir à cheval, chargée des provisions que lui fournissait Angelos. Mais elle ne parvenait jamais à proximité des cours d'eau : le labyrinthe paraissait construit de telle sorte que l'on ne pouvait en découvrir les principales fonctions par hasard, ni l'explorer à dos de cheval. Laurence aurait très volontiers emprunté de nouveau le chemin labyrinthique pour accéder au toit de la cathédrale. Mais la porte lui demeura fermée.

Elle voyait tout de même constamment, de loin, la tour creuse ; et dans ses tentatives réitérées pour s'en rapprocher par cercles concentriques, elle découvrit dans une vallée un temple ancien, pourvu de rangées de sièges en pierre qui montaient en amphithéâtre sur les trois quarts d'un cercle. Ce sanctuaire bien préservé reposait sur de puissants piliers. Toute l'installation était creusée à la verticale dans la roche lisse ; elle était hors d'atteinte.

Elle comprit que ce lieu était classé « zone interdite » un jour où elle avait mis pied à terre et tenté, à quatre pattes, de rejoindre la tranchée par laquelle on jetait les ordures ; au milieu de la cuvette de pierre, elle vit alors un canal rectiligne. On ne le voyait briller au soleil que depuis ce point secret.

Jusque-là, Laurence n'avait même pas remarqué que le temple était coupé du reste de l'hémicycle par un canal. Elle discerna alors aussi les marches du perron qui menaient du parvis du temple jusqu'à l'accostage. Les jours suivants, sa découverte ramena constamment Laurence sur son lieu d'observation, au bord de la falaise. Et elle constata les étranges transformations qui l'affectaient. Pour la première fois, elle y aperçut des êtres humains, même s'ils lui paraissaient avoir la taille de fourmis. Ils semblaient décorer les lieux, ou les aménager pour une fête. Laurence vit des flammes briller dans les coupes ; elle ne les avait pas remarquées jusqu'ici. Elle vit surtout monter de la fumée, comme si l'on y brûlait des ingrédients étranges. Un feu sacrificiel ?

Le lendemain, Laurence, dissimulée, vit secrètement l'esquif du navarque approcher des lieux, suivi par la trirème qui avançait à coups de rames précis et exercés. Le navire accosta près de l'escalier, les matelots descendirent en bon ordre, armés de leurs longues rames, et formèrent une haie d'honneur des deux côtés des marches, jusqu'à l'entrée du temple, comme pour recevoir un hôte de marque. Elle crut reconnaître l'amiral en tenue d'apparat, mais aussi l'archimandrite en grand prêtre, devant les colonnes du sanctuaire — ou bien était-ce le prince qui se tenait tout en bas et observait d'un œil critique toute cette activité ? N'avait-elle pas vu aussi la silhouette gigantesque d'Angelos à l'ombre du propylée ?

— Vous ne devriez pas prendre de risques inutiles, dit alors derrière elle la grosse voix de Iago Falieri. Une jeune vierge écervelée a vite fait de plonger dans des abîmes qu'elle ne voit même pas !

De la pointe de sa botte, il envoya une pierre par-dessus la falaise. Il fallut du temps avant qu'elle ne s'écrase au sol. Laurence s'était lentement retournée ; elle n'osait pas se redresser : une légère poussée aurait suffi pour qu'elle dévale à son tour. Mais le Strategos recula et la précéda sur le sentier qui traversait la broussaille, jusqu'au chemin où elle avait attaché son cheval. Il sauta sur sa propre monture et repartit au galop sans la saluer.

Ce soir-là, Laurence brûlait d'impatience à l'idée de se retrouver en tête à tête avec l'*Aulika Pro-epistata* — à moins que la chambellane n'ait elle aussi participé aux préparatifs de la fête du temple ? Laurence fut soulagée de trouver Irène de

Sturla assise seule à table. Mais personne n'avait allumé les petites lampes à huile du lustre ni les bougies plantées dans les chandeliers à sept bras qui ornaient la table. La crypte était plongée dans une étrange et très faible lumière. La pleine lune brillait à travers les pétales supérieurs de la rosette.

— Cela recommence, murmura sombrement l'aulique. Comme à chaque équinoxe, on se livre à ce rite barbare, et Michel n'est pas en reste...

— Au temple ? demanda aussitôt Laurence.

— On dit que ce lieu est consacré au hideux taureau. Ce monstre aurait logé là-bas au temps du légendaire roi Minos, que ces païens continuent à vénérer comme s'il s'agissait d'un martyr chrétien, d'un saint de notre Église !

Cette circonstance paraissait causer beaucoup de soucis à Madame Irène.

— Que s'y passe-t-il donc ? voulut savoir Laurence. Quel haut invité y attend-on, acheminé par la trirème, reçu avec tous les honneurs ?

— Le bel honneur en vérité ! répliqua Sturla. On souille des enfants, et leurs parents crétois sont fiers d'envoyer leurs fils et leurs filles pour cette soirée infâme. Ils les bichonnent même pour attirer sur eux le regard du navarque, qui les choisit dans tout le pays. Ils corrompent l'archimandrite, qui désigne ensuite, au temple, les quelques rares victimes retenues.

— Victimes ? laissa échapper Laurence, horrifiée. Ils sont abattus ?

— C'est leur âme innocente que l'on met à mort. Car ce que fait subir le Minotaure à leurs corps innocents est pire que l'abattage !

L'aulique tremblait d'indignation.

— Puis-je y assister ? demanda Laurence avec une simplicité ahurissante.

— Vous venez donc de l'enfer ?

Dame Irène se signa ; mais elle dut changer aussitôt d'avis. Elle bondit sur ses jambes :

— Eh bien, d'accord, mon enfant, je ne vous priverai pas de ce lamentable spectacle, même si cela doit me coûter ma tête.

— Personne ne nous verra, répondit Laurence en guise de consolation.

Elles n'avaient pas touché à leur repas. Elles descendirent ensemble par un vaste escalier, et trouvèrent, derrière une porte, ce boyau où coulait le rapide torrent qu'elle avait parcouru avec l'archimandrite. Le canot qui les y attendait était bien plus confortable que la barque du prêtre. Des coussins recouvraient les bancs, et un baldaquin le protégeait.

— Je ne l'utilise pas souvent, indiqua l'aulique. Uniquement pour oublier mon chagrin en pleine nature.

— Qui vous cause donc tant de malheurs... Iago ?

— Ah, lui..., soupira dame Irène. Jadis, quand j'étais plus jeune et qu'il avait suffisamment bu... (Son amertume était presque joyeuse.) Mais non, le seul à me causer des soucis, c'est mon Michel, ce gamin qui a presque perdu la raison lorsque cette maudite Grecque, sa belle-mère, lui a fait comprendre que le scalpel était allé trop loin et qu'il avait perdu sa virilité. Le vieux marquis l'a presque battue à mort, mais c'était fait. Le « petit malheur » s'est transformé pour Michel en un cauchemar qui menaçait de l'engloutir. Il criait la nuit contre ma poitrine, il devenait fou furieux, puis retombait dans une profonde apathie, refusait toute nourriture et demandait à mourir. Pendant des nuits entières, je suis restée à son chevet, mais je n'ai pu empêcher que, au lieu d'un homme, il devienne le monstre auquel il tentait d'échapper. À cette période, précisément, son oncle l'a emmené en croisade contre Constantinople. Michel s'est battu comme un fauve, il cherchait désespérément la mort et la dispensait d'une manière tout aussi impitoyable. Le marquis victorieux le récompensa en lui offrant cette île. C'est ici, en Crète, que Michel a découvert le culte du taureau. Et c'est lui qui est devenu le Minotaure maudit de Dieu.

Laurence était abattue. Au début, elle avait juste voulu savoir à quoi ressemblait la virilité de son prince, puisque cette petite entaille était censée être invisible. Mais plus elle repoussait la question de sa capacité à aimer, plus elle lui paraissait stupide et inadaptée. Et puis Laurence ne savait pas comment elle devait s'exprimer pour ne pas paraître devant cette femme comme une jeune créature idiote et inexpérimentée.

Soudain, après un long passage dans la pénombre, la lumière blanche de la lune illumina leurs visages.

— Nous passons sur le toit du temple ! annonça l'aulique.

Au milieu de la grotte suivante, elle prit l'une des rames et la fit glisser le long de la paroi rocheuse, sans doute dans une rainure, jusqu'à ce qu'elle se heurte à une cale. L'aulique se cabra contre le courant, la barque fut plaquée contre la paroi, une porte de bois dissimulée céda, s'ouvrit lentement, laissa entrer le canot et, une fois celui-ci passé, retrouva sa position initiale. Elles avaient quitté le boyau rocheux et voguaient sur des eaux beaucoup plus tranquilles, à ciel ouvert.

— Si vous ramez avec moi, nous avancerons plus vite.

Des coups de cloche retentirent. Laurence prit l'autre rame et s'attacha comme elle l'avait appris dans son enfance, en bonne fille de Normand. L'aulique sourit.

Le canal latéral qui permettait de contourner la tour passait inévitablement devant un lieu que Laurence aurait volontiers vu en plein jour ; mais la lumière de l'astre lunaire suffisait pour distinguer la gigantesque double roue qui, posée contre la paroi rocheuse, était actionnée par l'eau des tuyaux qui débouchaient ici. Impossible de parler dans ce mugissement. Laurence fit ce que lui ordonnait l'aulique en gesticulant : elle se coucha à plat sur le fond du canot. L'aulique dirigea habilement la barque à deux rames vers une troisième roue qui n'avait pas d'aubes, uniquement des rayons, et tournait en même temps que la double roue, mais beaucoup plus lentement. Irène de Sturla manœuvrait avec une immense patience vers deux grandes pattes d'araignée qui ne cessaient de sortir de l'eau et de monter vers le ciel, noires et dégoulinantes. Laurence sentit un choc, puis le canot qui se soulevait et s'envolait en balançant, entre les deux bras du mécanisme. La barque devait être pourvue à sa proue et à sa poupe de deux pointes spéciales que Laurence n'avait pas vues. Les pinces les soulevèrent de plus en plus haut ; puis l'araignée baissa les bras, le canot bascula de son support et glissa sur un autre. Il y resta, en se balançant encore un peu. Le châssis sur lequel elles se trouvaient à présent était fixe, mais situé au milieu d'un lac, comme le constata Laurence.

— Levez-vous très lentement, je vous prie, et tenez-vous bien ! ordonna l'aulique.

Du bout de sa rame, elle donna un petit coup sur un levier, et la barque tomba d'un seul coup dans l'eau, secouant proprement les deux dames. Juste à côté d'elles, une autre paire de bras mécaniques descendit, passa tout près et disparut dans les profondeurs. Leur canot avançait au bord d'un mur haut comme un gouffre et au moins aussi gros que les murailles de Constantinople. Le lac de rétention était alimenté par la double roue qui travaillait non loin d'elles. Laurence s'étonna. Elle avait beau apprécier les mystères de l'art des ingénieurs, elle avait beau s'être donné pour principe de ne jamais se laisser impressionner par quoi que ce soit, cette fois, elle fut saisie par le spectacle. Elles avançaient le long du mur, sur ce lac parfaitement lisse, et la lumière de la lune était si vive que Laurence redouta qu'on ne les découvre. Dame Irène secoua la tête.

— On a fait en sorte qu'aucun œil non autorisé ne puisse voir le lac, chuchota-t-elle. Vous avez certes découvert le temple, mais le lac qui s'étend au-dessus vous est resté caché.

L'aulique dirigea la barque vers une baie. Elles en descendirent. Une grotte s'ouvrit devant elles, mais au lieu de s'enfoncer dans la pénombre, Laurence constata que le rayonnement de la lune se faisait de plus en plus puissant. Deux coups de cloche retentirent au-dessus du lac. Les deux femmes atteignirent un trou gros comme la tête percé dans la paroi, d'où elles avaient une vue latérale sur le parvis du temple. Son toit plat se situait juste à leurs pieds.

L'hémicycle était rempli. Une foule humaine excitée suivait, captivée, le spectacle sur la scène. Une vierge ornée de fleurs venait d'entrer sur le parvis, tenant la main de l'archimandrite. Elle ne devait pas avoir plus de treize ou quatorze ans, sa chemisette de mousseline fine dévoilait son corps plus qu'elle ne le cachait. Laurence crut sentir le tremblement de la jeune fille. Trois, quatre nouveaux coups de cloche aigus retentirent au-dessus de la scène. Le prêtre avait entouré les poignets de la jeune fille de longs rubans de couleur. Deux des matelots de la haie d'honneur en attrapèrent alors les extrémités. L'excitation de la foule augmenta, on entendit çà et là des cris aigus. Le prêtre recula.

Un unique coup de timbale s'éleva du temple. Un silence complet s'installa dans les rangées. Dans le propylée, une ombre gigantesque sortit de la profondeur des colonnades : le Minotaure !

La gigantesque silhouette du taureau avança lourdement. C'étaient sûrement deux hommes qui lui donnaient vie : le premier marchait à l'avant et portait la puissante tête et les cornes, l'autre avançait derrière, courbé, pour former le dos et la partie postérieure. La peau noire du taureau les unissait pour constituer un monstre qui avançait à présent sur sa victime. La vierge tenta de s'échapper, mais les rubans qu'elle avait aux poignets l'en empêchèrent — au contraire, ses tentatives de fuite la placèrent dans la position *a tergo*.

Le monstre s'abattit sur elle : les pattes avant lui coincèrent la nuque. Nul n'entendait si elle criait : le peuple encourageait à présent le Minotaure dont les pattes arrière se jetèrent alors sur la créature courbée et la recouvrirent pour mimer, en puissantes secousses, l'acte de la saillie.

Le peuple était déchaîné. Son claquement de mains rythmé animait la partie arrière de l'animal, qui faisait des bonds furieux au-dessus de sa victime. Laurence fut soulagée lorsque l'archimandrite mit fin à cette comédie, détacha la jeune créature hébétée et l'entraîna par une porte latérale. Mais lorsque le Minotaure se redressa, Laurence aperçut entre les pattes arrière un membre rose et luisant, véritablement digne d'un taureau. Elle sut alors qu'il ne s'agissait pas d'un jeu.

— Votre curiosité est-elle apaisée ? demanda froidement l'aulique.

Laurence la suivit, dans un état second, traversa la grotte avec elle et rejoignit la barque. Au loin, les vociférations du peuple en rut leur parvenaient encore et recouvraient les cris de souffrance de la victime. Elle voulut se boucher les oreilles : le fracas des cloches revenait à présent. Laurence laissa l'aulique ramer. Elle lui en fut reconnaissante.

— Le peuple est fermement convaincu que les filles sont saillies par le Despotikos ! Si les gens savaient qui est en réalité le père de leurs bâtards, ils mettraient notre Michel en morceaux.

— C'est Angelos qui fait la partie arrière ? demanda Laurence, qui se doutait bien de la réponse. Mais pourquoi Michel accepte-t-il de se promener devant son serviteur avec cette tête ridicule ?

Dame Irène adressa à sa passagère un regard peu amène.

— Parce qu'il n'accepte pas de ne *pas* être un taureau. Ainsi, il est au moins une partie du Minotaure, la partie symbolique.

Un jeu imbécile, se dit Laurence. Une Grecque avait détruit son prince. Et celui-ci, à présent, faisait violer des filles crétoises innocentes par un esclave abruti. Mais sa compassion à l'égard du pauvre Michel prit le dessus. Elle devait l'aider !

Elles atteignirent le palais, sur le large canal, devant la cathédrale. Laurence avait tout de même proposé à l'aulique de ramer toute seule sur la dernière partie du trajet : elle espérait ainsi pouvoir oublier ce qu'elle venait de vivre. Mais le courant les ramena alors aux portes fermées.

— Que faites-vous donc à présent de votre barque, chère dame Irène ? demanda Laurence dès qu'elle eut sauté sur le rivage.

— Cela, c'est mon affaire, répondit-elle. Rentrez dans votre tour d'amour et faites de beaux rêves.

L'*Aulika Pro-epistata* était revenue. Laurence n'avait pas la moindre envie de se disputer avec elle, et elle la laissa seule. Lorsqu'elle fut parvenue en haut, dans son appartement, et laissa son regard descendre vers le canal, par la fenêtre, celui-ci s'étalait, tranquille et désert, à la lumière de la pleine lune. Laurence se jeta sur son lit. Son prince était mort. Elle se sentait vide et déçue. Comment pouvait-elle encore aimer Michel à présent ? Elle souhaita que la tristesse s'empare d'elle. Mais même cela ne fonctionnait plus.

Un jeu et ses règles

Laurence dormit sans rêves, midi était passé depuis longtemps lorsqu'elle se réveilla. Elle avait décidé de ne plus descendre de sa tour tant que la faim ne la pousserait pas ailleurs. Mais même si elle ne s'était pas imposé cette retraite, elle n'aurait pu percevoir ce qui se passait dans le même temps à Kastéllion.

À la demande insistante de Livia, la *Mater superior*, qui ne voulait pas admettre la disparition de sa fille et successeur désigné, Laurence — et moins encore l'idée qu'elle se soit noyée —, la curie avait remis en route le capitaine vénitien,

Malte Malpiero, afin d'aller rechercher la disparue à Malte.
Dans le port de Kastéllion, il rencontra le jeune templier Gavin
Montbard de Béthune, qui y cherchait lui aussi des renseignements sur la « Rouquine ». La population n'avait pas dit un
mot. Les femmes que le Despotikos avaient fait venir à son
château étaient rayées des mémoires. Lorsque l'on avait en
outre affaire à des étrangers curieux, comme les templiers ou
les Vénitiens — pour les Crétois, c'était la même race ! —, le
mur du silence était infranchissable.

Malte Malpiero savait cependant que le navarque de Montferrat était un correspondant de la Serenissima. Il prit secrètement contact avec Iago Falieri. En guise de cadeau de
bienvenue, il lui révéla que Gavin était un espion qu'il fallait
arrêter. Le navarque se montra plus réjoui par cette prise que
Malte n'aurait osé l'espérer. Il demanda donc la faveur de pouvoir présenter ses hommages au Despotikos. Iago lui fit jurer,
en le menaçant de conséquences bien pires que la prison, de
ne pas lâcher le moindre mot sur le templier. En contrepartie,
Malte resta silencieux sur l'intérêt qu'ils portaient tous deux à
Laurence. Gavin fut emmené dans le plus grand secret dans les
cachots du Despotikos, où il resta sous très bonne garde. Le
seul à être informé était Angelos, le muet, dont la mission était
de surveiller et de servir le prisonnier.

Le troisième jour, Michel se présenta devant la porte fermée qui menait à sa tour depuis le jardin de pierre. Laurence
avait d'abord pris ces coups pour les martèlements d'artisans
améliorant quelque chose dans le palais. Mais elle finit par
ouvrir et trouva son prince assis sur une pierre, face à la porte
de fer qu'il avait l'habitude d'ouvrir sans rien demander.

— Laurence de Belgrave, dit-il en levant vers elle un
regard soucieux, êtes-vous disposée à entrer avec moi dans les
liens sacrés du mariage ? En d'autres termes : Voulez-vous
devenir mon épouse, et la marquise de Montferrat ?

Laurence n'eut qu'un bref instant d'ahurissement, et se
reprit très vite.

— La question que vous me posez, mon prince, ne se sim-
plifie pas du fait que vous m'offrez le choix entre deux mots.
Bien au contraire. (Elle apprécia la confusion dans laquelle elle
avait plongé Michel.) Mon amour pour vous supportera-t-il que
je devienne votre épouse, et la marquise de Montferrat ? En

d'autres termes : les liens du mariage nous permettront-ils de nous aimer encore l'un l'autre ?

Son prince réagit tranquillement.

— Ce n'est sans doute pas aussi compliqué que vous le croyez, Laurence. Je vous laisse la décision.

Il se redressa comme un vieil homme fatigué, mais s'immobilisa ensuite devant elle comme un enfant qui attend de sa mère un baiser de bonne nuit.

Laurence ne parvint pas à lui refuser ce tendre geste.

De retour dans sa chambre, Laurence décida d'écrire à sa mère — ou peut-être à sa marraine. En tout cas, elle devait coucher sur le papier ces nouveaux événements, ne serait-ce que pour faire le clair dans ses idées.

Laurence de Belgrave à la Mater superior
Livia di Septimsoliis-Frangipane
Abbesse du couvent « L'Immacolata del Bosco »
Sur le Monte Sacro, à Rome

Depuis la Crète, au mois d'octobre Anno Domini 1206

Ma mère vénérée,
Je suis en vie. Le fait que je vous l'aie caché jusqu'ici peut vous paraître impardonnable. À moi, cela m'a donné la liberté de découvrir d'autres manières de vivre que celle consistant à diriger un couvent. En un mot : une expérience personnelle.

L'un de vos neveux, Michel, marquis de Montferrat, m'a demandé ma main, et je suis en train d'envisager sérieusement la possibilité de répondre positivement à cette offre. Je ne suis pas encore certaine que le joug d'un mariage, et le fait de rester pour toute ma vie sur l'île de Crète, soit compatible avec mon statut de chevalier ; mais cela sera de toute façon préférable au destin d'abbesse sur le Monte Sacro. Je ne souhaite ni n'attends de vous un conseil, mais la faveur de me laisser prendre ma décision seule et sans être dérangée.

Je joins à ce pli une lettre personnelle à votre amie, ma marraine Esclarmonde, à laquelle je veux rapporter cette même nouvelle en toute confiance. Je sais qu'elle sera intéressée par la manière dont évolueront les choses. Je vous fais ma fiable messagère, car je me rappelle parfaitement que la comtesse de Foix n'a pas que des amis à Rome. Vous trouverez les moyens et les voies permettant d'acheminer jusqu'à elle mon message scellé.

Recevez, avec mes remerciements anticipés, mes salutations respectueuses.

Votre fille, Laurence.

Le soir tombait déjà. Depuis la haute fenêtre de sa tour, Laurence regardait les terres. Au loin, derrière les collines, elle savait que l'on trouvait la mer. Elle venait de prendre la décision de ne rédiger la lettre à sa marraine qu'après le dîner pris dans la crypte, lorsque quelqu'un tenta d'ouvrir la porte secrète en madriers qui, dissimulée derrière trois coins et des piliers, menait sur la galerie longeant la nef de l'église — en un mot, le chemin qu'elle utilisait d'ordinaire pour admirer la roue dans la rosette où descendre par la voie la plus courte lorsque le temps était venu de s'installer à la table déjà mise. On gratta encore une fois ; ce bruit-là n'avait rien à voir avec celui que font les rats.

Laurence attrapa le tisonnier de fer devant la cheminée, se glissa devant le lambris et poussa la porte d'un grand coup. On entendit un cri de douleur contenu. La porte avait sans doute touché Malte Malpiero au nez ou au front. En tout cas, il se tenait les deux en gémissant.

— Etes-vous devenu fou ? feula Laurence. Qui vous a indiqué ce chemin ?

Le capitaine vénitien était vexé.

— Vous pourriez aussi me demander, Laurence, pourquoi j'ai pris le risque de l'emprunter.

— Je m'en soucie encore moins, messire Malte, que de savoir qui vous a incité à pénétrer dans les appartements privés d'une dame.

— Personne ! dit le capitaine, indigné. Je suis venu en toute sincérité pour vous proposer de vous enfuir !

— Votre attaque éhontée contre la vertu de l'épouse se double donc d'une incitation à une vile trahison du Despotikos ! Allez au diable, Malte, ou revenez auprès de qui vous envoie !

Laurence brandissait le tisonnier, prête à frapper, mais le capitaine dément tomba à genoux.

— Ne me trahissez pas ! implora-t-il la jeune femme en colère. Je voulais vous sauver des pattes du Mino...

— Ne prononcez pas ce mot ! (La pièce de fer glissa un peu dans sa main.) Et apprenez que je suis ici de mon propre gré !

— Comment pouvais-je le deviner ? bredouilla Malte, tête courbée. Mais si je reconnais l'amante, je lui tire volontiers ma révérence. Cela remplirait certainement de joie le cœur de votre mère si vous me permettiez de lui...

— Stop ! chuchota Laurence. Si je pouvais vous faire confiance ? demanda-t-elle d'un air de défi.

— Je suis votre débiteur, fit Malte, l'air contrit. Vous pouvez tout exiger de moi.

— Nous verrons-nous à table ? demanda Laurence, dont les pensées étaient déjà bien éloignées.

Le capitaine hocha la tête, réjoui d'avoir passé l'orage.

— Ne vous montrez plus ici ! lui lança-t-elle aimablement. Je vous ferai parvenir une lettre destinée à ma mère.

— Je l'acheminerai à Rome en personne, serrée contre ma poitrine, dans la plus grande discrétion, sous la chemise et contre ma peau ; et une fois dans la Ville sainte, je la lui remettrai pers...

— Ça ira, dit Laurence en refermant la porte derrière elle.

À la noble Esclarmonde, comtesse de Foix
À Pamiers

En Crète, au mois d'octobre Anno Domini 1206

Très respectée marraine,
J'y suis parvenue ! Vous m'avez envoyée avec le Chevalier effectuer une mission dont vous ne pouviez supposer que nous la mènerions dans votre sens et avec succès. De fait, l'implication de Monsieur mon frère dans notre cause, que le Chevalier s'est longuement efforcé d'obtenir, a été un échec total. Ces hommes sont trop

empêtrés dans leur jeu de rôle. Mais pour ma part, animée par le
vœu de me montrer digne de votre marrainage, je n'ai pas aban-
donné. Le chemin qui mène une femme au statut de chevalier du
Graal est plus semé d'embûches que je ne me l'imaginais lorsque je
suis partie apprendre la vie de chevalier ! Même si j'ai de grands
doutes, même si je crains d'avoir déjà perdu « l'objectif » des yeux, je
veux pourtant vous informer avec fierté de ce que j'ai obtenu jus-
qu'ici :

Michel, marquis de Montferrat, Despotikos en Crète, m'a
demandé ma main ! Si je prends la sienne, je deviendrai mar-
quise de Montferrat, et l'axe que vous appelez de vos vœux si
fervents sera ainsi forgé. Il s'étendra à travers la Méditerranée, de
l'Aragon jusqu'à la Grèce, et reposera sur de solides piliers. Rome
se brisera les dents pourries sur cette règle d'acier !

Sans nouvelles de votre part, j'entrerai dans ce mariage, car
j'aime Michel et je suis disposée à m'exposer aux défis à ses côtés,
de la même manière que je suis certaine de le gagner à votre
cause.

En hâte,
Avec vénération et respect,
Laurence.

Elle plia la lettre, la scella à plusieurs reprises, la glissa
dans celle qu'elle adressait à sa mère, qu'elle cacheta de nouveau avec soin, et descendit à grands pas.

Imperceptiblement, on préparait le palais pour des noces.
Mais cela se faisait plus ou moins à l'insu de Laurence, qui
n'avait toujours pas pris de décision. Son prince ne lui avait d'ailleurs pas reposé la question. Beaucoup de temps s'était écoulé
depuis que Malte, le capitaine de la Serenissima, avait repris la
mer, emportant la lettre qu'elle avait adressée à Livia. La
comtesse de Foix, elle non plus, n'avait pas donné de ses nouvelles. La cour supposait sans doute que le Despotikos allait
imposer sa volonté, et l'on traitait « la promise » avec beaucoup
d'égards. Mais Laurence avait l'impression que ces manières et
la nervosité qu'elle percevait autour d'elle n'étaient pas seulement animées par des préoccupations amicales, mais avaient
pour but de dissimuler des animosités, une certaine amertume
et une profonde hostilité. Elle se faisait du souci, moins pour
elle-même que pour son prince, qui ne paraissait pas percevoir

ce qu'elle-même sentait clairement : tous ceux qui étaient réunis dans la crypte songeaient moins à profiter de la fête imminente qu'à l'empêcher à tout prix.

Pour redonner un peu d'ambiance à sa table, Michel tenta de la divertir avec des bagatelles.

— Même le glorieux ordre des templiers a déjà envoyé un légat aux célébrations, annonça-t-il sur le ton du bavardage. Iago, comment s'appelait ce jeune chevalier que vous avez ignominieusement jeté au cachot, pour ruiner définitivement ma réputation d'hôte chaleureux ?

Le marin sourit, sans même paraître embarrassé.

— Montpart de Bythène, ou quelque chose comme ça.

Le navarque parlait la bouche pleine. Nul ne remarqua que Laurence avait blêmi un bref instant. Gavin ! Mais ce n'était pas seulement une mauvaise nouvelle : au moins, son chevalier était encore en vie. Elle se sentit revivre. Son prince la vit avec plaisir reprendre des couleurs, mais il se garda bien de gâter l'ambiance en l'exhortant à donner cette réponse qu'il attendait avec tant d'impatience.

— Le navarque devait avoir de bonnes raisons pour jeter ce templier derrière les verrous.

Le sujet était clos. Michel se leva d'un seul coup et s'en alla, comme il en avait l'habitude.

Laurence était sur les charbons ardents. Faire appel à Iago Falieri était exclu, elle ne croyait pas dame Irène capable de faire le chemin. Il ne restait donc que l'archimandrite. Celui-ci n'avait certes jamais fait mystère des sentiments négatifs qu'il éprouvait à l'égard de ce mariage, mais c'était peut-être précisément pour cette raison qu'il pouvait devenir son allié naturel. En outre, il était chargé de veiller sur Angelos, et c'était à ce dernier qu'on avait confié la garde du cachot ! Il ne faisait aucun doute qu'elle devait libérer Gavin. Si le prêtre la trahissait, elle en assumerait les conséquences.

— Ma petite, vous paraissez si pâle ! fit tout d'un coup dame Irène. Sont-ce les délices ou les épouvantes de la nuit de noces imminente qui vous causent tant de soucis ?

Laurence serra les dents.

— Pourquoi donc ? demanda le navarque d'un ton railleur. C'est la queue du Minotaure qui assure les délices ; sa tête se charge de l'épouvante !

Laurence se leva et sortit, tête droite, de la fosse aux serpents.

Laurence attendit dans sa tour jusqu'au petit matin. L'arrivée de Gavin ne facilitait nullement sa décision. Il était certainement venu la chercher — quelqu'un lui en avait peut-être même confié la mission. Le chevalier du Temple aurait pourtant dû savoir qu'elle, Laurence, ne tolérait pas pareille contrainte, même si elle ne s'exprimait que par une douce pression. Mais c'était un sentiment agréable de savoir son ami à proximité. Et cela faisait longtemps qu'elle n'avait plus éprouvé ici, dans le labyrinthe, de sentiments agréables !

Mais elle devait peut-être prendre l'apparition de Gavin comme un signe du destin, poursuivre son chemin de chevalier en quête du saint Graal. Dans ce cas, la Crète n'était sans doute pas son objectif. Avait-elle annoncé prématurément à Esclarmonde qu'elle avait rempli sa mission secrète ? Laurence sentait ses capacités plus mises à mal que jamais. Elle devait absolument parler à Gavin, et tout de suite !

Lorsque le matin pointa, Laurence quitta sa tour et franchit la nef assombrie pour descendre à la crypte de l'archimandrite. Elle savait que le prêtre priait dans sa chapelle dès le premier chant du coq. Elle le trouva en compagnie d'Angelos, qui lui tenait le *psalterion*. Isaac chantait justement le *Kyrie eleison*. Laurence s'agenouilla en silence et attendit la fin de l'*orthros*.

— Vous voulez libérer le prisonnier ? demanda l'archimandrite en toute franchise.

— Le voir représenterait déjà beaucoup pour moi, admit-elle, mais Isaac ne se contenta pas de cette réponse.

— J'ai fini par me faire à l'idée de votre mariage, Laurence, reprit-il, grognon. Vous êtes sans doute celle qui convient à notre Despotikos, autant dire la meilleure ! Par conséquent, cette personne masculine à laquelle vous tenez tant constitue un péril — que ce templier ait ou n'ait pas prêté le serment de chasteté ! Lorsque l'occasion se présente, nous avons tous quelque chose dans le pantalon !

Il ne regarda pas Laurence dans les yeux, pour ne pas la plonger dans l'embarras. Mais son regard resta fixé sur les parties génitales de son « enfant de chœur », qui se dessinaient sous le vêtement.

— Ce chevalier de l'Ordre doit quitter l'île immédiatement ! ajouta-t-il hâtivement.

— Puis-je lui parler auparavant ? demanda Laurence, qui n'en démordait pas. C'est important pour moi.

L'archimandrite n'était pas enthousiasmé par cette idée. Mais il finit par céder :

— Eh bien, soit ! Si vous le convainquez de saisir la première occasion de fuir qui s'offrira à lui (j'en ferai mon affaire !) et de tourner le dos au plus vite à l'île de Crète !

— Je vous le promets ! s'exclama Laurence.

Isaac fit signe à Angelos de s'approcher.

— Il vous accompagnera aux cachots. Conformez-vous à ses gestes. Il sait se faire comprendre.

Laurence connaissait la traversée par le souterrain ; mais cette fois, il lui sembla qu'elle durait une éternité. Elle aperçut enfin le clocher. Elle savait qu'ici elle se trouvait certainement à proximité de l'accès aux cachots. Près de la dernière ouverture creusée dans la paroi, Angelos avait ralenti la progression de la barque et regardé vers le haut. À la suivante, il cala la rame contre la pierre et arrêta l'embarcation. Le géant désigna les falaises au-dessus d'eux et bougea les doigts de ses grosses pattes agiles comme s'il s'agissait de deux chevaux au trot rapide qui se dirigeaient vers la tour.

Angelos attrapa une corde roulée sous le banc du gouvernail et fit comprendre à Laurence, en croisant ses doigts pour en faire une grille, que les cachots se trouvaient juste en dessous d'eux, dans la paroi abrupte. Tiens donc, se dit Laurence. Cette fois, Ariane est vraiment suspendue à son fil ! Le géant fit plusieurs nœuds à la corde et accrocha soigneusement son extrémité à une grosse pierre. Il accrocha ensuite l'autre bout aux hanches de Laurence, l'installa sous ses fesses, et lui glissa dans la main le nœud supérieur. Laurence grimpa la rambarde de pierre qui ourlait la cuvette et commença à descendre à reculons.

Elle ne distingua bientôt plus le point où elle avait commencé sa descente. Elle avançait dans un étroit boyau. Devant elle s'ouvrait un chaudron en à-pic ; dans ses parois, on avait percé à intervalles irréguliers des trous tout juste assez grands pour laisser passer un peu d'air et de lumière, mais beaucoup trop petits pour permettre à un homme de s'enfuir par l'intérieur de la montagne. Laurence se laissait descendre prudemment d'un nœud à l'autre ; ses pieds étaient à présent posés contre la paroi ; ses mains la brûlaient.

— Gavin ! appela-t-elle timidement, mais sa voix résonna si puissamment qu'elle en sursauta.

Le soleil brillait impitoyablement sur l'escaladeuse qui pendait entre le ciel et le sol comme un scarabée pris dans une toile d'araignée.

— Gavin ! chuchota-t-elle une fois encore, perçant le silence.

Elle entendit alors une réponse qui lui parvenait depuis la pierre. Mais il n'y avait pas moyen d'en déterminer l'origine précise.

— Mon Petit Renard en perdition !

C'étaient donc les seuls mots qu'il ait trouvés pour la saluer après une si longue période et tant d'efforts ! Ils suffirent à réveiller sa résistance.

— Moi, je ne suis pas prisonnière, ici ! lança-t-elle en contenant sa colère.

— Mais moi non plus ! répondit la voix en écho.

Il se moquait d'elle.

— Qu'est-ce que tu fais là-dedans, alors ?

— Je t'attends.

— Va au diable, Gavin ! Ou auprès de tes templiers !

— Peu importe. L'essentiel est que tu m'accompagnes !

— Je me marie ! cria-t-elle, rendue furieuse par tant d'obstination.

— J'assisterai volontiers aux noces ! s'exclama Gavin, qui riait. Je vais passer ici, dans une solitude céleste, quelques journées d'ermite, jusqu'à ce que mon navire templier vienne me prendre. Et toi avec !

— Je vais devenir l'épouse de mon prince ! lança-t-elle comme une invocation à son ami entêté. Je l'aime !

Au même instant, sa corde bougea imperceptiblement. Laurence se demandait encore si elle avait été victime d'une illusion. Puis elle se sentit tirée vers le haut, d'un mouvement brusque. Elle se rappela sa promesse : elle devrait suivre les instructions muettes d'Angelos. Et puis elle avait eu ce qu'elle voulait. Elle avait parlé à Gavin. Il allait bien. Trop bien !

— Eh bien ! Reste dans ton ermitage jusqu'à ce que tu aies les cheveux blancs ! lui cria-t-elle encore avant de tendre les quatre membres pour que la corde ne lui fasse pas râper le rocher en la remontant.

Elle avait à peine parcouru la moitié du trajet lorsqu'elle aperçut, d'en bas, deux bottes de chevalier empoussiérées. Iago avait été chercher le Despotikos pour qu'il prenne sa promise en flagrant délit d'infidélité. Laurence n'accorda pas un regard aux deux hommes. Elle resta couchée, épuisée, entre les pierres. Mais son prince n'avait aucune intention de laisser son navarque le faire passer pour un cocu.

— Vos tourments n'ont pas été inutiles, ma chérie, bredouilla-t-il en se penchant vers elle. J'ai enfin entendu de mes propres oreilles, et devant témoins (il adressa à son amiral un sourire confondant) ce que vous avez annoncé : vous acceptez le mariage... (il souleva dans ses bras Laurence, toujours ceinturée par la corde)... et vous m'aimez !

Il la porta jusqu'aux chevaux, entre les rochers.

— Vous pouvez laisser votre monture à la dame, ma fiancée, navarque ! dit-il d'une voix qui ne tolérait point de réplique. Même à pied, vous serez de retour pour l'heure du déjeuner !

Les deux jeunes fiancés ne prirent pas garde à la fournaise. Et ils s'éloignèrent à travers champs.

Quelques soirées plus tard, le voilier de la Serenissima croisait de nouveau sous le commandement de Malte Malpiero. Comme le soir tombait, il mit le cap sur une baie discrète et fit débarquer un groupe d'hommes en armes. C'étaient des arbalétriers anglais, placés sous le commandement d'un jeune moine qui n'avait pas l'air d'un ascète et dont les yeux brûlaient d'ardeur. Le capitaine avait réceptionné le groupe à Brindisi, sur instruction des services secrets de la curie, à peine après avoir transmis au représentant local de la Serenissima la lettre adressée par Laurence à sa mère, Livia. Les soldats portaient tous des tenues de moine. Le capitaine Malpiero n'avait pas remarqué leurs armes lorsqu'ils étaient montés à bord. À présent, il avait des scrupules.

— Ce n'est tout de même pas à la promise que vous...

Sa phrase lui resta dans la gorge. Roald of Wendower le toisa, dédaigneux et glacial.

— Le fait que vous aussi, capitaine, ayez succombé au

charme de cette sorcière rousse, ne suffit pas, et de loin, à lui conférer une importance telle que nous devions déployer des moyens pareils à son intention.

— Vous voulez tuer Laurence !

Malte était tout juste parvenu à exprimer sa terrible crainte.

— Ne parlez pas si fort ! lui ordonna Roald. Vous ne nous avez pas vus. Et si nous devions nous rencontrer un jour, Malte Malpiero, je ne vous connaîtrais pas.

Peu après, le voilier entrait dans le port de Kastéllion.

Le navarque cherchait le Despotikos en haut, sur le toit, dans le jardin de pierre. Michel n'aimait pas qu'on l'y dérange, mais Iago avait demandé un entretien en tête à tête. Le souci que lui inspirait l'idée de voir son seigneur offrir sa main à une femme qui n'en était pas digne accablait son « fidèle ». Michel se le rappela en entendant Iago lui présenter son plan.

— Pour en revenir une dernière fois au jeu du Minotaure aveugle, expliqua le navarque avec l'entêtement qui le caractérisait. Nous plaçons le templier dans la peau du taureau, et le jeu se déroule... (Iago mena son maître droit à travers le jardin, vers une petite prairie, une clairière située entre des collines couvertes de buissons.)... *ici* !

Juste à côté de lui, le terrain était en à-pic. Mais une végétation trompeuse recouvrait l'arête de la faille, qui dépassait bien de dix brasses au-dessus de l'abîme.

— Il n'est pas nécessaire que le prisonnier tombe et se tue tout de suite, fit le navarque pour apaiser les scrupules de Michel avant même qu'il ne les exprime. Je l'attirerais volontiers à proximité du gouffre. Et si votre promise veut le prévenir (ou plutôt : à la manière dont elle le préviendra), vous saurez quels sont ses rapports avec ce jeune homme !

— Je dois considérer une émotion humaine tout à fait louable comme une marque d'infidélité de Laurence ? protesta Michel, indigné. Et vous voulez que je sois complice d'un tel crime... ?

— Certes non, monseigneur ! Oubliez tout ce que je viens de dire. Je prends cela sous ma responsabilité. Et c'est ma coulpe que vous devrez battre si je ne parviens pas à démasquer cet amour secret !

Michel réfléchit à sa situation.

— Cela me répugne, dit-il ensuite. Mais je ne me déroberai pas à cette ultime épreuve ! Et maintenant, partez, je vous prie !

Irène de Sturla avaient de la visite de Rome. Des parents du lointain comté de Montferrat lui avaient envoyé ce jeune moine cistercien qui savait parler avec tant d'éloquence du grand Bernard de Clairvaux, et qui lui apportait des nouvelles de son pays natal. Pour ne pas rester totalement passive, l'aulique avait pour sa part évoqué les noces imminentes en termes exaltés et promis à ce pieux moinillon de lui faire rencontrer, dès le déjeuner, le prince Michel, sa charmante épouse, Laurence, et toute la cour. S'il le désirait, elle ferait aussi en sorte qu'il puisse participer, l'après-midi, au jeu du « Minotaure aveugle », dans lequel le prince en personne tenait le rôle du taureau. Cette perspective parut réjouir le jeune moine au plus haut point.

Avant même la fin de la nuit, Laurence voulut aller rendre visite à l'archimandrite dans sa crypte : elle avait fait un mauvais rêve. Mais elle surmonta son égoïsme et attendit l'instant où elle pouvait estimer qu'Isaac célébrait les matines. Elle descendit sans faire de bruit dans la chapelle et s'agenouilla jusqu'à ce qu'il ait mis un terme à la liturgie matinale.

Angelos débarrassa l'autel ; Isaac de Myron se tourna vers sa visiteuse.

— Pour un prêtre..., commença la jeune femme agenouillée. Pour un prêtre, le secret du médecin est-il plus élevé que celui de la confession ? lança-t-elle pour appâter Isaac, qui mordit aussitôt à l'hameçon.

— Qui doit se confesser ici ?

— Je le garderai dans le silence de mon cœur, répondit Laurence au grand étonnement du prêtre. Comment sont faites les parties génitales de notre seigneur ?

L'archimandrite souffla, énervé. Avec Laurence, on pouvait tout à fait s'attendre à un blasphème. Mais ce pasteur des âmes expérimenté comprit la détresse sincère de la jeune femme.

— C'est sans doute du pénis du Despotikos que vous voulez parler ? précisa-t-il avec un sourire surpris. Je pensais que vous en aviez fait l'expérience depuis longtemps. Mais si celle-ci vous attend encore... Je peux vous assurer qu'il n'y a rien qui puisse gêner deux amants.

Laurence secoua la tête, agacée, et fit comme si elle voulait bondir sur ses jambes.

— On ne voit rien, reprit l'archimandrite, vous ne sentez rien. Sinon un membre totalement normal et capable de vous emplir d'une pleine satisfaction.

— Ce n'est pas ma satisfaction qui m'importe ! répondit Laurence, furieuse. Je veux savoir si cette funeste entaille...

— Absolument invisible ! chuchota le prêtre, mis au pied du mur. Si vous, Laurence, n'en aviez pas entendu parler, et si le Despotikos n'avait pas eu connaissance de cet incident malheureux survenu dans sa jeunesse... (Isaac se racla la gorge.)... alors vous consommeriez le mariage comme deux promis rayonnant de bonheur, et vous vous uniriez souvent par la chair et le plaisir, pour votre plus grande félicité. Vous vous étonneriez simplement de ne pouvoir mettre d'enfants au monde. Cela arrive souvent, lorsque l'un ou l'autre des partenaires n'est pas fécond, plus fréquemment que vous ne le pensez, et ce n'est pas non plus...

— Le malheur, l'interrompit Laurence, c'est que les amants ont aussi un cœur qui bat et qui palpite, une âme...

— Contre cela, il faut prier !

L'archimandrite décida de mettre un terme à cette conversation. Mais il constata que sa visiteuse n'avait pas l'intention de se lever.

— Que Dieu vous bénisse ! murmura donc Isaac en guise de conclusion.

— J'ai fait un rêve épouvantable, avoua-t-elle au prêtre, d'une voix basse. J'ai vu les yeux percés du Minotaure. Ils me regardaient avec une tristesse infinie, mais toute vie s'en était échappée. (Laurence fut agitée par un sanglot, mais les larmes ne voulaient pas lui monter aux yeux.) Aujourd'hui, on se livrera de nouveau à ce jeu horrible. Je sens qu'un danger nous menace, mais je ne sais pas...

L'archimandrite, lui aussi, laissait l'inquiétude percer sous sa mine grognonne.

— Je ne puis vous donner qu'un conseil : prenez vous-même la peau de bête. Mais gardez-vous de l'abîme qui jouxte la pâture du Minotaure !

Il fit le signe de la croix sur Laurence et s'apprêta à l'abandonner.

— Il n'en est pas question ! cria Laurence derrière lui. Je n'y participerai pas ! Et je ne tolérerai pas non plus que Michel...

Mais elle constata alors qu'il ne l'entendait plus, et quitta la chapelle d'un pas rapide.

La barque était attachée au mur en marbre du quai, devant la cathédrale. Laurence était ravie à l'idée de se laisser porter dans le labyrinthe et de retrouver ainsi des forces pour le combat qu'il lui faudrait encore livrer. Lorsqu'elle tourna au coin du canal, elle vit que quelqu'un était déjà assis dans le « coquillage de Steven ». C'était Michel, son prince. Elle eut mal de le voir ainsi recroquevillé sur lui-même, comme un enfant égaré. Mais elle ne devait pas se laisser attendrir : il lui fallait à présent le convaincre de mettre un terme à ce rite païen et cruel. Il leva les yeux en l'apercevant.

— J'attends le navarque, dit-il pour s'excuser. Mais si vous voulez faire le trajet en ma compagnie...

— Non ! répondit Laurence avec une force inhabituelle.

Elle ne voulait pas le battre froid, mais lui donner à comprendre qu'il ne pouvait pas se contenter de se reposer sur sa promise comme si rien ne s'était passé. Elle devait le sortir de son rêve.

— Non ! répéta-t-elle en constatant qu'il la regardait, incrédule, avec son damné sourire. Je ne participerai pas à vos divertissements cruels et puérils. Ni les yeux bandés, ni les yeux ouverts !

— Asseyez-vous près de moi, ma chérie, pour que je vous...

— Non ! Non et non ! cria Laurence. Ôtez-vous de la tête toute idée de nouer une relation avec moi.

Le Lion était à présent parfaitement éveillé.

— Je ne peux pas décommander ce jeu, gémit-il en se redressant. Je perdrais la face !

— Autrement, c'est moi que vous perdrez ! lança Laurence. Je ne suis pas disposée...

— Juste une fois, une fois encore ! quémanda le Lion, en lui lançant un regard tellement implorant de ses yeux sombres que Laurence en eut mal au cœur. Cette fois-ci encore, et plus jamais par la suite, je vous le promets !

Laurence secoua sa crinière. Elle devait rester inflexible.

— Les fêtes du Minotaure au temple seront abolies. Je l'annoncerai moi-même à mon peuple. Je vous le jure sur l'amour que je vous porte, Laurence. Mais vous devez accepter cela pour moi, cet après-midi, pour la dernière fois.

— Non ! répéta sèchement Laurence.

Il s'immobilisa, détourna son regard, tituba et se laissa retomber sur son banc molletonné, la tête entre les bras.

Laurence se demandait encore si elle n'aurait pas obtenu de meilleurs résultats par la tendresse et la compréhension lorsqu'une main puissante se posa sur son épaule. Elle se retourna d'un coup. C'était Iago Falieri. Il avait certainement entendu sinon tout, du moins la plus grande partie de leur conversation. Il ne disait rien. Il serra plus fort son épaule et la fit sortir de la barque, sur la rive où Angelos attendait avec deux chevaux.

D'un geste, il invita Laurence à monter en selle. Le navarque renonça à son propre cheval et tira celui de Laurence par les brides. Ils avaient déjà contourné la moitié de la cathédrale lorsque le silence se brisa enfin.

— Vous avez parfaitement raison, dit-il sans la regarder. Vous pouvez aussi être assurée de mon soutien s'il s'agit de ne plus tolérer cette cérémonie idolâtre annuelle. Elle est indigne d'un souverain éclairé. C'est une honte !

Laurence savait que ce n'était pas par amitié ni par sympathie que le navarque la menait à la longe, et encore moins par souci de laisser s'exprimer son indignation. Même Michel ne s'opposait pas à lui, et elle ne devait certainement accorder à Iago aucune espèce de confiance. Elle resta donc silencieuse.

— Le culte du Minotaure sera aboli sous cette forme barbare, vous pouvez en être certaine. Mais ce jeu anodin est autre chose...

— Il n'est pas aussi anodin que cela, Iago Falieri, fit-elle en lui coupant la parole. On entretient le souvenir du rituel meurtrier. Tous restent prisonniers.

— Mais justement ! Tout se passe dans la tête ! Sous le

masque du taureau, le seigneur croit pouvoir faire oublier son désagrément, non pas aux autres, mais à lui-même.

— Ce que vous désignez par cette si fine métaphore, répliqua Laurence, s'appelle en réalité ses parties génitales. Je peux vous assurer que, de ce point de vue, tout est parfaitement en ordre ! Mon prince est tout à fait en mesure...

— Exactement ! répondit Iago en réprimant un sourire : l'archimandrite lui avait révélé, bien qu'à contrecœur, tous les détails de la confession matinale. Vous êtes bien placée pour le savoir, Laurence ! Le Despotikos est possédé par une idée fixe : si une corne dure doit lui pousser quelque part, ce sera sur le front !

— Je compte bien l'en guérir, et rapidement ! éclata Laurence.

— Je vous fais volontiers confiance pour y parvenir, répondit le navarque, songeur. Mais cela n'ira pas *rapidement*. Il faut pour cela construire la confiance, la clairvoyance, la compréhension. Et de ce point de vue, votre refus tout à fait compréhensible et en principe exact de tolérer encore cet après-midi ce petit jeu de colin-maillard stupide est une mauvaise médecine.

Laurence était touchée, mais elle ne le montra pas. Elle et elle seule était capable de guérir Michel.

— Mais je ne veux pas vous causer de soucis. Peut-être une telle occasion se présentera-t-elle une autre fois ? Ou alors... c'est que cela n'était pas écrit !

Le navarque sombra dans la méditation et laissa Laurence seule avec son problème — même lorsqu'il l'accompagna galamment jusqu'à la porte de sa tour.

— Mais cela doit être écrit ! lança-t-elle en reprenant la dernière phrase du marin, qui n'avait cessé de lui tourner dans la tête. À moins que vous ne pensiez toujours pouvoir vous débarrasser de moi ?

Iago la regarda, étonnée.

— Libre à vous de tourner le dos à cette île — en même temps que votre ami, le templier !

Et il l'abandonna sur ces mots.

À l'heure du déjeuner, tous se rassemblèrent autour de la table richement dressée dans la nef. La roue de la rosette paraissait tourner plus vite ce jour-là. En tout cas, elle lançait nerveusement des touches de couleur sur le sol en mosaïque de la cathédrale. Les plats froids étaient disposés sur la table : Angelos était déjà parti pour la prairie où devait se dérouler le jeu.

Laurence aperçut alors parmi les invités non seulement Malte, qui avait pris place à côté du navarque, mais aussi Roald of Wendower ! Elle reconnut immédiatement l'ancien novice, celui qui, lors du tournoi de Fontenay, avait convaincu « son » chevalier René de prendre la tenue de la croix et de disparaître à Constantinople. Le temps avait passé et Laurence, tout compte fait, ne lui en voulait plus. Mais elle ressentit un certain malaise en découvrant ici son admirateur. Elle décida de faire comme si elle ne le reconnaissait pas et se tourna vers Malte Malpiero, qui lui chuchota aussitôt, cramoisi :

— Madame votre mère vous salue et vous souhaite tout le bonheur sur cette terre.

Laurence n'avait pas attendu beaucoup plus de la part de Livia. Mais elle était certaine que la vieille femme n'avait pas pu s'exprimer en ces termes-là.

— Prenez donc des forces, ma bien-aimée, l'invita le prince avec un sourire en constatant que Laurence ne touchait pas aux plats. Vous allez bientôt rencontrer le plus grand monstre de cette terre.

Elle lui rendit son sourire à grand-peine. Elle puisa indistinctement dans les plateaux et les récipients, mais ne parvint pas à avaler un seul morceau. Le Despotikos leva sa coupe. On eut l'impression qu'il allait prononcer un ban. Tous s'arrêtèrent, l'archimandrite absorba en vitesse la bouchée qu'il mastiquait déjà. Mais Michel changea d'avis et se tourna en silence vers sa promise, la regarda profondément dans les yeux et but.

Laurence se pencha, se jeta à son cou et l'embrassa, longuement et sans honte. Comme l'ambiance ne se réchauffait pas après ce long silence, l'aulique crut devoir profiter de l'occasion pour présenter son hôte :

— Roald of Wendower, annonça-t-elle avec fierté, m'a été envoyé par l'Église de mon seigneur le pape, à Rome, pour que de nouveau, un prêtre de la *Santa ecclesia catholica*...

— Dites donc tout de suite « envoyé par le Ciel », laissa échapper Isaac, assis à côté du moine. Cela vous évitera qu'un Grec schismatique ne célèbre le mariage !

Le navarque se jeta en travers de la table pour empêcher l'archimandrite excédé de sauter sur le moine.

— Qu'avez-vous donc à confesser, Irène de Sturla ? demanda Iago pour changer de sujet. Le temps des rêves humides est tout de même révolu !

L'aulique fondit en larmes, le Despotikos partit d'un éclat de rire tonitruant, mais sa poigne solide la força, elle aussi, à rester à sa place.

— Nous respecterons le rite orthodoxe ! annonça-t-il d'une voix forte. Ce seigneur est un invité bienvenu !

L'archimandrite laissa échapper un gloussement. Mais au même instant, Laurence annonça :

— Je ne souhaite pas vous voir à mes noces, Roald of Wendower !

Tous les regards se tournèrent vers le Despotikos. Celui-ci leva sa coupe en direction de sa promise, avant de lui baiser la main.

Roald of Wendower se leva et ne laissa pas dame Irène le retenir par sa bure.

— Je pense que je ne devrais pas rester ici plus longtemps, articula-t-il d'un air méditatif.

Il s'inclina devant le seul Despotikos et quitta la salle.

— Des pièces ! réclama celui-ci, impassible, à dame Irène, qui ne comprit pas tout de suite. Prêtez-moi sept pièces de votre cassette, aulique !

La dame de cour fouilla dans la bourse qu'elle portait accrochée à la ceinture, jusqu'à ce qu'elle ait rassemblé le nombre requis.

— Pourquoi sept ? demanda l'archimandrite.

Michel prit les pièces dans les deux mains.

— Parce que je le veux ainsi, dit-il d'une voix sombre. Judas est parti, mais il compte tout de même ! Nous en restons à sept !

Laurence regarda son prince mettre les mains dans le dos et les croiser plusieurs fois.

— Nous allons maintenant tirer au sort celui qui aura l'honneur de commencer !

Le Despotikos posa ses mains devant lui, sur la table. Il serrait à présent les poings.

— Celui qui aura deviné le nombre de pièces qui se trou-

vent au total dans les deux mains devra passer en premier sous
la peau du taureau !

Il lança un regard provocateur à l'extrémité de la table.

— Trois ! dit sagement l'archimandrite. *Agias Triados !*

— Je double ! annonça ensuite le capitaine Malte Malpiero, excité. Six !

Les yeux du prince se dirigèrent vers le navarque.

— Tout ! dit celui-ci. Sept !

C'était à présent le tour de l'aulique.

— Quel choix me reste-t-il ? se plaignit-elle. Une !

Le prince se tourna alors vers Laurence.

— Zéro ! proposa-t-elle. Elle avait été la seule à percevoir
le léger tintement des pièces lorsqu'il les avait laissées glisser
de ses mains sur la chaise.

— Zéro ! répéta-t-elle d'une voix décidée.

Michel ouvrit lentement les deux mains : elles étaient vides.

L'assemblée se rendit en barque jusqu'à la prairie où l'on
avait déjà disposé deux tentes, et où Angelos les attendait. La
bannière des Montferrat plantée devant l'un des pavillons indiquait qu'il s'agissait de celui du prince. Laurence observa la
ramure rouge du cerf sur fond blanc avec une certaine appréhension, sans doute à cause du poing armé d'un couteau de
chasse qui descendait entre les cornes. Elle voulut pénétrer
sous la tente ; mais le gardien lui en barra l'entrée. Michel lui
sourit pour s'excuser et elle répondit à l'aimable invitation du
géant. Il l'aida aussi à passer la peau de taureau. Elle ne s'était
pas imaginé le poids du vêtement qu'on lui nouait ainsi sur le
corps ; elle ne se doutait surtout pas de la pression que la tête
étouffante de l'animal exercerait sur ses épaules. On devait respirer à travers les narines de l'animal, au prix d'efforts considérables. Le bâillon qu'on allait sans doute lui poser sur les yeux
ne serait pas grand-chose à côté de ce masque qui la gênait
déjà beaucoup. Elle sortit pesamment de la tente réservée aux
invités. Angelos tint compte du fait que Laurence n'était pas
habituée à cette situation. Il lui noua le bandeau d'une manière
assez lâche pour qu'elle puisse, en levant la tête, regarder par
en dessous et, au moins, voir le sol sous ses pieds.

On commença à taquiner et à exciter ce Minotaure si
balourd. Laurence courut après ses proies, les bras tendus, en

tâtonnant. Malte Malpiero était celui qui criait le plus fort, mais elle ne tenait pas du tout à attraper celui-là. Elle entendait certes autour d'elle les gloussements de l'archimandrite, mais elle le savait agile : elle serait hors d'haleine avant d'avoir pu l'attraper. Elle ne voulait pas faire subir une nouvelle offense à l'aulique, qu'elle avait déjà poussée, la dernière fois, dans les bras du « faux » Minotaure. Son prince paraissait à proximité, le plus souvent juste derrière son dos. Il lui aurait suffi de se retourner pour pouvoir l'attraper. Laurence comprenait bien qu'il souhaitait qu'elle le prenne, mais quelque chose l'empêchait de le faire. Elle ne tenait justement pas à le voir, lui, sous le masque du « Minotaure » !

Il restait donc le navarque. À plusieurs reprises, celui-ci s'était rapproché d'elle avec beaucoup de légèreté. Elle se rappela l'avertissement de l'archimandrite : il lui faudrait se garder du précipice où Iago paraissait vouloir l'entraîner. Laurence lança la chasse à cet homme ; s'il jouait avec le feu, elle allait en profiter. Elle le poussa de plus en plus près au bord de la falaise — sous son bandeau, elle surveillait depuis longtemps, et sans le moindre scrupule, l'endroit où se trouvaient ses pieds. Elle le serra bientôt de si près qu'un pas irréfléchi vers l'avant aurait suffi pour qu'elle-même soit précipitée dans le vide. Elle fit mine de bondir, il tenta de s'échapper sur le côté, et elle l'attrapa par-derrière, en saisissant une touffe de ses cheveux.

— Iago ! se mit à piailler l'aulique. C'est enfin le tour du navarque !

Laurence feignit l'étonnement lorsqu'elle eut ôté la tête aux lourdes cornes. Puis elle laissa Angelos l'entraîner sous la tente, où il la libéra du reste de la peau de taureau. Lorsqu'elle ressortit, haletant encore, trempée de sueur, Iago se fraya un chemin jusqu'à elle.

— Si vous voulez vous enfuir avec votre ami, lança-t-il à Laurence, à voix basse, il vous faut vous décider maintenant, sur-le-champ !

Laurence lui adressa un regard noir.

— Pour qui me prenez-vous, Iago Falieri ?

Et elle le força à lui laisser le passage. Puis elle rejoignit son prince et se colla contre lui, sans un mot.

Le navarque était un animal dangereux. Son corps musclé supportait sans difficulté la peau et le masque sur la tête. Il semblait ne plus faire qu'un avec le cuir du taureau, et les cornes pointues paraissaient lui sortir du crâne. Il commença par effrayer l'aulique, manqua encorner Isaac qui eut juste le temps de se coucher au sol, il donna à Malte un coup dans les fesses au moment où nul ne regardait ; mais il évitait toujours Laurence. Sa cible était Michel, elle le sentait bien, et elle faisait tout pour lui barrer le passage. Mais son prince avait relevé le défi depuis longtemps. Il fit face au taureau et s'esquiva habilement au dernier moment. Il se faufila derrière lui et, debout sur sa gauche, touchait la corne de droite. Ce n'était encore qu'un jeu entre les deux hommes — et, tout au plus, Laurence, qui utilisait toutes les ruses pour préserver Michel du « Minotaure ». Elle avait déjà fait deux croche-pieds à Iago, sans autre résultat que de l'exciter encore plus. Il chassait sa proie avec une obstination imperturbable. Finalement, Michel capitula et le vainqueur posa triomphalement le pied sur le dos de sa victime.

— C'est votre tour, monseigneur ! cria-t-il suffisamment fort pour que tous puissent l'entendre.

Le navarque alla dans la tente se débarrasser de la peau et de la tête, qu'Angelos porta dans le pavillon du Despotikos. Michel se dirigea lentement sur la prairie. Laurence courut après son prince, s'accrocha à son cou et implora son bien-aimé, d'une voix basse mais pressante :

— N'y va pas, pour l'amour de nous !

Michel ne la repoussa pas. Mais il ne s'arrêta pas non plus.

— Laissez-moi suivre mon chemin. Et ne montrez pas de crainte, Laurence, je vous en prie.

Laurence revint sur ses pas en courant, sans savoir où elle allait. Il n'y avait personne auprès de qui elle puisse aller verser les larmes qui lui étaient venues aux yeux. Mais elle eut bientôt honte de son attitude : n'était-elle pas Laurence de Belgrave, épouse choisie du Minotaure ?

Le Minotaure sortit de la tente du Despotikos. Tous cherchèrent aussitôt à s'assurer que ce n'était pas, de nouveau, Angelos qui se dissimulait derrière le masque de taureau. Mais le corps qu'entourait la peau n'avait pas la massivité naturelle du géant. Pour dissiper les derniers doutes, « l'enfant de chœur » apparut, courbé, à la porte de la tente.

Laurence rattrapa le taureau, se montra, dansa autour de lui. Mais il ne l'attrapa pas. Il ne se soucia pas des autres non plus, ni de l'aulique, ni d'Isaac, pourtant tout proches de lui.

Mais l'un des joueurs paraissait s'intéresser beaucoup au Minotaure : le navarque, qui venait pourtant de tenir le rôle de l'animal. Laurence s'étonna de voir Iago tourner autour du taureau, si près qu'il aurait pu l'attraper par les cornes — ce que les règles du jeu n'autorisaient pas. Il courait à reculons devant le Minotaure, le regard fixé sur les yeux de l'homme masqué. Voulait-il ainsi l'attirer vers le vide ? Si Iago continuait à jouer ainsi avec lui, tous deux seraient vraisemblablement précipités dans l'abîme. Il suffisait à Iago de faire quelques pas en arrière, et il aurait atteint le bord de la falaise. Le navarque n'avait jamais été son ami, mais Laurence se sentit tout de même obligée de le prévenir. Elle allait ouvrir la bouche pour le mettre en garde lorsque Iago esquiva le taureau et s'en alla, laissant le Minotaure à trois ou quatre mètres du gouffre.

À cet instant, le Minotaure poussa un cri à glacer le sang, suivi d'un râle que tous entendirent. Il posa la main sur le cœur, secoua furieusement sa peau de taureau et s'effondra.

Étrangement, le capitaine fut le premier à le rejoindre. Il se pencha vers le prince tombé au sol, puis se releva d'un bond, très ému. Il voulut crier quelque chose à Laurence, mais il porta aussitôt sa main à sa gorge, et tomba près du taureau, comme s'il avait été touché par l'éclair.

Laurence ne fut pas plus rapide que les autres : ce spectacle l'avait paralysée. La première chose qu'elle vit fut la flèche tirée par une arbalète : elle avait pénétré dans le cou de Malte, avait coupé l'artère et s'était sans doute enfoncée jusque dans la gorge. La mort avait été immédiate.

Trois flèches s'étaient fichées dans la poitrine du Minotaure, aux environs du cœur ; le sang coulait sur la peau de bête. L'aulique voulut se jeter sur lui, mais Angelos, aussitôt accouru, la fit reculer. L'archimandrite ôta prudemment la tête d'animal posée sur les épaules du prince. Puis on souleva sa tête et l'on voulut lui enlever entièrement son masque. Alors seulement, ils découvrirent que deux de ces projectiles mortels s'étaient aussi fichés dans son cou. Les assassins avaient accompli leur travail. Angelos découpa la peau autour de l'impact des flèches. Alors seulement, ils purent ôter la peau de bête et dégager le visage livide de Michel. Il ne respirait plus. Ses yeux, qu'elle avait vus en rêve emplis de tristesse, paraissaient sourire à Laurence. Isaac de Myron prononça la prière des morts, puis, d'une main experte, ferma les paupières du prince défunt.

Laurence ne pleurait pas. Son cauchemar était devenu réalité. Gavin, vêtu du surcot blanc des templiers, sortit de la tente du Despotikos. La croix pattée brillait, rouge sang, sur sa poitrine. Il rejoignit ceux qui pleuraient le mort ou triomphaient, ceux qui affichaient leur indifférence ou leur désespoir.

— Venez, Laurence, dit-il à voix basse. Nous partons !

Elle se leva sans embrasser une dernière fois les lèvres refroidies, sans jeter un regard en arrière, et traversa la prairie avec lui.

Ils quittèrent la Crète le lendemain, sans être inquiétés. Le port de Kastéllion était encore profondément endormi lorsque le voilier de l'Ordre arriva. Ils montèrent à bord et disparurent avec lui.

5. UNE JEUNESSE EN OCCITANIE

L'épreuve du feu

La dernière lame bondit dans un mugissement rauque au-dessus du pont du voilier rapide, se mua en écume blanche et retomba, épuisée. Ensuite, la tempête de novembre quitta le golfe du Lion, s'apaisa et remonta la côte catalane. Gavin, dont le surcot blanc trempé collait à l'armure, se dirigea d'un pas encore incertain vers le mât et dénoua la corde avec laquelle il avait assuré la sécurité de Laurence. Elle secoua sa crinière imbibée d'eau de mer, toujours furieuse de n'avoir pas pu librement défier les vagues, comme l'avait fait le jeune templier.

— Vous pouvez oublier Marseille ! lui lança-t-elle. Le vent nous a déjà fait franchir les marécages de la Camargue.

— Cela n'a pas d'importance. Le prochain port est celui de Narbonne. Nous pourrons en revenir d'ici quelques jours.

— *Vous* le pourrez ! corrigea Laurence. Pour ma part, j'ai l'intention de rester dans le Languedoc.

— Mais votre mère vous attend à...

— Cela ne fait que me renforcer dans ma décision, l'interrompit une fois encore Laurence. Je compte réserver une bonne surprise à ma marraine Esclarmonde.

Gavin avait compris que chacune de ses objections se briserait contre la tête dure de la jeune Belgrave. Mais sa volonté de la protéger était plus forte que tout.

— Vous comptez vous frayer un chemin toute seule jusqu'à Foix, à travers les maquis montagneux des Corbières ?

— Je ne me laisserai pas encorder une deuxième fois pour vous sauver d'un sinistre tas de pierres percé de petits trous !

— Je pensais que nous avions un accord, répondit Gavin, l'air sombre : plus un mot sur la Crète !

— Cela concernait surtout la paix de *mon* âme !

Laurence n'avait pas songé qu'il puisse être gêné par la situation où il s'était retrouvé sur l'île, par la faute de la jeune femme.

— Comment pouvais-je deviner que votre Ordre vous causerait des difficultés ?

— Il peut en tout cas m'en faire suffisamment pour que je ne puisse vous escorter jusqu'à Foix. (Cette idée semblait le peiner beaucoup.) L'Ordre n'aime pas que l'on prenne des initiatives.

— Loué soit votre grand maître, qui porte sur vous un regard si rigoureux, mon noble chevalier et sauveur, répliqua-t-elle. Je ne songeais pas à entreprendre ce long parcours à pied, ni sans protection.

— Alors permettez-moi au moins de demander à notre commanderie locale une escorte à votre intention. Après tout, la comtesse de Foix est aussi ma marraine et me tirerait les oreilles si...

— Ne vous faites pas de souci, Gavin. Vous n'êtes pas près de me retrouver dans une situation aussi agaçante que celle d'où vous m'avez fait sortir.

— Votre humeur d'ours me paraît être la meilleure cuirasse contre ce type de mésaventures. J'aimerais avoir la peau aussi épaisse !

— Vos comparaisons ne sont pas d'une grande galanterie, chevalier !

Laurence donna à sa réplique une petite note joyeuse. Gavin avait raison. Dieu sait qu'elle n'avait aucune prétention à être traitée comme une dame. Et il n'était pas son chevalier servant.

Ab l'alen tir vas me l'aire
Qu'eu sen venir e Proensa,
Tot quant es de lai m'agensa

Le navire sérieusement malmené — la grand-voile était en loques — s'approcha lentement des contreforts de la riche ville, derrière lesquels se dissimulait un port bien abrité.

Si que, quan n'aug ben retraire,
ieu m'o escout en rizen
e-n deman per un mot cen :
tan m'es bel quand n'aug ben dire.

La perspective imminente de retrouver le sol ferme sous ses pieds réjouissait Laurence : les vagues étaient encore hautes, et le voilier se balançait sur la route.

— Voilà donc notre deuxième traversée commune qui s'achève, mon bon Gavin, dit-elle, conciliante, en lui posant une main sur le bras. La dernière fois, la barque a chaviré, et vous vous êtes retrouvé dans l'eau.

— C'était il y a plus d'un an, se rappela le jeune templier.

— Comment s'appelait votre jeune petite épouse qui s'est noyée dans l'aventure ? insista Laurence.

— Josépha, répondit Gavin avec un sourire supérieur. Et elle ne s'est pas du tout noyée ! La petite a avancé à travers les flots comme un dauphin. C'est elle qui m'a tenu la tête hors de l'eau jusqu'à ce que nous soyons sauvés par un pêcheur. Elle l'a d'ailleurs épousé ensuite.

Les voiliers rapides des templiers étaient redoutés pour leurs entrées tapageuses, toutes voiles dehors, dans n'importe quel port. Mais il ne restait pas plus, cette fois-ci, de leur arrogance que de la voile à la croix pattée. C'est honteusement, avec l'aide des rames, que la fierté de l'Ordre se dirigeait à présent du môle de Narbonne. Des curieux observaient le commandeur avec un malin plaisir. Peu après, une délégation de l'Ordre arriva dans le port. C'est à eux que Gavin remit sa protégée, malgré ses protestations virulentes.

— Je ne suis plus une enfant ! lança Laurence à son templier trop prévenant, assez fort pour que les autres chevaliers puissent l'entendre.

Gavin ne se départit pas de son calme.

— C'est précisément pour cette raison qu'il vous faut la protection de chevaliers ! Vous êtes devenue une beauté tellement remarquable, Laurence, que certaines mains avides pourraient désormais se dresser vers vous. Vous ne pouvez faire confiance qu'aux chevaliers de l'Ordre !

Laurence était déjà à cheval. Elle se pencha vers Gavin et, cette fois, soupira :

— Dois-je me fier à votre morgue légendaire ? Ou à votre serment de chasteté ?

Elle lui ricana à la face et lui déposa, en un éclair, un baiser sur l'oreille.

Après des journées de chevauchée, ils aperçurent enfin le château de Foix, tout en haut d'un piton rocheux, au milieu de l'ancienne capitale du comté. À la tête de son escorte, Laurence monta en galopant les ruelles qui serpentaient jusqu'au portail ; les templiers ne se laissèrent pas priver du plaisir de l'accompagner jusqu'à son but. Même dans ces passages tortueux, Laurence ne parvint pas à les semer. La cavalcade arriva ainsi devant les portes à une telle vitesse que les cavaliers, effrayés, firent un bond en arrière.

Dès leur entrée dans la cour de la citadelle, ils se heurtèrent à une troupe de chevaliers supérieure en nombre. Tous les seigneurs dont le nom avait quelque valeur dans le Languedoc, soit comme trouvères, soit comme combattants intrépides, s'étaient mis en selle et offraient un tableau magnifique. Laurence aperçut aussitôt la femme qu'elle cherchait : c'était sa marraine, la fameuse Esclarmonde. La comtesse de Foix, sur qui les années commençaient à peser, recevait justement l'hommage de ses chevaliers, assise sur un palefroi. Même si elle le montait en amazone, retenue par deux pages, sa silhouette fragile imposait le respect. Même le sergent des templiers, qui avait attaché les brides de son cheval à côté de Laurence, ne put dissimuler une certaine admiration.

— Voilà une bien grande hérétique devant l'Éternel ! marmonna-t-il à son voisin. Mais c'était une digne gardienne du Graal !

Esclarmonde venait de découvrir sa filleule parmi les templiers, auxquels elle n'accorda pas un regard.

— J'espère que tu n'es pas fatiguée, dit-elle d'un ton léger. Nous partons pour Montréal, afin d'y assister à une épreuve du feu à laquelle nous a conviés l'Église du pape romain.

Mais la robuste femme finit par manifester un peu de compassion pour la jeune cavalière.

— Si tu veux t'épargner ce jeu épouvantable, ou si tu es trop épuisée pour faire le voyage, tu peux aussi rester...

— N'offensez pas une Belgrave ! répondit brutalement Laurence. J'ai l'habitude de regarder la mort droit dans les yeux — et aucun sommeil ne m'en privera !

Laurence bouillait d'énervement. Elle ne put réprimer un bâillement : la nature réclamait son droit. Après avoir laborieusement contourné Carcassonne, une ville hostile aux templiers, ils avaient traversé, la veille, ce « nid d'hérétiques » qu'était Montréal. La réputation d'hérésie qui s'attachait à ce bourg était manifestement telle que les templiers avaient rigoureusement refusé d'y passer la nuit. Ils s'étaient donc traînés jusqu'au monastère de Fanjeaux, dont des moines mendiants venus d'Espagne avaient fait leur siège principal, le point de départ de leur combat contre l'hérésie dans le Languedoc. Ils portaient le nom de leur chef, un certain Dominicus Guzman de Calaguera ; et ces dominicains n'avaient pas bonne réputation dans la population.

— Racaille ! jura Laurence en songeant à ces mendiants qui les avaient fait dormir sur de la paille puante et manger dans des écuelles crasseuses qu'ils avaient dû se partager.

L'écœurement que ressentait Laurence n'était pas aussi puissant que la lassitude qui s'emparait d'elle tout d'un coup, plus puissante que sa volonté de prouver son endurance. Le sergent du Temple parvint tout juste à la rattraper lorsqu'elle bascula de sa selle, raide comme un piquet.

La comtesse de Foix ne réfléchit pas longtemps. Laisser Laurence à Foix présentait des risques évidents — c'était elle qui avait la responsabilité de la jeune fille. Elle envoya donc chercher une litière au plus vite et emmena avec elle la jeune femme, qui dormait comme une pierre. Elle-même souhaitait se montrer au peuple à cheval, aussi pénible que cela puisse être pour elle.

Laurence ne se réveilla pas non plus au moment où Esclarmonde ordonna la première halte, en atteignant la puissante tour de Pamiers. Elle fit encercler de près le donjon, comme s'il s'agissait d'en déloger un ennemi. Mais la porte située en haut, dans le mur, s'ouvrit peu de temps après, et un vieil homme aux cheveux gris, portant l'*alva*, l'aube des cathares, qui descendait jusqu'à la cheville, leur fit descendre une échelle. Une bonne partie des chevaliers ôtèrent alors leur casque ; des cours voisines, on vit arriver à grands pas des femmes de tous les âges, vêtues elles aussi de blanc, mais parées de bijoux de fête. Elles entourèrent le *perfectus* et firent mine de se rallier au cortège. Mais Esclarmonde, avec une amabilité énergique, désigna à son hôte une place dans la chaise à porteurs. Et la petite troupe repartit au trot.

Arrivée à la hauteur de Fanjeaux, Laurence était certes sortie des abysses où l'avait plongée son profond sommeil, mais elle n'avait encore nullement l'intention de s'éveiller. Elle entendit, sans faire de commentaires, son vieil accompagnateur se présenter devant elle comme le « bonhomme ». Devant le monastère, qu'elle reconnut vite, les moines sales étaient sortis et observaient le défilé des chevaliers, le regard sombre. S'arrêter pour eux ne seyait pas à une comtesse de Foix. Les frères pauvres de Dominicus, le combattant de Dieu, rejoignirent donc le cortège à son extrémité, là où marchaient les femmes, qui étaient d'ailleurs toutes des hérétiques.

Après plusieurs heures de chevauchée, tous — les représentants de l'*Ecclesia catholica*, seule et unique, et de l'hérésie maudite, mais aussi tous ceux qui, hors de souffle, avaient dû courir derrière le cortège — atteignirent les murs de la ville forte de Montréal, située à mi-chemin entre le monastère des moines mendiants et la capitale, Carcassonne. Aux yeux des cathares, le siège du noble Trencavel était un havre et un refuge pour tous les partisans du Graal, et un symbole de salut de la *Gleyiza d'amor*, l'Église d'amour occitane. C'est ce que le *perfectus* aux cheveux gris — dont le rang et, surtout, la fonction correspondaient à ceux d'un prêtre catholique — avait expliqué dans la pénombre de la litière à ses compagnons de voyage, dont la curiosité était désormais éveillée.

— Et l'épreuve du feu, voulut savoir Laurence, avec un brin d'épouvante. Vous ne vous brûlez pas les pieds ?

Le vieil homme sourit avec douceur.

— Celui qui a peur, celui qui hésite, les charbons ardents lui roussissent la plante des pieds ; on le sent tout de suite.

— Et vous, vous n'avez pas peur ? demanda Laurence, toujours incrédule. Et pourtant, vous êtes la chair de la chair...

— Celui qui écarte la peur de la mort découvre l'indifférence et l'intrépidité.

Laurence, dans la pénombre, tenta de jeter un regard sur les pieds du vieil homme. Il avait forcément un truc.

— Traverser à grands pas les tronçons de voie appartenant au démiurge, le paradis devant les yeux, et mes pieds pleurent des larmes de bonheur !

Ce furent les seuls mots que ce magicien accepta de livrer sur ses mystères, en chuchotant.

Lui avait-il fait signe ? Laurence souleva le rideau et regarda à l'extérieur. Ils étaient certainement déjà arrivés dans la cour du château de Montréal. Elle vit un rectangle entouré de pierres, mesurant deux fois la taille d'un homme, d'où sortait de la fumée et qui dégageait des étincelles lorsque les charbonniers chargés de la préparation aéraient ce bain de pieds incandescent avec des branchages de sapin vert. Derrière, sur l'une des longueurs, avaient pris place les moines de Fanjeaux. Mais des prêtres et de hauts dignitaires s'étaient eux aussi placés avec leur escorte dans le camp de l'Église. Laurence ne se rappela pas tout de suite où elle avait déjà rencontré le légat pontifical qui descendait justement de sa litière.

— Pierre de Castelnau ! murmura à côté d'elle le vieux *perfectus*.

Une nuance de mépris s'était mêlée à sa voix. Laurence se rappela les yeux de chien qui, au tournoi de Fontenay, avait mendié que l'on s'occupe de lui. À l'époque, cet homme de bonne allure s'était encore présenté comme un simple missionnaire, en compagnie de son hideux novice. Mais, cette fois, il portait les insignes du pape. Laurence, captivée, regarda le légat choisir d'un geste un moine maigre comme un clou et proclamer d'une voix forte :

— C'est à notre frère Étienne de la Miséricorde que revient l'inestimable mérite de défendre l'honneur de la Sainte Vierge !

Les moines se mirent alors à jubiler en criant un « alléluia » sans fin, tandis que messire le légat attirait l'élu sur le côté pour l'encourager.

— Cet Étienne est une véritable incarnation de la misère errante ! fit, moqueur, le *perfectus* aux cheveux blancs qui se tenait à côté de Laurence.

— S'il ne fait pas dans sa culotte avant l'épreuve, répondit Laurence, cela va sentir le roussi.

— Je ne le lui souhaite pas, la rabroua le vieil homme. Ces prétendus jugements de Dieu ne prouvent rien, si ce n'est que le candidat sait se maîtriser. En appeler pour autant à Dieu est un blasphème ! Et cela montre une fois de plus à quel niveau de bassesse est tombée l'Église de Rome.

— Et pourquoi les « purs » se soumettent-ils à cette épreuve de courage absurde ? protesta Laurence. À moins que vous ne connaissiez pas le blasphème, vous autres, les cathares ?

— Cela ne nous touche pas plus que le reste de ce qui se passe sur cette terre. Mais tant que nous errons en ce monde, nous souhaitons que ce pape et ses sbires nous laissent en paix. Nous leur indiquons donc le chemin de l'esprit...

— ... et vous leur imposez votre supériorité !

Le vieil homme ne se laissa pas provoquer.

— Je traverse le feu au nom d'un Dieu supérieur. À chaque pas, je m'éloigne des serviteurs de Rome et je me rapproche de l'objectif de mon âme immortelle, le paradis, pour l'unir de nouveau à l'essence divine.

— Je vois, se moqua Laurence. Le premier le fait pour la gloire de l'Immaculée, l'autre pratique cela comme une purification de l'âme. On verra bien qui est le meilleur...

— Le plus faible, la corrigea l'homme aux cheveux blancs. Dans le meilleur des cas !

Un chevalier approcha de la litière. Il avait le visage brûlé par le soleil, deux cicatrices sur le front et la joue, de celles que provoquent des lames affûtées au combat. Elles lui vont bien, jugea Laurence ; et elle regarda ses yeux sombres avec espoir.

— Je suis Aimery de Montréal, annonça une rude voix qui pénétra pourtant Laurence d'un délicieux frisson. Je suis le maître de ces lieux où vous, précieux Maurus — il s'adressait au *perfectus* après avoir à peine balayé Laurence du regard —, renforcerez le courage de l'escorte du Paraclet en remettant à leur place, grâce à votre savoir secret, les gueulards de Rome.

Flammis ne urar succensus
Per te, Virgo

Il désigna d'un geste méprisant les moines de Fanjeaux, qui chantaient à présent d'un air de défi de l'autre côté du bassin aux charbons ardents. Ils avaient choisi un hymne bien connu à Marie.

Sim defensus
In die iudicii

Aimery de Montréal offrit courtoisement son bras à l'homme aux cheveux blancs, et le souleva de la litière. De l'autre côté, l'apparition du Perfectus transforma le chant en cri de liesse ; les frères mendiants avancèrent sans cacher leur curiosité. Sur un signe d'Aimery, les chauffeurs projetèrent dans leur direction des braises et de la fumée, à grands coups de balais de sapin. Et les moines reculèrent.

Aimery éclata de rire. Alors seulement, il se tourna vraiment vers Laurence, restée, furieuse, dans sa chaise à porteurs.

— Si vous voulez assister au spectacle de près, belle dame, vous devriez rejoindre Esclarmonde. Il n'y a pas de place ici pour une litière

Mais ce grossier merle ne fit pas le moindre geste pour l'aider à descendre.

Au même instant, Pierre de Castelnau les rejoignit. Laurence sauta aux pieds du légat, qui dut la retenir dans ses bras. Sans montrer une once d'embarras, il y garda Laurence plus longtemps que cela n'aurait été nécessaire.

— Vous ne devriez pas chauffer inutilement le chemin de la vérité, annonça-t-il au maître du château en désignant les charbons ardents. Notre homme est familier du feu de l'enfer. Tel ne doit pas être le cas de votre *perfectus*, puisque les cathares nient l'existence d'un lieu de ce type.

Aimery vit soudain un rival dans cet homme qui souhaitait manifestement en découdre, ce religieux en habit noir qui tenait dans ses bras une jeune femme rousse. Il posa ses yeux sur Laurence, avec un air de défi.

— C'est vrai, Monsignore, les purs n'apprennent à connaître les flammes de Satan qu'une fois montés sur vos bûchers. Mais vous, vous serrez cette jeune femme sans nécessité contre votre poitrine, suivant uniquement les pulsions de votre chair.

Laurence se mit en colère.

— La chaleur vous monte à la tête, mes seigneurs !

Et elle courut rejoindre les femmes qui entouraient Esclarmonde.

— Prenez-vous un pari, Aimery ? demanda le légat en suivant Laurence des yeux, amusé. À celui des marcheurs qui l'emportera reviendra aussi la *probatio primae noctis ?*

Le maître du château réagit froidement.

— Vous êtes plus dépravé qu'il ne revient à un homme d'Église, Pierre de Castelnau ! Appelez votre Miséricorde et laissons ce miracle corrompu se dérouler avant que je ne regrette définitivement de vous avoir accordé l'hospitalité !

Le légat éclata d'un rire narquois.

— La nécessité de tolérer les hommes aux robes noires sera l'une des peines légères qui vous seront infligées, à vous, les cathares. Un jour qui n'est pas si éloigné, à vous brûlerez aussi !

Il ne laissa pas à Aimery le temps de répondre :

— Les deux hommes mis à l'épreuve entreront ensemble, depuis les extrémités opposées, sur le lit de charbon. Celui qui, le premier, aura accompli son parcours sera proclamé vainqueur.

— Il vous est interdit de vous toucher l'un l'autre lorsque, si Dieu le veut, vos chemins se croiseront au milieu, compléta le maître des lieux avec agacement. Celui qui fera ne serait-ce qu'un pas à côté des braises aura déjà avoué son échec.

Les moines entonnèrent un nouveau chant :

Dies irae, dies illa
Solvet saeculum in favilla...

Ils s'approchèrent à nouveau de l'une des longueurs du bac ; mais on avait tendu, entre-temps, devant eux une corde ornée de fanions de couleurs, semblable à celles que l'on utilisait pour les tournois de fête. Le légat pontifical et la comtesse de Foix prirent place à chaque extrémité. Ses chevaliers, Aimery de Montréal en leur milieu, s'installèrent le long du parcours, face à la meute en haillons de Fanjeaux.

Étienne de la Miséricorde, plongé dans la prière et accompagné par deux de ses frères, avança jusqu'au côté présidé par Esclarmonde, sans accorder le moindre regard aux dames. Il ôta ses sandales et attendit que le *perfectus* se soit présenté de l'autre côté. Le vieux Maurus s'inclina de tous les côtés, y compris en direction de Pierre de Castelnau, avant de tendre la paume de ses mains, au-dessus de sa tête, vers le soleil qui venait de percer les nuages.

Le châtelain fit signe aux musiciens, qui soufflèrent dans leur corne à trois reprises. La dernière note avait à peine fini de sonner lorsque Étienne sauta, en soulevant sa bure, sur le sentier incandescent. Il bondissait littéralement d'une jambe sur l'autre, et le spectacle eut été comique si ses frères ne l'avaient encouragé par leurs applaudissements et leurs sifflets sur le chemin brûlant de Dieu. Le vieux Maurus, lui, marchait tête haute sur la braise, comme s'il était Jésus marchant sur l'eau.

Les deux adversaires s'approchèrent ainsi du milieu du bac ; le silence revint peu à peu : la plupart des spectateurs attendaient à présent de voir comment allait se présenter ce passage critique, et qui franchirait la ligne le premier. Il y avait suffisamment de place pour passer l'un devant l'autre. Mais les sauts imprévisibles du moine constituaient un danger visible de tous, même s'il était clair qu'Étienne, s'il devait heurter le cathare, serait le perdant de cette course.

Ils n'étaient plus désormais qu'à quelques pas l'un de l'autre, et Maurus avait déjà parcouru la moitié du trajet. Étienne semblait endurer d'effroyables souffrances. Il se mit à tituber, on aurait juré qu'il allait s'effondrer. Alors, Maurus arrêta sa marche assurée pour recueillir le moine dans ses bras. Mais Étienne le laissa attraper le vide en riant, tourna devant lui comme un derviche et poursuivit son chemin en bondissant. L'interruption de son mouvement régulier ne coûta pas seulement la victoire à Maurus : des flammes s'élevèrent autour de lui, l'odeur de la chair brûlée se mêla à la fumée. Il s'effondra et tomba dans la braise, le visage en avant.

Laurence avait été la première à hurler de terreur. Les chevaliers, Aimery en tête, attrapèrent le corps en flammes, le tirèrent du parcours, jetèrent leurs manteaux sur l'homme qui se tortillait sans dire un mot et étouffèrent les flammes. Tout cela se déroula sous les braillements des moines, qui avaient accueilli Étienne de la Miséricorde au bout de sa course. Ils le portèrent en triomphe sur leurs épaules, passèrent devant Esclarmonde et les femmes livides, muettes d'effroi.

Laurence fut la seule à bondir.

— Misérable escroc de la compassion ! s'écria-t-elle. Le diable viendra te chercher !

Les moines ne firent pas attention à sa colère : ils déposèrent leur frère roublard à l'autre extrémité, devant le légat pontifical qui bénit et embrassa le héros. Puis ils s'en allèrent avec lui comme en une procession, en reprenant à tue-tête leur hymne à la Vierge, pour célébrer leur victoire :

Tuba, mirum spargens sonum
Per sepulcra regionum
Coget omnes ante thronum

Le lendemain matin, Laurence se leva de bonne heure, comme elle en avait pris l'habitude depuis Ferouche. Elle avait à peine fermé un œil : pendant la nuit, une fois de plus, quelqu'un avait tenté d'ouvrir sa porte verrouillée. Elle avait d'abord cru reconnaître la voix rauque de Pierre de Castelnau, qui l'implorait d'ouvrir en appelant les trois noms du diable. Mais une autre voix s'y était ajoutée ensuite : certainement celle du châtelain qui avait conseillé au légat de cesser de l'importuner. Les deux hommes s'étaient violemment disputés devant sa porte. Mais ensuite, ils s'étaient éloignés tous les deux.

Lorsque Laurence, ensuite, eut enfin trouvé son sommeil, elle fut réveillée par un nouveau bruit. À la lumière d'une bougie, elle vit Aimery debout devant son lit. Elle n'avait aucune envie d'une aventure avec un parfait inconnu, même s'il n'était pas sans lui déplaire. Elle était simplement épuisée, il lui semblait qu'on l'avait battue.

Aimery ne fit aucun geste pour s'approcher d'elle. Il s'assit sur le rebord de sa couche. Laurence vit qu'il avait les larmes aux yeux.

— Vous avez l'oreille de la grande Esclarmonde, dit-il d'une voix tellement triste que Laurence oublia sa fatigue et se redressa. Convainquez-la de faire quelque chose pour notre pays au lieu de provoquer l'Église avec sa fierté implacable. Dieu soit loué, l'humanité de Maurus a été plus forte que sa volonté de triompher sur Rome, laissa-t-il échapper. Mais qu'il s'agisse de gloire vaniteuse ou de défaite infamante, tout cela n'est que de l'eau alimentant les moulins d'un pape en proie à la haine. Et le roi est déjà prêt, à Paris, à reprendre les fonctions de meunier. Entre ces deux puissantes meules, nous allons être broyés !

Laurence était suffisamment éveillée, à présent, pour pouvoir suivre son exposé. Mais elle ne voyait aucune solution possible, et la comtesse de Foix n'en aurait vraisemblablement pas plus à sa disposition.

— Que voulez-vous qu'elle fasse, une vieille femme comme elle ? demanda-t-elle.

Laurence eut honte, tout d'un coup, d'être si jeune et si forte et de ne rien entreprendre.

La silhouette voûtée d'Aimery se redressa. Il se leva et parla.

— La comtesse de Foix devrait favoriser moins ouvertement les menées cathares sur ses terres, mais renforcer de manière visible et efficace la défense du Languedoc, aux yeux de tous ses ennemis !

Laurence réfléchissait.

— Pour ce qui concerne le premier point, Esclarmonde ne peut certainement pas l'accepter, répondit-elle avec conviction. Elle est tout de même la gardienne du Graal !

À cette heure, Laurence ne savait pas du tout ce qu'était le Graal ; mais le châtelain la dispensa d'explications.

— C'est bien cela ! s'exclama-t-il d'une voix inutilement forte. C'est pour la protection du Graal qu'elle doit se battre — et vouloir se battre !

— Je pensais..., répliqua Laurence contre son sentiment, que les purs ne prenaient jamais les armes ?

La colère éclaira alors le visage barré par les cicatrices.

— Esclarmonde doit apprendre à faire la différence entre ses devoirs de comtesse de Foix, qui lui imposent de commander, et le dévouement avec lequel elle pratique la foi des purs. Esclarmonde la servira au mieux si elle appelle et unit la noblesse du pays. Nous sommes disposés à donner nos vies...

— Pourquoi voulez-vous donner vos vies, si ce n'est pour vivre ? répliqua Laurence avec sagesse et ardeur.

Le maître des lieux la regarda, ahuri.

— Ah, vous ne pouvez sans doute pas le comprendre ?

Laurence eut l'impression qu'un rideau noir se fermait devant elle. Lui-même était cathare ! Laurence le comprit, honteuse, au moment où Aimery était déjà sorti en courant de sa chambre. Pour les purs, la vie sur cette terre n'avait aucune signification. Pourquoi auraient-ils dû l'entretenir ?

Laurence se redressa. Elle ne se rendormirait plus désormais. Elle se lava à l'eau froide, puis s'agenouilla pour dire les matines.

Dans la cour du château, elle rencontra Pierre de Castelnau, qui tentait de conclure une dispute avec le seigneur du
château. On avait déjà préparé sa chaise à porteurs, qu'entourait une escorte en armes.

— Le fait que Guilhabert de Castres, votre évêque hérétique, ose pénétrer dans ces lieux, ne serait-ce que de nuit, pendant que le légat de Sa Sainteté le pape Innocent III séjourne
dans vos murs, montre avec quelle impudence l'hérésie dresse
ici sa tête de serpent, comme partout ailleurs.

— Et d'où tenez-vous donc cela ? répliqua fièrement
Aimery.

— J'ai rencontré cette vieille grenouille blanche dans votre
couloir obscur, une rencontre sans témoin, il ne m'a pas
reconnu. J'aurais pu le poignarder. Il m'a demandé dans quelle
chambre reposait le mourant. Je la lui ai indiquée ! ajouta
Pierre, sans pouvoir réprimer un rire convulsif au souvenir de
cette situation absurde. Une grosse grenouille en aube gon-
flante... Grotesque !

Aimery commença par ravaler sa salive.

— Alors vous savez aussi que Maurus a reçu le *consolatum*
avant de succomber à ses blessures.

— Je m'en doutais, figurez-vous, rétorqua le légat. Mais
que vous ayez eu l'impudence d'inhumer le cadavre en terre
sainte, derrière votre chapelle...

— Comptez-vous en empêcher la comtesse de Foix, qui est
le seigneur de Montréal et de tout ce qui s'y trouve, y compris
les grenouilles ?

Aimery savoura la rage impuissante du légat.

— L'anathème vous est déjà garanti, Aimery de Montréal.
Mais je vous le dis, d'ici un an ou deux, les ossements de cet
hérétique ne reposeront plus ici. Ils seront dispersés à tous les
vents, mêlés à la cendre de ceux que vous avez guidés dans
l'erreur !

— Quittez-nous, à présent ! laissa échapper le châtelain en
grinçant des dents.

Le légat se courba gracieusement devant Laurence et
monta dans sa litière.

— Aimery ! cria-t-il encore depuis son siège. Vous ne
devriez pas souhaiter que l'Église vous abandonne. Vous feriez
mieux de vous repentir et de faire la paix avec elle... Avant qu'il
ne soit trop tard !

Il fit un signe à son escorte, et le convoi se mit en route.

Laurence vit avec effroi Aimery se pencher et brandir la première pierre qu'il avait trouvée. Il la rejeta au sol en fulminant.

Lorsqu'elles repartirent ensemble pour Foix, Laurence eut l'impression que sa marraine avait vieilli de plusieurs années. Cette fois, Esclarmonde sembla décidée à s'installer seule dans la litière. Laurence s'imagina aussitôt qu'elle allait pouvoir chevaucher sur son palefroi et montrer ses tours de voltige aux chevaliers. Il n'en fut rien : elle passa en fait tout le trajet à cheval, à côté de la chaise à porteurs, même lorsque la comtesse, épuisée, semblait sommeiller — ce qui n'était le plus souvent qu'une apparence.

— J'aurais dû t'épargner ce spectacle lamentable, mon enfant, finit par dire Esclarmonde à Laurence, après qu'elles eurent parcouru un long trajet en respectant un silence oppressant.

Laurence profita de l'occasion pour s'acquitter d'une tâche qui lui brûlait les lèvres depuis son arrivée à Foix : une déclaration sur l'échec de sa mission en Crète. Contrite, elle tenta de s'excuser, non pas pour s'être engagée dans cette histoire avec le malheureux Montferrat et n'avoir fait preuve d'habileté qu'en détruisant ce tendre lien, mais pour la lettre dans laquelle elle avait proclamé avant l'heure son prétendu succès.

— J'ai accumulé sur moi tant de péchés, je mérite des leçons bien plus dures que d'être contrainte à assister, impuissante, à la mort du pauvre Maurus, conclut-elle.

Esclarmonde ferma les yeux et observa la cavalière de son regard pénétrant.

— Tu as été autorisée à assister à l'ultime démarche bienfaisante d'un *perfectus* qui est entré au Paradis. Il n'y a là rien que l'on puisse regretter. Mais pour ce qui concerne ton échec en Crète, il ne t'est sans doute pas encore donné d'orienter tes pas de telle sorte que ce ne soient pas d'autres qui paient pour tes fautes. L'Église se moque de qui elle touche, pourvu qu'elle atteigne son objectif : parer une nouvelle agression contre la structure de son pouvoir. (Elle tenta de prendre l'air plus doux en voyant le regard consterné de sa filleule.) Un jour, elle tombera. Les gouttes constantes et régulières sapent aussi la roche sur laquelle on l'a injustement construite.

Laurence déglutit en comprenant que, dans l'esprit de sa marraine, elle aussi faisait partie des gouttes. Mais l'image de l'eau sapant la pierre lui parut ensuite un bon modèle pour ses propres efforts. Cela lui sembla moins être une mission d'Aimery de Montréal que le legs du cathare défunt.

— Pourquoi ne contentez-vous pas l'*Ecclesia catholica* avec quelques détails extérieurs qui suffiraient à la rendre heureuse ? demanda-t-elle sérieusement à la vieille dame, qui parut légèrement indignée, mais la laissa continuer. Tout ce que Rome ne voit pas volontiers, elle le négligera sans doute, *nolens volens*. Mais un enterrement chrétien pour un...

— Je te prie de bien vouloir noter, Laurence, que nous autres, les cathares, nous sommes aussi des chrétiens. Mais plus purs.

— Mais cela vous gratte tellement sous le nez que vous en êtes chaque jour un peu plus enrhumés.

— Et quelles sont selon toi, mon enfant, les caractéristiques du mouvement cathare ? Il est né d'une conception supérieure, à laquelle tu seras initiée lorsque tu t'en seras montrée digne. Le seul fait que la semence soit tombée ici, en Occitanie, sur un sol particulièrement fécond — préparé par le druidisme traditionnel des Celtes, la connaissance de la Torah et les doctrines secrètes des ismaéliens — ne suffit pas encore à expliquer sa propagation. La générosité avec laquelle nous, les princes de cette terre, avons laissé le champ libre à tous les mouvements spirituels a certes produit les plus belles fleurs de la spiritualité. Mais elle n'est nullement le sol sur lequel le peuple, en légions lumineuses, et des villes entières avec leur évêque marchent vers cette Église que l'on dit hérétique ! Pourquoi même les gens simples tournent-ils le dos à Rome ? N'est-ce pas d'abord par dégoût du faste et de la pompe séculière avec laquelle l'Église de Pierre s'est proclamée unique héritière de la doctrine de Jésus de Nazareth ? Elle la falsifie, la réprime, la souille... (Malgré son épuisement, Esclarmonde s'était redressée dans sa litière.) Les paroles du maître ont été transmises, mais qui prend la peine d'y conformer sa vie ? Pis encore : ceux qui se soumettent rigoureusement à ses commandements sont chassés comme des voleurs. Le renoncement et la spiritualité sont persécutés comme de vulgaires crimes. L'amour du prochain est devenu un délit !

— Donnez à l'Église une chance de s'améliorer, osa objecter Laurence.

— Elle l'a eue depuis plus de mille ans ! Mais elle ne cesse d'empirer, parce qu'elle est adepte du faux dieu, du démiurge qui aveugle les hommes de son éclat pour qu'ils ne reconnaissent pas sa véritable nature. L'Église est vouée au diable, et ce depuis sa fondation. Elle n'a rien à voir avec le Paraclet, le sauveur !

— Affrontez-la donc par la force de l'épée !

Esclarmonde fit signe à Laurence de se rapprocher.

— Ce serait justement l'erreur. Nous nous assimilerions à elle si nous prenions une arme en main. Qui donc, à ton avis, forge le fer de ce monde ?

Laurence comprenait bien son raisonnement, mais il contredisait son tempérament.

— Rome vous anéantira !

— Dieu sait que le Graal existera plus longtemps que les mensonges chimériques des apôtres. Il survivra aussi à cette iniquité. Pendant un moment, il échappera à ses ennemis. Mais il ne disparaîtra jamais de la vie de l'humanité, car il incarne le message secret de l'amour, de l'amour de Dieu.

Cette idée plongea Laurence dans la confusion, même si elle devinait combien elle pouvait être grande. Mais elle aimait les coups d'échecs simples.

— Les cathares sont-ils donc voués à disparaître, puisque vous ne voulez pas vous défendre ?

— Pour nous, partisans de la *Gleyiza d'amor*, la fin de l'existence terrestre ne se présente pas comme une catastrophe. Nous savons où nous allons. J'ai peine pour ceux qui nous ont aidés et ont tenté de nous protéger. Ils se battront, et ils perdront. Leur liberté, leur pays et leur vie !

— Nul ne peut vous sauver ? demanda Laurence avec effroi.

— Pour eux aussi, le seul salut est la juste démarche. Maintenant, accorde-moi un peu de repos, Laurence, conclut la vieille dame en changeant brusquement de ton et en s'adossant, épuisée, contre les coussins.

Laurence avait suffisamment à faire pour classer ce qu'elle avait appris. Il lui semblait qu'Esclarmonde avait ouvert une porte en elle. Un portail, même, aussi grand que celui d'une mystérieuse cathédrale où elle n'osait pas encore entrer.

Ils avaient contourné Fanjeaux, qui se situait sur le trajet, même si plusieurs chevaliers brûlaient de tanner la peau de ces moines insolents, de griller leurs bures puantes et d'enfumer leur trou de souris. Mais Aimery, qui avait escorté jusqu'ici la comtesse dont il était le vassal, sut les dissuader. Le seigneur de Montréal n'avait plus adressé un mot à Laurence depuis l'épisode de la nuit ; il évitait aussi ses regards, ce qui n'était pas du tout dans sa manière. Mais au moment de partir, il la détourna habilement de la litière en voyant qu'Esclarmonde s'était aussitôt rendormie. Laurence se laissa faire.

— Je place mes espoirs en vous, commença-t-il.

Mais elle se pencha rapidement vers lui et lui offrit ses lèvres. Le baiser fut bref, et salé, car Aimery avait rudement chevauché, tournant autour de son troupeau de loups, pour éviter qu'ils ne s'abattent sur la bergerie.

— Gardez mon image comme bannière de votre fierté ! lui lança-t-elle lorsqu'il se fut éloigné d'un mouvement brusque. Au cas où nous ne nous reverrions plus !

Elle fit signe au chevalier qui s'éloignait. Mais Aimery ne se retourna plus.

Lancan vei la folha
Jos del aibres chazer,
Cui que pes ni dolha,
A me deu bo saber.

Le fier cortège des chevaliers occitans passa cette fois sous les murs de Mirepoix, où régnait un neveu d'Esclarmonde. Il ne se présenta cependant pas pour la saluer : on affirma qu'il s'était rendu à Carcassonne pour s'y entretenir avec le jeune Trencavel, qui était lui aussi un neveu de la comtesse de Foix, et le plus proche de son cœur. Elle l'appelait fièrement son Perceval, « taille au milieu », et elle avait si souvent parlé de lui à Laurence en termes exaltés que la jeune femme se demandait si sa marraine ne voulait pas jouer les marieuses.

Derrière Mirepoix, Esclarmonde tourna brusquement vers le sud. Elle avait envie de voir la montagne sur laquelle elle espérait accomplir le pas vers le paradis, après avoir reçu le *consolamentum* des mains du vieux prêtre Guilhabert de Castres. Elle sentait sa fin venir et aspirait à retrouver Montségur. Depuis deux années, elle faisait renforcer la citadelle plantée au sommet du piton rocheux, non point pour s'y faire édifier un tombeau imposant, mais pour que le château serve d'ultime refuge à ses frères et à ses sœurs lorsque la persécution ne laisserait plus d'autre issue. Et puis Esclarmonde avait hâte de montrer ce lieu, même de loin, à sa filleule. Mais elle ne laissa rien paraître de son intention.

En dessous d'un nid rocheux qui portait le nom de Laroque d'Olmès, la comtesse se sépara du gros de ses chevaliers ; elle en envoya une partie en éclaireurs, à Foix, une autre vers ses châteaux des environs. Une atmosphère pesante régnait lorsqu'ils se séparèrent. Foix n'était plus loin ; la comtesse ne garda donc autour d'elle que le cercle étroit des seigneurs qui servaient à sa cour.

— Je compte aller rendre une visite à une amie.

Esclarmonde dirigea le regard de Laurence vers les maisons collées sur la paroi rocheuse.

— Alazais d'Estrombèze est veuve. Elle élève seule son fils.

Au moins, ça ne sera pas une candidate au mariage, songea Laurence, qui pensait toujours au vigoureux Aimery de Montréal.

— J'attends que la douce nature d'Alazais et sa chaleureuse féminité exercent une influence bienfaisante sur la fille de Livia, qui aurait préféré venir au monde sous les traits du fils de Lionel de Belgrave !

Avec Esclarmonde, Laurence ne savait jamais vraiment si elle plaisantait ou si elle exprimait une intention sérieuse. En tout cas, elle lui avait ôté toute joie à l'idée de rencontrer cette veuve.

Esclarmonde invita Laurence à venir s'asseoir avec elle dans la litière. La vieille et la jeune femme ne se parlèrent pas. Elles atteignirent ainsi, en montant difficilement les sentiers abrupts, l'amas de maisons de pierre qui, formant un cercle, ressemblaient à un château. Laroque n'avait besoin ni de murs, ni de tours : les nez rocheux tranchants et les falaises à pic en tenaient lieu. Une très profonde ravine bloquait totalement l'accès.

Mais les gardiens reconnurent aussitôt la comtesse de Foix. C'étaient des femmes. Elles firent descendre le pont-levis qu'on ne pouvait traverser qu'à pied. Esclarmondé ordonna à son escorte d'attendre de ce côté de la ravine, et franchit la passerelle vacillante, accompagnée par la seule Laurence.

De l'autre côté, une jeune femme les attendait. Laurence oublia aussitôt ses préjugés. Elle ne se serait pas attendue à rencontrer pareille beauté dans cette montagne déserte. Alazais était de haute stature et avait une chevelure blond d'or. Ses boucles foisonnantes auréolaient son fin visage comme une gerbe de rayons solaires, sa silhouette mince était enveloppée d'une tunique presque translucide en mousseline écrue, qui ne dissimulait nullement ses attraits. Alazais la portait pourtant avec la dignité d'une prêtresse. Ses yeux rayonnants, ses lèvres brillantes, sa peau blanche comme neige semblaient offerts à la seule Laurence, même si elle embrassa Esclarmonde en premier.

Laurence sentit la fièvre qui montait en elle à l'idée de toucher cette fée. Elle baissa la tête, confuse, craignant que le rouge qui lui venait aux joues ne puisse la trahir. Esclarmonde la tourmenta : elle ne relâcha pas l'inconnue, mais resta dans les bras de son amie jusqu'à ce qu'un gamin accoure de la maison voisine. Il paraissait dix ou onze ans, mais il pouvait tout à fait être plus jeune ; c'était sans doute le fils de la veuve, à laquelle Laurence prêtait une petite trentaine d'années, en se fiant aux petites rides de son visage et aux fines articulations de ses mains.

Le charme était rompu lorsque la comtesse de Foix condescendit enfin à présenter Laurence. On s'embrassa fugitivement sur les joues. L'enfant sans âge s'appelait Raoul.

— Ma mère est un rêve, dit l'enfant après l'avoir longuement observée. Et mon père, un rêveur !

— Je croyais, dit Laurence en s'efforçant de déguiser sa curiosité en compassion, que ton père n'était plus de ce monde ?

Ce fut alors au tour de l'enfant de paraître étonné :

— Mon père n'est pas mon père, et il est encore tout à fait vivant... pour ce que nous en savons.

— Tiens, tiens ! fit Laurence

— Je ne puis même pas porter son nom, ajouta Raoul sans regret visible. Car le chevalier en change comme de chemise !

— Le chevalier ? laissa échapper Laurence. Ça n'est tout de même pas le Chevalier du Mont-Sion ?

— Allons bon ! constata, l'air sévère, cet enfant précoce. Tu connais donc cet aventurier irresponsable ? (Il attendit le hochement de tête de la rouquine, puis lui ôta sa main.) Tu en es une aussi !

Cette fois, Raoul parut seulement chagriné. Laurence lui avait plu, mais il lui tourna le dos brutalement et, passant entre sa mère et Esclarmonde sans se soucier de leur conversation familière, remonta vers l'escalier qui menait à la maison de pierre.

— Mon entretien est terminé ! informa-t-il Alazais en passant. Avec votre bienveillante autorisation, je me retire.

Esclarmonde le suivit des yeux en réprimant un sourire.

— Ce jeune seigneur est proche de nous faire ses adieux. Je ne voulais de toute façon pas rester plus longtemps. Je dois rejoindre le refuge de mes murailles natales.

— Je sais quels murs vous voulez encore contempler à la lumière dorée du soleil couchant, l'interrompit Alazais avec sympathie, et une lueur parcourut les traits des deux femmes.

Elles étaient sœurs par l'esprit, la comtesse de Foix, la gardienne du sanctuaire, la femme aux cheveux gris, et Alazais d'Estrombèze, la prêtresse qu'elle avait choisie pour prendre sa succession. Ce choix parut tellement évident à Laurence qu'elle n'aurait même pas ressenti envie ou jalousie si elle avait été certaine de vouloir, pour sa part, porter sur ses épaules un pareil fardeau.

Devenir une *parfaite* supposait avant tout l'ardent désir d'atteindre le Graal, de s'adonner à sa seule quête sans la certitude de jamais en avoir sa part. Laurence comprit que la maturité de l'être « en quête » était une condition fondamentale, sans laquelle nul ne pouvait être admis dans le cercle des élus, que ce soit comme chevalier du Graal ou comme sa gardienne. Elle était encore à cent lieues de pareille maturité. Et même si elle n'avait pas compris grand-chose de ce qui s'était dit, elle sentait l'entente élevée, le lien profondément enraciné qui unissait ces deux femmes au caractère si différent. Le Graal les rendait sans âge, dignes et belles.

— Je pensais, dit Esclarmonde pour annoncer son départ,

te laisser Laurence un certain temps ici. Mais je ne veux pas vous importuner ou gêner votre vie familiale, ajouta-t-elle en pensant à Raoul.

Alazais fit un signe de dénégation et sourit.

— Ce petit seigneur devra apprendre à supporter une autre femme que moi. Mais je souhaite que Laurence trouve d'elle-même le chemin qui mènera chez nous. Elle sera toujours la bienvenue !

Alazais prit enfin Laurence dans ses bras, la serra contre elle et l'embrassa sur la bouche.

Laurence se laissa faire, comme hébétée. Elle cacha son visage rouge vif dans la chevelure blonde. Elle ne voulait pas que la comtesse voie ses larmes. Esclarmonde secoua la tête et fit avec tact quelques pas en direction du pont-levis.

Alazais détacha doucement Laurence de son épaule. Elles rirent toutes les deux et séchèrent les traces de l'élan qui les avaient poussées l'une vers l'autre.

— Tu es le soleil ! soupira Laurence.

Alors, Alazais poussa son admiratrice, l'invitant à suivre Esclarmonde. Laurence partit en courant et rattrapa la comtesse avant qu'elle n'ait rejoint l'autre côté de la ravine. Elle prit un malin plaisir à faire balancer encore un peu plus la construction vacillante. La vieille comtesse dut se tenir à la rambarde. Lorsque Laurence se retourna, Alazais la menaçait du doigt.

En descendant par le sentier sinueux, Laurence put remonter sur la selle du palefroi. Esclarmonde avait refermé les rideaux de la litière, non par colère envers Laurence — la jeune fille lui plaisait. Et puis que pouvait-elle attendre d'une aventurière aussi incorrigible que Livia di Septimsoliis ? Non, Esclarmonde se préparait déjà à rencontrer Montségur, la montagne du salut.

À peine la petite troupe avait-elle franchi le col étroit au-dessus du Plantaurel que se dressa, lumineux, entre tous les sommets, un piton où le soleil paraissait vouloir s'attarder. Il baignait dans de l'or pur le château qui se dressait sur la roche, il faisait scintiller le puissant cube sans tour comme une couronne au-dessus de la falaise abrupte. Le spectacle se transformait sans rien perdre de sa majesté à chaque pas que les chevaliers, recueillis, faisaient en avant. Les murs brûlaient de plus en plus intensément. Au-dessus d'eux, le ciel d'azur s'assombrissait pour prendre la teinte veloutée de la nuit, et la montagne commençait à envelopper d'un manteau noir les crevasses abruptes qu'elle surplombait. Le diadème resplendissant se transforma vite en étoile scintillante. Elle brilla encore longtemps dans la nuit avant de disparaître dans la pénombre. Ils étaient restés longtemps sur place, plongés dans des pensées qui s'élevaient vers le firmament où Montségur brillait à présent comme une étoile parmi beaucoup d'autres, accueillait les prières du silence et renvoyait la consolation du Paraclet vers ceux qui croyaient en elle.

Ils atteignirent le château éloigné à une heure tardive, dans la nuit du jour suivant.

Paroles franches

Rapport confidentiel du légat pontifical Pierre de Castelnau à ses supérieurs, le diacre général des cisterciens, Rainer di Capoccio, maître des Services secrets.

Fontfroide, Anno Domini 1207

Excellence,
Nonobstant mon statut de légat du pape, j'ai jugé utile de me soumettre à l'abbé du monastère d'origine de notre Ordre, celui de Fontfroide. Notre Saint-Père a du reste été clair sur la méthode de la mission des hérétiques dans ce pays, expressis verbis *: « Il faut prêcher et surtout vivre de manière exemplaire. Sincérité et pureté morale sont pour cela nécessaires, car rien dans vos paroles ni dans vos actes ne doit servir d'excuse aux hérétiques pour leur comportement condamnable. »*
Loin de moi l'idée d'accuser Son Éminence, notre père supé-

rieur Arnaud de l'Amaury, d'un manquement quelconque aux ordres du pape. Et pourtant, son intervention n'aboutit pas, car il se présente pour ce qu'il est : l'un des puissants chefs du riche ordre des Cisterciens, avançant à cheval avec une escorte somptueuse, une cour abondante et de très nombreux serviteurs. Rien d'étonnant alors à ce que les gens (dont il est question !) s'exclament : « Regardez donc les envoyés de l'Église de Rome ! Les voilà, les prêtres qui veulent nous tenir des prêches sur Notre Seigneur Jésus-Christ, qui était pauvre et marchait pieds nus ! »

Je préfère pour ma part le modeste exemple — un rude destin, assurément ! — de Domingo de Guzman. Cet Espagnol ascétique l'a bien compris : ici, seul peut atteindre l'oreille de l'homme simple celui qui imite les primae horae, *se mêle au peuple en habits simples et partage sa vie avec les pauvres. Mais ne nous racontons pas d'histoires, Excellence ! Cette mission est pure poudre aux yeux. La doctrine des purs est bien supérieure, dans sa simplicité et sa liberté, au réseau de règles compliquées, de faute et de pardon, de sacrifice et de résurrection, d'Immaculée Conception et de Saint-Esprit, de Dieu le Père et de fils de Dieu, avec tous ses saints et martyrs bienheureux, ses conciles troublants, ses bulles ergoteuses et ses décrets infamants, ses rites figés, ses rangs et ses titres pompeux — pourvu que l'on écoute ce que dit le peuple ! À moins que vous ne pensiez que l'infaillibilité et l'ascension, l'interrogatoire sous la torture et la combustion tout vif sur le bûcher soient particulièrement appropriés à attirer les gens d'ici vers la lointaine* Ecclesia catholica ? *Ici, le bonhomme vient lorsque celui qui attend la bénédiction a besoin de lui, donne le* consolamentum *à celui qui le demande et indique à chacun le chemin tout droit du paradis.*

N'allez pas croire que votre homme ait déjà succombé aux charmes des hérétiques. Mais je dois vous dépeindre la situation telle qu'elle est, plutôt que sous la forme que nous aimerions lui voir. Si notre Église ne se renouvelle pas de fond en comble, nous nous verrons constamment exposés à des hérésies sous une forme ou sous une autre ; elles croissent sur l'humus des feuilles desséchées et des fruits pourris de ce même arbre dont nous constituons, espérons-le, la cime glorieuse et les plus belles branches. Notre rigoureux Saint-Père les a qualifiées de mauvaises herbes qu'il faut arracher et détruire. Il s'agit aussi, bien sûr, d'une solution, mais douloureuse, accompagnée de beaucoup de sang et de larmes, de cendres de corps brûlés, hommes et animaux mêlés, de ruines de villes détruites et de champs ravagés.

Mais notre foi chrétienne, qui fut jadis le message de l'amour, peut-elle ressusciter de manière féconde, fleurir et prospérer véritablement ? Celui qui sème la violence et la haine, que récoltera-t-il ?

Je dois vous avouer, Excellence, que je suis profondément navré de me tenir assis avec une petite cuiller devant l'auge de la vie et d'y manger, sachant sans doute que je ne verrai jamais le fond du récipient, car la force de la vie humaine est inépuisable. Comme j'aimerais me retirer dans mon monastère familier et chercher Dieu dans la prière ; mais si vous pouvez me dire comment je peux servir comme fils obéissant de l'Église, alors je donnerai volontiers tout, corps et âme, pour servir votre gloire. Il ne me revient pas, à moi, simple moine, de juger sur l'art et la manière dont Rome dirige le destin de l'Ecclesia catholica.

Moi, Pierre de Castelnau, légat de Votre Grâce, je reste ferme dans votre foi, dont vous devez être certain.

Sur la situation : les seigneurs laïcs de l'Occitanie, du Languedoc et du Roussillon, dont vous m'avez assigné les territoires pour une mission sur les hérétiques, encouragent la propagation de l'hérésie cathare par leur tolérance incrédule. À leur tête, les comtes de Toulouse et de Foix, les vicomtes de Carcassonne et de Mirepoix n'entreprennent rien, c'est peu dire, contre l'obstination que mettent leurs sujets dans le refus du pape et de notre Église. Nous les avons tous rejetés dans l'anathème et avons frappé leurs villes d'interdit. Mais ces mesures n'auront pas d'efficacité, car l'exclusion des saints sacrements ne les touche guère. Le bras séculier, qui, d'ordinaire, condamne et exécute les pécheurs que nous considérons comme coupables, ne s'est pas imposé à ce jour sur leurs terres. Rome doit chercher quelqu'un qui soit suffisamment puissant et disposé à manier l'épée pour les forcer à s'agenouiller. Vous savez bien, Excellence, tout autant que moi, insignifiant que je suis, qu'un seul pouvoir est capable d'y parvenir.

J'entreprendrai une ultime tentative pour rappeler aux princes de ce pays leur injustice, leurs manquements et leur complicité, et ce à la face du monde, afin que nul ne puisse ensuite affirmer qu'il ne savait rien de la gravité de la situation

*et de l'urgence d'une solution allant dans le sens d'une purifica-
tion en profondeur. J'ai convoqué d'ici trois lunes, pour une
conférence à Pamiers, non seulement les seigneurs en question,
mais aussi les prêtres et évêques de leur Église d'hérétiques, afin
que nul ne puisse dire ultérieurement qu'ils n'existent pas ou
qu'il n'en connaît aucun. Raison pour laquelle j'ai choisi Pamiers
pour accueillir ce colloque : c'est la résidence de la veuve Esclarmonde, infante de Foix, la pire des hérétiques, la tête du serpent.
Sa couvée est apparentée à celle de Toulouse, alliée par le mariage
au Trencavel de Carcassonne, et sur ses terres se trouve aussi le
fameux Montségur, le « château du Graal » des hérétiques, qu'Esclarmonde fait consolider depuis deux ans pour le transformer
en une citadelle imprenable. Elle se fait insolemment nommer
gardienne du Graal, bien que chacun sache que ce calice dans
lequel Marie recueillit le sang du Christ sur la croix a été mis en
sécurité par Joseph d'Arimathia et qu'il se trouve en notre main,
sous la garde silencieuse de l'Église.*

*Dans notre camp, je convierai surtout Domingo de Guzman,
que je tiens pour un éloquent partisan de notre cause, car nous
devons parler de Dieu, et non des droits de l'Église. Si ce dernier
appel à la réflexion ne devait produire aucun effet, nous devrions
faire appel à d'autres voies et d'autres moyens. Je vous en rendrai
compte.*

*Dans l'attente de l'approbation de mes démarches, je reste
votre très humble serviteur jusqu'à l'épuisement, prêt à tous les
sacrifices,*
Pierre de Castelnau

*P.S. : Ne prenez pas au pied de la lettre ce que je dis sur
ma lassitude. L'espoir d'un miracle de notre bienveillante Sainte
Vierge me permet encore de me dresser virilement — gesta virginis per catholicos ! — et je fais mes rondes en soldat vigilant au
service de l'Église.*

Loba la Louve

Laurence avait seize ans à présent et propageait, autant qu'il était possible, sa réputation de ne se donner à aucun homme, même pour une nuit ou pour l'un de ces chauds après-midi d'automne au cours desquels on taillait les lourdes grappes de raisin sur les coteaux de Foix, et où les filles, sur les pentes raides, à l'abri des ceps chargés de grappes jaune d'or, permettaient au moins aux gaillards un chaleureux enlacement.

La nostr'amor vai enaissi
Com la branca de l'albespi
Qu'esta sobre l'arbre tremblan,
La nuoit, a la ploia ez al gel,
Tro l'endeman, que-l sols s'espan
Per la feuilla vert e-l ramel.

Laurence ne participait pas à ces réjouissances. Mais il lui arrivait, la nuit, lorsqu'on fêtait les vendanges dans les tavernes, de sauter d'un seul coup sur les planches et de se livrer à une *danso* en faisant tournoyer sa crinière rousse, avant de disparaître aussi vite qu'elle était venue. Nul ne parvenait à la retenir. Les trouvères venaient de loin, d'au-delà des Pyrénées, du royaume d'Aragon ou de la Provence, pour offrir à Laurence leurs galants services. Aucun n'obtenait jamais ne fût-ce qu'un baiser. Mais rien n'accrut plus sa renommée d'intouchable que l'échec de la demande en mariage déposée par Aimery de Montréal.

Le jeune seigneur se présenta avec une escorte, petite mais brillante, de célèbres guerriers, auprès du comte de Foix : il venait demander la main de Laurence. Pour sa malchance, la troupe des chevaliers n'atteignit la ville qu'au soir, trop tard pour pouvoir encore se présenter au château, et se précipita dans les bacchanales qui se déroulaient depuis des jours aux alentours.

Chantarai, sitot d'amor
Muer, quar l'am tant ses falhensa,
E pauc vey lieys qu'iueu azor.

Les jeunes filles de Foix ne se firent pas prier longtemps. Les mœurs se relâchaient au fur et à mesure que les tonneaux se vidaient.

Ai las, e que-l fau miey huelh,
Quar no vezon so qu'ieu vuelh ?

C'est justement dans la taverne que Laurence avait choisi pour ses apparitions éclairs et surprises que les invités de Montréal avaient choisi de venir s'abreuver. Aucun d'entre eux n'était resté sans femme. Après une longue hésitation, Aimery, lui aussi, s'était laissé pousser par ses compagnons contre la poitrine d'une jeune créature aux formes généreuses qui se trouvait à présent sur ses genoux. C'est alors que Laurence était apparue parmi les buveurs et les chanteurs.

Sitot amors mi turment
Ni m'auci, non o planc re,
Qu'almens muer per la pus genta.

Elle balaya la mêlée d'un regard et marcha droit vers la table d'Aimery, qui, effrayé, laissa brutalement tomber la jeune fille de ses cuisses.

Ai las, e quee-l fau miey huelh,
Quar no vezon so qu'ieu vuelh ?

Mais Laurence ne lui adressa pas même un battement de cil pour lui indiquer qu'elle l'avait reconnu. D'un bond, elle sauta sur la table, souleva la grosse fille et se lança avec elle dans une *farandoul folle.*

Per joai recomençar
Eya
Vol la regina mostrar
Qu'el es si amorosa

Laurence la fit tournoyer si vite que sa jupe volait.

Laissatz nos, laissatz nos
Balar entre nos, entre nos.

Lorsque la grosse fut prise de vertige et se mit à vaciller, des mains se dressèrent et recueillirent sa chair dénudée, sous les braillements enamourés et les rires.

Piucela ni bachalar
Eya
Que tuit non vengar dançar
En la dança joios

Entre-temps, Laurence avait disparu.

Laissatz nos, laissatz nos
Balar entre nos, entre nos.

Le lendemain, elle était partie à cheval aux premières heures du jour. Elle ne reparut au château que quelques jours plus tard, alors qu'Aimery avait déjà quitté la ville sous les moqueries, profondément affligé de cet impair. Laurence apprit, impassible, que le chevalier comptait lui demander sa main. Comme nul ne le lui avait demandé, elle ne révéla pas non plus où elle s'était cachée.

En réalité, elle s'était enfin décidée à se diriger vers le sud pour rendre visite à Azalais. Mais toutes les ravines se ressemblaient, elle s'était égarée, et s'était retrouvée au bout du compte dans une grotte gigantesque. Elle y avait partagé les repas d'un ermite.

Son cœur battait désormais pour l'Occitanie. Elle aimait ce pays. L'aimait-elle vraiment ? Dans ses artères coulait le sang des Belgrave, et elle voulait rester une Normande. Sa mère, Livia, était certes une Romaine, mais on ne pouvait sans doute pas la compter parmi les partisans du pape, pas même dans le pieux habit d'une abbesse. Finalement, c'était à elle que Laurence devait une marraine aussi extraordinaire qu'Esclarmonde. Ça n'avait pas été un choix fortuit — bien que Laurence ait estimé la femme qui lui avait donné le jour capable de tout. Esclarmonde appelait son amie *L'Aventurière*.

Laurence accompagna sa marraine dans ses nombreux voyages qui la menèrent tous vers le nord, vers Toulouse, Castres, et même Albi, Carcassonne et Limoux. Depuis quelque temps, on avait l'impression que la comtesse voulait éviter sa montagne fatidique, Montségur. On n'accueillait pas partout à bras ouverts la vieille femme et ses mises en garde. En dehors du comté de Foix, sa petite escorte n'était souvent pas de trop pour la protéger des ennuis. Les évêques catholiques, notamment, n'aimaient guère la voir arriver. Un jour, sur un sentier étroit, à l'arête d'une montagne, ils rencontrèrent la litière de monseigneur Foulques, évêque de Toulouse, dont l'escorte armée était un peu plus nombreuse que la leur. Bien entendu, aucun des deux partis hostiles ne voulut s'écarter, et l'affrontement parut inévitable. Laurence ne dit rien ; mais elle sentit que la vieille femme ne céderait pas, cette fois-ci, devant ce renégat.

— Il ne sera pas dit, annonça-t-elle sans même baisser la voix, qu'une Foix aura cédé le passage à un ancien trouvère de Marseille, et de piètre qualité, qui plus est ! Je préfère encore me faire tailler en pièces !

Ce n'était pas un risque négligeable. Laurence sauta de cheval et se dirigea vers les soldats de l'évêque, en traversant sa propre escorte. Ils ouvrirent la phalange formée par leurs chevaux lorsque Laurence se dirigea vers Foulques. L'évêque était un homme pesant. Huit porteurs — deux par montant — soulevaient l'habitacle. Laurence resta au milieu du chemin, à une distance suffisante. D'un regard, elle avait étudié le terrain de part et d'autre. Sur la droite, la pente montait encore un peu, barrée par d'épais buissons. Sur la gauche, en revanche, elle descendait doucement jusqu'à la vallée, et une prairie la recouvrait.

— Une dame prie Votre Éminence de ne pas lui refuser le passage, cria Laurence en direction des rideaux fermés de la litière. Esclarmonde, comtesse de Foix !

De l'intérieur, la réponse, furieuse, ne se fit pas attendre.

— Qu'elle dégage le passage. Ou qu'elle aille au diable ! En avant ! ordonna l'évêque. Avancez !

Les cavaliers et les porteurs se remirent en marche. Laurence fit tout juste un pas en arrière, pour faire croire qu'elle se pliait à la volonté de l'homme d'Église. Les porteurs acceptèrent cette invitation et passèrent du côté de la vallée pour l'éviter. Laurence attendit patiemment que le milieu de la litière soit à sa hauteur. Puis elle se laissa tomber en un éclair et roula sous l'habitacle. Elle frappa au tibia le premier porteur, à l'arrière, et le deuxième au genou. Tous deux trébuchèrent et tombèrent, entraînant leurs acolytes. La litière vacilla, tomba par terre et glissa sur le talus. Avant que les cavaliers qui marchaient en avant n'aient pu prendre conscience de l'accident et faire faire demi-tour à leurs chevaux sur le sentier étroit, Laurence avait depuis longtemps disparu dans les buissons.

L'escorte de la comtesse, qui avait surveillé avec soin les événements, se mit en route et ne rencontra pas d'autre résistance que des jurons ou des chevaux sans cavalier : tous les hommes de l'évêque s'efforçaient à présent de remonter sa litière sur le sentier.

Cet épisode fit de « Laure-Rouge », comme on l'appelait désormais volontiers, un personnage connu dans tout le Languedoc. Les chevaliers de la comtesse, auxquels Laurence avait offert un triomphe inespéré sur les hommes de l'évêque, vénérèrent dorénavant leur guerrière comme une héroïne. Pour leur Rouge, ils auraient traversé les flammes.

La date de la conférence de Pamiers, dont Esclarmonde serait l'hôte, approchait désormais. La comtesse était décidée à répondre en personne à cette invitation insolente du légat dans sa propre maison, bien qu'elle ait su qu'elle s'y fatiguerait au plus haut point. Mais elle y aurait la possibilité de recommander au représentant de l'Église de Rome une certaine modération dans ses exigences — après tout, le légat, Pierre de Castelnau, était issu d'une famille noble du cru, même s'il avait choisi le mauvais camp. Elle aurait préféré lui parler en tête à tête, mais elle n'en avait plus le temps. Peut-être entendrait-on ses propositions fondées sur la tolérance mutuelle — même si Esclarmonde, de ce point de vue, doutait à juste titre de l'intelligence de ses compatriotes. Avant son départ de Montréal, après la malheureuse épreuve du feu, elle avait tenté d'en convaincre le châtelain Aimery. Mais il était resté buté et s'était même énervé :

— Il est plus important, avait-il brutalement répliqué, de mettre enfin un terme à cette crédulité naïve par la confrontation directe, de telle sorte que rien ne se passe. Si nous parvenons à arracher leur masque chrétien à ces curés tout-puissants et montrer ouvertement devant la croix la grimace de leur idole assoiffée de sang, et uniquement dans ce cas, nous pouvons peut-être espérer sortir les seigneurs du pays de leur léthargie, les unifier et les pousser à constituer un front puissant pour répondre aux menaces de la France. Uni et bien préparé, le Sud peut tout à fait résister à une telle agression, et même la repousser victorieusement.

Une mission pratiquement impossible pour une vieille femme, si Esclarmonde acceptait de s'en charger — et, à vrai dire, une telle « solution » ne constituait pas non plus l'issue de son errance sur cette terre, telle qu'elle se l'imaginait. Elle déboucherait sur un combat acharné, qu'il faudrait mener sur deux fronts. Elle ne voulait à aucun prix que Laurence l'accompagne lors de la rencontre de Pamiers ! Cette jeune créature pouvait être entraînée dans des conflits insolubles et la détourner, elle, Esclarmonde, de la grande mission sur laquelle elle devait se concentrer.

Elle insista donc pour que sa filleule entreprenne ce voyage qu'elle prévoyait de faire depuis longtemps auprès de son amie Alazais. Pour que Laurence ne conçoive pas de soupçons, la comtesse la chargea de transmettre une lettre à Alazais, dans laquelle Esclarmonde informait sa confidente en termes concis et lui demandait de se tenir prête. La comtesse ne tenait pas non plus à ce qu'Alazais se présente à Pamiers. Si l'on découvrait son visage avant l'heure, cela ne ferait que compliquer sa succession ; et l'ennemi pourrait se mettre en chasse tout de suite, pour autant qu'il aurait admis que la vieille femme passe le relais à la jeune. Et puis Esclarmonde, qui sentait sa fin approcher, voulait mener seule ce combat, qui serait son dernier.

Laurence, entourée d'une escorte suffisante, finit donc par partir en direction du sud, pour y retrouver Alazais. Elle était sûre que cette belle femme l'aimait. Laurence s'imaginait sur une prairie de montagne en fleurs. Elle se voyait couchée auprès d'Alazais, à faire glisser la blonde chevelure de son amante entre ses doigts, plongeant son regard dans celui de la jeune femme avant que leurs lèvres humides ne se cherchent tandis que les moutons qu'elles garderaient brouteraient tranquillement autour d'elles.

Les chevaliers du comte, qui connaissaient bien les lieux, guidèrent Laurence le long des flots bouillonnants de l'Ariège. Elle connaissait ce chemin depuis son excursion ratée. Mais ils obliquèrent en direction de Montségur lorsque le flanc sud du Plantaurel tomba vers une vallée franchissable. Le chemin tournait entre les ravines et les forêts. Elle ne l'aurait jamais trouvé seule : il décrivait des pattes d'oie après chaque courbe, chaque pont, comme si l'étroit sentier avait déjà pour mission d'interdire aux non-initiés l'accès à la montagne enchantée du Montségur.

Ensuite, le Pog apparut au loin, entre le feuillage des ormes élevés et des noisetiers courbant sous leur charge. Le mystérieux château du Graal paraissait voler, lumineux, au-dessus de son sommet, mais se dérobait sans cesse aux regards des chevaliers, comme pour les tourner en dérision. Laurence n'aimait pas ce genre de choses, et la curiosité croissante qu'elle ressentait depuis quelque temps pour tout ce qui était lié à ce mystérieux Graal fit le reste. Elle leva la main et annonça à son escorte, avec sa pudeur habituelle, qu'elle voulait s'arrêter pour pisser dans les buissons. Puis elle éperonna son aubère et lui fit escalader la pente.

Elle cherchait moins un fourré qui l'aurait protégée des regards qu'une bonne vue sur ce château irréel. Elle la trouva sous un chêne noueux. Plus par reconnaissance envers le château du Graal que pour répondre à un besoin urgent, elle baissa ses pantalons et s'accroupit, fesses nues, sur le sol de la forêt, plongée dans la vision de ces murailles gigantesques illuminées par le soleil. Elle crut même pouvoir en distinguer le portail.

— Alors, ça t'a coincé la vessie ? fit au-dessus d'elle une voix sombre et moqueuse, dont elle ne sut pas tout de suite si elle appartenait à un homme ou une femme.

Avant que Laurence ne puisse lever les yeux vers les branchages et ne tente de relever son pantalon, elle entendit du bruit dans les feuilles, et une silhouette atterrit derrière elle, dans la mousse, comme une pomme de pin.

— Tiens donc ! dit la voix en riant. Mais la laine de la moule est teinte au henné, elle aussi !

Une jeune fille de petite taille, aux boucles brunes, se tenait devant elle. Elle était sans doute plus jeune qu'elle ; mais Laurence n'en aurait pas juré, face à ce visage bruni où deux yeux noirs comme jais la regardaient insolemment.

— Ma fourrure est rouge, et elle est authentique ! répliqua Laurence entre ses dents. Et toi, qui es-tu, au juste, perchée dans les arbres comme un écureuil ?

Tout en posant sa question, elle attrapa l'autre à la gorge et lui enfonça le genou dans le flanc.

La jeune fille tituba, mais mordit Laurence au bras avec une telle violence qu'elle ressentit la douleur à travers le cuir de son pourpoint de chevalier. Laurence laissa filer sa proie, mais la petite ne s'avoua nullement vaincue. Elle se jeta en arrière, fit une pirouette, posa à peine le pied par terre et, en rebondissant, s'éleva droit comme une chandelle. Le petit lutin se retrouva subitement assis sur une branche, à regarder Laurence d'en haut, en souriant.

— Loba la Louve, c'est comme ça que m'appellent mes amants, miaula-t-elle comme un chat sauvage. Pour toi, petite chose idiote, je suis Roxalba de Cab d'Aret. (Elle désigna, au-dessus d'elle, les falaises abruptes du Plantaurel.) Vois-tu mon château, là-haut, sur le pic ? Non, tu ne le vois pas : c'est Roquefixade ! Et tu me plais... tu as une bonne prise !

Laurence éclata de rire.

— Devenons amies, proposa-t-elle à Loba sans attendre de réponse. Je suis Laurence de Belgrave. Les hommes, qui ne me mettent jamais la main dessus, m'appellent Laure-Rouge.

Alors, Loba, feignant l'effroi, se laissa habilement tomber de sa branche et atterrit à ses pieds pour s'incliner devant Laurence.

— Maîtresse, pardonnez-moi ma témérité ! Je vous suivrai où vous l'ordonnerez, en servante fidèle et obéissante !

Laurence passa les bras autour de la créature agenouillée devant elle, et la releva vers elle. Aucun autre mot ne fut nécessaire : leurs lèvres se collèrent, leurs langues jouèrent l'une avec l'autre, tandis que leurs mains caressaient fiévreusement les cheveux, glissaient sur la peau et griffaient le dos, d'abord par jeu, puis par excitation.

— Tu ne voulais pas pisser ?

Loba se détacha des bras de Laurence dès que celle-ci, épuisée, eut relâché son étreinte.

— Je voulais voir le château du Graal, répondit-elle. Es-tu une pure ?

— Plutôt une parfaite, répondit Loba en riant. Et une amoureuse passionnée... de l'Occitanie !

Des hennissements rappelèrent à Laurence que l'escorte l'attendait toujours sur la route. Et elle comprit en un éclair qu'elle était en train de trahir Alazais.

— Je dois remettre une lettre, expliqua-t-elle à Loba, pour que je ne dérange pas la conférence de Pamiers.

Elle ne voulait rien dire d'Alazais à cette jeune fille sauvage et inconnue. Cet amour-là était d'une autre étoile, sublime et impossible à éteindre ! Mais cette étoile-là s'éloignait de plus en plus, elle était déjà en haut du firmament. Laurence, elle, était certes incertaine, mais elle savait qu'une nouvelle aventure terrestre l'attendait. Si des problèmes se posaient, sa récente amie, la louve, tenait déjà leur solution.

— C'est tout simple. Vous remettrez la lettre aux soldats de Foix pour qu'ils en fassent la livraison. Et nous deux, nous partirons ensemble pour Pamiers. Même si notre apparition ne réjouit pas Esclarmonde — au moins pour ce qui me concerne.

— Vous vous connaissez ?

— Je fais l'amour, un peu trop souvent à son goût, avec le cadet de la famille, Ramon-Drut.

Laurence le connaissait. Elle n'avait jamais songé à faire

appel à sa virilité, et Esclarmonde avait mis un terme immédiat aux avances balourdes que le jeune homme avait pu faire à la rouquine. De ce point de vue, Loba avait apparemment un peu d'avance sur elle.

— Eh bien, d'accord, dit-elle à la Louve. Nous partons pour Pamiers !

Loba siffla pour appeler sa monture, un âne, et elles redescendirent ainsi toutes deux vers la route, la maîtresse et sa servante.

— La valeureuse dame de Roquefixade, annonça Laurence à son escorte, m'a invitée pour quelques jours dans son château. Je n'ai plus besoin de votre protection ! Apportez cette lettre à Laroque Lomès !

— À Alazais d'Estrombèze ? demanda Loba.

— Une amie de ma marraine Esclarmonde, répondit Laurence, qui ne tenait pas à en dire plus.

Les chevaliers, satisfaits, se mirent aussitôt en route. Laurence et Loba éclatèrent de rire.

— Je connais un sentier de montagne qui mène directement à Pamiers. J'espère que votre fier destrier pourra suivre le mien !

Les soucis du légat

Rapport confidentiel du légat pontifical
Pierre de Castelnau à Son Excellence Rainer di Capoccio,
diacre général des Cisterciens et
chef des Services secrets

Pamiers, au mois de septembre Anno Domini 1207.

Excellence,
Soyez remercié pour avoir accepté cette rencontre certaine-

ment risquée avec les principaux chefs des hérétiques et leurs puissants protecteurs laïcs. Les princes de cette terre pourraient reprocher à l'Église trahison et ruse si l'on apprenait quel stade ont déjà atteint ses négociations avec la couronne de France pour soumettre l'Occitanie, déposséder ses seigneurs et les chasser. Nous ne devrions donc nullement brandir notre épée menaçante, seule l'arme de l'esprit peut être sortie de son fourreau, et elle nous aidera forcément à l'emporter, grâce à nos meilleurs arguments et à l'aide de la Vierge. Nous espérons toujours que le subprior *Domingo de Guzman* y rejoindra son évêque à temps.

Diego d'Azevedo est en route vers son évêché espagnol.

Osma est déjà arrivé chez nous. Notre hôte officiel est le comte Roger-Ramon de Foix, dont la sœur est cette Esclarmonde qui a choisi Pamiers comme résidence de veuvage. En tant que châtelaine, elle est maître de ces lieux, et c'est à ce titre qu'elle invite également les grands prêtres cathares. Durand de Huesca, l'un des chefs des vaudois, est arrivé hier avec une grande escorte. Le plus haut évêque hérétique, Guilhabert de Castres, est attendu d'une heure à l'autre, car Esclarmonde est arrivée, elle aussi, et cette dame âgée n'entreprend plus aucun long voyage sans s'être assurée de la proximité de Guilhabert. Vous pouvez en imaginer le motif.

J'espère beaucoup, je vous l'avoue franchement, que des zélateurs furibonds comme notre Foulques de Toulouse ne trouveront pas le chemin qui mène ici. J'ai en effet l'intention d'ouvrir la route de Rome à tous ceux qui montrent des remords ou laissent transparaître une quelconque propension à rentrer dans le giron de l'Église une et indivisible, de telle sorte qu'ils puissent confesser leurs péchés auprès du Très Saint-Père en personne, et se livrer à sa grâce. De toute façon, le bâton n'aura aucun effet sur ces personnes butées, d'autant plus qu'il s'agit des gros poissons, ceux que l'on appelle les perfecti. Nous devons réussir à assécher la mare où nage le fretin crédule, persuadé de la « justesse » de sa foi.

Il faut par conséquent souligner, auprès des princes de ce monde, qu'un anathème ignoré à plusieurs reprises, par courage ou par sédition, pourrait aussi entraîner l'abolition de tous les droits et prétentions féodaux. Il ne sera pas même nécessaire d'indiquer que d'autres sont déjà prêts à se coucher dans le lit tout fait. Qu'est-ce en effet que la noblesse, sinon un accord avec Dieu, attesté par l'Église et par elle seule, et selon lequel l'un est

*le seigneur, et l'autre le serviteur, le journalier et même le serf ?
Qui donc détermine quel sang est reconnu comme bleu, et quel
sang rouge doit être privé de droits et de libertés ? Le pape, unique
représentant de Notre Seigneur Jésus-Christ !*

*C'est la raison pour laquelle cette hérésie des « purs » est tel-
lement dangereuse : ils ne reconnaissent pas le successeur de
Pierre sur le trône du Pêcheur. Si cette conception se propage,
l'Ecclesia catholica perdra aussi sa position hiérarchique unique
dans ce monde et l'Occident chrétien, au moins lui, sombrera
dans un chaos où l'absence de droit le disputera à la disparition
de toute hiérarchie et de tout respect.*

*Ce sera une marche difficile sur les crêtes. Car, d'un autre
côté, il faut éviter tout ce qui unit la noblesse occitane, tout ce
qui pourrait lui faire prendre les armes contre l'ultima ratio, que
je veux encore éviter, même si, votre fidèle serviteur, je la prépare
étape après étape.*

*Seigneur, emplis-moi de ton esprit, pour que chacun de mes
actes corresponde à ton projet divin et que je puisse me rendre
utile, petite pierre minuscule dans ta mosaïque, même s'il ne
m'est pas donné d'en percer à jour la gigantesque magnificence.*

Pierre de Castelnau, la veille de la Conférence de Pamiers,
Anno Domini 1207

La Conférence des hérétiques de Pamiers

La tour de Pamiers se dressait au-dessus des fortifications
voisines, du seul fait qu'elle disposait d'un gigantesque socle
rappelant un poing fermé ; le donjon proprement dit se dressait
comme un doigt tendu. Le socle, plus large que la tour, n'était
pas accessible de la cour, mais par une avancée fortifiée qui

faisait le lien avec une étroite passerelle. L'entrée, qui se situait derrière, débouchait dans un boyau tellement étroit qu'un seul homme pouvait y pénétrer à pied. En parcourant ce passage, le visiteur était pris d'angoisses de claustrophobie, suivies par une alternance de nobles sentiments et d'intuitions atroces, lorsqu'il entrait dans la salle à coupole — c'était de toute évidence une ancienne mosquée qui ne se présentait pas seulement comme un trou de souris bien protégé, mais aussi comme un piège parfait.

Il n'y avait dès lors rien d'étonnant à ce que les deux partis aient posté, le long de la passerelle et devant l'épaisse porte en madriers des hommes en armes chargés de se tenir en respect les uns les autres. À l'intérieur, où l'on ne distinguait aucune fenêtre, des failles dissimulées dans les murs aspiraient l'air enfumé que dégageaient des douzaines de petites lampes à huile disposées sur des candélabres suspendus non loin des têtes. Des tapis noués à la main ornaient les murs nus, et des stalles en bois conféraient à la salle dignité et consécration. Ils rappelaient aux représentants de l'Église qu'ici, jadis, après le Coran et avant que l'hérésie ne profane ces voûtes, on avait lu la messe.

À l'origine, Pierre de Castelnau, le légat pontifical, avait imaginé une disposition où les deux partis prendraient place de chaque côté de la table, tandis que lui se tiendrait seul au milieu, sans contradicteur visible, en arbitre suprême. Mais les seigneurs du pays arrivés avec Esclarmonde ne s'étaient pas du tout installés sur le banc des accusés : comme si cela était tout naturel, ils avaient aussitôt occupé les rangées de sièges qui montaient devant lui.

Les comtes de Foix et de Mirepoix flanquaient « leur » évêque, le vieux Guilhabert de Castres. Aimery de Montréal conduisit sa sœur Donna Geralda, châtelaine de Lavaur, une hérétique fieffée. Toute la famille Perlelha s'était également présentée ; c'était elle qui avait la haute main sur Montségur. Parmi tous les nobles importants, on ne notait que deux défections : le Trencavel de Carcassonne, qui s'était fait excuser auprès d'Esclarmonde, parce qu'il devait aller faire allégeance à son seigneur, le roi Pedro d'Aragon, de l'autre côté des Pyrénées ; et le plus puissant prince du pays, Raymond de Toulouse, souverain indépendant de toute l'Occitanie. Il n'avait pas jugé opportun de se présenter à Pamiers : il espérait encore

pouvoir trouver avec le pape un terrain d'entente qui le libére-
rait de l'anathème. Et puis Raymond n'était pas du tout un
partisan de la doctrine hérétique. Le seul crime qu'on lui repro-
chât était sa tolérance : il respectait la liberté de conscience de
ses contemporains.

Pierre de Castelnau ne connaissait presque aucun des *perfecti* qui arrivaient à présent les uns après les autres et prenaient discrètement place. Il remarqua toutefois la proportion
importante de femmes, vieilles et jeunes, revêtues de l'*alva*.

Étienne de la Miséricorde, accouru avec ses frères de Fanjeaux, lui donna l'identité des principaux personnages.

— Cet homme puissant, ici, au manteau vert, ce n'est pas
un *katharos*, mais un Espagnol de l'escorte de Pierre Valdès de
Lyon.

— Ah ! répondit Pierre de Castelnau, celui qui a fait tra-
duire en *lingua franca* notre Sainte Écriture, la Bible...

— Il a les moyens ! répondit le maigre moine pour atté-
nuer un peu cette performance.

— Et celui-là, qui est-ce ? demanda le légat en observant
l'Espagnol qui se laissait tomber sur un siège, à côté des
hommes et des femmes vêtus de blanc.

— Durand de Huesca est son nom, l'informa le moine.

Mais l'attention du légat avait déjà été attirée par un nouveau venu.

— Notre Diego d'Azevedo est arrivé, annonça fièrement
Étienne avant de constater, l'air soucieux : Mais il est venu sans
son *subprior* Domingo !

— Dommage, répliqua le légat sans laisser vraiment
paraître à quel point il regrettait l'absence de ce débatteur
ardent.

Les places libres se remplirent. Même dans son dos
s'étaient installés depuis longtemps des seigneurs qu'il ne pouvait classer dans aucun des deux camps. Personne ne salua
cependant ces nouveaux venus, ce dont on pouvait conclure
que nul ne les connaissait, pas même Étienne, qui était pourtant au fait de tout.

Le légat envoya le moine auprès de la comtesse Esclarmonde, afin d'obtenir l'accord de la maîtresse des lieux pour
lancer la conférence. Étienne n'avait pas encore grimpé les
marches, de l'autre côté, que la châtelaine hochait déjà la tête.

Presque au même instant, le légat se leva de son siège.

— L'occasion le justifie, expliqua-t-il, et je ne veux pas cacher la nouvelle, pour que chacun puisse comprendre le sérieux de la situation.

Il fit une pause, jusqu'à ce que le silence se soit installé.

— Ce vingt-neuf du mois de mai, le Saint-Père, à Rome, a entièrement confirmé mon anathème contre le comte de Toulouse, et adressé à messire Raymond une lettre que je suis en mesure de citer de mémoire...

— Oyez, oyez ! dit une voix irrespectueuse dans les rangs des nobles. Une déclamation poétique sans même une feuille de papier !

Castelnau ne se laissa pas arrêter par cette remarque et celles qui l'accompagnèrent. « *Au noble comte de Toulouse* », cita-t-il, « *je demande quelle folie s'est emparée de ton esprit, toi, le séditieux, pour que tu méprises les lois de Dieu, toi, le dépravé, et pour que tu fasses cause commune avec les ennemis de la vraie foi ?* »

Le légat n'eut pas à attendre bien longtemps les commentaires insolents.

— Lothaire, le pape de l'innocence, comme Moïse face au buisson ardent ! Mais qui donc lui a posé entre les mains les tables de la Loi ? Rome en sait plus que Dieu, Rome est plus véritable que Jésus-Christ !

Les moines de Fanjeaux se mirent à siffler entre leurs doigts. Pierre de Castelnau leur fit signe de se modérer. Il attrapa le parchemin enroulé.

« *Tremble, sans-Dieu, car tu seras châtié ! Comment peux-tu protéger des hérétiques, cruel tyran ? Ton action scélérate offense chaque jour l'Église !*

— C'est la curie qui, chaque jour, constitue la pire offense à la foi ! cria l'un des hommes, en haut des bancs.

— Chaque heure ! renchérit un autre.

Castelnau se hâta de poursuivre sa lecture du parchemin :

« *Tu méprises les sacrements, tu mènes des combats le dimanche en t'emparant de monastères !* »

— Faudrait-il attendre la semaine pour rouer les moines de coups ? s'étonna le comte de Foix, ce qui déclencha les rires.

Le légat rougit, non point de rage, mais de honte : il avait compris trop tard. Il devait prendre garde à ne pas faire le jeu de son adversaire. Les formulations de la chancellerie pontificale étaient certainement destinées à un autre public ! En lisant cette bulle, il rendait un mauvais service à l'*Ecclesia catholica*. Il se hâta donc de terminer sa besogne :

« *Pour la honte de la chrétienté, tu laisses aux faux prêtres des cathares des maisons de Dieu consacrées, tu donnes des fonctions publiques à des juifs.* »

C'est alors que la véritable tempête se déclencha.

— Qui est ici dans son tort ? Le clergé qui se remplit les poches ! Les juifs sont mille fois moins cupides qu'eux ! Ces abbés engraissés qui pompent le sang de nos paysans, vos évêques qui lèvent taxes et tributs sur toutes nos marchandises.

Sur la tribune des laïcs, qui lui faisait face, Pierre voyait l'assistance hurler et brandir le poing. Mais ses moines, à sa gauche, n'étaient pas en reste :

— Qui vit plus pauvrement que nous ? aboyaient-ils en retour. Nous sommes forcés de mendier ! Les purs, eux, sont auprès de leurs femmes et profitent abondamment du vin et des gâteaux.

Les accusés ne répondirent pas. Alors, le puissant Durand de Huesca se dressa.

— Que parlez-vous du vil argent de ce monde ? s'exclamat-il d'une voix de stentor. Ne nous sommes-nous pas rassemblés pour témoigner de notre foi ?

Dans le calme soudain rétabli, Pierre de Castelnau prononça sa conclusion.

— Voilà ce que dit notre seigneur le pape : « *Notre légat t'a excommunié. Nous, Tribunal suprême par la force de notre fonction, nous confirmons pleinement et entièrement ce jugement dans toute sa plénitude...* »

C'est la voix de basse de l'Espagnol Huesca qui l'interrompit de nouveau :

— Ne vous répétez pas, petit Pierre, venez-en au fait !

— « *Nous t'ordonnons de faire repentir, afin de mériter notre gracieuse absolution* », lut rapidement Castelnau. « *Si tu ne la mérites pas, le Seigneur te broiera.* »

— Il reste seulement à espérer, s'exclama une énergique voix de jeune fille, que le pape a un meilleur style et ne s'est jamais laissé aller à coucher sur le parchemin pareilles crétineries !

Tous les regards se tournèrent vers la rouquine qui venait de se faire entendre. Avec ce tumulte, nul n'avait vu entrer dans la salle la jeune femme, accompagnée par Loba, que tous connaissaient manifestement. Laurence ne s'installa pas à proximité d'Esclarmonde, consternée, mais alla naïvement se placer à côté de Pierre de Castelnau. C'en était trop pour Étienne de la Miséricorde.

— Mademoiselle, s'exclama-t-il, vous devriez rester à votre fuseau, ou à une autre activité pour servantes bavardes, lança-t-il, venimeux. Vous n'avez rien à faire dans une assemblée comme celle-ci !

— Rien à faire, peut-être, mais à dire, sûrement, répliqua Laurence. Je n'ai encore jamais vu autant de laveuses incapables de laver ne serait-ce que leurs propres culottes !

Le hurlement de rage des moines ne put empêcher la mauvaise humeur de se répandre, même parmi les chevaliers. Le légat y vit une possibilité de rétablir son autorité, et proclama la discussion ajournée jusqu'à la fin du déjeuner. D'ici là, les deux partis désigneraient leurs orateurs, et seuls ceux-ci auraient la parole. Il désigna Durand de Huesca pour diriger l'assemblée ; c'est à lui que l'on remettrait le nom des personnes choisies.

L'évêque d'Osma accueillit tellement mal ce choix qu'il quitta la conférence sur-le-champ. La plupart des autres participants sortirent à sa suite.

Pierre de Castelnau était resté assis sur son siège, les coudes sur la table, la tête posée entre ses mains. Laurence l'observa avec compassion, puis se retourna et distingua, quelques rangées au-dessus d'elle, le diacre général. Elle n'eut pas à fouiller longtemps dans sa mémoire, bien que son unique rencontre avec ce haut dignitaire de la curie remontât déjà à des années. C'était lors de l'une des dernières, sinon l'ultime, visites de sa mère, Livia, au château de Ferouche, dans l'Yveline, là où Laurence grandissait auprès de son père, Lionel. Pour le père et sa fille, aller à la messe le dimanche était tout naturel. La plupart du temps, ils se rendaient sans Livia à l'église de la bourgade.

Mais un dimanche, Livia avait mis sa tenue de fête et leur avait annoncé qu'elle devait obligatoirement assister à la messe : ce jour-là, le diacre général (il n'était pas encore cardinal) Rainer di Capoccio était venu pour la célébrer. Il n'était donc pas indiqué, surtout pour elle, de ne pas y apparaître. Laurence avait retenu son nom et son titre impressionnant.

Elle se rappelait encore sa surprise lorsqu'elle avait vu un jeune homme servir la messe devant l'autel : elle s'attendait à découvrir un vieillard. Après la messe, ce prêtre de si haut rang s'était longtemps entretenu avec Lionel et Livia. Tout cela lui revenait à présent.

— Il y a un ponte de la curie là-haut, confia-t-elle à voix basse à son amie Loba, mais suffisamment fort pour que le légat dresse l'oreille. C'est Rainer di Capoccio, précisa Laurence.

Esclarmonde faisait mine de ne pas la voir. La vieille dame était trop fatiguée pour aller se dégourdir les jambes à l'extérieur. Elle fit servir du vin, des rôtis froids et des fruits, et envoya aussi quelque chose au légat pour qu'il reprenne des forces. Jusqu'ici, sa prestation n'avait pas été très brillante, et cela ne rassurait pas du tout la comtesse. Elle aurait préféré que le légat pontifical ait vraiment dégainé son épée : la menace aurait été ainsi concrète pour toute l'assistance. Mais Pierre de Castelnau en était sans doute incapable. L'intervention de Laurence avait au moins mis un terme à cette situation ridicule, mais Esclarmonde ne tenait pas à ce que sa filleule lui réserve d'autres surprises. La comtesse cherchait une solution. Laurence le sentit ; d'ailleurs, Esclarmonde n'offrit pas une miette de son en-cas, ni à sa filleule, ni à Loba.

Pierre de Castelnau profita de l'occasion. Il prit les meilleurs morceaux dans son assiette et les tendit aux deux jeunes filles.

— Lequel est Capoccio ? demanda-t-il en feignant l'indifférence ; mais sa voix tremblait d'impatience.

Lorsque Laurence voulut désigner le jeune homme du doigt, il la retint brusquement :

— Discrètement, s'il vous plaît ! gémit-il.

Loba avait moins de scrupules et contemplait avec un intérêt non dissimulé ce religieux de belle allure. Pierre pouvait sans doute supporter que le plus élevé de ses supérieurs, mis à part le pape, ait été témoin du désaveu qui lui avait été infligé. Mais le fait que « l'éminence grise », comme on appelait à Rome le maître des Services secrets, ait accompli le voyage spécialement et *incognito* de Rome en Languedoc sans l'en informer, lui, son subalterne, pouvait apparaître comme une menace. Pierre sauta de son siège et se mit à faire les cent pas entre les tribunes. Il ne pouvait pas rejoindre Durand, ç'aurait été lui prêter trop d'attention. Il n'avait pas non plus de véritable motif de rendre une visite à Esclarmonde, et on l'aurait certainement mal interprété. Il n'apercevait aucun de ses propres hommes. Devait-il donc simplement se rendre auprès de Rainer di Capoccio, comme si rien ne s'était passé ? Il dut de toute façon y renoncer : Laurence et Loba remontaient les marches en bondissant et se dirigeaient vers le cardinal.

Laurence avait cédé à la demande insistante de son amie. Le jeune cardinal de la curie s'en tira fort bien. Avant même que Laurence n'ait pu ouvrir la bouche, il lui adressa un sourire de prédateur et dit, sur un ton qui ne tolérait pas la plaisanterie :

— Je suis un pâtre de la montagne, mon nom est...

— Bouc en rut ou chien en chasse ? demanda insolemment Loba. Moi, je suis Loba la Louve !

Le haut dignitaire ne put qu'éclater de rire :

— Bélier, je pousse vers l'avant ; chien, je mets les louves à terre !

Ce qui n'avait rien d'une invitation.

Laurence n'aimait pas la vitesse avec laquelle Loba allait au fait. La petite était certes un *pez da po* convoitée par les hommes. Laurence elle-même se surprit à considérer les rondeurs de Loba avec les yeux du berger — derrière solide, bassin large, cuisses raides. Les jambes étaient un peu trop courtes à son goût ; elle avait en revanche cet allant excitant de la hanche, une taille que deux mains d'homme auraient suffi à enserrer et ces seins étonnamment fermes et généreux, presque trop pour cette petite personne qui était manifestement fière de son corps.

Le cardinal afficha un fin sourire.

— Et que diriez vous si ce n'était pas la louve, mais la renarde qui attirait ma convoitise ?

Il ne regardait pas Laurence, et gardait les yeux fixés sur Loba, espérant sans doute lui avoir porté un coup. Il se trompait.

— Le plaisir de ma maîtresse a pour moi plus d'importance que le fait de recevoir les coups et les caresses que vous lui destinez.

Laurence dut intervenir pour mettre fin à ce maquignonnage :

— J'ai pour ma part quelque chose contre les jeunes messieurs de la curie, lorsqu'ils pensent qu'il leur suffit de faire claquer leurs doigts bagués pour changer non seulement leur position, mais aussi leur compagne de lit. (Laurence, elle aussi, parlait uniquement à Loba, comme si le cardinal était absent.) Ce qu'il y a de triste, dans votre battement de queue, c'est qu'il n'indique aucun désir ; on dirait que vous voulez répandre votre sperme *comme de l'eau bénite*. Une sorte d'action de grâces.

Rainer di Capoccio ne laissa pas paraître sa mauvaise humeur et se réfugia dans la plaisanterie.

— Cela devient trop compliqué pour moi, mesdames ! Une coucherie aussi chargée de problèmes ne peut que gâter le plaisir !

Et, sur ces mots, il se leva et partit. Son légat pensa que son heure était venue et se dirigea vers le cardinal. Mais celui-ci décrivit un crochet et remonta à grands pas les marches du chœur, si bien qu'il se trouva tout d'un coup devant Esclarmonde. Il devait lui présenter ses hommages sans briser son *incognito*.

— À Rome, j'ai eu l'honneur de faire la connaissance de votre amie Livia di Septimsoliis, une *mater superior* d'une grande compétence. Mais, en considérant le *status spiriti et educationis* de sa fille, il me semblerait conseillé de la placer au couvent, comme novice.

Esclarmonde réagit brutalement.

— Vous assenez vos critiques sans même avoir la politesse de vous présenter.

Le cardinal jugea trop risqué de ne pas donner son nom. Mais pour ce qui concernait son titre, il pouvait toujours miser sur une confusion avec l'un de ses nombreux parents qui fréquentaient l'entourage du pape.

— Rainer di Capoccio, dit-il donc, seigneur de Viterbe et *doctor utriusque* à l'Université de cette ville.

Esclarmonde ne parut pas vraiment s'intéresser à lui.

— Je suis responsable du comportement de ma filleule. Si Laurence devait vous avoir approché de trop près, je vous prie de bien vouloir accepter mes excuses.

Le docteur en droit laïc et religieux s'inclina devant la comtesse.

— Cela ne mérite pas que l'on en parle. Mais si vous voulez la confier à ma tutelle, je me tiens à votre disposition.

Esclarmonde trouva son impertinence écœurante.

— Occupez-vous plutôt du légat, répliqua-t-elle en lui tournant le dos.

Et, sans s'occuper plus longtemps de Capoccio, elle ordonna aux dames de son escorte :

— Accompagnez Laurence aux appartements des femmes. Laurence et elle seule, pas Roxalba de Cab d'Aret. Loba n'entrera pas dans ma maison ! ajouta-t-elle avec agacement. Il me suffit bien que ce bout de femme négligé ait pu se frayer un chemin jusqu'ici. Et refermez les verrous des portes, de telle sorte que Laurence reste dans la tour jusqu'à ce que la conférence soit arrivée à son terme.

C'est ce qui se produisit. Laurence s'y était attendue. La seule chose qui ne lui convint pas était le fait qu'on l'ait séparée de Loba. Son amie dut lui promettre d'une voix forte et distincte de ne pas quitter Pamiers sans elle. Puis elle se laissa emmener.

Après cette interruption, la dispute sur la juste foi reprit son cours. Les moines de Fanjeaux insistèrent pour l'ouvrir avec une prière.

Oremus omnipotens et misericors Deus,
Universa nobis adversantia propitiatus exclude,
Ut mente et corpore pariter experiti,
Quae tua sunt, liberis mentibus exsequamur.

Grâce à l'autorité de Durand de Huesca, discours et réponses se déroulèrent selon les règles, qui exercèrent aussi un effet modérateur sur le ton des protagonistes. Mais on n'avança pas d'un pouce sur le fond du problème. Les cathares rejetaient toutes les exigences des catholiques. Nul n'était disposé à accepter le moindre compromis.

Il y eut du tumulte sur la galerie située au-dessus de la salle, celle à laquelle menait l'escalier par lequel on accédait aussi aux appartements des femmes. On entendit des cris aigus, puis la chevelure rousse de Laurence apparut derrière la balustrade. Mais au lieu des femmes chargées de sa surveillance, ce furent des gardes de la tour qui prirent position autour d'elle. Laurence s'approcha de la rambarde. Le silence était désormais presque complet dans la salle : on ne pouvait pas savoir s'il ne s'agissait pas d'un coup de force contre l'un des deux partis — d'en haut, chacun des participants faisait une cible facile pour les flèches d'un arbalétrier.

— Vous vous disputez pour la juste foi ! s'exclama Laure-Rouge, mais je veux attirer votre attention sur le pays où nous vivons tous, cathares comme catholiques : l'Occitanie !

Esclarmonde venait de constater avec indignation que c'étaient ses propres hommes qui protégeaient les deux flancs de Laurence. Mais la fierté que lui inspirait sa filleule finit par l'emporter.

— Il n'est pas nécessaire que je vous décrive les avantages de cette terre, poursuivit Laurence. Sa beauté, sa culture unique, sa richesse, et surtout le plus grand de ses biens : sa liberté !

Elle marqua une pause pour laisser ses paroles produire leur effet.

— Or tout ceci est aujourd'hui exposé au plus grand péril. Non point à cause de l'hérésie, mais de la France ! (Le mot était lâché !) C'est en France que l'on a appelé à la première croisade, la France a pris la plus grande part dans le sauvetage du Saint Sépulcre. Mais elle reste coupée de ses possessions en Terre sainte ! La France n'a certes pas été l'instigateur de la croisade contre Constantinople la schismatique, mais l'une de ceux qui en ont le plus profité. Et pourtant, elle est toujours incapable de rejoindre par les terres son empire latin ! La maison royale française peut rivaliser avec toutes les monarchies de l'Occident, mais la couronne impériale lui demeure interdite ! On la contient de toute part — et *pourquoi* ? Parce qu'elle n'a pas d'accès à la Méditerranée !

La pause qu'elle marqua cette fois-ci était un tribut à son épuisement.

— Elle n'affrontera pas le puissant Empire romain germanique pour le port de Marseille, reprit Laurence. Mais nos côtes lui permettraient de combler cette lacune, de Montpellier à Narbonne, de Béziers à Perpignan.

Laurence regardait fixement le diacre cardinal, mais Capoccio la contemplait avec recueillement, comme si des petits anges lui donnaient un concert sur la galerie.

— Paris interviendra. Si elle n'est pas appelée au secours par l'Église, pour lutter contre les hérétiques, la France prendra pour prétexte la nécessité de prévenir une attaque de l'Aragon, des Anglais ou des Allemands !

Laurence était devenue plus virulente. Elle adressa un sourire à Loba tout en donnant à sa voix une tonalité rauque et maîtrisée.

— Mais aucun prétexte n'est aussi visible que le manque d'envie de se défendre. C'est ici que plane le danger. Ici, dans nos rangs ! Si l'Occitanie ne veut pas se sauver elle-même, l'Occident ne lèvera pas le petit doigt pour nous apporter secours. Amen !

Et elle se retira sur ces mots, laissant l'assemblée dans un silence gêné. Mais les murmures ne tardèrent pas, et l'assemblée retrouva bientôt le ton qu'elle avait adopté avant l'intervention de Laure-Rouge.

La conférence de Pamiers se dirigea ainsi vers le point où les deux partis parvinrent, avec soulagement, à la conclusion qu'ils avaient tirée par avance : il était impossible d'obtenir un accord pacifique. Les armes allaient donc devoir parler. On ne le dit certes pas ouvertement, mais on pouvait le lire entre les lignes du communiqué final que Durand de Huesca fit rédiger le soir même.

Te, Mater alma numinis,
Oramus monues supplices,
A fraude nos ut daemonis
Tua sub umbra protegas.

Les moines repartirent pour Fanjeaux en chantant des hymnes provocateurs à Marie, et les hobereaux cathares rentrèrent eux aussi dans leurs forêts — à l'exception de Guilhabert de Castres, qui accepta volontiers l'hospitalité que lui offrait Esclarmonde pour la nuit. La noblesse occitane l'imita. Esclarmonde logea les femmes dans ses propres appartements, dans la tour, les hommes dans le bâtiment central, et les escortes dans les écuries. La comtesse de Foix avait fait savoir au légat pontifical, Pierre de Castelnau, qu'elle disposait aussi d'une chambre à son intention : elle ne pensait pas qu'il voudrait quitter Pamiers au cours de la nuit.

Pierre de Castelnau profita de la dernière occasion qui se présentait à lui pour assurer sa position auprès du redoutable cardinal de la curie. Il lui proposa sa chambre pour la nuit : on n'avait pas prévu de quartiers pour l'étranger, que nul n'avait invité. Rainer di Capoccio accepta cette offre avec naturel. Il ne le remercia pas, et se contenta de donner un ordre sec à son subalterne :

— Je désire que l'on m'amène la Rouge.

Le légat était tellement troublé qu'il se contenta de hocher la tête et se hâta de s'éloigner du cardinal. Accomplir cette mission était impensable. L'idée que lui, Pierre de Castelnau, puisse aller extraire la jeune rouquine convoitée des appartements des femmes avait quelque chose d'absurde. Mais la folie ne régit-elle pas ce monde ? La pénombre était retombée depuis longtemps. Alors que le légat errait encore dans la cour, lançant des regards impuissants vers le donjon où se trouvait celle que le cardinal avait choisie comme compagne pour la nuit, il buta contre une silhouette recroquevillée de froid, assise sous une porte.

Roxalda de Cab d'Aret avait été mise à l'écart. Après que la grande Esclarmonde eut prononcé son verdict sans ambiguïté sur la Louve, aucune des dames cathares n'avait osé la prendre avec elle.

De gran golfe de mar
E dels enois dels portz
E del perillos far
Soi, merce Dieu, estortz...

Loba était trop fière pour se mêler aux servantes dont les chants parvenaient jusqu'à elle.

Le lendemain matin, Laurence s'échappa de sa chambre dès qu'elle fut déverrouillée. Elle se fraya discrètement un chemin dans la cour de la cuisine, où les deux amies s'étaient donné rendez-vous dès leur arrivée au château de Pamiers, en cas de problème. Elle vit de loin Loba qui somnolait sous la porte où elles étaient convenues de se retrouver.

— J'espère que tu n'as pas passé la nuit ici !

Laurence ne se sentait pas coupable, mais, d'une certaine manière, responsable de la petite.

— J'en serais bien contente ! geignit Loba qui l'attendait depuis longtemps sur la pierre froide, en levant le regard vers elle.

C'est alors, seulement, que Laurence vit l'œil au beurre noir. Comme les traits du visage de Loba étaient aussi bien proportionnés que son buste, cette tache grossière était d'autant plus effrayante.

— Mais qui donc t'a..., s'exclama Laurence, indignée.

— Je me le suis fait moi-même, dit Loba en tentant de cligner de l'œil. Naïve comme une grenouille qui essaie de sauter dans une marmite vide...

— Comment cela ? Vide ? Et tête la première ?

— Elle était sur le feu, corrigea Loba. Mais j'ai gardé la tête dehors lorsque j'ai couché mon corps fatigué dans le lit du légat.

— Ne me raconte pas...

Laurence bouillait de curiosité, mais elle souhaitait soigner d'abord son amie. Elle ôta sa chemise et posa un bandage à Loba.

— Pierre de Castelnau en amant déchaîné ? Canaille hypocrite !

Loba sourit, reconnaissante.

— Je m'étais à peu près fait à l'idée de coucher, *nolens, volens*, avec le Monsignore ; mais j'ai remarqué qu'il était bien peu excité. Je me suis dit que c'était la tiédeur habituelle des hommes en robe noire, et qu'elle disparaissait au contact du corps de la femme.

— Et au lieu de cela, il s'est mis à te frapper ?

— Non, il a disparu. (Loba avait retrouvé son humour.) En ne le voyant pas revenir, je me suis dit qu'il m'avait juste cédé sa chambre, signe de magnanimité ou d'amour de son prochain très chrétien. Mais au milieu de la nuit, la porte s'est ouverte bruyamment, et d'un seul coup. Le seigneur Rainer se tenait devant mon lit et semblait affreusement déçu de me trouver à l'intérieur. Il m'a secouée comme un olivier à la récolte, en grognant « escroquerie ignoble » et « trahison ». Je crois que c'est à ce moment-là que j'ai reçu le coup de poing. Parce que, ensuite, nous nous sommes livrés à une tout autre bataille, sans nous accorder ni paix, ni victoire, ni même une petite trêve. Lorsque j'avais soif, le taureau me déversait de l'eau sur le visage, si bien que je n'ai même pas senti mon œil enfler.

— Ça ne lui a pas fait mal ? demanda Laurence, qui n'avait guère l'expérience des hommes.

— La seule chose qui l'ait fait souffrir, c'est que tu ne te sois pas trouvée à ma place en dessous de lui, jambes écartées. Au petit matin, il s'est levé d'un bond, a aspergé d'eau son corps d'athlète, s'est séché avec le drap qu'il m'avait retiré sans dire un mot de sous les fesses, s'est glissé dans ses vêtements et a quitté la chambre en trombe, sans un mot pour me saluer.

Les amies restèrent muettes un moment. Laurence tenta de changer la compresse, mais Loba lui rendit sa chemise.

— Je vais me retirer un certain temps à Roquefixade.

— Une louve lèche ses blessures, proposa Laurence en plaisantant.

Loba cligna des yeux.

— La louve va avoir autre chose à lécher... un louveteau !

Cette annonce fit tomber le silence sur les deux amies comme un vieux manteau hideux. Laurence voulut d'abord protester contre cette nouvelle prématurée. Mais elle s'en abstint après quelques instants de réflexion. On ne trompait pas l'instinct d'une louve !

— Je prendrai de tes nouvelles ! se força à dire Laurence. Fais-moi confiance !

Elle se pencha vers la jeune femme assise et l'embrassa sur les cheveux. Puis elle reprit sa chemise trempée et s'en alla.

L'« endura » de la grande Esclarmonde

L'hiver recouvrit Foix de sa couverture neigeuse, avant même que l'année se soit achevée. Pour la deuxième fois, Laurence vit la pluie d'épais flocons tomber des nuages gris qui glissaient depuis les Pyrénées, laissant passer, de temps en temps, des rayons de soleil qui ne dissipaient pas le froid glacial.

Ar em al freg temps vengut
Quel gels el neus e la faingna
E-l aucellet estan mut,
C'us de chantar non s'afraingna.

Elle se tenait sur la galerie du château de Foix et regardait de l'autre côté, vers les sommets depuis longtemps enneigés d'où s'approchaient déjà, de nouveau, de sombres nuages de neige. En dessous, les toits de la ville étaient coiffés d'épais bonnets blancs ; seule la fumée bleue sortant de leurs cheminées témoignait de la vie agitée qu'ils protégeaient.

Une image de paix, se dit Laurence. Ils avaient été nombreux à voir sa marraine vigilante commencer par « l'éloigner » puis la faire raccompagner par sa propre escorte. Ce genre d'événements faisait vite la ronde dans le pays. Depuis cette heure, et même si son discours n'avait rien eu à voir avec les questions religieuses, on appelait Laurence l'« Hérétique ».

E son sec li ram pels plais
Que flors ni foilla noi nais
Ni rossignols no i crida
Que l'am e mai me reissida...

La neige ne voulait pas disparaître. L'équinoxe de printemps s'annonçait lorsque Laurence, un matin, fut réveillée à une heure inhabituelle. La comtesse voulait la voir ! Laurence n'en attendit rien de bon.

Elle fut conduite dans les appartements de la vieille dame. Dans les antichambres, il régnait un tel bruit et un tel vacarme que la première crainte qu'avait conçue Laurence, celle de devoir assister à l'agonie de sa marraine, lui parut totalement infondée.

De fait, si la grande Esclarmonde était bien couchée sur son lit élevé, sous un baldaquin, elle était habillée de pied en cap. Elle donnait des ordres, répondait à toutes les questions qu'on lui posait, et prenait d'elle-même les décisions dont elle pensait qu'on s'apprêtait à adopter sans lui en parler.

— Je pars pour Montségur, annonça-t-elle à Laurence. Je voulais te donner l'occasion de me faire tes adieux.

Elle tendit à sa filleule sa main de vieille femme.

— Je sais, répondit Laurence avec sang-froid, que ce n'est pas une séparation. Car vous continuerez à m'accompagner sur mon chemin.

Esclarmonde hocha la tête avec bienveillance. Laurence trouva donc le courage de poser la question qui lui brûlait la langue :

— Vous rappelez-vous la première épreuve à laquelle vous m'ayez soumise, jadis, au cours de la nuit de Fontenay ?

— Si tu veux savoir si tu as trouvé le chemin qui mène à toi-même, l'expérience que j'ai de toi me dit que tu dois poursuive ta voie comme il te plaît. Je saurais où elle te mène le jour où je serai avec les étoiles. Suis-la donc, et persuade-toi sans cesse que c'est la tienne. Chaque pas que tu feras en dehors te causera des torts, mais tu sauras toi-même les réparer. Dieu t'a donné l'amour des humains — même si tu ne crois pas à l'amour. Dieu t'aime !

Ces phrases valurent à Laurence un immense soulagement. Elle aurait pu prendre sa marraine dans ses bras pour la remercier de ses paroles. Mais celle-ci était tellement occupée par elle-même qu'elle ne vit pas la main tendue. Pourtant, en entrant dans la pièce, Laurence avait bien remarqué que son arrivée avait arraché un minuscule sourire de satisfaction au visage ridé.

— Si vous vous rendez à Montségur sur la glace et la

neige, permettez-moi de faire ce dernier voyage à votre côté, demanda Laurence, qui finit par attraper la main et la serrer.

Esclarmonde s'était attendue à tout, sauf à cette exigence.

— Je me sens responsable à l'égard de ta mère, qui te savait ici en de bonnes mains.

— J'agirai certainement dans le sens de votre amie, madame ma mère, déclara Laurence d'une voix ferme, si je vous guide sur ce lieu que vous aspirez tant à rejoindre.

Cette réponse arracha un sourire à Esclarmonde, signe de reconnaissance envers la ferme volonté de la jeune femme. Elle serra la main de Laurence avant que celle-ci ne la lui ôte.

— Dans ce cas, prépare-toi. Et habille-toi chaudement. Mes dames te pourvoiront surtout en hautes bottes fourrées de peau de mouton. Car sur cette route, il nous faudra souvent avancer à pied.

Et elle congédia Laurence d'un mouvement de la main, concis et impérieux.

Laurence n'aurait jamais imaginé la taille que pourrait atteindre ce convoi, qui avait commencé comme une simple escorte constituée par les familiers d'Esclarmonde. Celle-ci n'avait admis que les femmes et les serviteurs indispensables. Elle avait pris congé de tous les autres dans la cour, les avait richement récompensés et remerciés pour leur fidélité. Ces images muettes et émouvantes couraient encore dans l'esprit de Laurence au moment où la litière se mit lentement en marche sur le sentier sinueux et abrupt, soigneusement recouvert de cendres, qui menait du château de Foix vers la ville. Mais en dessous, les gens se pressaient dans les rues. Ils demeurèrent silencieux jusqu'à ce que quelqu'un exprime sa douleur par les vers du troubadour Montanhagol, que tous connaissaient :

N'Esclarmunda, vostre nom signifia
Que vos donatz clardat al mon per ver...

Quelques-uns sanglotèrent, d'autres se mirent à réciter à voix basse.

Et etz monda, que no fes non dever :
Aitals etz plan com al ric nom tanhia !

Dans le silence qui régnait sur le parcours, on n'entendait que le bruit assourdi des chevaux et le grincement des pas dans la neige. Soudain, une femme cria, laissant échapper la peine qu'ils ressentaient tous :

— Esclarmonde ! Ne nous abandonne pas !

Alors, toutes les angoisses accumulées s'échappèrent, on se mit à pleurer et à se lamenter. Certains se jetèrent au sol, comme si ce geste pouvait encore retenir la progression de la maîtresse bien-aimée. La litière avança en vacillant par la porte Sud de la ville. Les rideaux restèrent fermés.

Devant les murs de la ville, paysans et pâtres jalonnaient déjà la route de Tarascon. Ils étaient descendus de leurs villages retirés et avaient traversé leurs vallées enneigées. La triste nouvelle leur était parvenue pendant la nuit. Ni le froid, ni les congères et les avalanches ne les avaient empêchés d'aller adresser leur dernière salutation à leur comtesse. D'autres seigneurs, avec leurs dames et leurs écuyers, se rallièrent au convoi — les femmes qui s'y étaient jointes pendant la traversée de la ville l'avaient déjà fait doubler de volume. Avec leurs solides vêtements d'hiver, leurs bottes de peau et leurs casquettes fourrées, on pouvait penser qu'ils s'étaient tous préparés pour faire ce voyage dans la montagne, et qu'ils étaient fermement décidés à ne se laisser arrêter par aucun obstacle.

Lorsque la longue troupe de cavaliers et de porteurs de bagages quitta la ravine de l'Ariège, qui n'avait cessé de rétrécir, pour se tourner vers l'est, elle enfla de nouveau pour devenir une véritable armée : quelques vassaux des comtes de Foix attendaient ici l'arrivée du cortège. Jusque-là, Esclarmonde ne s'était pas montrée et n'avait pas commenté cet afflux de partisans. Laurence admirait sa tranquillité — ou bien la vieille femme, dissimulée derrière les rideaux, appréciait-elle cette vague de vénération qu'elle provoquait à travers le pays blanc ? Une vieille dame sentant ses derniers jours arriver — et aspirant aussi, sans doute, à cette fin — partait dans les montagnes pour faire la paix avec Dieu et se coucher dans son dernier lit. Mais l'amour et le désespoir des gens qu'elle abandonnait à un destin sombre et menaçant submergeaient la voyageuse ; elle savait qu'elle ne pouvait rien emporter d'autre que son *alva*, le linceul des cathares. On était convenu de faire des adieux à ce monde comme s'il s'agissait d'une procession destinée à l'adoration de la Vierge Marie, une invocation de cette vie qui éclosait, une approbation de ce monde créé par Dieu !

Laurence leva les yeux, effrayée : ils se trouvaient juste en dessous de Roquefixade. Les murs sombres et regroupés se détachaient nettement de la paroi blanche de la montagne, comme si un poing les y avait écrasés. Son amie la guettait-elle à présent de là-haut, le ventre rebondi ? La regardait-elle fixement en attendant son aide et en la maudissant de ne jamais lui avoir rendu la visite qu'elle lui avait promise ? Laurence baissa les yeux, confuse, moins par honte que par crainte : la comtesse aurait pu remarquer son regard et croire que si Laurence l'accompagnait sur ce dernier parcours, c'était pour rejoindre ensuite Loba la Louve — ce qui n'était d'ailleurs pas très éloigné de la vérité. Laurence était bien forcée de l'admettre si elle voulait rester honnête envers elle-même.

— Lorsque nous serons arrivés au terme de cette voie militaire romaine, fit la voix glaciale d'Esclarmonde, qui la tira de ses rêves, le bon grain se séparera de l'ivraie. Car en hiver, on ne peut réussir l'ascension du Montségur qu'avec des porteurs du cru.

La comtesse avait brièvement ouvert le rideau de la litière, pour attirer l'attention de sa filleule. Elle le referma rapidement ensuite : elle ne souhaitait pas être vue.

— Tous ceux qui étaient au village, au pied du Pog, sont à notre disposition exclusive. (Ses ordres résonnaient, durs et rapides, de derrière le rideau.) Seuls arriveront donc au château du Graal les élus qui s'étaient assemblés autour de moi à Foix. Les autres devront rester en bas.

Elle ne se donnait même pas la peine de prendre le ton du regret.

— Tous se sont pourtant soumis à ce voyage exténuant par amour de vous, Esclarmonde, releva Laurence.

La réponse de sa marraine ne se fit pas attendre :

— Mon enfant, si tu ne voulais pas subir les peines de cette ascension, je le comprendrais parfaitement. Nous pourrions tranquillement nous faire nos adieux au pied de la montagne. Après tout, que ferais-tu là-haut, dans ces murs inhospitaliers ? Voir mourir une vieille femme n'a rien de très édifiant, ajouta-t-elle sèchement.

Laurence tenta d'imaginer le visage de la vieille femme qui, jusqu'à sa mort, disposait de la vie des autres.

— Je vous avez promis mon escorte, Esclarmonde — *que vos donatz clardat l mon per ver*. (Elle était fière d'elle-même, moins pour cette citation parfaite que d'être parvenue à réprimer toute moquerie.) Une Belgrave tient parole ! Et je saurai bien trouver quelques bras puissants qui me monteront et me redescendront, morte ou vive.

Il était beau de pouvoir lancer encore une déclaration de guerre face à la mort. N'Esclarmunda devait mourir comme elle avait vécu, la vieille femme ferait en sorte d'y parvenir. On ne laissait pas une Belgrave sur le bord du chemin ! Le silence, derrière le rideau, lui indiqua que le message était bien passé.

On avait donné l'ordre de ne pas attendre les marcheurs, qui avançaient péniblement. Comme le sentier, dans la vallée étroite, ne permettait pas de marcher à plus de deux ou trois de front, le cortège s'étendait de plus en plus sur les flancs du Plantaurel, alors que les contreforts du mont Tabor se dressaient déjà, de plus en plus menaçants, devant les chevaliers. Ils barraient encore la vue sur l'objectif définitif ; mais à chaque nouvelle montagne, ils rappelaient plus crûment aux chevaliers qu'eux aussi ne tarderaient pas à devoir mettre pied à terre.

Laurence avait la ferme intention de rester en selle jusqu'à ce qu'elle ait atteint le point où débutait la véritable montée vers le Montségur, et où des grimpeurs expérimentés devraient leur prêter assistance. Jusque-là, elle laissait son cheval choisir lui-même son pas, afin de le ménager. Ils passèrent des forêts de sapins enneigées et des coteaux recouverts d'épaisses plaques blanches sculptées par le vent, d'où dépassaient des rochers gris-noir et des congères en surplomb. Au-dessus s'élevaient les sommets depuis longtemps gelés, dont le plus élevé servait de point de repère à ceux qui connaissaient les lieux. Quelque part entre eux, en bas, et la corniche qui se dressait, majestueuse et silencieuse, au-dessus de leur tête, se tenait, bien à l'abri, le Montségur, la montagne du refuge, le havre du Graal. L'été, on pouvait y parvenir tout droit, en empruntant de périlleux sentiers muletiers. Mais l'hiver, les ponts franchissant les rivières torrentielles de la vallée fixaient l'unique chemin zigzaguant qui menait jusqu'au Pog.

L'instant était venu où l'avant-garde à cheval indiqua aux

porteurs de la litière, qui suivait immédiatement, qu'il fallait quitter l'ancienne voie militaire. Un pont de pierre, qui datait des Romains, traversait le fleuve. Personne n'était passé à cheval ici depuis longtemps : on ne voyait pas la moindre trace dans la neige qui montait encore haut entre les murs, au-dessus de l'arche.

L'escorte barra le passage à la plupart de ceux qui la suivaient. Lorsque tous les élus eurent franchi le pont, Esclarmonde fit relever la litière. Elle écarta une dernière fois le rideau et montra sa tête grise. Sa main se leva, comme pour bénir ceux qui allaient rester sur place. Laurence crut l'entendre prononcer une dernière fois la formule de salutations cathare, « *Che Diaus vos bensigna* ». Puis le rideau retomba, et la litière, qui n'était plus suivie désormais que par les fidèles, reprit sa route dans le mont Tabor. Les chevaliers qui avaient mis pied à terre sur la route, les paysans et les bergers qui les avaient rejoints répondirent si fort à ce salut que les montagnes leur firent écho. Les femmes crièrent le nom de la comtesse en se lamentant jusqu'à ce que la litière ait disparu entre les rochers, au premier virage. « *Che Diaus vos bensigna, N'esclarmunda ! Che Diaus vos bensigna !* »

Le chemin s'étira encore longtemps avant que la petite troupe, qui avait quitté Foix trois jours plus tôt, n'arrive, le soir, au pied de Montségur, dans le hameau qui portait le même nom. Les habitants avaient tout préparé. Le lendemain matin, Laurence, comme toutes les femmes, fut enveloppée de coussins de plumes et placée debout dans une énorme hotte qui serait portée par l'un des solides gaillards de l'escorte. Mais ils avaient tenu à monter Esclarmonde dans la litière qu'ils soulevèrent à plusieurs — une procédure que Laurence n'envia nullement à la vieille femme. Car la chaise à porteurs était souvent transmise en biais d'une main à l'autre, on la poussait, on la haussait, et son occupante devait sûrement avoir le vertige, sans même parler des coups et des secousses. Ce serait un miracle si la vieille dame n'arrivait pas au bout toute disloquée, et atteignait en vie la pointe de ce gigantesque piton rocheux.

Laurence, en revanche, dans sa corbeille en cocon, regardait le paysage comme une poupée, et jouissait tout son soûl de cette méthode de transport — exception faite des quelques moments d'angoisse qu'il lui fallait surmonter lorsqu'ils progressaient au-dessus de ravines profondes ou de falaises abruptes.

C'est de cette manière qu'en hiver on acheminait tout dans la montagne, y compris les foins et le bétail, comme l'expliquèrent les porteurs qui se relayaient. À côté d'eux, les hommes de Foix haletaient en montant à cette altitude à laquelle ils n'étaient pas accoutumés. La plupart des femmes dormaient dans les corbeilles, ce qui étonna beaucoup Laurence. Lorsqu'ils eurent quitté la forêt de la montagne, le château se dressa au-dessus d'eux entre les rochers, la lumière du soleil perça la brume, et le Montségur se mit à briller comme de l'or.

Laurence, satisfaite, constata qu'un portail s'ouvrait dans le mur, exactement comme elle l'avait distingué lorsqu'elle avait aperçu le château, de loin, deux ans plus tôt. C'était sur le chemin du retour, après la funeste épreuve du feu de Montréal. À l'époque, ils avaient fait étape chez Alazais et son fils. Comme elle était tombée amoureuse de cette fée ! Et elle ne l'avait jamais revue ! Elle devrait réparer cet oubli au plus vite, lorsqu'elle aurait retrouvé sa liberté d'action. Laurence avait tant de projets devant elle. Mais pour l'heure, ce fut le sommeil qui s'empara d'elle à son tour, lorsque seule une gigantesque pente d'éboulis sépara encore les voyageurs de leur objectif.

Laurence ne s'éveilla que dans la cour de la forteresse, au moment où l'on posait brutalement sa corbeille au sol. Les gaillards se permirent une petite plaisanterie avec la rouquine : ils posèrent leur fardeau dans un coin, en plaisantant, comme s'ils avaient totalement oublié le contenu de leur corbeille. Laurence ne leur fit pas le plaisir d'attirer l'attention par des cris. Elle regarda tranquillement autour d'elle. On avait libéré la comtesse de sa litière, plus morte que vive. Si elle-même avait été aussi secouée, Laurence aurait fait fouetter ses jeunes porteurs irréfléchis ! Mais Esclarmonde se fit aussitôt conduire par ses femmes jusqu'à la citadelle, sans dire le moindre mot sur le martyre qu'elle avait enduré.

De l'intérieur, le château du Graal, dont les façades donnaient une telle impression d'éclat et de mystère, n'était en réalité composé que de murs nus et très élevés : un triangle allongé dont les coins étaient arrondis et les angles remplis de bâtiments de pierre, les seules maisons construites en dur dans l'enceinte du château. Tous les autres logements, remises et écuries étaient en bois. Ces édifices, qui comprenaient souvent deux ou trois étages, se collaient à l'enceinte de pierre ; le plus souvent, on ne pouvait y parvenir qu'en empruntant des échelles. Sur la façade ouest s'élevait le donjon trapu. Toujours coincée dans sa corbeille, Laurence se trouvait juste dans le coin opposé du mur. Ici, un escalier de pierre abrupt menait à la hauteur des créneaux, pour autant qu'elle pouvait en juger depuis le bas, car son champ de vision était encore très limité. Elle vit tout de même la porte principale, celle par laquelle elle était passée, et, de biais face à elle, une autre porte dont on ne voyait pas où elle menait. En tout cas, elle paraissait avoir été rarement utilisée, et on ne la surveillait pas non plus. Depuis qu'elle l'observait, personne n'avait posé le pied sur son seuil de pierre.

Enfin, quelqu'un appela Laurence. N'Esclarmunda, comme on l'appelait ici (de manière parfaitement respectueuse), la réclamait. Alors seulement, les femmes découvrirent la hotte rangée dans un coin, grondèrent les porteurs inattentifs et libérèrent Laurence.

Elle se donna l'impression d'être une larve rigide et informe qui, s'étirant avec plaisir et battant des ailes, donne enfin le jour à un papillon magnifique. Elle secoua énergiquement sa crinière rouge, se dirigea vers le garçon qui l'avait portée et l'embrassa sur la bouche, au vu et au su de tous.

— Voilà pour le portage ! s'exclama-t-elle gentiment.

Puis, en un éclair, elle prit son élan et le gifla.

— Et voilà pour l'attente ! ajouta-t-elle.

La tête dressée, elle marcha vers le donjon. Les femmes la suivirent.

Après les fatigues qu'elle avait subies, Laurence s'était attendue à trouver sa marraine alitée. Mais dans sa chambre, la plus haute du donjon, la comtesse se tenait droit, sur un siège à haut dossier. Elle était emmitouflée jusqu'au bout du nez dans des couvertures de fourrure, on avait placé à ses pieds un baquet plein de charbon de bois ardent, et l'on avait disposé son siège de telle sorte qu'elle puisse observer ses terres par l'étroite fente qui servait de fenêtre. Pour le reste, on ne trouvait dans sa pièce qu'un lit de fer et une table.

Lorsqu'elle eut ouvert le petit coffre qui avait été son seul bagage, il fallut disposer sur la table ses objets préférés. On y trouvait un cristal de roche arrondi dont le contact était agréable à la paume de la main, et un petit coffret taillé dans de la stéatite, dans lequel une étrange feuille de métal reposait sur une minuscule pointe d'acier. Pour être précis, elle ne reposait pas : elle oscillait en tremblant de part et d'autre, et il fallait qu'Esclarmonde la tienne parfaitement immobile pour que l'extrémité du fer bleuâtre et plat indique précisément le sud — le Tabor, le *Pic*. Ce savoir la tranquillisait extraordinairement.

Esclarmonde ne venait pas pour la première fois sur le Montségur. Toutes ces années, elle avait surveillé son achèvement, mais elle n'avait révélé à personne, pas même à l'architecte, qu'elle avait orienté les murs et les portes de son Montségur. Le seul qu'elle ait mis dans la confidence était un vieil *ingeniere* du Piémont qui, jadis, était proche de son cœur. Celui-ci lui avait confirmé que son triangle suivait Sirius, que désignait la pointe située face au donjon, que le mur arrière s'orientait, dans son prolongement, sur Orion, comme on l'avait déjà fait pour la Grande Pyramide, dont il avait pu participer aux mesures, lorsqu'il était devenu *secretarius* du conservateur en chef de tous les bâtiments du Caire — c'était lorsqu'il s'était retrouvé prisonnier en Égypte, après la croisade de Cœur de Lion. Avec son aide, Esclarmonde avait ensuite disposé les portes et les rares fenêtres, de telle sorte qu'elles désignent toutes l'Étoile polaire ; cela donnait au bâtiment sa forme surprenante.

Esclarmonde savait qu'elle ne quitterait plus cet univers aussi sobre qu'étrange. Elle l'avait souhaité ainsi. Elle n'aurait changé qu'une chose, après coup : les fenêtres auraient pu être un peu plus grandes. La vue sur les montagnes et le ciel aurait été meilleure. Et les pièces auraient été plus claires.

— Plus de lumière !

Ce furent les premiers mots que Laurence entendit cette fois-là de la vieille dame. Cela ne ressemblait même pas à un ordre, c'était plutôt une question, une profonde réflexion. Et elle ajouta aussitôt : « Cela suffit », comme pour se plier à l'inévitable.

Laurence interrompit ce monologue.

— Au lever du soleil, dit-elle, il fera très clair, ici, en haut.

— Le soleil se lève à l'est, rectifia Esclarmonde, presque brutalement. Ici, je le vois se coucher. C'est très beau, et cela correspond au stade de mon parcours sur cette terre...

Laurence suivit son regard par la meurtrière. Le ciel de l'après-midi était gris et chargé.

— Comment pouvez-vous prétendre savoir, Esclarmonde, quand il plaira à Dieu de vous rappeler à lui ?

— Je le désire ainsi ! Guilhabert de Castres viendra plus tard, même si je n'ai plus besoin du *consolamentum*, car il me l'a déjà donné à Foix. (Elle parut méditer, et un sourire glissa sur ses traits.) L'*endura* sera courte, avec la manière dont les lascars qui m'ont acheminée ici m'ont secouée. Il me semble qu'ils m'ont brisé toutes les côtes.

— Si tel était le cas, vous ne parleriez pas avec une telle vivacité de votre proche mort, marraine ! répondit Laurence en riant.

Son hilarité contamina la vieille femme.

— Dommage, répondit-elle sèchement. Dans ce cas, cela durera un peu plus longtemps. Mais au bout s'ouvre la porte du paradis. (Elle regarda Laurence, d'un air rayonnant.) Pour tous ceux qui y sont prêts. J'y suis prête.

Laurence regarda longuement la vieille femme. L'expression de son visage — même si le rayonnement de joie ne fut que de courte durée — montrait la certitude tranquille d'un être qui a trouvé son chemin.

— N'Esclarmunda — si vous m'autorisez aussi à vous appeler ainsi — vous vous en allez *et etz monda* comme une pure, cita-t-elle en s'assurant qu'elle avait ainsi capté l'attention de la vieille dame. Mais vous laissez derrière vous ceux qui vous ont obéi, comme une robe élimée que vous auriez portée suffisamment longtemps.

Esclarmonde réagit avec amusement. Elle se promettait sans doute un peu de distraction en prolongeant sa discussion avec Laurence.

— Lorsque l'on s'apprête à passer *l'alva*, on ne peut que se débarrasser de tout ce que l'on portait auparavant, comme d'une simple parure, d'un poids ! C'est comme un *devèr* que j'ai supporté l'orgueil et l'entêtement des gens de ma caste, leur stupidité.

Si la vieille femme avait craché à cet instant pour exprimer son mépris, Laurence l'aurait serrée dans ses bras. Mais la comtesse connaissait les usages.

— C'est moi, une femme, je n'ai pas dit une faible femme, qui leur ait construit ce château. Non pas pour que le peuple angoissé puisse venir y chercher refuge lorsque se déchaînera *l'armageddon*, la destruction par le feu et le sang de ce pays. (Elle se pencha en arrière et ferma les yeux, non pas pour échapper à cette vision d'horreur, mais dans une triste certitude de ce qui allait survenir.) Je voulais donner un exemple aux princes de ce peuple, les tirer de leur léthargie, afin qu'ils se défendent contre cette volonté meurtrière, contre la conjuration dévastatrice qui lie l'Antéchrist de Rome et la lignée des usurpateurs capétiens sur le trône de France.

Laurence crut que la comtesse se rebellait une dernière fois, dans un ultime sursaut de son esprit inflexible. Mais elle retomba aussitôt dans la résignation.

— Mais l'Occitanie aspire à disparaître (Esclarmonde avait à présent le corps penché en avant, elle désignait la meurtrière.) Regarde ! lança-t-elle à Laurence sans détourner son regard du spectacle. Le soleil !

À l'extérieur, les nuages avaient pris les couleurs du crépuscule et libéraient la vue sur le disque pourpre incandescent qui descendait vers l'horizon. Laurence fut touchée par cette image.

— Et si je reprenais cette mission ? demanda-t-elle. Je me crois capable de chevaucher d'une cour à l'autre et d'éveiller les dormeurs, de ramener les rêveurs au sol, de redresser ceux qui sont désespérés. Laissez-moi le cheval et votre escorte.

Un sourire éclaira de nouveau le visage qui semblait s'apprêter à rejoindre les flammes de l'astre solaire.

— Je te donne volontiers ce que j'ai possédé. (La vieille femme prit le ton léger et taquin d'une jeune fille.) Ce n'est pas grand-chose, puisque l'on mettait tout à ma disposition — mais toi, tu as tes cheveux roux ! (Elle se força à redevenir sérieuse.) Tu t'apprêtes à prendre une charge...

— ... qui correspond à mes forces ! répliqua Laurence, enflammée.

Esclarmonde secoua presque imperceptiblement la tête, sans la regarder.

— Une tâche que tu peux t'efforcer de remplir, mais elle n'arrivera pas à son terme. Tu entames un combat sans issue !

— Le vôtre n'était-il pas lui aussi sans espoir ?

— Tu oublies le Graal, répondit la comtesse d'un ton grave.

Mais le ciel désormais plongé dans le rouge lui fit perdre d'un seul coup l'intérêt pour cette conversation. Le mont Tabor était en flammes. Du carmin vif à l'orange étincelant, les langues de feu dévoraient les sommets encore bleuâtres un instant plutôt et plongeaient les vallées dans un noir profond, tandis que le ciel se teignait de bleu nuit.

— Maintenant, laisse-moi seule. Je ne veux plus parler.

Esclarmonde tendit sa joue à Laurence. Elle avait commencé son voyage.

Laurence l'embrassa avec un respect dont elle ne se serait pas crue capable. En déposant son baiser sur le front froid de la vieille femme, elle éprouva une sorte d'affection. Elle quitta rapidement la chambre et descendit les escaliers à grands pas pour rejoindre la cour.

La pénombre avait rapidement laissé place à la nuit. À la lumière dansante des torches qui apparaissaient à la porte principale, Laurence comprit que l'on attendait un invité tardif. Elle traversa avec la prudence qui s'imposait la cour gelée ; lorsqu'elle approcha de la porte, elle vit un groupe de silhouettes emmitouflées qui remontaient les derniers mètres. Il n'y avait ni litière, ni corbeilles. Les torches entouraient une personne à laquelle on accordait sans doute une attention particulière. Elle paraissait repousser tous ceux qui lui proposaient leur soutien, et marchait d'un pas sûr vers la porte du château où se trouvait Laurence, les cheveux rouge feu éclairés par les torches. Enveloppée de tissu jusqu'à en devenir informe, elle portait des bottes de peau qui lui remontaient jusqu'à la hanche et un manteau de peau de loup. Avant même qu'elle n'ait pu ôter sa capuche, un rayon de lumière tomba sur le visage glacé : Alazais !

La fée secoua la neige de ses cheveux blonds qui dépassaient de la capuche et serra dans ses bras Laurence, qui en resta sans voix.

— Esclarmonde m'a appelée, expliqua-t-elle sobrement en repoussant doucement Laurence dans la cour. Nous nous reverrons demain, ajouta-t-elle à la vive déception de la jeune fille. Je ne veux pas la faire attendre.

Elle avait prononcé ces mots d'un ton si décidé que Laurence ne voulut pas s'y opposer. Quelle femme ! Laurence la suivit des yeux, emplie d'admiration. Elle n'aurait pas cru qu'un personnage aussi évanescent qu'Alazaïs entreprenne à pied, entourée de ses seuls serviteurs, l'ascension du Montségur, et parvienne, par ses propres forces, à parcourir ce trajet de nuit sous la neige et sur la glace ! Dire qu'elle, sa cadette, s'était fait porter en plein jour !

Laurence chercha le chemin de la cuisine et se fit servir une soupe chaude. Ici se tenaient les femmes, lorsqu'elles n'étaient pas de service au donjon, les autres domestiques que la comtesse avait ramenés de Foix, et les solides gaillards qui les avaient transportées dans les corbeilles. Ce genre d'expérience créait des liens, au moins suffisants pour que l'on se réchauffe les uns les autres une nuit durant. Tous avaient déjà abondamment goûté le vin ; le fait qu'au-dessus de leur tête, dans sa tour, leur maîtresse N'Esclarmunda se prépare à entrer au paradis ne leur imposait nullement le silence.

En revanche, leur bonne humeur diminua considérablement avec l'entrée de Laurence. Personne n'osa plus élever la voix. Laurence alla s'asseoir dans un coin, mangea rapidement sa soupe après y avoir émietté du pain. Elle l'accompagna avec des tranches de petite saucisse dure, que la cuisinière l'avait forcée à prendre. Elle ne refusa pas non plus un gobelet de vin, mais elle ne voulut pas se laisser intégrer dans la ronde. À la fin, Laurence réclama une pomme et demanda aux femmes de la guider vers ses appartements.

Tandis que deux servantes lui éclairaient le chemin vers une grange accessible par une échelle, elle entendit la salle, derrière elle, retrouver l'ambiance qu'elle avait glacée.

— Dans la paille, il fait tout de même plus chaud qu'en haut, dans la pierre froide, expliqua la plus âgée des deux, d'une voix maternelle.

— La pauvre âme, ajouta la plus jeune. Elle va mourir dans le froid. La chambre de la tour ne reçoit pas une once de chaleur, pas même celle du diable !

— Ne dis pas cela ! gronda l'aînée. Madame la comtesse est entourée de couvertures et de peaux, elle ne sera pas mieux dans le ciel. *Que Diaus la bensigna, nuestra N'Esclarmunda !*

Laurence vit qu'on lui avait préparé une couche sur le sol de la grange, avec des draps et une épaisse couverture de fourrure. Elle remercia les deux femmes, ôta ses vêtements de laine et se glissa sous la couverture. Comme la paille sentait fort ! Elle regarda le ciel par un trou ouvert dans le toit, et chercha vainement Orion. Lorsqu'elle eut, au moins, trouvé l'étoile du berger, elle remonta sa couverture jusqu'au menton, sans craindre de mourir de froid, et s'endormit aussitôt.

Lorsque Laurence s'éveilla, son « soleil » était entré dans la pièce où elle couchait. Alazais avait déjà ôté ses bottes de peau, son manteau de fourrure et ses vêtements. Laurence se frotta les yeux, qui ne s'habituèrent pas tout de suite à la lumière pâle de la nuit.

— Prends-moi dans tes bras, dit Alazais.

Laurence souleva la couverture et laissa la fée se glisser dans le nid chaud. Elles restèrent longtemps couchées ainsi, étroitement enlacées. Alazais puisa la chaleur de la dormeuse, aussi avide qu'un papillon aspirant le nectar d'un calice. Laurence se pelotonna contre le corps gelé, heureuse de pouvoir lentement l'éveiller à la vie. Enfin, Alazais commença à raconter à voix basse :

— Avec une sévérité inflexible, elle est restée assise sur son siège, devant la fenêtre ouverte, et a suivi la course d'Orion jusqu'à ce qu'elle ne puisse plus la voir. Alors seulement, elle m'a autorisée à remettre son manteau sur son aube, et à faire entrer ses femmes, qui attendaient à l'extérieur. Frigorifiée, elle s'est laissé coucher et border par elles. Je suis restée seule avec elle, chuchota la jeune femme. Lorsque l'étoile du matin a pâli, son *endura* s'est achevée. N'Esclarmunda est revenue vers les étoiles.

— A-t-elle encore dit quelque chose ? chuchota Laurence en serrant Alazais contre elle.

— Lorsque j'ai déposé le manteau sur ses épaules, un soupir l'a parcourue, et elle a déclaré en soupirant : « Ah, Montségur ! » Pour le reste, tout s'est déroulé dans un silence absolu, comme nous en étions tous convenus auparavant. C'était une femme magnifique !

— Toi aussi, tu es magnifique ! dit Laurence. Tu ne m'as même pas encore embrassée !

Alazais lui répondit d'un simple regard étoilé, et repoussa la couverture d'un seul coup.

— Lève-toi, je vais te montrer quelque chose.

L'aube pâle permit aux deux femmes de passer rapidement leurs robes. Alazais rit en voyant Laurence maugréer sans oser se rebeller contre son ordre. Elles descendirent les échelles, et Alazais lui prit le bras : le sol était comme un miroir.

— Cette nuit était celle du solstice d'hiver.

— Ah oui ? répondit Laurence, qui n'avait pas envie de feindre la bonne humeur.

— Tu ne regretteras pas ton petit sacrifice, répondit gaiement Alazais. Pense à l'*endura* de notre N'Esclarmunda.

Et elle mena Laurence droit vers le sous-sol du donjon. La salle était vide, seul un autel de pierre indiquait que les cathares l'utilisait pour leurs réunions. De petites fenêtres, dont les fentes s'écartaient vers l'intérieur comme des meurtrières, avaient été creusées par paire sur chaque face, mais elles n'étaient pas symétriques. Alazais était restée à la porte.

— Et maintenant ? grogna Laurence.

Alazais se comportait déjà en digne successeur d'Esclarmonde. Elle avait passé le bras autour des épaules de Laurence et la força à attendre.

— N'Esclarmunda va nous adresser un signe indiquant son arrivée au paradis.

— Tu plaisantes ?

Laurence, pour en avoir fait la douloureuse expérience, savait qu'il était presque impossible de faire acheminer un message en hiver. Mais ses mots lui restèrent coincés dans la gorge. À sa gauche et à sa droite, les fenêtres se mirent à brûler, aussi incandescentes que le crépuscule.

— Le soleil ! cria Laurence en observant, intimidée, le phénomène du cône lumineux qui traversait la pièce pour poser son signe de l'autre côté.

— Esclarmonde ne voulait pas voir le soleil se lever, expliqua Alazais à son amie ébranlée. Elle le forçait donc à prendre au petit matin les couleurs du soir ! N'Esclarmunda doit être au Ciel ! *Aitals etz plan com al ric nom tanhia !*

Alazais sourit. Les signes de feu sortirent des niches et s'éteignirent aussi vite qu'ils s'étaient enflammés.

— Viens, maintenant, fit-elle, sans pouvoir réprimer un bâillement.

— Où cela ? demanda Laurence, méfiante.

— Retournons dans la paille chaude ! s'exclama Alazais en

se mettant à courir sur la glace. Tu ne m'en feras plus sortir avant l'angélus de midi.

— Ça n'existe pas ici ! s'exclama Laurence. Nid d'hérétiques !

Elle tenta de rattraper son amie, et manqua se retrouver par terre. Elles montèrent l'échelle en toute hâte et la relevèrent derrière elles. Puis elles se débarrassèrent de leurs vêtements aussi vite que possible et se jetèrent sur leur couche encore chaude.

Cette fois, Laurence ne protesta plus. Et toute lassitude avait disparu.

Dos y Dos

À Roxalba de Cab d'Aret
à Roquefixade
De Laurence de Belgrave, hôte à Laroque d'Olmès
Auprès de N'Alazais.

En janvier, Anno Domini 1208

Loba, je ne t'ai pas oubliée ! Tu dois me croire, sans cela j'arrête d'écrire cette lettre. Mes doigts sont engourdis par le froid dès que je les laisse sortir de leurs moufles fourrées. Peu importe en effet que je sois assise dans l'une de ces cavernes de pierre où les stalagtites descendent des murs, ou devant la porte — si ce n'est que là, en plus, souffle un vent glacial.

Il n'est pas tout à fait exact de dire que j'ai uniquement entrepris pour te servir cette ascension exténuante sur le Pog. Je voulais aussi assister au trépas de cette femme remarquable, je voulais voir comment meurt une femme comme elle. Son accès au paradis était de toute façon la condition pour que je puisse enfin te revoir. Mais comme si son enchantement et sa mauvaise humeur à ton égard agissaient encore au-delà de la mort phy-

*sique, des avalanches ont soudainement barré la route de Foix,
l'unique accès à Roquefixade.*

*N'Alazais, que j'ai rencontré lors de cette nuit à Montségur
— c'était le solstice —, a été assez bonne pour me proposer de
prendre mes quartiers d'hiver à Laroque d'Olmès jusqu'à ce que
le chemin qui mène chez toi soit débarrassé de ces masses de
neige. Elle est veuve et a un fils nommé Raoul, un enfant étrangement perdu dans ses rêves, mais aussi obstiné — je connais le
véritable père de ce garçon, l'un des personnages les plus curieux
que j'aie jamais rencontrés. De lui, ce petit a appris l'inconstance,
mais aussi le don de se lancer sans crainte dans toutes les aventures de l'esprit, un goût appuyé pour l'exploration, aussi bien
face à la nature que face à son prochain. Je n'ai rencontré cela
jusqu'ici que chez un autre enfant vieilli prématurément, Federico, depuis sa quatrième année roi de Sicile, orphelin de père et
de mère, qui s'est élevé tout seul.*

*N'Alazais tente de contrecarrer cette évolution de son fils
bien-aimé en utilisant ses vassaux comme précepteurs ; mais le
vent de l'esprit qui souffle dans les voiles qui servent d'oreilles à
Raoul sera plus puissant que la bienveillance maternelle. Même
par temps de glace et de neige, il quitte secrètement Laroque en
pleine nuit pour aller traîner à la taverne du croisement, sur la
route de Miralpeix, et entendre les voyageurs de passage lui
raconter ce qui se passe dans le monde. Cela doit être une gargote
mal famée, elle s'appelle* Les Quatre Camins, *trois doivent mener
en enfer et le quatrième, je te l'ai dit, à Miralpeix. Mais ma louve
connaît sans doute depuis longtemps ce lieu de mauvaise réputation ! Je me renseignerai sur toi, car Raoul m'a promis de m'y
emmener lorsque cette lettre sera terminée. Ensuite, nous y chercherons un coursier fiable pour te l'apporter.*

*Te rappelles-tu ce gigantesque vaudois à Pamiers, l'Espagnol
Durand de Huesca ? On dit qu'ensuite il s'est rendu à pied à
Rome et s'est réconcilié avec le pape. Il prêcherait aujourd'hui
contre les hérétiques. Le comte Raymond de Toulouse n'a pas
réussi à renouer les liens. En tout cas, notre fameux légat Pierre
de Castelnau a de nouveau reçu l'instruction de confirmer l'excommunication du comte. Ils le tourmentent de la manière la
plus perfide : le Saint-Père lui promet rédemption et pardon
pourvu qu'il poursuive sévèrement les hérétiques dans son pays.
Mais le légat zélé a annoncé à Rome que des* perfecti *se promè-
nent encore librement dans toute l'Occitanie au lieu de brûler sur*

les bûchers. Messire Raymond devient ainsi une incarnation de la tolérance, sinon un promoteur de l'hérésie cathare : on l'excommunie donc une fois de plus, et on le menace de lui faire perdre son rang, ses terres et ses biens. Et cela au fier seigneur de Toulouse, dont un troubadour chante déjà la gloire :

Car il val tan qu'en la soa valor,
Auri assatz ad un emperador.

Le seigneur Innocent s'en lave les mains, le pauvre Pierre devient un mauvais garçon détesté de tous. Un autre élément joue un rôle dans ce phénomène : les Castelnau comptent au nombre des anciennes familles en vue du comté de Toulouse, et seul ce rejeton-là sort du lot — assurément cathare. « Le mouton noir à goupillon », c'est ainsi que l'a appelé à juste titre N'Alazaïs.

Le Trencavel de Carcassonne, qu'ils appellent « Tranche-Bien », sans doute parce que sa famille entière, depuis des années, est connue pour ses brigandages, a récemment fait rouer le légat de coups et l'a jeté hors de la ville. J'aimerais faire la connaissance de ce Perceval, car même ma défunte marraine, qui, d'ordinaire, médisait de tous et de chacun, n'en parlait que pour s'émerveiller de lui, de sa fierté, de son courage et de la manière dont il défendait ses gens. En contrepartie, le peuple lui pardonne ses accès de fureur et, assez souvent, sa vilenie, les appelle des escapadas *et l'adule. Le jeune « Perceval » serait au fond un noble chevalier, et un beau garçon par-dessus le marché.*

Je t'envie ta sauvage insouciance, qui dépasse encore la mienne ! J'ai peine à attendre la fonte des neiges. Pour que le temps ne soit pas trop long pour nous d'ici là, je vais demander à Raoul de trouver un chemin pour te faire parvenir cette missive avant le dégel. Je rémunérerai bien le messager, et lui promettrai que le double de la somme l'attend encore à Roquefixade.

Ta Laurence te serre dans ses bras.

P.S. : Nous vivrons encore toutes deux de fabuleuses aventures, les sept Océans seront nos sujets ! Mais tu dois me promettre que c'est mon *esprit qui décidera désormais comment avance le grand voyage, et non point la braise de ton entrejambe !*

La véritable liberté n'est offerte qu'à celui qui est toujours prêt à partir. Loba, suis-moi !
    Laure-Rouge.

Une nuit, Laurence était tout de même redescendue dans la vallée avec Raoul de Laroque d'Olmès, jusqu'à la taverne mal famée des *Quatre Camins*. Non seulement par curiosité, mais parce que le jeune homme le lui avait demandé. Raoul prétendait ne pas être parvenu à trouver parmi les nomades un messager digne de confiance pour acheminer la lettre à Loba. Quant à l'argent qu'elle lui avait confié pour le rémunérer, il avait aussi disparu, dans les poches d'un homme qui s'était dit prêt à faire cette course, et qui s'était éclipsé en prétendant vouloir aller chercher son cheval.

Laurence devait donc prendre elle-même la chose en main. Elle refusa de descendre par la fenêtre en s'accrochant à des draps noués, comme Raoul le lui demandait. Laurence, persuadée qu'Alazais dormait, quitta la maison par la porte. C'était une nuit de pleine lune. Des vents chauds soufflaient déjà de nouveau, faisaient fondre la glace et transformaient la neige en boue. La prudence était pourtant de mise, car les eaux de la fonte avaient, en de nombreux endroits, arraché les cailloux qui retenaient la terre du sentier, et descendaient le chemin glissant en petits ruisseaux.

— D'où connais-tu au juste la dame Roxalba ? demanda Laurence.

— Qui ne la connaît pas ? Loba a assuré sa renommée.

Laurence se collait comme un gecko à la paroi rocheuse : quelques graviers tombaient du haut de la montagne.

— La petite Louve fait-elle donc si bien l'amour ? demanda Laurence.

— Ses admirateurs ne le font pas moins bien ! Le troubadour Peire Vidal, dans son ardeur amoureuse, a tellement perdu la raison que...

Une avalanche d'éboulis passa au-dessus de leur tête et roula dans la vallée. Raoul avait un sixième sens pour ce genre de surprises. Manifestement, il voyait comme un lynx dans cette nuit claire.

— ...que, reprit Laurence dès que le danger fut passé. Que quoi ?

— Pour obtenir les faveurs de Loba, il s'est coiffé d'un crâne de loup. Mais la Louve lui a ri au museau...

— Je peux le comprendre, s'exclama Laurence au moment où Raoul la poussait sur le côté.

Devant eux, un morceau du sentier se détacha et s'effondra dans l'abîme. Raoul franchit l'obstacle le premier avant d'aider Laurence à passer le fossé.

— Pour que Loba l'entende enfin, le troubadour s'est ensuite glissé dans une peau de loup taillée à ses mesures. Ainsi déguisé, il comptait aller lui donner la sérénade, une nuit, sous son balcon.

Ils avaient à présent franchi la partie la plus dangereuse du chemin.

— Alors ! Que s'est-il passé ?

— En voyant l'amoureux s'efforcer, à quatre pattes, d'atteindre le château de Roquefixade, des bergers ont cru qu'il s'agissait de l'animal qui décimait leur troupeau. Ils ont lancé les chiens, qui se sont bien amusés avec ce personnage. Il a fallu qu'ils entendent ce faux loup appeler lamentablement au secours pour qu'ils sifflent leurs chiens et ramènent l'homme en sang auprès de Loba...

— Peire Vidal avait fini par atteindre son but, commenta Laurence. Il était heureux, dans ses bras ?

— C'est peut-être ce dont ce brave homme avait rêvé. Mais la châtelaine de Roquefixade ne s'est pas laissé émouvoir, elle l'a confié aux soins des vieilles femmes et a quitté les lieux à cheval, en compagnie de Ramon-Drut de Foix !

— Ça, je ne le comprendrai jamais, grogna Laurence. Même sans peau de mouton, l'infant est vraiment aussi bête qu'un...

— ...bouc en rut ! compléta Raoul.

Arrivés en bas, dans la vallée, près de l'ancienne voie romaine, ils aperçurent le mur penché de la taverne au croisement. On ne distinguait pas la moindre lumière, seule la fumée et les étincelles qui s'échappaient de la cheminée témoignaient de la brûlante activité qui régnait dans ce repaire de brigands.

— L'aubergiste se fait appeler « Deux et Deux », lui chuchota Raoul avec un air de conjuré. Il prétend que cela fait cinq !

Voyant que sa phrase ne produisait pas grand effet, il ajouta :

— Il assassine quiconque dit le contraire !

À cet instant, la porte s'ouvrit en claquant, un homme sortit en titubant dans la pénombre et atterrit devant eux, le visage dans une flaque d'eau. Laurence avait bien vu la botte qui avait poussé l'ivrogne. D'un bond, elle avait coincé son pied dans la porte, qui n'avait pas de poignée extérieure, avant que celle-ci ne soit refermée. Son apparition laissa le videur tellement ahuri qu'il la laissa passer, par respect ou par surprise. Laurence fut étonnée de reconnaître Ramon-Drut : c'était le dernier qu'elle aurait cru pouvoir rencontrer dans un pareil bouge. Derrière elle, Raoul se faufila par la porte, et Ramon-Drut geignit :

— Oh, encore lui !

Le gamin répondit par un large sourire à cet homme qui devait avoir deux fois son âge.

— N'ayez pas peur, mon comte. Vous me voyez aujourd'hui l'accompagnateur d'une dame.

L'infant de Foix était ivre ; il commit ainsi l'erreur de répéter le dernier mot avec une nuance moqueuse. Il s'apprêtait à ajouter « Laissez-moi rire ! », mais sa formule lui resta dans la gorge : en un éclair, Raoul fonça en avant, tête baissée, et lui enfonça le crâne dans son ventre à bière. Ramon-Drut dévala à reculons le long escalier de pierre qui descendait à l'estaminet. Laurence avait réussi son entrée. Elle laissa glisser sa cape dans les mains de Raoul, ôta le foulard qui lui protégeait la tête pour que chacun puisse voir sa crinière enflammée, et descendit les marches comme une reine, suivie par son courageux écuyer.

Ramon-Drut avait atterri la tête dans un pilier ; plusieurs seaux d'eau furent nécessaire pour le remettre sur ses jambes. Par précaution, ses compagnons de beuverie lui confisquèrent le poignard qu'il portait à la ceinture, et l'éloignèrent hors de portée de Raoul.

Le patron était un petit homme émacié, une stature qui ne manquait pas d'étonner parmi tous ces voleurs de grand chemin bâtis comme des armoires, et tous ces coupe-jarrets bien en chair. Sans dire un mot, il ôta le banc sous les fesses de deux ivrognes dont les têtes étaient posées sur la table, et effaça la flaque de vin avec un grand geste.

— C'est un grand honneur pour cette maison d'accueillir Laure-Rouge en ses murs.

Il avait prononcé ces mots d'une voix si haute que les applaudissements se mirent aussitôt à crépiter.

— On m'appelle le *Dos y Dos*, précisa le petit chauve malingre. Et cela fait cinq, ajouta-t-il.

— Bien sûr ! répondit Laurence. Quatre Camins et toi, ensemble, cela fait *cinco*.

— Bravo ! (Son sourire menaçant laissa place à une moue satisfaite.) Il a fallu qu'une femme arrive ici pour que j'entende ça !

Il fit claquer une cruche de vin sur la table.

— Faux, corrigea Laurence : *seis* !

Le large sourire du patron se figea. Le silence se fit aussitôt autour d'eux.

— Eh oui, expliqua Laurence. Tu comptes double !

Le chauve parut refaire son compte, il n'y parvint pas, mais cela lui plut.

— *Dos y dos vale seis !* lança-t-il sur un ton de commandement : ce sera désormais la nouvelle formule. Et tous se hâtèrent de lui exprimer bruyamment leur accord.

Laurence discerna alors parmi les invités un visage livide qui lui provoqua un choc à l'estomac. L'homme tenta en vain de dissimuler son visage sous le rebord de son chapeau ; il paraissait au moins aussi effrayé que celle qui l'avait découvert. Il s'agissait sans le moindre doute de Roald of Wendower, l'agent secret de la curie. Roald n'avait pas l'air d'avoir mauvaise conscience — il n'avait d'ailleurs sans doute pas de conscience du tout. Mais être justement vu ici par Laurence ne semblait pas convenir à ses plans, quels qu'ils soient. Il avait déjà été fou d'entrer aux Quatre Camins, au cœur du pays cathare, dans un lieu où l'on n'avait certainement plus prononcé de prière catholique depuis bien des années. Si l'on avait reconnu en lui le cureton, les gens d'ici, à portée de vue de Montségur, l'auraient taillé en pièces !

Laurence le regarda à la dérobée : il se leva nonchalamment, jeta quelques pièces sur la table et fit signe à deux sombres personnages, des gibiers de potence qui ne déparaient pas les lieux. Ils quittèrent l'auberge tous les trois, et montèrent lentement l'escalier.

Laurence voulut demander à Raoul de le suivre discrètement.

— Un dangereux espion du pape ! lui chuchota-t-elle sans quitter les trois hommes des yeux.

C'est l'instant que choisit Ramon-Drut pour rejoindre leur table.

— Je vous dois réparation, Laurence, commença-t-il.

Dos y Dos, debout derrière lui, le poussait en avant ; c'était lui, manifestement, qui lui avait suggéré cette démarche. Mais Laurence coupa la parole à l'importun :

— Vous allez vous exécuter sur-le-champ ! Sous vos yeux vigilants, ce sont les pires sbires de Rome qui exercent ici leur sombre activité.

L'infant de Foix la regarda, ahuri.

— Là-haut, ils tentent de s'échapper ! précisa Laurence, le doigt pointé vers la porte d'entrée, tout en haut, que l'on venait d'entendre claquer bruyamment.

Raoul, toujours attentif, était déjà devant l'escalier et criait :

— Arrêtez-les, ces vampires en costume noir !

Plusieurs hommes se rappelèrent effectivement les trois personnages qui s'étaient éclipsés sans bruit, comme des chauves-souris. Tous voulurent alors se jeter ensemble dans l'escalier. On n'entendit bientôt plus que le pas des chevaux qui s'éloignaient. Ramon-Drut, un bon cavalier, revint peu de temps après.

— Ils avaient trop d'avance, même si nous entendions encore très bien le bruit des sabots dans la nuit. (Il adressa un sourire embarrassé à Laurence.) Comme j'aurais aimé déposer leur tête à vos pieds !

Laurence secoua sa crinière rousse.

— Vous n'apprendrez donc jamais rien, Ramon-Drut ! Même ce genre de raisins gelés, il faut les presser, les fouler et les laisser fermenter une fois qu'on les a cueillis. On ne leur coupe la tête qu'après avoir tiré le dernier jus de la pulpe.

— Bravo, commenta le Dos y Dos. Dire qu'il a fallu qu'une femme..., répéta-t-il.

— Mes hommes sont sur leurs talons, répliqua l'infant d'une petite voix. Ils ne pourront pas aller loin.

Laurence se releva sans répondre.

— C'est ma faute. J'aurais dû faire appel plus tôt à un chasseur aussi confirmé que vous, Ramon-Drut.

Dos y Dos refusa que la Rouge lui paie ses boissons, et l'accompagna jusqu'à la porte.

— Le jeune comte peut s'estimer heureux qu'elle ait tardé

à faire appel à lui. Je ne connais pas votre papiste. Mais ses deux compagnons sont deux assassins qui servent au mieux ceux qui les paient. Dans la nuit, ils n'auraient pas eu de mal à refroidir un poursuivant comme Ramon-Drut.

Laurence, une fois de plus, n'avait pas réussi à faire acheminer sa lettre. Elle se reprochait de ne pas l'avoir confiée à l'infant de Foix. Mais quelque chose en elle l'empêchait de se dévoiler devant l'amant occasionnel de Loba.

L'aube pointait. Raoul pressait Laurence de partir, mais elle hésitait encore. Elle vit au loin un cavalier qui approchait. C'était un moine sur un âne, la capuche rabattue sur le visage.

— Un *canis domini*, constata Raoul. Comptes-tu par hasard lui confier ta lettre ?

Laurence n'écoutait pas.

— Il porte bien l'habit des cisterciens, mais il me semble que je le connais, murmura-t-elle. Seulement je ne peux pas imaginer que cet homme-là se promène seul et sans protection...

— Comme s'il fallait une escorte à ce fouineur ! répondit Raoul avec impatience. De qui s'agirait-il ?

Laurence fit un geste agacé et prit le chemin du retour. Mais c'est Raoul, cette fois-ci, qui ne la suivit pas.

— De toute façon, il fait jour à présent ! dit-il en levant les yeux vers le ciel nuageux. Nous ne parviendrons plus à rentrer sans nous faire remarquer par ma mère...

Laurence le regarda en souriant.

— Je prends tout sur moi !

— Quoi qu'il en soit, répondit Raoul avec un sourire crispé, il va te falloir entendre ses reproches. Sauf...

— Quoi donc ?

— Sauf si nous apportons la lettre nous-mêmes.

— À Roquefixade ?

Raoul hocha la tête.

— Dans ce cas-là, sa colère se dissipera. Elle se fera du souci et nous accueillera à bras ouverts lorsque nous serons de retour.

L'agneau de Dieu

Raoul avait « emprunté » à Dos y Dos les deux chevaux qui les acheminaient. Près du vieux pont romain de Castel Lavanum, d'où bifurque de la route de Foix le chemin qui serpente vers le Montségur, ils rencontrèrent le seigneur Aimery de Montréal. Il était assis sur le mur, à côté de son cheval. Aimery paraissait revenir de la chasse : dans son carquois de cuir, on voyait un faisceau de lances semblables à celles que l'on utilise pour le sanglier. Cette rencontre inattendue avec le chevalier plongea Laurence dans une légère confusion : de tous les hommes qui avaient croisé son chemin ces derniers temps, il était le seul à avoir touché son âme. Elle rougit comme une jouvencelle.

— Salut à toi, Laurence, dit Aimery en descendant de la couronne du mur.

Même s'il lui souriait, il paraissait encore plus triste qu'à l'époque, lorsque, après l'échec de l'épreuve du feu dans son château, il était venu la voir pendant la nuit. Ensuite, elle lui avait fait honte, à Pamiers, dans cette taverne. Il souffrait, elle était cruelle.

— Où vous mène votre chemin, noble chevalier ? demanda Laurence sans mettre pied à terre. Vous paraissez avoir été chassé par la dame de votre cœur...

Il eut un rire tourmenté.

— La dame de mon cœur... (Il ne termina pas sa phrase. Laurence aurait pourtant aimé la connaître). Le rendez-vous est...

La question semblait l'avoir plongé dans une grande confusion. Ou bien elle lui était tellement désagréable qu'il ne parvenait pas à prononcer le nom de la personne.

— Vous ne devez pas avoir de secrets pour moi.

— Je viens de Montségur, finit par lui confier Aimery. Un moine s'est présenté à la porte et m'a appris...

— À quoi ressemblait-il ? demanda Laurence.

— Je n'ai pas vu son visage, c'était au milieu de la nuit. Il m'a informé que le légat Pierre de Castelnau me demande un entretien en particulier et dans le plus grand secret. C'est urgent.

— Très inhabituel, en effet, constata Laurence.

Elle songea au moine sur son âne. C'était donc bien Pierre de Castelnau, elle ne s'était pas trompée. Mais elle se rappela aussi Wendower et ses sinistres hommes de main, ceux qu'elle avait rencontrés aux Quatre Camins. Ses questions se transformèrent en soupçons, aussi rapidement qu'un poisson pourri vous retourne l'estomac.

— Et c'est ici que vous êtes venu pour ce rendez-vous avec le légat ? demanda-t-elle, la voix tranchante.

— Il devrait bientôt arriver, répondit Aimery. Je préférerais que vous n'y soyez plus, Laurence.

Elle lui coupa brutalement la parole.

— C'est *vous* qui devriez décamper d'ici, et sur-le-champ ! ordonna-t-elle au chevalier. Toi, Raoul, reviens sur nos pas, aussi vite que possible, et préviens le légat. Éloigne-le de la route, fais-le entrer dans la plus proche maison où il y aura du monde !

Elle avait dû crier la dernière phrase dans le dos de Raoul, qui avait aussitôt fait tourner son cheval. Ils le virent se diriger au galop dans la forêt toute proche, penché sur le cou de sa monture.

— Êtes-vous toujours aussi insouciant lorsqu'il s'agit de votre intégrité physique ? demanda Laurence.

Aimery de Montréal chevauchait à côté d'elle sur la route de Foix, d'où le sentier rocheux montait vers Roquefixade. Il ne s'était pas laissé priver du plaisir de l'accompagner jusqu'ici.

— C'est bien à vous de me poser cette question, Laure-Rouge ! répondit le chevalier amusé. Je suis chez moi ici. Et je suis un homme !

— Et quel homme ! répondit Laurence, moqueuse. En tant que tel, baron cathare, vous auriez été étonné qu'un moine de la nuit... Vous auriez aussi bien pu être victime d'un perfide attentat !

— Ma vie, répondit Aimery avec un geste nonchalant, qui en voudra ? Et comme vous le voyez, je n'ai pas été victime d'un attentat — à moins que je ne doive considérer votre réapparition subite comme un danger ?

— C'est vous, Aimery de Montréal, qui avez été choisi comme victime, l'informa Laurence sans se départir de son ton détendu. Victime d'un complot meurtrier ! ajouta-t-elle.

— Comment cela ?

— Pour être précise, et si je ne me trompe pas, on vous avait choisi pour tenir le rôle de l'assassin dans cette mauvaise farce.

Le chevalier brida tout d'un coup son cheval.

— Si vous mettez en doute mon honneur...

Son visage balafré devint rouge de colère.

— La pièce est tellement infâme, répondit Laurence, qu'elle ne peut trouver de place dans votre esprit chevaleresque. Sous certaines tonsures bouillonnent parfois des idées plus diaboliques que ne peut se les représenter le noble esprit d'un homme d'honnêteté et d'honneur.

Elle leva les yeux sur le coteau : ici prenait naissance le chemin qu'elle devait emprunter pour rejoindre le nid rocheux.

— J'ai peu d'expérience avec les diables, expliqua Aimery. Et encore moins avec les femmes de votre trempe, Laurence. (Il s'inclina en souriant et lui prit timidement la main.) J'aimerais vous garder dans mon souvenir comme la belle rouquine à qui je n'ai pas osé proposer l'amour.

Laurence retint sa main.

— Dans ce cas, Aimery, sachez que vous êtes le seul homme dont le service me plairait peut-être.

En un éclair, elle se pencha vers lui et l'embrassa sur la bouche. Mais elle s'éloigna aussitôt et bondit sur le sentier escarpé sans se retourner vers le cavalier solitaire.

La montée vers le château de Roquefixade fut beaucoup plus pénible que se l'était imaginé Laurence. La neige y était encore gelée, et le sentier n'était souvent qu'un torrent figé par le froid. Le château était perché, massif, sur le promontoire rocheux le plus éloigné, et, semblable à un poing refermé, montrait ouvertement son hostilité et sa combativité à l'arrivant. Il n'avait rien de l'aura sacrée du Montségur, que l'on apercevait depuis ces lieux, comme une couronne volante, plus proche du ciel que des montagnes noires.

Personne ne reçut Laurence lorsqu'elle arriva sur le pavé lisse, devant la porte. Elle n'était pas gardée, mais on s'activait dans la sombre cour, juste derrière. Des valets tiraient constamment des seaux de la citerne et versaient l'eau dans une des marmites suspendues juste à côté, au-dessus d'un âtre ouvert. Des femmes emmitouflées traînaient l'eau chauffée dans des bacs, par un petit escalier de bois qui donnait sur l'unique entrée du mur.

Là non plus, personne ne fit attention à Laurence. Elle entra ainsi sans que nul ne l'ait annoncée dans l'antre de Loba. Des torches fixées au mur lui indiquaient le chemin que prenaient aussi les femmes, un autre escalier de pierre menant à l'étage des appartements, un passage bas et voûté. Ici se serraient de nombreuses personnes, des bergers, des mineurs avec leurs femmes, dont beaucoup avec des enfants. Ils paraissaient attendre dans le recueillement quelque chose qui se déroulait derrière un mur en arche dont l'ouverture était masquée par un simple rideau.

On entendit clairement, au bout du compte, le premier cri d'un nouveau-né. Le rideau s'ouvrit, et un bonhomme à barbe blanche apparut : c'était Guilhabert de Castres, « l'évêque hérétique » ! Laurence dirigea son regard sur l'enfant enveloppé d'un drap, que le vieil homme soulevait à présent pour le montrer à la foule émue.

— Un garçon nous est né ! s'exclama-t-il d'une voix fragile. Sa mère l'a confié à la *Santa Gleyiza* et lui a donné le prénom de Titus !

La foule cria : « *Diaus lo bensigna !* » Et l'enfant brailla comme si on l'écorchait.

Un enfant loup, songea Laurence. Et son père est cardinal.

Le vieux *perfectus* humecta le front du nouveau-né avec l'eau d'une coupe qu'on venait de lui tendre. De son doigt tremblant, il ne dessina pas une croix, mais un triangle sur les yeux et les lèvres du petit crieur. Puis il fit repasser le ballot par le rideau et traversa l'assemblée, qui s'ouvrit respectueusement devant lui. Beaucoup attrapaient sa cape blanche, tentaient d'embrasser ses mains.

— Bénis-nous aussi, vénérable Guilhabert ! s'exclamèrent quelques voix.

Le vieil homme leva les bras, tourna la paume de ses mains

vers les visages invisibles, murmura la bénédiction requise et se fraya un chemin vers la porte.

Laurence attendit que la plupart des visiteurs aient suivi l'évêque avant de s'approcher du rideau. À travers la fente, elle aperçut le lit de couches. Les taches rouges sur le drap l'effrayèrent profondément et lui firent croire que Loba n'avait pas survécu à la mise au monde. Mais elle vit ensuite, entre les corps des femmes, les cuisses ensanglantées de Loba que l'on nettoyait avec des serviettes, et le visage de sa petite louve, qui avait aussitôt découvert Laurence et lui souriait.

— Laurence ! s'exclama-t-elle, réjouie. Tu sais que c'est à toi que revient le titre de marraine !

Elle demanda qu'on lui donne l'enfant et fit sortir les femmes.

Laurence ne savait pas ce qu'elle devait dire. La créature violet sombre qui se collait à la poitrine de Loba lui paraissait aussi laide qu'une portée de souriceaux aveugles. Elle se tira d'affaire par une plaisanterie.

— Ne va pas dire que j'en suis responsable !

Elle parvint au moins à dissimuler son écœurement en souriant au petit monstre.

— Toi, sans doute pas, répondit Loba, mais tes cheveux roux, certainement, ce sont eux qui l'ont rendu si sauvage.

— Il fallait vraiment ? laissa échapper Laurence.

— Tu sais, Petit Renard... (À la lumière changeante des torches, les yeux de Loba passèrent du brun noisette de l'écureuil au jaune vif : la louve apparaissait.) Sur le Languedoc, ma terre ardemment aimée, celle dont le sang brûlant coule dans mes artères, plane une menace bien plus sérieuse qu'une invasion par les armées de mercenaires du roi de France... (Affaiblie, Loba dut reprendre son souffle.)... déguisée en « croisade » de l'*Ecclesia romana* contre la *Gleyiza*, l'église hérétique et honnie de l'Occitanie. Nous ne risquons pas seulement de perdre notre liberté. Nous risquons tout simplement d'être exterminés ! (Épuisée, elle laissa tomber la tête dans ses oreillers trempés de sueur. Mais elle la releva aussitôt.) Je vois bien mon destin : je m'y opposerai, on me traquera, on me stigmatisera et l'on me proscrira comme hérétique, ce qui me remplit d'ores et déjà de fierté. Mais ce gamin, aussi vénéneux qu'une amanite phalloïde, fruit des humeurs d'une pure et du sperme d'un cardinal de la curie, oui, ce petit me vengera ! Un jour, il siégera sur le trône de Pierre !

Les yeux de Loba brûlaient à présent de haine.

Elle a la fièvre, elle est devenue folle, songea Laurence. Pour l'apaiser, elle posa sa main glacée sur le front trempé de son amie. Mais celle-ci secoua la tête.

— Tu n'es pas des nôtres. Ta mère est l'abbesse de cette même Rome qui nous...

— Et quelle abbesse ! s'exclama Laurence.

Livia en modèle de bonne catholique, il y avait de quoi rire. Mais elle n'en avait guère envie.

— Ris donc, comme ton seigneur le pape ! grogna la Louve. Celui-là, je le boufferai de l'intérieur ! Je vais lui lancer mon Titus dans les fesses !

Cette fois, elles éclatèrent de rire toutes les deux. Mais Loba était parfaitement sérieuse.

— J'attends seulement que ce bâtard puisse se séparer de ma poitrine. Ensuite, je l'enverrai à son père, à Rome, pour qu'il lui fasse donner une éducation monacale.

— C'est toi qui devrais aller au couvent, Loba ! répliqua sèchement Laurence. Tu y trouverais le repos.

Elle s'arrêta : le regard de Loba n'avait plus rien d'une louve, il exprimait un profond désespoir. Elle observa longuement Laurence avant d'expliquer, avec une étonnante nonchalance :

— J'ai déjà fait une demande d'admission au couvent des bénédictines de Notre-Dame-de-Prouille. Elle n'a pas été refusée à une Cab d'Aret.

Laurence avait eu beau s'être pressée, elle avait été rattrapée par le soir. Elle avait réussi à monter à Laroque sans se heurter à des obstacles infranchissables, mais le pont-levis menant aux maisons de pierre, de l'autre côté de la ravine, avait déjà été relevé. Laurence crut avoir distingué, un bref instant, le visage d'Alazais derrière l'une des fenêtres. Elle dut ensuite attendre longtemps avant que des serviteurs n'apparaissent de l'autre côté et ne la sortent de sa situation déplaisante.

Laurence se rendit dans la chambre qu'elle partageait avec son amie. Alazais lui tournait le dos et faisait mine de dormir. Mais lorsque Laurence se coucha, elle se retourna, l'enlaça et la tira vers elle. Elle s'agrippait à elle comme si elle était en train de se noyer, se dit Laurence. Mais elle ne disait pas un mot. Laurence oublia le froid qui la tétanisait. Alazais tremblait.

— Si tu veux écouter la voix de ton cœur..., fit celle-ci d'une voix rauque, sans parvenir à terminer sa phrase.

— Je t'en prie, ne doute pas de mon amour uniquement parce que j'ai les pieds froids, répondit Laurence pour détendre la situation.

Elle frotta ses pieds sur les jambes de son amie, tandis qu'Alazais attrapait énergiquement la main de Laurence, qui avait glissé entre ses jambes comme un petit serpent, et la posait sur sa poitrine comme si elle devait sentir son cœur battant.

— Tu cherches l'amour dans le mauvais lieu.

— En connais-tu un meilleur ? demanda-t-elle, l'air mutin, en cajolant du bout des doigts la pointe de ses seins.

Alazais gémit doucement.

— L'amour...

— L'amour de Dieu ? N'as-tu pas dit toi-même que Dieu est en nous ?

Elle renforça la pression de ses doigts ; elle n'aurait pas hésité à faire mal à son amie.

— L'amour n'est-il pas ce que nous avons de véritablement divin en nous ?

Alazais se retourna.

— Tu confonds l'effet et la cause, dit-elle, le souffle court. Ce n'est pas l'amour qui est notre Dieu, comme la Vénus païenne. LUI seul a l'amour ! LUI, le vrai Dieu, l'unique.

— Je sais cela, fit Laurence, narquoise, repassant sa main entre les cuisses d'Alazais, qui, cette fois, laissa faire. Je suis la regrettable créature du démiurge, du faux dieu ! Le tien t'envoie le Paraclet, le consolateur, mais moi... je peux te rendre heureuse !

Et c'est ce qu'elle fit avec une ferveur et une brutalité dont Laurence ne se serait pas encore crue capable. C'était comme un démon qui se serait abattu sur elles pour tout ravager et tout détruire. Alazais se tordait sous elle en gémissant, se cabrait. Toutes deux pleuraient lorsque le tremblement cessa.

Lorsqu'elle se réveilla, son « soleil » était debout dans la chambre. Alazais lui paraissait plus pâle que d'ordinaire. Elle tenait Raoul par la main.

— Pierre de Castelnau a été assassiné !

Son fils, très ému, compléta l'épouvantable nouvelle.

— Et l'on soupçonne Aimery de Montréal ! lança-t-il, indigné, uniquement parce que le crime a été commis sur la route menant au Castel Lavanum.

— Tu ne l'as donc pas…, demanda Laurence, encore ensommeillée, au jeune garçon qui se défendit avec véhémence :

— J'ai chevauché jusqu'au Quatre Camins. Sur toute la route, je n'ai trouvé aucune trace du légat et de son âne. J'ai posé la question chez Dos y Dos : personne n'avait vu le dominicain. Il n'y était vraisemblablement pas entré.

— Ou bien ils mentent tous ! s'exclama Laurence. Où l'a-t-on trouvé ?

— On vient juste de découvrir le corps, dit Alazais. Il était couché sous le pont. Il avait, plantée dans le dos, l'une de ces lances qu'on utilise pour chasser le sanglier.

— Et pourquoi soupçonne-t-on Aimery de Montréal ?

— À cause des lances, à cause du lieu. On l'y a vu, puis il a disparu.

— Mais je pourrais témoigner de son innocence !

— À supposer que l'on veuille accorder quelque crédit à une personne comme toi, répondit Raoul. Dans la poche du mort, on a trouvé un morceau de papier : « A. vous attend sur le pont », y était-il écrit.

— Et qui l'aurait rédigé ?

— Le parchemin porte le sceau du comte Raymond…

— Il ne sait pas écrire, l'interrompit Alazais. C'est de notoriété publique.

— Il n'en a pas besoin, expliqua Laurence. On arrache sur n'importe quel document le coin portant le sceau, et les moines qui gèrent les affaires de la chancellerie à Toulouse griffonnent le texte qu'on leur demande « avec l'écriture du comte ». Je ne pensais pas que le complot ait été préparé avec une telle perfection ! dut-elle admettre en soupirant.

— Et l'escorte qui accompagne d'ordinaire le légat ?

— Elle attendait aux Quatre Camins, comme convenu, répondit Raoul. C'est là qu'on lui a apporté la nouvelle.

— *Que grand dolor !* dit Alazais d'une petite voix.

Laurence ne l'avait encore jamais vue aussi émue.

— Il ne leur manquait plus qu'un martyr, murmura son amie.

— *Diaus salvatz la nuestra terra !*

— Si vous voulez mon avis, c'est Rome elle-même qui a fait assassiner le légat, suggéra Raoul.

Les deux femmes se turent, l'une parce que cette accusation était monstrueuse, l'autre parce que seule cette supposition donnait un sens à ce crime.

— Le pape a sacrifié un fantassin, expliqua sèchement Laurence, afin d'avoir le champ libre pour ses cavaliers, ses archers et ses tours.

— Vivant, Pierre de Castelnau n'avait pas réussi sa mission. Mais son cadavre est d'une immense utilité pour l'Église.

— Il donne à l'*Ecclesia romana* un motif de nous faire la guerre.

— La croisade contre les hérétiques ! s'exclama Raoul comme si cela le réjouissait. *Che Diaus vos bensigna*, dit-il en franchissant la porte et en adressant à sa mère un regard lourd de reproches.

Alazais attendit qu'il soit sorti.

— La croisade contre le Graal, répondit-elle tristement à son amie, lui apparaît comme une juste punition pour nos péchés.

— Il a peut-être même raison, répondit Laurence. Mais ce beau pays et ses habitants vont tellement souffrir !

— Ah..., dit Alazais, nous avons reçu le *consolamentum*. Mais cette fois-ci, l'*endura* ne sera ni courte, ni indolore. Nous qui sommes les purs, nous y résisterons, et les portes du paradis s'ouvriront ensuite à nous !

Elle remarqua que Laurence avait jeté un regard sur l'anneau qu'elle portait à la main. Alazais n'avait aucun autre bijou sur elle que cette bague de la grande Esclarmonde, c'était le legs de la gardienne du Graal. Elle n'en faisait pas mystère, mais ne s'en vantait pas non plus. Le regard cupide de Laurence lui était pourtant désagréable. Elle ôta l'anneau, en hésitant. Laurence ressentit tout d'un coup une crainte inexplicable à l'idée de prendre ce joyau qui avait déjà éveillé sa curiosité lorsque sa marraine le portait. Elle n'avait jamais osé l'interroger sur sa signification.

— Je ne suis pas prête, murmura Laurence.

Mais elle jeta de nouveau un regard de convoitise sur ce travail d'argenterie finement ciselé. Le ruban semblait se nouer comme un serpent qui se serait mordu la queue.

Alazais sourit.

— L'*ouroboros* t'indique le chemin, le courage de te trouver toi-même et de dépasser ton enveloppe corporelle...

— En me dévorant moi-même !

Laurence se réfugia dans la moquerie, comme à chaque fois qu'elle était confrontée à des choses qui la dépassaient.

Alazais reprit l'anneau.

— Tu approches du but, dit-elle en serrant Laurence dans ses bras. Mais à présent, tu dois me quitter. Ton père te cherche.

Laurence regarda sa belle amie blonde avec étonnement.

— Pourquoi me le dis-tu seulement maintenant ?

Alazais lui offrit le sourire qu'elle lui avait vu le jour où elles s'étaient rencontrées pour la première fois.

— Je voulais te garder aussi longtemps que possible.

Laurence était touchée par cette déclaration d'amour.

Doucement, comme à soi-même, Alazais ajouta :

— Mais chacun te perd !

Elle fit encore briller une fois les deux étoiles qui lui donnaient la vue ; elles scintillèrent encore longtemps après qu'elles s'étaient enlacées sans que leurs lèvres se touchent, longtemps encore après que Laurence eut descendu le chemin menant de Laroque d'Olmès à la vallée. Laurence ne cessa de se retourner, espérant que sa bien-aimée se montrerait une fois encore à la fenêtre, jusqu'à ce que l'on n'aperçoive même plus les maisons de pierre.

Ar me puesc ieu lauzar d'Amor
Que no'm tol manjar ni dormir ;
Ni-n sent freidura ni calor
Ni no-n badail ni no-n sospir
Ni-n vauc de nueg arratge.

Les mots de Peire Cardinal lui étaient revenus à l'esprit, le troubadour qu'elle appréciait tant pour ses vers récalcitrants.

Ni-n soi conquistz ni-n soi ccochatz
Ni-n soi dolenz ni-n soi iratz
Ni no-n logui messatge ;
Ni n soi trazitz ni enganatz,
Que partitz m'en soi ab mos datz.

6. LA CROISADE CONTRE LE GRAAL

Le chevalier et le cygne

Ferouche, chère vieille cabane, se dit Laurence, même le bon Lionel a dû se passer de moi suffisamment longtemps. Lui aussi, l'inquiétude a dû le pousser à arracher son Petit Renard à la terre hérétique d'Occitanie avant que ne se déclenche la tempête. La jeune femme tentait de faire preuve de compréhension envers son père, et surtout de s'habituer à l'idée qu'elle allait rentrer à Ferouche.

Laure-Rouge s'efforçait de nourrir les deux cygnes sur l'étang qui se formait à chaque fois que la pluie faisait déborder les douves du château. Il pleuvait presque toujours dans l'Yveline. Petite fille, elle jetait aux fiers oiseaux des noisettes qu'ils ne parvenaient pas à ouvrir. Mais à chaque fois, à la grande joie de Petite Laure, ils accouraient tout de même, avides, en battant des ailes. Cette fois-ci, elle s'était munie d'une quantité suffisante de croûtes de pain. Mais le couple de cygnes ne lui accordait pas la moindre attention. Ce n'étaient peut-être plus les mêmes ?

Non loin de Laurence, là où le socle du donjon, composé de roches grossières, paraissait offrir aux petits poissons une protection contre les becs meurtriers des volatiles, se tenait messire Lionel de Belgrave. Il lui tournait le dos, solidement campé sur ses jambes. Il avait lancé son hameçon et attendait à présent avec une admirable patience : il n'avait pas encore pêché un seul poisson qui eût mérité tant d'endurance — quant aux petits qu'il avait attrapés, il les avait donnés aux cygnes.

Laurence regarda sa silhouette et ressentit un élan de tendresse. Elle n'avait certes pas envie d'une épaule où poser sa tête — plutôt d'une main puissante qui lui rappellerait de temps en temps ses limites ! Laurence pouvait rire d'elle-même ; mais après toutes ces émotions, il était peut-être temps de mettre ses idées au clair. Elle devait surtout éviter que Lionel n'ait l'idée de mettre son Petit Renard au couvent, auprès de sa mère, pour la protéger de ces temps incertains.

— Raymond, ce puissant comte de Toulouse, se tortille comme un ver pour se laver du soupçon selon lequel il aurait un rapport avec le meurtre de Pierre de Castelnau, lança Lionel, l'air songeur.

Le seigneur avait sorti son hameçon de l'eau ; le ver avait disparu. Laurence lança à son père un bout de pain malaxé avec sa salive.

— C'est le successeur de saint Pierre à Rome qui le laisse frétiller ainsi et fait mine de ne demander que ses remords...

— Mais accompagnés d'actes concrets et énergiques contre ces hérétiques, précisa Lionel.

— ...pour obtenir le pardon, c'est-à-dire la levée de l'excommunication.

— Innocent est peut-être même disposé à trouver une solution de ce type ?

Lionel était fermement ancré dans la foi en la bonté du Saint-Père, qu'il reconnaissait volontiers comme son plus haut souverain — *après* le bon Dieu, mais *avant* le comte de Montfort, dont il était le vassal.

— C'est même vraisemblable, confirma Laurence.

— Son nouveau légat, Arnaud de l'Amaury, abbé de Citeaux, est un homme capable, fit Lionel, heureux d'être en accord avec sa fille.

— Mais c'est justement lui, répondit Laurence au grand dam de son père, qui empêche perfidement toute réconciliation.

Lionel avait pris l'habitude de cette contradiction permanente. Elle savait tout mieux que les autres !

— Il semble exister au Saint-Siège des puissances obscures qui s'évertuent à annihiler toute possibilité de salut pour le pécheur repentant et de pardon par le Saint-Père, fit-il en soupirant.

— Je crois même savoir qui est la force motrice qui dirige tout cela, répondit Laurence, triomphale.

Elle voulait parler de Capoccio, mais elle ne trouva pas l'occasion de l'exprimer.

— Tout ce que sait mon Petit Renard ! l'interrompit son père sur un ton moqueur qui n'était pas dans ses habitudes. Mais je ne veux pas l'entendre. Même si l'on néglige les implorations du comte, que son excommunication rend profondément malheureux, même si les appels modérés de notre seigneur le pape sont falsifiés et présentés comme des exigences que le comte de Toulouse ne peut accepter sans perdre la face, le respect de ses sujets et l'obéissance de ses barons !

— Mais c'est précisément l'objectif de cette puissance occulte ! répondit Laurence, indignée. La dépossession progressive, la privation du pouvoir de commandement, la perte de tous ses titres : l'élimination totale de Raymond !

Lionel regarda sa fille, pensif. Il avait sans doute surestimé la maturité politique de sa fille. Il surprit en tout cas Laurence en lui répondant sèchement :

— Toulouse compte tout de même plus qu'un comté ordinaire. Elle a la valeur d'un royaume.

— Et c'est sur ce butin que lorgnent à présent les vautours, répliqua-t-elle d'une voix inutilement forte, qui effraya les cygnes. Ils n'ont plus besoin que d'un homme et d'une armée docile, de zélateurs, de croisés qui abattront le gibier à leur place.

Lionel, sans mot dire, avait sorti la ligne de l'eau. Il prit la longue canne sur son épaule, souleva le pot plein de vers et s'en alla sans dire un mot.

À cet instant seulement, Laurence comprit que Lionel devrait servir cette armée de fanatiques, qu'il le veuille ou non. Elle se demanda un bref instant si elle devait courir après la silhouette courbée qui disparaissait au coin du donjon. Elle ne le fit pas.

Le château de Ferouche, dans l'Yveline, n'avait guère l'allure belliqueuse auquel pouvait faire penser son nom. Il n'était pas posé sur un piton rocheux, ni protégé par des murailles particulièrement épaisses, si ce n'était, peut-être, la grosse tour d'angle qui sortait de la mare aux canards. Mais il était entouré d'eau de toutes parts, grâce à un bras artificiel de la petite rivière qui coulait non loin de là. Les douves étaient surmontées d'un pont-levis qui n'avait cependant pas été actionné depuis un certain temps, comme le montraient les charnières et les chaînes rouillées. Les murs sans fenêtre n'étaient que la partie arrière des communs disposés en carré autour d'une cour non pavée où les oies et les porcs s'ébattaient dans les flaques de boue.

Ferouche n'était pas un fief héréditaire, mais un cadeau, une marque de sympathie de Simon de Montfort, comte de Leicester, à son vieux compagnon d'armes Lionel de Belgrave. Celui-ci n'avait même pas le statut de vassal, et ne s'était pas efforcé de l'obtenir : le vieux seigneur n'avait plus aucun goût pour les choses de la guerre, pas plus d'ailleurs que pour les possessions et les butins. Lionel ne savait pas seulement lire, mais aussi écrire, deux arts que ce soudard de Montfort ne maîtrisait nullement. Sa plus belle distraction était de jouer aux échecs avec son Petit Renard, sous le balcon ombragé du beffroi.

L'été de l'année 1208 fut marqué par les lourdes conséquences de petits événements. L'Occident ne semblait pas tout entier captivé par le jeu de dupes auquel se livraient l'Église, le roi de France et l'Occitanie hérétique. Les gens n'entendaient même pas parler de la plupart des tiraillements et des coups d'échecs, des menaces et des provocations. Et lorsque les nouvelles leur parvenaient, hormis dans les centres du pouvoir qu'étaient Rome et Paris, c'était avec un retard considérable, totalement déformées ou volontairement falsifiées. La plupart ne se souciaient de toute façon pas du tout de politique. L'évêque ou le prince ordonnaient, et l'on se pliait à leurs consignes autant que faire se pouvait. Même les hauts seigneurs ne s'en sortaient pas mieux. Lorsqu'ils voulaient savoir quelle attitude ils devaient adopter, ils venaient se renseigner auprès des milieux suffisamment proches de la couronne ou du Saint-Siège pour pouvoir exercer une influence.

C'est dans ce monde isolé que pénétrait l'histoire, qui filtrait lentement jusqu'au château de Ferouche, dans l'Yveline. Et encore : c'était uniquement parce qu'y battait un cœur éveillé et concerné. Une nature moins sensible que celle de Laurence s'y serait aussi endormie.

Dans la lointaine Rome, le pape Innocent III se décida à écrire une lettre personnelle au roi de France, Philippe II, dit « Auguste ». Si le Capet avait choisi ce surnom, ce n'était pas seulement pour placer son destin de souverain sous de bons auspices, mais aussi pour reprendre des insignes impériaux que la fortune avait jusqu'ici refusés aux capétiens. Celui qui acheminerait cette lettre devrait donc être de haute valeur. On choisit pour ce faire le diacre général des Cisterciens, Rainer di Capoccio, qui occupait accessoirement les fonctions obscures d'« éminence grise » — ce qui signifiait qu'il était le maître des services secrets.

De tels services sont aussi indispensables à l'*Ecclesia catholica*. L'abbé du même Ordre, Arnaud de l'Amaury, avait récemment été envoyé par Innocent comme nouveau légat en Languedoc afin, disait-on, de prendre la place vacante de Pierre de Castelnau, d'élucider (« modérément ») les circonstances de son assassinat, et surtout de maintenir éveillé le souvenir de ce crime « effroyable ». Mais l'abbé, considérant avec méfiance chaque démarche accomplie par le pape, avait lui aussi ses hommes dans les eaux troubles des chancelleries pontificales. Et il mit immédiatement en route un mouchard venu de Fanjeaux, le dominicain Étienne de la Miséricorde, pour qu'il assiste ce Capoccio — en clair : pour qu'il lui procure un double de la lettre.

Les intrigues qui débutèrent alors à Rome eurent un premier résultat : à la date du départ de Capoccio, la lettre était loin d'être achevée. La formulation posait encore des problèmes, et il y manquait le sceau et la signature.

Le diacre général, agacé, décida toutefois d'entamer ce voyage secret (mais coûteux tout de même, conformément à son rang). Il était convenu que la lettre lui serait acheminée par courrier. On avait choisi Roald of Wendower, qui avait gagné ses premiers galons en Crète et dans le Languedoc, ce qui le destinait tout naturellement à remplir cette mission. Seulement celui-ci n'avait encore jamais rencontré personnellement l'éminence grise.

L'abbé Arnaud de l'Amaury apprit ce détail trop tard, au monastère dominicain de Fanjeaux, où le légat s'était établi. Étienne de la Miséricorde était déjà parti. Or Fanjeaux, bastion de la lutte contre les hérétiques, qui prenait volontiers le nom d'« inquisition », était depuis longtemps sapé par les cathares.

Parmi les frères, on trouvait des hérétiques dissimulés, et d'autres militants que l'on avait envoyés spécialement en ces lieux. La nouvelle du chemin compliqué qu'allait parcourir la lettre sortit donc rapidement des murs du monastère.

Le diacre général, Rainer di Capoccio, avait fait le voyage jusqu'à Marseille sur un voilier des Chevaliers de Saint-Jean que le grand maître de l'Ordre avait mis à sa disposition. Depuis la ville portuaire, il comptait remonter le Rhône jusqu'à Lyon à bord d'une barge luxueusement aménagée. On lui avait même garanti la tente noire qu'il avait réclamée sur le pont. C'est à bord de cette embarcation que lui parvint un message urgent : le roi ne souhaitait pas le recevoir à Paris, mais dans l'un de ses châteaux de chasse en Champagne. Par prévenance ou souci de discrétion, le monarque lui avait fait envoyer un navire de la flotte royale qui, à partir de Lyon, l'acheminerait à proximité du lieu où il pourrait transmettre à Philippe la lettre du pape.

Le diacre général dut alors inventer un bon motif pour faire, auparavant, étape à Lyon. C'est à ce moment, au plus tard, que Rainer di Capoccio se promit de ne plus jamais accepter une mission de courrier pontifical. Pour gagner du temps, il commença par tomber malade : une indisposition gastrique ! Il n'eut d'ailleurs pas à feindre la maladie : ces contretemps lui avaient bel et bien retourné l'estomac.

Après avoir difficilement traversé le redouté Massif central, Étienne de la Miséricorde était arrivé non loin de Lyon lorsqu'il fut rejoint par un moine irlandais nommé Stephan of Turnham, et qui se révéla être un émissaire de l'abbé. Il attira l'attention d'Étienne sur le fait que la lettre serait acheminée par Wendower, et qu'ils devaient donc rester auprès de celui-ci pour s'en procurer une copie fiable. Lui, Stephan of Turnham, l'aiderait à y parvenir : contrairement à Étienne, il connaissait Roald of Wendower, pour avoir logé en même temps que lui au monastère de Saint-Trinian. Le dominicain devrait cependant accomplir lui-même le travail de copiste — Étienne était d'ailleurs considéré comme un maître de la contrefaçon. Pour qu'on ne les voie pas ensemble auparavant, ils se sépareraient et ne se retrouveraient qu'à Lyon. Sur ces mots, le bon ange disparut. Étienne de la Miséricorde ne voyait aucune raison de se méfier de Stephan of Turnham ; tout heureux, il se mit en route vers son nouvel objectif.

Roald of Wendower, quant à lui, était déjà arrivé à Lyon ; il était descendu dans la maison des cisterciens. Il y attendait son supérieur. Par des voies obscures — il en avait tellement l'habitude que toutes les autres lui auraient paru suspectes —, il apprit que le diacre général aurait du retard, et qu'il ne ferait que traverser Lyon en bateau, sans s'arrêter sur la terre ferme. On priait donc Wendower de se débrouiller pour remettre la lettre dans ces conditions. On l'informait par ailleurs que frère Étienne allait arriver pour lui porter assistance.

Lorsqu'il arriva dans la ville, Étienne de la Miséricorde fut abordé par Stephan of Turnham avant même d'entrer dans l'abbaye des cisterciens. Stephan l'informa que tout était prêt, qu'il partagerait même la cellule de frère Roald, si bien que, avec son habileté naturelle, il n'aurait pas de mal à accomplir le travail demandé.

Lorsque Étienne entra dans le monastère cistercien, Roald le salua très chaleureusement. Étienne n'eut effectivement aucune difficulté à réaliser une copie parfaite de la lettre. Il y parvint même si bien que le petit diable des faussaires s'empara de lui et le poussa à échanger la copie et l'original. Trouvant son propre travail en tout point supérieur, il détacha aussi le sceau pontifical et l'appliqua avec précision sur sa propre version.

L'heure de la remise rapide de la lettre sur les flots du Rhône vint plus vite que prévu. Roald of Wendower avait appris, par ses sources parallèles, le lieu précis où serait transmis le pli, un débarcadère situé sur le Rhône, et l'heure à laquelle aurait lieu cette remise. On lui avait aussi décrit l'embarcation : il s'agissait d'une barge dont le pont était occupé par une tente noire. Son seigneur, lut-il encore dans le dossier secret, lui demandait de rester vigilant : le Chevalier du Mont-Sion, un homme de mauvaise réputation, traînait ses bottes sales dans les parages. Roald aurait apprécié de pouvoir capturer celui-là : il ne l'avait encore jamais rencontré, contrairement à ce qu'il avait prétendu dans le récit du tournoi de Fontenay.

Roald of Wendower donna l'accolade à frère Étienne lorsqu'ils se firent leurs adieux, après s'être assuré qu'il repartait bien avec l'original — ou ce qu'il considérait comme tel. Wendower avait parfaitement remarqué les manigances de son frère, mais il jugeait le résultat assez honteux pour un spécialiste recommandé des services secrets. Le travail avait été bâclé, et Roald était heureux de n'avoir pas trempé là-dedans. Le moine se rendit donc seul, à l'heure convenue, au débarcadère où la barge marseillaise arriva ponctuellement. Les bateliers sautèrent sur le débarcadère et amarrèrent la barge au bollard, mais sans lâcher les cordages. Roald of Wendower prit son élan, bondit à bord, la poitrine gonflée par la fierté, et se dirigea vers la tente, non sans respect. Il s'était attendu à ce qu'on lui fasse signe d'entrer, mais l'éminence grise en personne sortit à la lumière, sans sa soutane de soie couleur graphite. Une main fine portant une chevalière en croix de rubis étincelants lui prit la lettre sans un mot ; l'autre main lui remit discrètement un doublon d'or. Puis le rideau se referma. Roald dut se dépêcher de sauter à terre : les mariniers relâchaient déjà les cordages. Le battement des rames fit glisser la barge à la tente noire vers le milieu du fleuve. Une rencontre édifiante !

Tandis que Roald of Wendower se tenait sur la rive et rêvassait, frère Étienne dévala le talus, derrière lui. Il ne paraissait pas du tout impressionné.

— À qui as-tu donné la lettre ? demanda-t-il.

— À l'éminence grise en personne, répondit Roald en chuchotant.

— Aussi vrai que je suis ici, c'était frère Turnham ! protesta Étienne.

— Stephan of Turnham ?

Roald eut tout d'un coup l'impression qu'un voile lui tombait des yeux. Évidemment, Stephan of Turnham, c'était l'un des nombreux pseudonymes sous lesquels se présentait ce chevalier. Et lui, Roald of Wendower, venait de lui remettre la lettre originale du pape ! Il l'avait bien gagné, son doublon d'or ! Pour prix de sa bêtise, son seigneur et maître le ferait rougir au feu avant de le lui imprimer sur les fesses ! Roald se passa la main sur la nuque, consterné.

— Eh bien, murmura-t-il à Étienne de la Miséricorde, nous devons prendre définitivement congé l'un de l'autre.

Il tendit le bras, comme pour serrer encore une fois l'autre dans ses bras ; mais en un éclair, il tira un poignard de son col, et l'appuya sur la gorge, ramenée en arrière, du dominicain.

— Je te laisse une main libre et la moitié d'un Ave Maria pour me donner la copie.

Étienne comprit qu'il était inutile de se comporter de manière encore plus stupide qu'il l'avait fait jusqu'ici. Prudemment, pour ne pas irriter Wendower, il plongea la main dans la poche de poitrine de sa tenue, sortit le rouleau de parchemin, sur lequel il avait déjà apposé le sceau, et le tendit, les doigts tremblants.

Wendower rangea la copie et relâcha sa victime.

— N'as-tu pas dit, frère de la Miséricorde, que l'abbé t'a envoyé ce Stephan of Turnham ? Alors, c'est très simple : c'est à *lui* que tu as remis la copie, comme on te l'avait ordonné. (Il donna une bourrade encourageante sur l'épaule du maigre dominicain.) Mission accomplie ! Pour le reste, motus et bouche cousue !

L'après-midi, l'éminence grise arriva de Marseille. Il prit Wendower à bord du navire royal et poursuivit le voyage avec lui. Sur recommandation de son abbé, il garda aussi avec lui Étienne de la Miséricorde, bien qu'il ne sût pas précisément dans quel domaine il devait lui « prêter assistance ». Mais cela convenait à Wendower : il pouvait ainsi garder le dominicain sous contrôle.

Le diacre général était un seigneur très agréable. Pendant tout le reste du voyage, il ne se priva pas de plaisanter avec ses deux passagers, notamment sur la calligraphie des chancelleries pontificales. La lettre au roi de France était un innommable torchon plein de fautes d'orthographe, le sceau était répugnant, et le tout n'était vraiment pas digne d'un grand pape comme Innocent — sauf si le Saint-Père avait l'intention de dresser Philippe Auguste contre les thèses qu'il y développait, ou même de le vexer.

Ses deux accompagnateurs n'eurent même pas à faire semblant d'être consternés ni de compatir. Wendower eut finalement une idée lumineuse : Étienne, dit-il, était un calligraphe talentueux. Il pouvait donc, d'ici à ce qu'ils arrivent à la cour, réaliser une copie plus honorable que cet « original » miteux.

Cela plut à l'éminence grise. Il approuva leur projet, en précisant que c'était lui qui s'occuperait du sceau de Sa Sainteté.

Étienne se surpassa. Et c'est ainsi que le roi de France reçut une lettre personnelle du souverain pontife.

Il ne fallut pas longtemps avant que l'on entende dire, par les cours des rois d'Aragon et d'Angleterre, qu'ils détenaient des copies de ce courrier confidentiel. Même le roi Othon s'étonna de constater que le pape romain voulait enfin lui remettre la couronne d'empereur, alors que l'éternel rival des guelfes, Philippe de Souabe, avec lequel il avait dû partager dix années durant le pouvoir en Allemagne, venait d'être victime d'une tentative de meurtre. Le dernier à avoir été confronté avec le contenu littéral de la lettre était apparemment le comte de Toulouse. Mais son indignation fut telle qu'il fit diffuser plusieurs copies simultanées de cette missive. Le monde entier devait savoir comment on le traitait — il est vrai que la lettre ne laissait guère de doute à ce sujet :

Au roi de France !
Que l'épée par vous reçue pour multiplier le bien et vaincre le mal brûle entre vos mains du désir de punir ce malfaiteur sans dieu, ce complice criminel des hérétiques ! L'urgence est à présent l'Unio regni et sacerdotii, *Notre Seigneur Jésus-Christ ordonne et scelle cette sainte alliance du monarque le plus chrétien et du prêtre suprême de l'Église. Emparez-vous des terres de votre vassal impie, chassez ce traître infidèle ! Pour que dans votre pays, dont vous êtes le souverain, les chrétiens puissent de nouveau s'adonner à leur foi sans être offensés, forcés et humiliés par des hérétiques ! Vos sujets en Occitanie et au Languedoc aspirent à votre juste règne, pour pouvoir de nouveau prier avec les prêtres de l'unique véritable* Ecclesia catholica, *et pour vous servir. Pour y parvenir, il faut éliminer l'hérésie à la racine !*
LS Innocentius PM

— Nulle ? proposa Laurence.

Elle n'avait plus envie de déplacer des figurines d'échecs. Elle aurait préféré, et de loin, se balancer dans le hamac qu'elle avait tendu de l'autre côté du lac, tout près de l'eau, entre deux saules noueux. Leur feuillage lui donnait de l'air, et elle pouvait s'en servir pour taquiner les cygnes trop curieux. La mère cygne indignée l'avait cependant récemment pincée aux fesses. Cela n'aurait pas été bien grave, si l'incident ne s'était pas justement déroulé sous les yeux du doux Florent, grands ouverts par la terreur ! Ses cils soyeux ressemblaient aux ailes d'une libellule, et son visage cireux se figea en entendant les jurons de Laurence : *Fer d'ange !* et *Fente de Marie !*

Florent de Ville lui faisait une cour d'amoureux transi, et Laurence ne voulait pas affoler cet admirateur tranquille et rêveur. Son ami, le furieux Alain du Roucy, à la chevelure rouge feu, était tout le contraire. Celui-là était comme elle, ses parties bombaient toujours ses pantalons étroits, il la déshabillait de son regard enflammé et ses grosses pattes semblaient toujours brûler d'attirer le corps de la jeune femme contre le sien. Mais ce qui intéressait Laurence, c'était ce que Florent pouvait bien cacher dans son haut-de-chausse flottant.

— Un nul très honorable, mon Petit Renard ! retentit la voix de Lionel. Je suis fier de toi, de ton énergie stratégique.

Lionel passa à un autre sujet tout en ouvrant une nouvelle partie :

— Le roi a réagi avec une extrême réserve à la requête du pape.

— Même si le nom de Raymond, fort habilement, n'est pas mentionné, répondit Laurence, votre seigneur Philippe est bien forcé de songer aux réactions du reste de l'Occident.

— Sa Majesté a pris du temps pour répondre, répondit son père, songeur. Mais cette réponse était bien pensée et avisée : il a fait courtoisement savoir au Saint-Père que l'on ne pouvait admettre que le comté soit *exposé en proie*, offert à celui qui voudrait s'en emparer. « Ce qui est au comte est à nous », a-t-il précisé : les rois de France sont les souverains des territoires en question.

— Je me suis pourtant laissé dire, objecta prudemment Laurence, qu'une telle relation de vassalité est uniquement le fruit d'un vieux rêve des Capet. On néglige aussi le fait que ce type de lien n'existe certainement pas pour les vicomtés de Mirepoix, Carcassonne et Béziers, et encore moins pour Foix. Ils font en effet partie *sine dubio*, même si l'on peut le déplorer, du royaume d'Aragon, au-delà des Pyrénées. Mais la seule chose importante, conclut Laurence, c'est que l'on a ainsi mis une sourdine aux plans de conquête du pape.

Messire Lionel partageait ce point de vue.

— D'autant plus que notre souverain tempéré a ajouté que « rien ne changerait à ces faits, même si le Saint-Siège devait condamner Raymond pour hérésie ».

— « Pareille accusation », reprit Laurence, qui connaissait par cœur la réponse du roi, « devrait d'abord être vérifiée par un tribunal indépendant. » Et si ce tribunal prononçait le même verdict, lui, le souverain, pourrait demander que soit appliquée la peine adéquate.

Lionel balança la tête, songeur, et roqua avec la tour, car toutes leurs discussions ne lui faisaient pas oublier le jeu.

— Sur ce point, mon roi se trompe peut-être. Car juger de l'hérésie n'est ni son affaire, ni celle de ses tribunaux. Ici, le bras séculier n'a qu'une seule mission : celle d'exécuteur.

— Sur ce point, c'est *vous* qui vous trompez, messire mon père, répondit Laurence en lançant son cavalier, et je dois prendre votre roi sous ma protection : il ne faut justement pas que l'état d'esprit du pape ou même d'un simple évêque à propos de la foi de personnes laïques intervienne à ce point dans le système féodal.

— C'est bien pour cela que Sa Majesté veut garder le dernier mot, répondit Lionel, tout en perdant un pion, et, un peu plus tard, son fou. Et je peux te le garantir, Petit Renard, Sa Majesté sera très, très prudente dans ce domaine. (Il sauva sa dame.) Car dans notre système de vassalités, chasser aujourd'hui une ancienne lignée des terres qu'elle a héritées... (il avança courageusement la tour de trois cases)... *gardez !* Cela touche à l'ensemble des droits fondamentaux de la noblesse. Pareille attitude pourrait faire école, et nous en ferions demain les frais !

Laurence prit la tour téméraire avec sa dame, parce que Lionel n'avait pas avancé de pion pour la protéger.

— Surtout lorsque la marque de l'usurpation pèse sur le souverain, ce qui est le cas de tous les Capet.

Lionel éclata de rire.

— Petit Renard, nous autres Normands devrions nous abstenir de telles paroles. (Il continua à rire, même au moment où elle lui prit enfin sa dame.) Naturellement, je ne me fais pas d'illusions sur les appétits de pouvoir de la Couronne, ni sur son désir bien compréhensible d'absorber l'Occitanie, pourtant libre de toute éternité.

— Échec ! lui annonça sa fille attentive. Comme je le vois, mon cher Lionel, l'appétit de Philippe est à présent éveillé ; mais il veut s'assurer que ce rôti bien gras atterrira effectivement sans éclaboussure dans son assiette, et non dans celle d'un autre convive. Rome doit prononcer la prière de début de repas, mais certainement pas s'installer à sa table.

Lionel comprit qu'elle aurait une fois de plus le dernier mot, et n'en ajouta pas. Laurence se leva, embrassa gentiment son père sur le front et descendit vers la pièce d'eau, qui dégageait une forte odeur de vase.

Un canot hors d'âge flottait tant bien que mal sur la rive. Sa rame était brisée. Laurence s'y installa et s'assit sur le banc, attrapa une perche usée et se dirigea vers l'autre rivage, où se trouvait ses hamacs. Mais dans sa couche préférée s'étalait le rouquin Roucy. Florent, chevelure enflée, adossé au tronc noueux d'un saule, tirait de son luth un *canzo* mélancolique, une mélodie poignante. Son ami impétueux, lui, ronflait bruyamment.

Laurence se faufila sur la pointe des pieds vers le jeune homme qu'elle aimait ardemment, s'assit par terre à ses pieds et colla sa tête contre sa jambe. S'il n'y avait pas eu le tissu de lin revêche entre ses lèvres et la tendre peau du garçon, elle lui aurait couvert les mollets de baisers. La fine main du musicien descendit vers elle et plongea dans ses cheveux, ce qui fit courir un frisson de délice dans le dos de Laurence. Elle s'apprêtait à guider cette main bienfaisante vers son cou et sa poitrine lorsque le ronflement de Roucy cessa brutalement. Il attrapa son épée, qu'il n'abandonnait jamais, même pour dormir, se jeta hors du hamac d'un seul coup, avec un cri de bête, bondit sur ses pieds comme un chat et se mit à hurler :

— Sors ton arme, chien galeux ! (Il haletait, ses yeux étaient injectés de sang ; Laurence eut tellement peur qu'elle attrapa pour de bon, cette fois-ci, le genou de l'ange blond.) Toi qui utilises mon sommeil confiant pour te procurer les avantages de la dame ! Misérable séducteur !

Florent baissa la tête, comme s'il reconnaissait sa culpabilité. Il confia son luth à Laurence, attrapa son épée derrière lui en un éclair. Puis il repoussa Laurence comme une chienne importune et para le premier coup de Roucy. Il bondit et frappa si fort en retour que son compagnon manqua basculer en arrière. Mais Roucy donna du pommeau contre le bras tendu, avec une telle puissance que Florent dut aller se réfugier en titubant derrière le tronc du saule.

Avec un hurlement de rage, le rouquin se précipita vers l'avant pour lui barrer toute retraite ; seul un saut dans l'eau saumâtre pouvait encore sauver Florent de la fureur de Roucy. C'est à cet instant que le filet du hamac s'abattit sur le rouquin : Florent avait détaché la corde nouée au sol. Plus le gaillard battait autour de lui, plus il s'emmêlait entre les mailles. Laurence, plus Athéna qu'Aphrodite, profita amplement de sa faiblesse. Elle se mit à donner des coups de pied à ce ballot trépignant et à le pousser vers la mare, entre les deux cygnes qui battaient des ailes. Alain se serait vraisemblablement noyé si Florent n'avait pas jeté son épée, poussé Laurence et attrapé son ami par les cheveux. Il lui souleva la tête de la vase et cria à Laurence :

— Mais aide-moi donc, espèce de vache !

Laurence négligea l'injure et tira avec lui sur la pelote qui avait jusqu'alors hébergé ses rêves d'amour ; elle tomba à son tour, de tout son long, dans le limon. Elle ne lâcha pas pour autant. Au bout du compte, ils se retrouvèrent tous trois sur le talus, couverts de boue, des nénuphars dans les cheveux, tentant de retrouver leur souffle, et ne purent s'empêcher d'éclater de rire.

— Je ne voulais vraiment pas que vous vous battiez pour moi, protesta Laurence.

— On ne se bat pas pour une dame qui se bat comme un homme, corrigea Florent.

— Ou pire encore ! ajouta Roucy.

— Soyez heureux, Roucy, que j'utilise les armes d'une femme, répondit-elle fermement. Si j'avais eu une lame affûtée, j'aurais sans doute su m'en servir.

— Il faut se garder de vous ! fit Florent

— Vous êtes trop forte pour nous deux ! gémit Roucy.

— Comment messire votre père supporte-t-il cela ? plaisanta Florent. Je retire la « vache ». Mais, même pour un tendre veau, l'enclos de Ferouche doit paraître bien étroit !

— Je vous autorise tous deux à m'enlever d'ici, leur annonça-t-elle. Mais uniquement si vous êtes ensemble, et sans la moindre dispute.

Les deux élus cessèrent soudain de rire — les héros crai-gnaient sans doute la colère de Lionel. Laurence ajouta, pour les encourager :

— Ne vous inquiétez pas ! Nous allons préparer un plan, et vous n'aurez qu'à...

Laurence prit le silence des chevaliers pour une approba-tion. Messire Lionel était apparu sur l'autre rive. Il la cherchait.

La traque à la laie sauvage

À la plus grande joie de Laurence, Gavin Montbard de Béthune apparut par surprise à Ferouche. Son chevalier por-tait à bon droit et avec fierté le surcot blanc frappé de la croix pattée rouge : il avait enfin été admis dans les rangs des *milites templi salomonis*. Gavin (Laurence n'osait plus l'appeler « mon chevalier », comme elle le faisait autrefois) se rendait dans une commanderie de l'Ordre, vers le sud.

— Toi aussi, Brutus ? dit-elle tristement en le tirant sur le côté. Je sais pourquoi !

Elle voulait parler à son ami avant qu'il ne soit accaparé par Lionel et les hôtes du quartier.

— Ce reproche s'adresse-t-il à mon sang bourguignon ou au moine soldat ? Nous, templiers, nous entreprendrons tout pour empêcher cette croisade indigne et, si cela ne nous était pas accordé, pour nous en tenir à l'écart. Le roi de France ne peut nous contraindre...

— Lui aussi est trop tiède pour Rome ! se moqua Lau-rence. Même le parti des va-t-en-guerre, à la curie, a dû le comprendre.

Gavin souffrait manifestement de cette situation.

— Sans même attendre la réponse de Paris, on a nommé cet épouvantable abbé, Arnaud de l'Amaury, chef d'une « croi-sade contre les cathares », raconta-t-il à son amie. Les puis-sants évêques et leurs troupes s'en sont immédiatement servi.

Cela a placé le roi sous la contrainte : il a « autorisé » le duc de Bourgogne et quelques autres vassaux fidèles à « prendre immédiatement la croix », *item :* à prendre l'entreprise sous leur contrôle.

— J'espère qu'il n'a pas transformé un doux mouton en berger. Il s'est vraisemblablement adressé à son « cher cousin » Raymond de Toulouse, et lui a demandé de faire la paix avec Innocent ?

Gavin hocha la tête.

— Mais celui-ci n'a rien voulu savoir. Et, pis encore, il s'est montré hésitant. Le comte repousse les décisions indispensables et cherche toujours des alliés.

— Il peut s'en passer ! fit Laurence, énervée. L'Angleterre ne lui adressera que des encouragements. Aragon n'est pas bien disposé à son égard, parce qu'il est engagé dans une lutte stupide avec le Trencavel. Quant aux comtes de Foix, ils lui refuseront leur aide : pour eux, Raymond est un faible qui ne prend pas les mesures nécessaires pour pouvoir résister.

Gavin la regarda en souriant.

— Vous n'avez guère changé, Laurence, s'il est permis à un templier de ne pas mentionner votre surcroît de beauté.

— Je suis devenue plus sage, observa Laurence, si sérieusement qu'elle se fit rire elle-même — mais c'était un rire amer.

— Je viens vous égayer, ma précieuse dame des temps insouciants, dit Gavin avec un sourire. J'amène un accompagnateur auquel je sers de garde du corps, ou de camouflage, comme vous voudrez.

— Le Chevalier ? jubila Laurence. Où l'avez-vous caché ?

— Il repose dans votre hamac et attend que vous le réveilliez.

Laurence redevint aussitôt une petite fille. Elle se faufila vers les saules pour surprendre le dormeur, elle comptait déposer un baiser sur le front du maître qui l'impressionnait toujours avec ses propres plaisanteries. Et pourquoi sur le front ? Sur la bouche ! Jean du Chesne, alias John, *alias...* l'avait bien mérité. Mais le hamac se balançait, vide, au gré du vent. Le Chevalier était perché sur une branche, dans le chêne le plus proche.

— Le bavardage d'un couple d'amoureux m'a chassé. Il

aurait pu s'agir de moines des services secrets déguisés ! On ne sait jamais... C'est aussi pour cette raison que je reste en haut.

— Ce sont des hôtes de passage, inoffensifs, dit Laurence d'un ton léger, pour éviter d'autres questions.

— À propos, demanda Gavin, pouvez-vous nous loger discrètement pour la nuit ? J'aurais très volontiers salué le vieux Lionel, mais je ne veux pas le mettre dans l'embarras.

— Ou vous y placer vous-même ! Si vous comptez lui expliquer qui il héberge !

— Ne vous souciez pas de moi ! s'exclama le Chevalier depuis sa cachette de feuillage. Pensez plutôt au pauvre Raymond !

— L'a-t-on capturé ?

— Pire encore. Rome a nommé un avocat malin et expérimenté, maître Milo, au titre de légat pontifical, et l'a envoyé en Provence. C'est là qu'a été convoqué le comte de Toulouse. Les conditions sous lesquelles on lui laissait entrevoir une réconciliation étaient dures — de mon point de vue : inacceptables. Et c'est ce que je considère comme diabolique dans cette mauvaise pièce. Raymond devait soumettre son armée au haut commandement de la croisade, livrer « en gage » sept de ses principaux châteaux et s'engager à chasser les hérétiques de son comté. Mais dans l'espoir, que je juge incompréhensible, d'éviter ainsi l'invasion imminente, le comte s'est soumis.

— Non ! s'exclama Laurence avant de s'adresser à Gavin, qui se tenait à côté d'elle, consterné. Pourquoi m'avez-vous caché cela ?

— Vraisemblablement, telle que je vous connais, Laure-Rouge, vous n'avez pas laissé au templier le temps de placer un mot. Maintenant, installez votre petite tête bouillonnante dans le hamac et écoutez-moi sans m'interrompre.

— Uniquement pour protéger messire le Chevalier, dit-elle en se laissant gracieusement glisser dans le hamac.

Gavin ne savait plus où porter son regard.

— Le véritable acte « d'expiation », poursuivit le Chevalier, devait être accompli *coram publico*, une singulière humiliation. Car c'est à Saint-Gilles, quelque part entre Nîmes et Arles, que se trouve le berceau de la lignée des comtes. Si cette présentation publique du malheureux avait eu lieu à Toulouse, je m'y serais rendu au galop, non pas pour exprimer ma compassion à l'égard de Raymond, mais par désir d'apprendre comment Rome parvient simultanément à faire l'étalage de son pouvoir, à pousser son adversaire, sans coup férir, à livrer les forteresses qui lui permettaient de défendre son territoire, et à lui imposer une condition qu'il ne *peut pas* remplir, maintenant moins que jamais, parce qu'il n'en a pas le pouvoir. Cette seule clause des *conditiones* permettra, lorsque l'heure sera venue, de passer la corde au cou du comte, de l'accuser de rupture de traité et de s'en débarrasser en toute légalité.

C'en était trop pour Laurence, qui bondit de son hamac.

— Ce Raymond se rend à sa propre exécution, paie le bourreau sur ses deniers, et apporte en sus l'échelle et la corde !

— Balance-la ! lança le Chevalier à son écuyer. Ça calme ! (Puis il s'adressa de nouveau à Laurence.) C'est également ainsi que le voient le Trencavel et le comte de Foix, qui le conjurent de ne se séparer d'aucun des sept châteaux réclamés. Pour eux, le comte de Toulouse est un traître.

— Pour moi aussi, grogna Laurence.

— Mais la résistance de Raymond est brisée. On vient de me raconter ce qui s'est passé devant la cathédrale de Saint-Gilles. Le corps dénudé, le comte est entré sur le parvis, où l'on avait construit un autel. Trois archevêques, dix-neuf évêques, tous du Sud, l'entouraient et l'ont fouetté. Puis, face à l'hostie qu'on lui présentait et à de nombreuses reliques précieuses, il a prêté le serment qu'on demandait de lui.

— Épargnez-moi cela ! gémit Laurence en se redressant.

— Certainement pas, répondit le Chevalier. Voici la suite : *Si je transgresse cet article, ou si l'on peut prouver que j'ai commis de nouveaux crimes, j'accepte que les sept châteaux donnés en gage deviennent propriété de l'Église. Dans ce cas, je veux être excommunié, tous mes domaines, mes villes et mes places fortes devront être frappés d'interdit, mes vassaux seront déliés de leur obligation de fidélité, de toute obligation et du service qu'ils me doivent. Ma volonté est d'autre part que si j'avais commis un tel manquement, ils prêtent serment de fidélité à l'Eglise pour les fiefs et les droits que je détenais jusqu'alors.*

— Cela me suffit ! s'exclama Laurence en sautant du hamac.

— À vous, sans doute ! fit la voix, depuis son arbre. Et comme messire Raymond jugeait ne pas avoir encore suffisamment expié, il a ajouté de son propre chef que les croisés seraient les bienvenus dans sa ville de Toulouse, et qu'il demandait personnellement à pouvoir prendre la croix.

Gavin, qui était resté silencieux jusqu'alors, ne put s'empêcher d'intervenir dans la conversation :

— Cela me paraît aller trop loin dans l'abnégation.

— Vous pouvez le penser, chevalier du Temple, mais sachez que l'échine d'un être humain est capable d'étonnantes contorsions. Cela dit, le serment qu'il a prêté — sous la contrainte, je le concède — est aussi, naturellement, une gifle assenée à Philippe. J'attends avec impatience de voir comment il réagira à cet incroyable affront.

— Pouvons-nous en tirer quelque espoir inattendu ? demanda Laurence, désemparée et profondément attristée. Je ne pourrai vivre tout cela que de loin.

— Je me réjouis, Laure-Rouge, d'entendre que votre cœur bat toujours pour une libre Occitanie ! (Le chevalier sauta de sa branche, aussi élastique qu'un jeune homme.) Nous ne pouvons accepter votre hospitalité, bien que je sois épuisé et affamé. Le Sud nous appelle.

— Ah, dit Laurence en se rapprochant de Gavin. Nous aurions bien une grange isolée pleine de foin odorant. Et je pourrais vous apporter à manger en secret, il y a suffisamment de gâteries à la cuisine !

Le Chevalier pleurnicha :

— Si vous passez, Laure-Rouge, cette nuit avec...

— Certainement pas ! l'interrompit Laurence. Je vais aller écrire en vitesse quelques lignes à Alazais d'Estrombèze. J'avais commencé ma lettre à Pamiers, mais je ne suis pas parvenue à la lui envoyer. Je vous la confierais volontiers, Gavin.

Laurence traversa lentement le pont qui menait au château. Son père nourrissait les cygnes.

Laurence de Belgrave à Alazais d'Estrombèze

Pamiers, début Anno Domini 1208

Alazais, éternellement aimée — même si tu me dénies la capacité d'éprouver l'amour tel que tu le comprends : je t'aime et

*t'aimerai toujours ! Cependant, la situation devient critique,
même si elle est de plus en plus floue. Alors que dans tout le pays
les évêques et les prêtres de cette Église à laquelle j'ai de plus en
plus honte d'appartenir prononcent l'excommunication du comte
de Toulouse et, chaque dimanche, devant leur autel, le renouvel-
lent sous les sons de cloches en appelant à l'élimination des hérétiques, je suis ici, à Pamiers, privée de ce spectacle. Les comtes
de Foix, excommuniés depuis bien longtemps, ont refusé d'y participer et ont chassé de la ville le clergé qui pensait devoir imposer
les ordres de Rome. Et cela s'est déroulé de la même manière
dans tout le comté !*

*Le Trencavel de Carcassonne a adopté la même ligne de
conduite. Après tout, le Languedoc, plus encore que l'Occitanie,
est terre du Graal ; c'est ici que s'élève son nid d'aigle, le Montségur, symbole de la certitude du Paradis. Tu vois, chérie, je vous
connais bien à présent. Cette fois, je m'adresse à toi, emplie d'un
profond souci, raison pour laquelle tu ne dois pas me gronder,
mais ton joyeux espoir d'une « vraie » vie après la mort ne m'a
pas encore touchée. Je m'agrippe aux « choses de ce monde ».*

*Je suis assise ici, dans la tour de la citadelle, comme une
naufragée sur un écueil, entourée par la mer mugissante. Compte
tenu de la gravité de la situation, les comtes de Foix m'ont invitée
à demeurer ici : je suis la filleule de leur chère sœur et tante
Esclarmonde, et ce lieu est sa résidence de veuve, dans lequel je
peux jouir de leur hospitalité tant qu'il me plaira — ou tant que
les circonstances le permettront. Jouir ! Laisse-moi rire ! C'est un
éloignement par étapes ! Je ne t'écris pas, cependant, pour me
plaindre de mon sort, mais par souci, pour ne pas dire par
amour, de toi, et pour mettre vivement en garde tes amis cathares
contre ce qui va inévitablement vous arriver.*

Ferouche, Printemps 1209
*Inoubliable absente qui me manque tant ! Comme tu le
constateras avec étonnement, j'avais déjà commencé cette lettre
à Pamiers, mais mon père, affolé par le meurtre de Pierre de Castelnau, m'a alors emmenée dans son château, dans le nord « non
hérétique », et donc plus sûr. Je souffre pour toi, chérie, lorsque
je m'imagine ce qui se produira si les graines de haine que l'on a
semées contre vous venaient à lever. Le tas de soudards qui se
donnent le nom de croisade n'arrête pas de croître, ils accourent,*

de près et de loin, comme des chiens de rue qui ont senti la présence d'un os encore moelleux. Des prélats qui écument de rage et utilisent la dîme pour acheter des armes hors de prix, des chevaliers appauvris qui n'ont rien à perdre — pas même leur conscience, ils n'en ont pas ! Et puis cet amas de mercenaires qui ont flairé la bonne affaire et guettent le butin.

Le roi Philippe est consterné, mais il refuse toute intervention, à la manière de Ponce Pilate. Et le Sud, désormais bel et bien menacé, ne se redresse même pas pour agir ensemble, ce que ma marraine, ta grande amie Esclarmonde, avait toujours prédit, bien qu'elle n'ait guère contribué, au bout du compte, à l'unité des personnes concernées. Tout cela à cause de ce maudit détachement du monde qui vous caractérise, vous, les cathares ! J'aimerais passer une armure et monter à cheval pour partir en guerre, l'épée à la main, contre cette léthargie. Au lieu de cela, je vais donner ces lignes à Gavin et demeurer ici à taper du poing sur la table, impuissante.

Tu sais à présent, Alazaïs, quelle est la situation. Je crains pour ta vie, non, j'ai peur de te perdre ! Qui sait si nous nous reverrons, mais mon amour t'accompagnera sur ton chemin. Je n'oublierai jamais ce que le Sud m'a donné, cette période de délice en Occitanie. Le rêve est dissipé, la jeunesse envolée ! J'embrasse ta bouche, tes yeux étoilés, ton corps blanc, soleil bien aimé !
Laurence de Belgrave.

Le jour que Laurence attendait vint plus vite qu'elle ne l'aurait cru. Les rumeurs qui parvenaient dans la paisible Yveline transformèrent rapidement le cours tranquille des journées d'été. La levée des armées se faisait de plus en plus bruyante, l'implication des différents partis dans cette affaire opaque devenait menaçante, comme si tous n'aspiraient qu'à la guerre. Et nul ne se montrait conciliant.

Cette agitation se communiqua à Laurence. Elle savait que son père bien-aimé devait rejoindre en toute hâte les drapeaux de ceux qui allaient marcher contre ses amis, au Sud. Et elle voulait se tenir à ses côtés si c'était nécessaire, pas aux côtés d'un Montfort.

Leur voisin, un gros baron répondant au nom d'Adrien, avait, cette année encore, invité ses pairs dans sa vaste forêt d'Arpajon-sur-l'Orge, pour une chasse à la laie — c'était une tradition pour le solstice d'été.

Le baron était extrêmement antipathique à Laurence ; il n'avait jamais manifesté le moindre intérêt pour elle, et paraissait même la mépriser. Il avait un long visage charnu, son menton était imberbe et sa tête chauve ; et tout en lui paraissait amolli, du ventre pendant jusqu'à la poignée de main froide et moite. Lionel, qui n'appréciait guère le massacre auquel tournait d'ordinaire la chasse au sanglier, était forcé d'accepter pour préserver leur bon voisinage ; mais messire Adrien tenait surtout à la participation d'Alain du Roucy et de Florent de Ville — l'invitation les concernait aussi, comme le soulignèrent plusieurs messagers.

Laurence utilisa cette sortie pour informer les deux chevaliers de son projet de fuite. Florent et Alain acceptèrent de l'assister.

C'est à cette époque que circula l'appel lancé par le pape :
« *À tous les princes de foi catholique !*

En avant, combattants du Christ ! Ce sont ses souffrances supportées en silence qui font aujourd'hui crier de douleur sa sainte Église ! Debout, allez enfin anéantir ces hérétiques, qui sont pires que les Sarrasins ! Cette peste est parmi nous, elle fait rage dans le cœur de l'Occident jadis uni dans la chrétienté, causant à l'Église, et même à Dieu en personne, une effroyable offense, une atteinte à votre honneur que vous ne pourrez tolérer plus longtemps ! Aucun honneur, en revanche, pour ceux qui continueront à protéger et à encourager ces impies. Ceux-là sont des hommes à abattre, leurs terres reviendront au vengeur qui les aura punis. Que son bras soit béni ! »

Le jour de la chasse, Lionel de Belgrave quitta l'Yveline avec sa jolie fille et se dirigea vers Arpajon-sur-l'Orge. Dans sa petite escorte chevauchaient les sires Alain du Roucy et Florent de Ville. Au-delà du pont qui franchissait le fleuve, le seigneur invitant, baron d'Arpajon, les attendait. Le nobliau se disait volontiers *anglès* et choisissait aussi ses invités en fonction de cette préférence. C'est la raison pour laquelle ce *good old Lionel of Belgrave* était toujours le bienvenu pour le *Baronet of Arpajon*. Il nota avec mauvaise humeur que Laurence, non contente d'accompagner son père, portait en outre une tenue de chasse en cuir, un couteau étincelant et un faisceau de javelots aiguisés sur sa selle. Mais sa mine agacée s'éclaira lorsqu'il aperçut Florent et Alain.

Après un verre de l'amitié et une discussion générale, la société de chasse se sépara en petits groupes. Laurence, entourée par tous les jeunes hommes, se joignit à ceux qui paraissaient lui prêter le plus d'attention et avoir les moins bonnes qualités de chevaliers. Elle ne lança qu'un bref regard à Florent et Alain, pour s'assurer que les deux hommes respecteraient leur accord et porteraient avec eux des vêtements de rechange pour Laurence, ceux qu'ils cacheraient en aval de la rivière, comme ils en étaient secrètement convenus.

Messire Lionel essaya vainement de se rallier au parti qui s'était formé autour de sa fille : le baron l'adjoignit à quelques nobles bourguignons dont l'intérêt semblait plus accaparé par le vin rouge qu'ils avaient apporté dans des outres de cuir que par le gibier. Inquiet, Lionel cherchait le regard de son Petit Renard, pour l'exhorter à une certaine retenue. Les cors retentirent, et la chasse furieuse, menée par une meute de chiens qui couraient, langue pendante, fila vers la forêt toute proche et traversa le sous-bois vert clair avant d'être avalée par la pénombre des sapins.

Laurence était entourée de jeunes seigneurs venus de la région de Blois et de la Champagne. On vit rapidement qu'ils ne montaient pas assez bien pour suivre leur propre meute. Dès la première laie levée par les chiens dans un champ de betteraves, et qui prit aussitôt la fuite, Laurence se retrouva seule. Après plusieurs crochets inutiles, le sanglier fit face à ses poursuivants et s'attaqua aux chiens les plus avancés. Laurence attrapa trois javelots dans son carquois et voulut, en cavalière experte, contourner la laie et attirer sur elle l'attention de l'animal, lorsqu'un chasseur solitaire sauta dans la mêlée et fut désarçonné par son cheval affolé. Il tomba juste devant le groin de la laie furieuse.

Laurence passa alors au-dessus du malheureux et, en sautant, lança son javelot contre le sanglier. Il lui pénétra dans l'épaule, mais pas assez profondément : écumant de rage, la laie se débarrassa du fer en se secouant et se retourna vers l'homme couché sur le ventre. Celui-ci commit l'erreur de vouloir se relever. Laurence vit son visage de cheval déformé par la peur, ses dents saillantes, et le reconnut aussitôt : c'était Charles d'Hardouin, qu'elle n'avait plus revu depuis le tournoi de Fontenay.

— Au secours ! criait-il misérablement.

Laurence repassa à l'attaque. Mais cette fois, au lieu de lancer son javelot court, elle l'enfonça de toutes ses forces dans la nuque, au-dessus des yeux injectés de sang et de l'os frontal. Le poids de l'animal qui tombait arracha la lance des mains de Laurence, mais le fer était profondément enfoncé dans la chair, et cette fois-ci la laie ne put s'en débarrasser. Avec un grognement triste, elle fouilla la terre de sa tête hirsute, un tremblement parcourut son corps massif, les membres tendus tressaillirent et retombèrent mollement.

On vit alors trotter, en file indienne, trois, quatre, cinq marcassins rayés de blanc, cherchant les tétons de leur mère. Ils se pressèrent contre le corps encore chaud. Leur vue émut la chasseresse, mais leur sort était scellé.

Messire Charles se redressa en claquant des dents ; il fut incapable de prononcer un mot, ni même un geste de remerciement. Laurence lui facilita la tâche : elle disparut à temps, juste avant que ses compagnons de chasse apparaissent dans les aboiements de la meute.

Elle se dirigea vers le fleuve. Ses rives étaient ici peuplées de roseaux, et ne se prêtaient donc pas à son plan. Laurence se demandait déjà si elle n'allait pas y renoncer — Lionel lui en voudrait terriblement ; cette fois, en effet, elle voulait lui faire croire que son Petit Renard n'était plus de ce monde. Ce brave homme ne l'avait vraiment pas mérité. Mais avant que la honte ne s'empare d'elle entièrement, elle se rappela que, sans ce scénario macabre, son père mettrait toute la chasse en branle pour reprendre la fugitive. Elle n'irait pas loin ainsi. En faisant mine de se noyer, en revanche, elle les pousserait tous à suivre le cours de l'Orge, dans l'espoir de retrouver au moins le cadavre de la noyée. C'est la pensée de ses amis en Occitanie, et du danger qu'ils couraient, qui la décida finalement. Aller porter secours, ou du moins assistance, à Alazais, sa lointaine amante, et à Loba, la courageuse petite louve avec son garçon : cela passait avant le chagrin de son père. En remontant le long du fleuve, Laurence venait d'arriver devant une crique sablonneuse, non loin du saule où il était convenu qu'elle se rendrait. Elle n'hésita pas, mit pied à terre et ôta ses vêtements.

Son cheval obtus ne comprit pas tout de suite ; il commença par tourner autour du tas de frusques en reniflant, tandis que Laurence plongeait dans l'eau froide. Enfin, le cheval parut décidé à la suivre. Laurence se jeta donc dans l'eau, et se laissa porter par les flots.

Laurence était une nageuse expérimentée, et la rivière ne cachait pas de pièges. C'était après tout un bain agréable et rafraîchissant après la chevauchée dans la fournaise de l'après-midi. Après le premier coude du fleuve, elle avait perdu son cheval des yeux. Mais son cou dressé ne tarda pas à resurgir dans les vagues, derrière elle. Les yeux de l'animal paraissaient l'implorer de rejoindre l'autre rive par le plus court chemin. Mais Laurence continuait à viser son saule. Le cheval monta le talus, s'ébroua pour sécher sa peau et sa crinière, hennit en constatant que sa maîtresse ne comprenait pas, et trotta à côté d'elle, l'air inquiet.

Les branches basses du saule apparurent enfin devant elle. Laurence attrapa le branchage souple et laissa le flot la ramener contre la berge. Elle sauta vers l'arbre, pleine d'espoir. Il était creux, mais vide ! Elle regarda le réseau de ses racines, qui aurait fourni une remarquable cachette, mais elle n'y vit pas la moindre trace des vêtements qu'elle pensait y trouver. « Je suis arrivée trop tôt », se consola Laurence en couvrant sa nudité derrière le corps de son cheval, qui était arrivé presque en même temps qu'elle au point de rendez-vous.

Elle crut alors percevoir, tout près d'elle, les rires de ses deux chevaliers. Elle se retourna, mais ne vit rien. Elle écouta plus attentivement : elle avait bien entendu les voix d'Alain et de Florent — mais il y en avait aussi une troisième, bêlante, tremblant d'excitation, et qui se détachait des deux premières. Laurence attendit patiemment à l'abri de son cheval. Mais constatant que ce rire nerveux, une sorte de gloussement qui n'était guère viril, ne s'éloignait pas plus qu'il ne se rapprochait, elle décida d'aller y voir de plus près. Elle grimpa sur le tertre le plus proche et laissa son regard descendre, à travers le feuillage, dans une cuvette sableuse. Elle eut d'abord du mal à comprendre ce qu'elle vit : Alain et Florent s'y promenaient, l'un vêtu du pourpoint de Laurence, l'autre de sa tunique. Ils ne portaient rien d'autre. Leur nudité était à la fois nouvelle et effrayante pour Laurence. Cela ne tenait certes pas à leur queue — ce n'était pas la première fois que Laurence voyait un pénis érigé. On lui en avait déjà présenté plus d'une fois, et elle se voyait fort bien en faire usage. Mais, en l'occurrence, on n'avait pas besoin d'elle. Alain et Florent avaient posé sur la tête du baron, l'hôte de la chasse, les pantalons de cuir de Laurence, noué les jambes du vêtement en un turban et lui avaient serré la ceinture autour du cou, si fort que messire d'Arpajon avait bien du mal à respirer. Lui aussi était nu comme un ver, et si la vue de ses parties génitales fut épargnée à Laurence, c'était dû à son ventre pendant qui les cachait comme un tablier. Ils jouaient ainsi à colin-maillard : il courait en trébuchant dans le sable, tandis que les deux autres s'amusaient à le chatouiller avec des roseaux ou à le battre avec des gerbes. Ils trouvaient encore le temps de se pincer l'un l'autre, de s'attraper mutuellement le sexe, de se caresser et de s'embrasser amoureusement.

Laurence était restée figée. L'amour brûlant qu'elle portait à Florent se consuma comme un feu de paille. C'est le cheval qui finit par attirer l'attention des deux hommes sur ce témoin indésirable. Comme Laurence en était encore bouche bée, Roucy lança le premier commentaire :

— Voulez-vous jouer la vache aveugle, Laurence ? demanda-t-il en désignant leur hôte, qui s'efforçait vainement d'ôter son casque de cuir. Personne n'a encore vu courir Adrien d'Arpajon aussi vite que lorsqu'une femme cherche à l'attraper ! ajouta Alain avec un gros rire,

Laurence s'adressa à Florent, qu'elle avait toujours considéré, jusqu'ici, comme le plus sensible des deux.

— Rendez-moi mes vêtements ! implora-t-elle au moment où messire Adrien était enfin parvenu à se débarrasser de sa coiffe étouffante.

— Même si vous portez des pantalons, aboya-t-il, la tête cramoisie, vous restez une connasse ! Et vous dérangez !

Il lança le pantalon de cuir dans l'eau, devant Laurence. Elle se précipita dans la rivière, mais le courant emportait déjà ses vêtements. Des larmes de fureur aux yeux, elle vit Roucy jeter aussi sa chemise et son pourpoint, tandis que Florent regardait ce qui se passait sans rien faire. C'était donc ces lascars-là qu'elle avait pris pour ses chevaliers servants ! Le pourpoint avait immédiatement disparu sous les flots, mais elle avait réussi à attraper sa chemise. Laurence se laissa porter par le courant, furieuse. Plus loin elle serait de ces crétins vulgaires, mieux cela vaudrait ! Son cheval l'avait rejointe, et cela lui donnait du courage.

Elle rejoignit la terre à l'endroit où le fleuve sortait de la forêt et serpentait entre les prés. Ici, on l'apercevrait de loin. Elle pouvait faire une croix sur son projet de fuite, avec cette petite chemise courte qui constituait son seul habit. Elle la laissa sécher sur elle au soleil de l'après-midi. C'est alors que son père et un autre chasseur accoururent.

— Qu'est-ce qui t'est arrivé, Petit Renard ? demanda-t-il, affolé mais heureux de trouver sa fille en bonne santé.

Il rapportait tous les vêtements que Laurence avait laissés sur la rive pour laisser croire à un accident.

— Après que le brave sire Charles d'Hardouin, au péril de sa vie, t'a évité de périr déchiquetée par la laie furieuse, et que tu as disparu sans même remercier ce noble héros, qu'est-ce qui a bien pu pousser une nageuse aussi expérimentée que toi dans ces eaux vives et sournoises ?

Laurence, entre-temps, s'était de nouveau habillée, si bien qu'elle put se présenter en posture décente devant les accompagnateurs de son père.

— Rambaud de Robricourt, annonça Lionel en présentant le seigneur d'âge moyen qui chevauchait à son côté, est veuf et détenteur de la forêt d'Othe, un domaine aussi grand que toute l'Yveline, ajouta-t-il fièrement. Et lui-même un grand chasseur devant l'Éternel !

Laurence regarda le chasseur, qui ressemblait à une otarie : une tête ronde et une moustache en croc qui donnait quelque chose de madré à son air aimable. Elle se demanda juste un bref instant, légèrement étonnée, pourquoi Lionel, qui n'avait d'ordinaire que moquerie, sinon mépris, pour l'art de la chasse, se laissait aller à tresser pareil éloge. Puis elle répondit à la question de son père.

— Le courage héroïque du téméraire d'Hardouin m'a plus troublé l'esprit que l'attaque furieuse de la mère sanglier. Prise d'une terrible panique, je me suis enfuie au lieu de remercier mon sauveur, qui m'était apparu dans cette ultime extrémité comme un glorieux saint Georges.

Laurence dut se retenir pour ne pas éclater de rire en se

rappelant le tableau que lui avait offert le pitoyable sire Charles. Cette vision l'incita à laisser courir son imagination.

— Mais j'avais oublié les marcassins, qui me collaient aux talons, me considérant sans doute comme un succédané maternel idéal. Ils se sont précipités derrière la fugitive, et se rapprochaient de plus en plus de moi, lorsque j'atteignis, avec mes dernières forces, le rivage de l'Orge.

Laurence s'assura de l'effet produit par son récit : son père la regardait, les yeux écarquillés ; les pointes des moustaches de l'Otarie tremblaient en revanche d'hilarité contenue. Cela plut à Laurence.

— Et c'est l'instant que mon cheval a choisi pour me jeter au sol, sous les défenses acérées de ces bêtes à rayures. Je m'ôte le pourpoint du corps et le lance sur le groin du premier animal ! Mais il ne se laisse pas détourner de son but ! Avec des bonds de lapin, je me débarrasse aussi de ma chemise et la jette dans la direction d'où me vient le souffle brûlant des cochons sauvages. Ils ont pris la piste depuis longtemps, avides de sang, ils foncent sur la pauvre jeune fille tremblante. Savez-vous, messire Rambaud, combien il est difficile de sortir de ses pantalons lorsque la vessie est trop pleine ? La fuite a été mon salut !

Laurence s'arrêta, épuisée et incapable de réprimer son rire. Elle vit alors la tête de citrouille aux drôles de moustaches se pencher pour chuchoter quelque chose à l'oreille de son père, qui hocha la tête, l'air réjoui.

— Le noble sire Rambaud de Robricourt vient de me demander ta main, malin Petit Renard !

Cette fois, c'est sur le visage de Laurence de Belgrave que l'on put lire l'effarement. Mais elle ne perdit pas son calme. D'un saut, elle bondit sur le dos de son cheval et le dirigea vers la rivière.

— Je préfère me noyer, s'exclama-t-elle, indignée, plutôt que de me soumettre au joug du mariage !

Elle éperonna sa monture, mais le cheval refusa de replonger dans l'eau. Et, à la honte de la cavalière furieuse, les deux hommes, sur la rive, se mirent à rire de son échec. C'est l'instant que choisit le noble chevalier Charles d'Hardouin pour les rejoindre au galop, en battant des bras. Mais il s'arrêta à bonne distance en apercevant Laurence et leur cria :

— Lionel de Belgrave ! Le comte Simon de Montfort souhaite que vous vous rendiez sans délai auprès de lui. La croisade se rassemble !

Lettre du campement

Lionel de Belgrave
À sa fille Laurence
Devant Béziers, au mois de juillet Anno Domini 1209

Mon cher Petit Renard,
    J'espère que la tour de Ferouche ne te fait pas trop l'effet d'une prison où t'aurait enfermée ton père, ce sans-cœur. Ton séjour provisoire dans ces murs qui garantissent ta sécurité n'est pas une punition pour avoir rejeté avec légèreté les avantages aveuglants d'une union avec messire Rambaud de Robricourt, mais une mesure de prudence tout à fait adaptée à des temps agités. Il est rassurant pour moi, au campement, de savoir que le donjon préserve ton intégrité physique contre les assauts de mes faux amis, mais te protège aussi de toi-même.
    Je me suis permis de donner congé en ton nom à Alain du Roucy et son compère Florent. Non seulement ils te mouchardent comme deux vieilles femmes au lavoir, mais ils se sont aussi débrouillés pour que Charles d'Hardouin entre comme corrupteur de jeunesse dans les annales de la chasse au bord de l'Orge. Étrangement, c'est contre toi que se dirige toute sa colère, mon Renard, et non contre ses dénonciateurs. Il te déteste vraiment pour ce lancer de javelot propre et net qui lui a sauvé la vie. D'ailleurs, sois heureuse de pouvoir séjourner loin de tout cela dans l'aimable Yveline : ainsi, tes yeux ne voient pas les atrocités que provoque ici, dans le Languedoc, cette « croisade du pape ». L'odeur de la chair calcinée te sera épargnée. Et tes oreilles n'entendront pas les hurlements des mères auxquelles on arrache leurs enfants sur la poitrine.

Nous nous trouvons devant la ville jadis florissante de Béziers — nous ne pouvons plus y entrer, bien qu'elle ait été prise dès hier. Elle nage encore dans le sang de ses citoyens massacrés, étouffe dans la fumée noire des maisons et des églises en flammes. Nous avons perdu l'honneur d'une armée de chevaliers avant même que le premier d'entre nous ait pu donner un coup d'épée. Nous sommes menés par un porteur de bure fanatique, l'abbé de Citeaux, Arnaud de l'Amaury. Il est le légat pontifical, et il a toléré que des milliers de ribauds et de truands, la pire populace, affluant de toute la France, gibier de potence et coupe-jarrets, diseuses de bonne aventure et putains, tire-laine et cro-cheteurs, bref, que toute cette racaille se place à la tête de la croi-sade, dans le seul but de piller et de violer, de torturer et d'abattre.

Les Biterrois — c'est ainsi que l'on appelle les habitants de cette ville — se sont fièrement refusés à livrer à l'abbé leurs concitoyens cathares, et ils ont glorieusement repoussé la première attaque de ces gredins. Cela les a rendus téméraires : ils se sont mis à pour-suivre les fuyards. Nous autres, chevaliers, et nos fantassins, n'étions pas encore intervenus, car nous nous pliions à la discipline et aux ordres de notre chef militaire, Simon de Montfort, comte de Leicester, qui est d'ailleurs un neveu du légat. Lorsque la racaille qui se repliait heurta nos rangs serrés, elle fut prise de panique. Et sa soif de butins et de violence fut plus forte que la peur que leur causaient les piques des citadins. Ils se retournèrent et, animés par une rage désespérée, chargèrent leurs poursuivants, réussirent une percée et filèrent jusqu'aux portes de la ville, que les gardiens ne purent fermer à temps. Ils se déversèrent alors dans la cité.

Ma honte doit te cacher ce qui s'y passa alors. Ce fut l'enfer ! Les habitants, chrétiens, hérétiques ou juifs, se réfugièrent, horri-fiés, dans la grande cathédrale de la ville. La racaille, déjà enivrée par le sang, ne put enfoncer les portes de bronze ; ils traînèrent donc tout le bois et toute la paille qu'ils trouvaient hors des maisons et des écuries, l'empilèrent autour de la maison de Dieu et allumèrent ce gigantesque bûcher. L'abbé assistait à la scène. Le comte Simon de Montfort le supplia d'arrêter ce massacre, en lui rappelant que parmi la foule enfermée se trouvaient aussi les chrétiens catho-liques de Béziers. « Au jour du Jugement dernier, Dieu, Notre Sei-gneur, saura reconnaître les siens ! » aurait alors répondu le légat pontifical Arnaud de l'Amaury. Je le tiens de ton sauveur Charles d'Hardouin, qui a été le témoin comblé de ce massacre, à côté de

Montfort. *Ce marcassin vieillissant, avec ses incisives saillantes, a considéré que cette scène était un « tribunal de Dieu ».*

Pour ma part, je ne puis trouver mon Dieu ici. Les cathares ont peut-être tout de même raison de croire que ce monde est la création et le royaume du démiurge.

Dans la fournaise de la cathédrale, les cloches se sont mises à fondre avant de tomber du clocher, déclenchant une tempête d'étincelles digne d'un volcan en activité. Les âmes de ces malheureux ont dû monter avec elles — certainement dans un monde meilleur !

Aujourd'hui, mis à part les pillards, on ne voyait plus que des rats dans la ville morte. Béziers doit rester comme un cadavre sans sépulture, pour que la fin atroce des fiers Biterrois serve d'avertissement à tout le Languedoc, à Toulouse et Carcassonne, à Foix et Mirepoix. C'est le pieux désir du comte Simon de Montfort, qui ne tient guère à voir toute l'Occitanie ravagée : il se voit déjà héritier du Trencavel et du comte de Toulouse.

Pour ma part, mon seigneur, Simon de Montfort, a dû sentir mon manque d'enthousiasme à propos de cette « croisade contre le Sud », comme je l'appelle déjà avec ceux de mes amis qui partagent mon point de vue. Il m'a généreusement laissé envisager la possession d'un vaste castrum, *l'une des prises que nous ferons vraisemblablement. Sous forme de fief héréditaire, naturellement, mon Petit Renard ! Cette idée est comme un parfum de rose qui recouvre la puanteur des cadavres. J'appellerai ce château « Mon Belgrave » et le déposerai à tes pieds, avec la clef du donjon.*

Tu me manques beaucoup, et je nourris l'idée de te faire venir dans le campement, auprès de moi, dès que les circonstances le permettront. Ne serait-ce, je te l'avoue avec respect paternel, que pour m'assurer que tu n'entreprendras pas de nouvelles tentatives de sortie, qui te feraient courir le plus grand péril. Sens-toi protégée si je termine à présent par ces mots : je te serre fort dans mes bras !

Lionel, ton père.

Le « Perceval » de Carcassonne

L'exemple fait à Béziers ne manqua pas son effet sur les terres d'Occitanie. À la fin juillet, de nombreuses redditions avaient eu lieu sur la route de la croisade. Les propriétaires connus pour leurs sympathies envers les cathares se retirèrent dans les montagnes difficilement accessibles ou se mirent à la disposition du Trencavel pour défendre Carcassonne : le bruit courait que la capitale serait le prochain objectif.

La lâche capitulation du comte de Toulouse, à laquelle se rallia aussi la riche ville de Narbonne, avait suscité l'indignation du Trencavel. Ramon-Roger II, qui gouvernait avec un titre de vicomte hérité de l'époque gothique, n'avait aucune intention de se résigner. Les murs de Carcassonne avaient déjà défié Charlemagne. Lorsque l'évêque catholique osa plaider en faveur des exigences du légat pontifical — exclure tous les juifs de leurs fonctions et livrer tous les hérétiques —, le Trencavel le chassa de la ville et mit à sa place un *perfectus* cathare. Il ne s'inquiétait que pour les nombreux réfugiés, paysans et bergers qui venaient de tout le Languedoc se réfugier chez lui. Ils avaient certes apporté avec eux leur bétail et des provisions, mais l'approvisionnement en eau potable poserait un problème. L'Aude ne coulait pas à travers la ville, elle décrivait des courbes autour d'elle, et elle n'était protégée que par un bastion non consolidé. Il y avait naturellement des puits qui plongeaient profondément dans la roche, des galeries praticables menant à des lacs souterrains. Mais leurs réserves pourraient rapidement s'avérer insuffisantes.

Si Raymond, le comte de Toulouse, ne s'était pas laissé intimider d'une manière aussi ignominieuse, ils auraient pu chercher ensemble la bataille en terrain découvert : ils connaissaient mieux les lieux que les intrus venus du nord. Le Trencavel n'avait pas été particulièrement heureux d'apprendre que Raymond s'était soumis au légat avec toute son armée. La participation des Toulousains à la croisade serait sans doute très succincte et peu convaincue, comme tout ce qu'entreprenait son seigneur le comte. Mais la nouvelle produisit un mauvais effet parmi les alliés du Trencavel. Les comtes de Foix et de Mirepoix, les plus proches parents du vicomte, retirèrent leurs hommes de Carcassonne pour renforcer la défense de leurs propres villes. Seuls Aimery de Montréal et Peire-Roger de Cab d'Aret, le seigneur de Las Tours, se tenaient encore au côté de Perceval.

Au cours des premières journées du mois d'août, la croisade arriva sur la rive de l'Aude qui faisait face à la ville. Une fois encore, ce furent les hordes en haillons de pèlerins et de mendiants ralliés à la croisade qui passèrent aussitôt à l'assaut contre le bastion, devant le fleuve. Simon de Montfort demanda que l'on respecte la discipline militaire. Mais le légat les laissa faire. Ils devaient pouvoir se défouler : le soleil leur avait échauffé l'esprit pendant cette longue marche. Ensuite, de toute façon, ils se briseraient les dents sur la solide muraille de Carcassonne, avec ses nombreuses tours. Mais le bastion fut réduit à néant..

Le lendemain, ils tentèrent de répéter l'attaque surprise qui leur avait valu le succès à Béziers. Mais leur assaut fut repoussé, comme l'avait prévu l'abbé.

Laurence avait observé la charge absurde contre les fortins de la fière ville, depuis le campement surélevé des chevaliers, au côté de son père, Lionel. Les hordes de canailles se réfugiaient à présent dans le camp, où elles répandaient un terrible désordre.

— Si j'étais le Trencavel, dit-elle d'une voix suffisamment forte pour que Lionel puisse l'entendre, c'est maintenant que je risquerais une sortie. Dans cette mêlée, cent archers mettraient en flammes votre campement, ses tentes et ses machines, avant même que le premier chevalier ait pu monter sur son cheval.

Son père éclata d'un rire mugissant.

— Une bonne chose, mon Petit Renard, que ce ne soit pas Perceval, mais Lionel de Belgrave qui t'ait choisie comme conseillère. Autrement, je ne donnerais pas cher de notre peau.

Laurence sentit le sang lui monter à la tête. D'une manière générale, elle ne se sentait pas bien dans ce monde masculin.

Elle devait quitter au plus vite ce campement où les odeurs de pieds et de sueur rivalisaient avec celles du vin vomi et de l'urine.

Elle se trouvait dans sa tente lorsqu'elle vit son père arriver en compagnie d'un homme court sur pattes et aussi rond qu'une balle. Il gesticulait, tentant manifestement de convaincre Lionel. L'homme devait avoir un problème à la hanche : il traînait la jambe, mais le faisait avec l'élégance d'un danseur.

— Messire Sicard de Payra, annonça Lionel, est venu nous livrer son château.

Messire Sicard s'inclina gracieusement devant Laurence.

— Notre amie Alazaïs nous a chanté vos louanges, jeune dame, laissa-t-il échapper, mais la rouge réalité des flammes dépasse largement les reflets roses de la réputation qui vous précède, Laurence de Belgrave.

La destinataire de ce bouquet de fleurs n'eut qu'un bref instant de confusion : enfin, elle avait un signe de vie de sa bien-aimée !

— Le fait qu'Alazaïs vous envoie, répondit-elle en souriant, fait de vous, à mes yeux, Hermès, le messager des dieux !

— Je veux m'appeler pour vous Amor à la flèche d'amour, envoyé à vous par Vénus à la peau claire.

C'en était trop pour Lionel.

— Il s'agit d'une affaire sérieuse, dit-il à sa fille. Messire Sicard veut savoir sa possession en de bonnes mains avant que la croisade ne déchaîne sur lui le feu et le meurtre.

— Un bijou, ajouta fièrement messire de Payra, un beau petit coin de terre, non loin de Castelnaudary.

— Il est donc près de Fanjeaux, nota Laurence. Comment s'appelle le *castrum* ?

— Il n'a pas de nom, s'excusa presque le petit homme, déstabilisé par ce ton inquisitorial. Les gens l'appellent L'Hersmort, parce qu'il veille sur un bras de l'Hers asséché depuis très longtemps.

— Voilà qui tombe magnifiquement, se permit d'intervenir Lionel. Les terres qui m'ont été promises, *Mon Belgrave*, s'y rattachent directement.

Cela réjouit aussi messire Sicard.

— Je vous le montrerais volontiers, assura-t-il, étonné que l'affaire se règle aussi bien et aussi vite.

— Il me semble, père, fit Laurence d'une voix décidée, que vous devriez d'abord demander l'autorisation de Montfort. Lui seul peut vous attribuer un fief durable.

Lionel regarda Sicard et haussa les épaules, résigné.

— Comme notre Petit Renard est malin ! Attendez-moi ici, je vais aller parler tout de suite à Simon.

Et il les laissa seuls, tous les deux.

— Que devez-vous me dire d'autre à propos d'Alazais ? (Laurence était redevenue une toute jeune femme amoureuse. Messire de Payra pourrait être son père, songea-t-elle un instant, et elle eut honte de l'avoir traité si brutalement.) J'espère qu'elle est en sécurité ?

— Une pure comme Alazais est toujours en sécurité, elle a la certitude du paradis. Vous le savez aussi, Laurence, répondit Sicard, presque sur le ton d'une remontrance. Je ne puis vous dire où se trouve Alazais, car elle vole, comme un ange, d'un château à l'autre, partout où l'on a besoin de son soutien.

Laurence décida de ne plus se dévoiler en posant d'autres questions sur sa bien-aimée. Sicard fit signe à un serviteur qui attendait à l'ombre, de l'autre côté, avec un sac. Lorsqu'il se leva, Laurence vit que son visage était de couleur noire. Elle n'avait encore jamais vu un homme comme celui-ci, pas même à Constantinople. Ses yeux la regardaient avec bienveillance, ses cheveux crépus grisonnaient déjà un peu.

— Voici Belkacem, le présenta messire Sicard avec une bienveillance audible. Il entend tout, mais il ne peut pas parler.

Et d'un geste aimable, il demanda au serviteur de s'occuper du sac destiné à Laurence. L'homme secoua la tête, s'inclina profondément devant la jeune femme et posa le poids sur son épaule.

— Il le portera à votre place, commenta le seigneur alors qu'ils entraient dans la tente. Ne l'ouvrez pas maintenant, demanda-t-il à Laurence. C'est un cadeau pour vous. Notre amie m'a garanti que vous seriez digne de le porter.

Il avait du mal à parler. Voyant que des larmes brillaient dans ses yeux, elle prit précautionneusement le petit homme rond dans ses bras.

— Mon unique fils est tombé devant Béziers, des amis m'ont apporté son armure. Il était jeune et mince comme vous — elle vous ira ! conclut-il en détournant le visage.

Laurence lui caressa gauchement l'épaule.

— Je lui ferai honneur, murmura-t-elle. Lorsque je chevaucherai avec elle, je penserai à vous.

Le petit homme avait séché ses larmes.

— Alazais m'a dit que vous pourriez en avoir besoin, chuchota-t-il avec un air de conjuré.

— Dieu le sait ! dit Laurence en l'embrassant sur le front avec reconnaissance.

Dans la ville encerclée, le manque d'eau potable commença à se faire clairement sentir. Le vicomte ordonna l'abattage des animaux excédentaires. Mais comme on n'avait pas non plus assez d'eau pour faire bouillir, on dut rôtir toute la viande et la soif devint encore plus aiguë. Les tentatives de sortie en direction de l'Aude causaient de plus en plus de pertes : sous la protection des « beffrois », ces tours de bois mobiles que des pionniers faisaient passer sur la rivière, les croisés purent franchir en quelques points la distance périlleuse qui séparait la rive et les murailles et constituer ainsi des têtes de pont malgré les projectiles qui descendaient constamment des tours et des créneaux.

Le plus massif de ces beffrois put même être poussé directement contre le socle de la puissante muraille de pierre. Ses poutres grinçantes résistèrent au poids des roches les plus lourdes ; on l'avait protégé de l'huile bouillante avec des peaux de bêtes mouillées. Il était désormais collé au mur comme une tique. Sous son toit puissant, des sapeurs creusaient, pierre après pierre, les fortifications de la ville et étayaient la galerie avec des piliers de bois. Lorsque le trou fut à hauteur d'homme et pénétra profondément dans la muraille, ils le remplirent de petit bois et y mirent le feu. Tandis que le beffroi se retirait au milieu d'une fumée âcre et épaisse, le mur s'effondrait à l'endroit où il avait été creusé. Une brèche était désormais ouverte.

Mais, comme le soir tombait déjà, les croisés épuisés commirent l'erreur de reporter l'assaut au lendemain matin. Au cours de la nuit, le Trencavel ne fit pas seulement boucher le trou, mais autorisa aussi quelques têtes brûlées dirigées par Peire-Roger de Cab d'Aret à faire une sortie jusqu'au beffroi et à le rendre inutilisable pour d'autres attaques : ils précipitèrent le monstre dans la rivière.

Au matin, de bonne heure, les défenseurs se tenaient sur le mur. Ils observaient avec inquiétude l'arrivée d'une nouvelle et nombreuse troupe de chevaliers dans le campement des croisés. L'un des hommes se détacha des autres et se dirigea seul vers la tente du comte de Toulouse. Ramon-Roger le reconnut : c'était le roi d'Aragon ! Pedro II était son beau-frère, mais il était surtout le seigneur de Carcassonne, que lui-même gouvernait comme vicomte et au nom du souverain.

Cette vision redonna du courage aux combattants épuisés par cette nuit.

— C'est maintenant que nous devrions attaquer, conseilla Aimery de Montréal, ils sont tous occupés à autre chose.

— Si seulement nous arrivions à prendre l'abbé dans sa tente, nous aurions arraché son cœur à la croisade, approuva aussitôt le téméraire Cab d'Aret.

Mais Ramon-Roger secoua énergiquement la tête.

— Montfort nous livrerait volontiers le légat, répondit-il avec amertume. Cette croisade n'a pas de cœur, mais une tête, et c'est Simon de Montfort. Il ne tarderait pas à prendre le roi en otage si vous attaquiez le camp. Regardez, notre souverain sort déjà de la tente, il vient certainement vers nous. Il ne peut que nous apporter de bonnes nouvelles !

— Que peut-il avoir à nous dire ? demanda Aimery. À vous, le Trencavel, et à votre famille, on accordera le sauf-conduit. Nous, on nous passera au fil de l'épée ou bien l'on nous laissera pourrir en prison. Les juifs seront chassés, les cathares brûlés.

— Nous connaissons bien les *conditiones*, approuva Peire-Roger, et ils n'y changeront rien. Ne rêvez donc pas, Perceval ! Après tout, le roi Pedro n'a aucune espèce de sympathie pour les hérétiques.

— C'est un catholique endurci ! répondit le Trencavel, agacé. Mais ce qui me cause plus de peine, mes seigneurs, c'est l'opinion que vous avez de moi ! Je ne laisserai pas mon honneur dans cette ville, pas même si mon roi me l'ordonne. Je ne ferai pas peser sur vous le poids de mes décisions. Je vois déjà ses Catalans, la garde royale, quitter le camp et chevaucher vers notre Porta Narbonensis pour assurer le chemin.

Ses compagnons tentèrent de l'interrompre, mais le vicomte les fit taire d'un geste impérieux. Il savait quel chemin il devait suivre, et personne ne le retiendrait plus.

— La visite de Sa Majesté causera une diversion suffisante pour que vous puissiez quitter la ville à cheval sans être inquiétés et poursuivre votre combat ailleurs dans le pays. *Che Diaus vos bensigna !*

Il leur donna l'accolade à tous les deux. Puis ils le laissèrent seul sur les murailles de Carcassonne.

Laurence voyait la silhouette solitaire entre les créneaux. Elle était certaine qu'il ne pouvait s'agir que du Trencavel, celui que ses amis étaient autorisés à appeler Perceval. Comme il paraissait perdu, malgré ces murailles, les plus puissantes qu'il lui ait jamais été donné de voir, y compris celles de Rome et de Constantinople ! Son regard glissa ensuite vers le bas du camp des croisés, au moment précis où le roi d'Aragon en sortait à cheval. À son côté, dans l'escorte, chevauchait un jeune templier. La croix pattée brillait, rouge sang, sur sa cape blanche. C'était Gavin ! C'était donc à lui, Gavin Montbard de Béthune, qu'il serait donné de voir le Trencavel en face à face !

Lionel revint alors, et Laurence dut se retenir pour ne pas révéler à son père ce qu'elle venait de voir. D'ailleurs, Lionel ne s'adressa pas à elle, mais à messire Sicard de Payra, qui avait patiemment attendu dans sa tente pendant tout ce temps.

— Messire Simon n'avait pas beaucoup de temps à consacrer à mon problème, ce qui est bien compréhensible, racontat-il, mais il a bien accueilli notre projet. Il m'a ainsi donné son accord pour reprendre vos terres sans combat, à la condition, bien entendu, que je lui fasse ensuite allégeance pour ce fief.

— Ensuite, valeureux seigneur, vous-même et votre fille pourrez faire ce qu'il vous plaira, s'exclama Sicard, soulagé. Je peux donc tout de suite entreprendre mon voyage. Venez, réglons à présent mon départ et votre entrée à L'Hersmort !

— Dès que nous aurons Carcassonne derrière nous, fit Lionel. Mais ce sera bientôt le cas.

— À votre place, je n'en serais pas si sûre, père ! lança Laurence depuis l'entrée de la tente, en désignant du doigt la ville assiégée.

Ils virent ainsi tous les trois le roi de Carcassonne quitter la ville au galop, rassembler ses hommes autour de lui et, sans même effleurer le camp des croisés ou se retourner sur la ville, partir vers les Pyrénées avec sa garde catalane. Derrière lui, on referma la porte de la ville, si fort qu'ils crurent entendre, de leur hauteur, son claquement sourd. Derrière les créneaux, les murs de la ville se peuplèrent d'hommes en armes.

— Le Trencavel hisse le pavillon, constata Lionel de Belgrave. Je veux savoir ce que ton ami Gavin a à nous raconter, dit-il d'une voix sèche à sa fille.

Il s'était sans doute attendu à ce que Laurence lui réponde quelque chose, mais elle lui avait tourné le dos et regardait fixement la paroi en tissu de la tente, que Lionel quitta en secouant la tête.

— Vous ne voulez pas savoir ce qui s'est dit entre le roi et son vicomte ? demanda Laurence à Sicard, en invitant son hôte à s'éloigner à son tour.

Mais le petit bonhomme tout rond ne paraissait pas pressé de l'apprendre, et il ne laissa pas Laurence le pousser dans la direction souhaitée. Elle posa les mains sur les hanches, l'air combatif, et le regarda droit dans les yeux. Il l'observa avec un large sourire.

— Je me retournerai certainement si vous voulez vous changer. Ensuite, je vous aiderai volontiers à fermer les œillets de la cuirasse dans votre dos.

Laurence ne put s'empêcher de rire. Elle attrapa le sac et le tira derrière le rideau qui séparait sa chambre du reste de la tente. Laurence n'aurait pas eu honte de se montrer nue, mais elle ne voulait pas plonger dans une confusion supplémentaire ce gros homme aimable qui allait déjà devoir supporter la vue d'une autre personne dans l'armure de son fils. Elle se comprima les seins avec une bande, puis remit sa chemise et entra dans le fer de la cuirasse. Sans un mot, messire Sicard l'aida aussi à passer l'épaulière d'anneaux finement travaillés, dont les ailettes lui élargissaient considérablement les épaules. Il lui passa aussi les cuissots qui lui protégeraient le haut des jambes. Laurence renonça aux genouillères et aux solerets, mais pas aux brassards ni aux cubitières — elle pouvait avoir besoin de ses coudes. À la fin, après avoir noué sa chevelure trop visible sous un turban, elle passa prudemment le heaume, un bassinet pas trop lourd dont la bavière pointait vers l'avant.

— Même votre propre père ne vous reconnaîtrait pas, jeune seigneur, plaisanta Sicard.

— Avec ce museau de chien, sans doute pas, confirma

Laurence avec gratitude, en ouvrant la visière qui dissimulait son sourire rusé.

— À tout point de vue, vous êtes la descendante chevaleresque de la plus noble lignée !

Il claqua de la langue, extrêmement satisfait du succès de son cadeau.

Laurence tenta de faire ses premiers pas dans la tente. Lorsqu'elle serait à l'extérieur, dans les passages étroits qui quadrillaient le campement, sa démarche devrait témoigner d'une sûreté nonchalante. Puis elle prit la tête chauve de Sicard entre ses deux gantelets de fer, l'embrassa sur le front et sortit.

Laurence trouva le pavillon du légat pontifical sans avoir à demander son chemin : une foule considérable s'était rassemblée à l'entrée ; et manifestement, on ne laissait pas entrer n'importe qui. Jusqu'ici, personne ne l'avait reconnue. On la laissa volontiers passer. Même les gardes lui ouvrirent le passage après un bref regard sur son visage fin et sa précieuse armure, mais Laurence fit un signe négatif :

— Pas de manières ! murmura-t-elle en glissant discrètement une pièce à l'un des gardiens. J'en vois et j'en entends assez d'ici.

Au milieu de la vaste tente circulaire où l'abbé Arnaud de l'Amaury avait aussi coutume de dire la messe aux seigneurs, Gavin se tenait devant le religieux et faisait son rapport sans la moindre crainte.

— « Combien de fois vous ai-je conseillé », disait Pedro d'Aragon, « de chasser ces fous de cathares de Carcassonne, avec leur foi démente. Maintenant, vous avez devant la ville une gigantesque légion, prête à accomplir le jugement de Dieu. » « Quelles sont les conditions d'une reddition sans combat ? » a demandé le Trencavel. « Compte tenu du respect que l'on doit à votre roi », répondit Pedro, « il est permis au Trencavel Ramon-Roger, en tant que son vicomte et beau-fils, de partir avec douze accompagnateurs de son choix. Ensuite, la ville et tous ceux qui s'y trouvent appartiendront à la croisade ! »

— Et qu'a trouvé Perceval à répondre ? demanda l'abbé, moqueur, en lançant un regard triomphal à Simon de Montfort, qui se trouvait derrière lui.

Gavin répéta sa réponse mot pour mot :

— « Sire, vous ne croyez tout de même pas que je trahirai le moindre de mes sujets ? Repartez en Aragon, je vous en prie. Là-bas, vous pourrez proclamer que le Trencavel de Carcassonne a pu protéger sa ville et les gens qui lui avaient été confiés. »

Comme si un peu de la fierté du Trencavel l'avait lui aussi touché, le jeune templier ajouta, dans le silence :

— Le roi a incliné la tête et embrassé son beau-fils. Puis il a quitté la ville, comme vous le savez.

Gavin ne mentionna pas le fait que la vicomtesse et le jeune fils du Trencavel étaient repartis dans l'escorte du roi.

— Quel fou ! laissa échapper Montfort.

L'abbé ne supportait pas que l'on exprime ainsi ses humeurs.

— Avez-vous encore quelque chose à nous dire, chevalier ? lança-t-il brutalement à Gavin en dressant la tête comme un serpent.

Il avait sans doute remarqué l'attitude qu'avait prise le templier en faisant son exposé. Ordre d'arrogants ! Gavin ne se laissa pas intimider :

— Le noble Trencavel demande un sauf-conduit pour négocier avec les chefs de l'armée française.

— Accordez-le-lui ! gronda l'abbé avant qu'aucun des nobles de France ait pu prononcer le moindre mot.

Tous les regards se tournèrent vers Simon de Montfort, ce guerrier confirmé auprès duquel ils prenaient leurs ordres.

— Pourquoi ne l'entendrions-nous pas ? demanda Montfort avec la réserve qui s'imposait. Qu'on lui accorde le sauf-conduit !

Arnaud de l'Amaury s'occupa de la mise en œuvre.

— Gavin Montbard de Béthune, dit-il d'un ton solennel, vous avez déjà fait preuve de tant d'habileté que nous ne pouvons trouver personne plus digne que vous pour acheminer ce message : faites savoir au vicomte que nous sommes disposés à l'entendre ici.

Une légère rougeur, pudeur ou colère, monta au front du jeune templier. Il s'inclina brièvement devant l'assemblée et voulut s'en aller aussitôt.

— Attendez, dit doucement l'abbé. Nous devons vous remettre la lettre de sauf-conduit.

Laurence en avait assez entendu. Elle s'éloigna de l'entrée de la tente avant que les chevaliers ne quittent l'assemblée. Elle avait aperçu son père, Lionel, que Montfort retenait encore. Cela tombait bien. Laurence courut, aussi vite qu'elle put, jusqu'à la tente où le serviteur noir, Belkacem, l'attendait avec le cheval. Elle comptait demander l'aide du bienveillant seigneur Sicard pour monter avec son armure, mais Belkacem tint à lui rendre aussi ce service. Il lui fit la courte échelle, les mains jointes, et la souleva sur sa selle, comme une plume.

— Saluez le Trencavel pour moi ! lança son maître à la fière cavalière. Mais prenez garde à vous, Laurence. Je ne voudrais pas perdre aussi la nouvelle châtelaine de L'Hersmort. *Che Diaus vos bensigna !* lui cria-t-il alors qu'elle avait déjà rabaissé sa visière et s'éloignait au grand trop : elle avait vu, de loin, son père remonter le sentier entre les tentes, l'air pensif.

Laurence savait que, jusqu'au moment précis où elle mettrait son plan en œuvre, personne ne devrait la remarquer. Il était donc impossible d'attendre à la porte du camp jusqu'à ce que Gavin la franchisse, et de se rallier discrètement au templier et à son escorte. Elle arpenta donc le campement en s'efforçant de ne jamais apparaître deux fois au même endroit. Elle se fiait à sa bonne étoile. Elle avait toujours pratiqué ainsi, depuis sa petite enfance. Lorsqu'elle désirait fermement quelque chose, son vœu s'accomplissait.

Elle atteignit la porte gardée du camp au moment précis où la petite troupe dirigée par Gavin y arrivait. Le cœur battant, elle éperonna son cheval et le plaça habilement à côté de celui de son ami. Laurence souleva un bref instant sa visière pour lui lancer un clin d'œil rayonnant. Mais la mine de Gavin demeura glacée, il fit juste un rapide signe du pouce, derrière lui. Le regard de Laurence suivit la direction indiquée, et elle laissa aussitôt retomber sa visière : le dernier chevalier du cortège était son père, Lionel. Profondément déçue, elle détourna son cheval et laissa les émissaires passer devant elle et se diriger vers la porte. Une main prit ses rênes et la ramena vers la tente.

— Il n'est pas toujours bon de se trouver en un lieu donné à un moment donné, expliqua messire Sicard d'une voix apaisante, au seul motif qu'on en est capable, grâce à son habileté et à sa capacité à s'imposer.

— Perceval a besoin de moi ! chuchota-t-elle.

— Possible, répondit Sicard. Mais il ne suffit pas d'avoir besoin d'aide pour l'obtenir.

Ils avaient regardé la tente. Tous deux savaient qu'ils allaient désormais devoir endurer une douloureuse période d'attente. Sicard désigna l'échiquier où le père et la fille avaient laissé leur partie interrompue. Mais Laurence ne voulut pas s'asseoir. Sicard n'en démordit pas.

— Les blancs, aussi purs soient-ils, ont perdu la partie. Sacrifier une dame n'y changera rien.

— Pourquoi les Montfort sortent-ils toujours vainqueurs ? s'insurgea Laurence.

— Ce n'est pas pour toujours. Et ce ne sont pas des vainqueurs : ils ne gagnent que des guerres.

— Cela suffit à leur œuvre destructrice. Sous le signe de la croix, ils anéantissent la beauté ! laissa échapper Laurence. Quel profit les purs tirent-ils du fait d'être les vainqueurs moraux s'ils sont morts, abattus, réduits en cendres ?

— Le paradis, l'interrompit messire Sicard, d'une voix inhabituellement fiévreuse. Le paradis que l'*Ecclesia catholica* s'est fermé depuis le début, depuis son péché originel, et qui lui demeurera éternellement interdit. Paris peut ravager l'Occitanie, la conquérir, la dominer, ce ne sera plus jamais ce pays délicieux dans lequel pouvaient s'épanouir les *leys d'amor*, les lois de l'Église de l'amour divin.

— Ils ne trouveront pas le Graal ? demanda timidement Laurence, subjuguée par l'énergie que dégageait le petit homme rond et par ses propres espoirs inavoués.

— Jamais ! s'exclama Sicard, profondément convaincu. Les gardiens du dernier mystère de cette terre l'emporteront avec eux. Le Graal a le pouvoir de passer dans l'autre substance, celle d'où nous venons et où nous devrons revenir. Ramon-Roger est un *perfectus*, il nous précède, il n'a pas besoin de notre aide. Perceval connaît le chemin !

Ces paroles limpides donnèrent enfin un peu de répit à Laurence. Elle ne posa pas d'autres questions sur le Graal, et adressa à Sicard un sourire reconnaissant. Quel bonheur, pour elle et pour Lionel, d'avoir rencontré un homme aussi bon ! Et pourtant, elle attendait, fébrile et anxieuse, le retour de Gavin. Elle voulait avoir vu cet homme mythique, au moins une fois, quels que soient les risques qu'elle courait, et même si leurs chemins ne devaient plus jamais se croiser. Elle voulait au moins pouvoir effleurer l'histoire du monde. Mais cela, Laurence le garda pour elle.

— Qu'a donc ce Montfort ? demanda-t-elle, pour que Dieu l'ait choisi comme instrument de sa terreur ?

Sicard sourit :

— Voici quelques années, lorsque les Vénitiens ont fait pression sur une gigantesque armée de croisés pour qu'ils prennent d'abord une ville de la côte hongroise au lieu de se diriger droit vers leur saint objectif...

— Je connais cette histoire ! s'exclama Laurence. Elle s'achève avec le pillage de Constantinople.

— Personne ne pouvait encore le savoir à l'époque. Mais le seul chevalier de l'Occident à s'y refuser, prétextant qu'il était venu se battre pour son Sauveur et non pour conquérir des villes chrétiennes afin d'enrichir encore plus la Serenissima, était Simon de Montfort, le comte de Leicester, un homme à peu près inconnu, un sans-terres. Chassé d'Angleterre, il avait trouvé refuge en France.

— Son refus l'honore, admit Laurence à contrecœur, pressée d'en savoir plus sur le seigneur dont son père était le vassal. À l'époque, Lionel l'avait suivi en exil, *nolens volens*.

— Son renoncement de l'époque expliquerait la faim dont le loup fait preuve aujourd'hui. Et cette fois, la tâche lui est facile, car depuis la prise honteuse de Constantinople, c'est-à-dire la soumission et le pillage de la Byzance chrétienne, ce mauvais exemple a fait école...

— Mais ce n'étaient que des orthodoxes grecs ! objecta Laurence sans laisser deviner si elle parlait ironiquement.

— Depuis, il suffit d'un appel pontifical, et, comme on le voit, on peut aussi lancer des croisades contre les chrétiens. En collaboration docile avec la couronne de France, pour laquelle l'indépendance des États du Sud était depuis longtemps une épine dans le pied. Mais on ne traite pas les nobles pairs du Nord avec aussi peu de scrupules que le font le roi Philippe et le pape. Ces nobles sires devinent facilement que la digue qui protège leur propre pouvoir sur leur terre pourrait rompre une fois que l'on aura transgressé le droit féodal traditionnel, qui repose exclusivement sur la primauté, donnée par Dieu, du sang bleu. Ce qui signifie que l'on est disposé à agir contre les hérétiques, mais nullement à chasser et à déposséder la vieille noblesse de l'Occitanie. On ne trouvera donc pas une personne de rang qui serait disposée à mener pareille entreprise. L'abbé des cisterciens, Arnaud de l'Amaury, désigné par le pape comme légat auprès de la croisade, essuie un refus après l'autre. Et au bout du compte, il tombe sur son neveu appauvri...

— Au bout du compte ou finalement ? l'interrompit son auditrice attentive. *Finalement*, la lignée des Montfort peut se mettre au service de la bonne cause, d'une manière incontestable.

— Si tel était le cas, dut admettre Sicard, qui avait remisé son sourire supérieur, ce serait une mise en scène diaboliquement réussie. Car lorsque le légat voulut convaincre le guerrier, celui-ci se montra intraitable. Simon ne sait ni lire, ni écrire. L'abbé lui a donc tendu un psautier, et Simon l'a ouvert au hasard — tous en témoignent ! C'était le psaume quatre-vingt-onze de l'Ancien Testament. Le légat a traduit pour Simon le passage qu'il avait trouvé, non sans le mettre en garde auparavant : « Lorsque Dieu t'appelle, écoute-le ! » Puis il a commencé là où « l'appel » lui paraissait le mieux exprimé :

Lui te couvre de ses ailes,
Tu trouveras sous son pennage un refuge.
Tu ne craindras ni les terreurs de la nuit,
Ni la flèche qui vole de jour ni la peste qui marche en la ténèbre
Ni le fléau qui dévaste à midi.
Qu'il en tombe mille à tes côtés,
Et dix mille à ta droite,
Toi, tu restes hors d'atteinte ;
Sa fidélité est une armure, un bouclier.
Il suffit que tes yeux regardent, tu verras le salaire des impies.

« Simon a fermé les yeux devant les images qui l'assaillaient. D'une voix de tonnerre, l'abbé reprit :

Il a pour toi donné ordre à ses anges
De te garder en toutes tes voies.
Sur le lion et la vipère tu marcheras,
Tu fouleras le lionceau et le dragon.

« Le légat a laissé les paroles du Seigneur produire leur effet, avant d'exhorter une fois encore l'homme de guerre. « Ainsi réponds-tu... » Simon a baissé la tête, il avait capitulé.

Puisqu'il s'attache à moi, je l'affranchis,
Je l'exalte puisqu'il connaît mon nom.
Il m'appelle et moi je lui réponds ;
Je suis avec lui dans la détresse.
Je le délivre et je le glorifie.
De longs jours je veux le rassasier
Et je ferai qu'il voie mon salut.

— Et voilà comment, d'un simple signe de doigt, s'est produit le miracle, pour la plus grande gloire de Dieu ! railla Laurence.

— Si la Vierge éternelle n'a pu participer à cette affaire, c'est dû au fait regrettable que l'Église romaine n'existait pas encore du temps de Yahvé.

Laurence n'écoutait plus. Elle avait noté dans le camp une agitation qui ne pouvait qu'annoncer l'arrivée du Trencavel. Sans mot dire, encore en armure, elle sortit de la tente. Cette fois, le pavillon du légat était visible de loin, orné de ses insignes et protégé par une garde renforcée qui barrait le passage à presque tous ceux qui tentaient de s'en approcher. Laurence vit, devant la tente, sur le parvis désert, les chevaliers inconnus arriver en rangs serrés et mettre pied à terre. Elle ne parvint pas à lancer ne serait-ce qu'un regard sur le Trencavel, tant la foule était dense. Mais elle eut de la chance. Le gardien que Laurence avait récompensé (et qui la tenait sans doute pour la fille d'un seigneur de haut rang) l'avait aperçue et lui fit signe d'approcher de l'entrée.

Laurence s'installa au dernier rang, ne serait-ce que pour ne pas être vue de son père. Mais même là, elle ne put voir le visage de « Ramon Roger II Trencavel, vicomte de Carcassonne », comme l'annonça un héraut. Il était entré d'un pas mesuré, accompagné par ses seuls chevaliers, mais il tournait le dos à Laurence lorsqu'il se présenta devant l'abbé. Il s'arrêta en constatant que le religieux serait sans doute son interlocuteur. Le légat ouvrit la négociation en quelques mots dédaigneux :

— Alors, Trencavel, quel est votre désir ?

Le vicomte se retourna, indigné. Il cherchait sans doute le regard de ses pairs, qui étaient tous présents, hormis le duc de Bourgogne. Mais ils baissaient tous la tête ou esquivaient son regard.

— J'ai exigé de parler avec...

— Vous n'avez rien à exiger ! tonna l'abbé. Hérétique ! ajouta-t-il en faisant un signe à ses soldats. Arrêtez-le !

Les hommes de son escorte attrapèrent leur épée, les gardes hésitèrent. Le Trencavel leva la main, apaisant. Le silence s'imposa instantanément. Même le légat ne voulait pas mettre en jeu un succès si facilement obtenu. C'est alors qu'une voix de jeune fille s'éleva :

— Parjure ! Lâcheté !

Toutes les têtes se retournèrent vers Laurence, qui ne concevait pas encore tout à fait que c'était elle-même qui avait lancé ces rudes paroles. Elle n'avait d'yeux que pour le Trencavel. Il l'avait regardée et lui avait souri, un bref instant seulement. Il se retourna vers ses hommes.

— Nous ne résisterons pas ! ordonna-t-il.

— Mais nous pourrions tous les affronter à la fois ! protesta l'un de ses hommes.

— Et envoyer au diable le prêtre, ce félon ! renchérit un autre.

— Non ! entendit encore Laurence. Rendez-vous ! ordonnait le Trencavel.

Alors, de gros poings la tirèrent vers la sortie. Les regards furibonds de l'abbé ne lui avaient pas échappé. Il braillait à ses gardes, hors de lui :

— Éliminez cette femme !

— Halte ! cria alors une voix.

Gavin se plaça en travers du chemin de l'abbé. Le jeune templier hurla au visage du légat sa colère accumulée :

— C'est le Temple qui a été offensé ici ! C'est à l'Ordre, et à lui seul, de répondre de cette monstrueuse accusation ! Cette femme relève de notre juridiction !

L'abbé vit en face de lui des visages de fer, et aucun ne leva la main pour le défendre. Même Simon de Montfort n'intervint pas, il ne pouvait se mesurer à l'ordre des templiers. Ses gardes baissèrent leurs lances. Arnaud de l'Amaury se retourna en grinçant des dents et se retira dans sa tente. Sur le parvis, on désarma les chevaliers de Carcassonne. Laurence de Belgrave fut emmenée par des sergents du Temple, devant son père horrifié.

7. LE CHÂTEAU DE L'HERSMORT

La prisonnière du minaret

Laurence de Belgrave
À Alazais d'Estrombèze
Par coursiers

Janvier Anno Domini 1210

Fidèle aimée,

Je me plais à L'Hersmort, l'étrange castel de ton ami Sicard. Il me fait penser à un morceau d'Orient, transplanté entre l'Ariège sauvage et les Montagnes Noires, avec ses coupoles douces et roses que l'on voit d'ordinaire orner les mosquées, et une tour pointue que les Maures appellent minaret ; il s'élève vers le ciel comme une lance, et exhorte les croyants à venir prier.

Un aïeul des Payra était parti en Terre sainte avec le comte de Toulouse, et l'avait longtemps servi à Tripoli. Lorsque sa femme l'a quitté pour vivre dans le harem d'un émir, il a démonté soigneusement tout ce qui était réalisé en bois, l'a emballé bien proprement, en même temps que tout son mobilier, tissus précieux et lourds tapis, meubles aux marqueteries sublimes, couverts de cuivre et plats de laiton, puis il a transporté tout cela par bateau jusqu'au Languedoc. Ici, il a rebâti son château sur une falaise rocheuse, de telle sorte que, de l'extérieur, on ne puisse pas distinguer qu'il s'agit d'un château mauresque — cela n'aurait produit que du mauvais sang. On ne voit que le mince minaret, tout le reste ne se révèle au visiteur qu'au moment où il entre dans la cour intérieure, un jardin artificiel décoré d'agaves et de palmiers tels qu'il en pousse ici aussi, dans le Sud. Une source jaillit d'une fontaine en cuivre repoussé au milieu de la cour, clapote ensuite dans des rigoles de marbre et revient finalement à la fontaine. J'habite la chambre de cette femme qui avait pris la fuite, et dans laquelle même le seigneur actuel de ces lieux a tout laissé comme le lui avait transmis sa tradition. Elle devait être son arrière-arrière-arrière-grand-mère, et s'appelait Mélusine.

En réalité, après avoir réussi la transmission de L'Hersmort à mon père, messire Sicard voulait s'éloigner de ces lieux le plus vite possible pour ne pas être submergé par le chagrin, et effectuer un long pèlerinage à Tripoli, sur la tombe de l'infidèle Mélusine. C'est la tradition familiale parmi les héritiers mâles de la maison Payra. Mais j'ai tout bouleversé, y compris le bon messire Sicard, et il est toujours là. Lorsque Gavin Montbard de Béthune m'a tiré des griffes du légat courroucé, j'ai effectivement commencé par être mise en prison, sous la garde rigoureuse des templiers. Le jour même, ils m'ont menée dans la plus proche de leurs commanderies, à Douzens, à l'est de la ville assiégée, où un procès devait m'être intenté sans délai devant un tribunal de l'Ordre. Gavin, lui aussi, fut éloigné du campement militaire : toujours furieux de la manière infâme dont l'abbé l'avait rendu parjure, il avait exigé d'être exclu sur-le-champ de l'Ordre auquel il avait causé pareille honte. Pour assurer sa propre protection, afin qu'il n'attente pas à ses jours, on le mit lui aussi aux arrêts, en lui indiquant que, compte tenu de la gravité de son cas, l'examen en serait confié au grand maître de l'Ordre.

C'est ainsi que nous vécûmes — dans des cellules séparées — la dernière nuit de Carcassonne. Les croisés étaient persuadés que, après la prise des meilleurs chevaliers de leur adversaire, la ville ne leur opposerait plus aucune résistance : la plupart d'entre eux escortaient le Trencavel, il avait fallu du temps pour les répartir dans différents cachots bien gardés, après les avoir désarmés. On avait donc décidé de prendre Carcassonne d'ici au lendemain matin.

Lorsque l'armée française approcha des murs, au lever du jour, rien n'y bougeait encore, aucun homme en armes ne se montrait sur les mâchicoulis. Montfort craignit un piège. Finalement, il fit forcer la porte Sud, la Porta Narbonensis. Aucune résistance ne se manifesta. Les rues étaient vides, on n'y voyait pas une âme. Toute la population paraissait avoir été absorbée par le sol.

Et de fait, toute la ville avait été abandonnée. L'abbé avait laissé s'échapper quelques chevaliers, pour qu'ils aillent raconter dans la ville le destin qu'avait subi le comte et pour qu'ils fassent comprendre aux défenseurs que tout autre résistance était inutile. Lorsque les citoyens de Carcassonne apprirent le sacrifice de leur Trencavel, ils profitèrent de la nuit pour se carapater avec tous leurs biens par les galeries souterraines qui donnaient sur les Montagnes Noires.

Dans quelques caves, les sbires de l'abbé avaient encore trouvé quelques vieux, des débiles et de grands malades — car la population avait atrocement souffert du manque d'eau. Ceux qui ont abjuré l'hérésie ont pu repartir en courant, nus comme des vers, « habillés de leurs seuls péchés ». Tous ceux qui ont refusé obstinément de dire l'Ave Maria, c'est-à-dire tout de même quelques centaines de personnes, ont été rassemblés dans la citadelle et brûlés vifs au cours de la journée suivante. Quant au vicomte, Montfort l'a fait emmurer dans le donjon de son propre château.

Après une messe d'action de grâces dans la cathédrale, le légat pontifical a convoqué une assemblée de tous les chefs laïcs de la croisade, et des évêques accourus à la nouvelle de la prise de la ville. Le temps était venu, clama-t-il, de donner un nouveau seigneur aux places déjà conquises et au terrain qu'il restait à prendre. Pour éviter les scènes pénibles, Raymond, le malheureux comte de Toulouse, avait pris congé de la croisade immédiatement avant l'arrivée du Trencavel. Le duc de Bourgogne, comme les autres pairs de France, auxquels Arnaud de l'Amaury proposa d'abord le vicomté de Béziers et de Carcassonne, refusèrent brutalement. Ils avaient, dirent-ils, pris la croix pour s'opposer à l'hérésie, mais pas pour s'approprier des territoires sur lesquels ils n'avaient aucun droit. Lorsque l'abbé leur rappela la formule utilisée par le pape, « exposé en proie », les nobles seigneurs réagirent avec indignation : ils n'avaient aucune intention de recevoir un fief royal des mains d'un religieux ! Et ils rentrèrent aussitôt sur leurs terres.

Les Montfort avaient ainsi partie gagnée. Arnaud de l'Amaury, les chevaliers Alain du Roucy, Florent de Ville, Charles d'Hardouin et Guy de Levis, mais aussi deux évêques, élurent « sous l'influence du Saint-Esprit » Simon de Montfort, comte de Leicester, au titre de nouveau vicomte.

Le pape, « surpris » par cette heureuse nouvelle, put lui aussi envoyer sa lettre de condoléances après le regrettable décès de Ramon-Roger II Trencavel. **Miserabiliter infectus,** *y lisait-on,*

« *misérablement empoisonné* ». *La lettre arriva trop tôt, Perceval vivait encore, même si c'était une existence ignominieuse dans son réduit obscur. On put tout de même lui transmettre une nouvelle rassurante : sa jeune épouse, Agnès, tout comme son fils et héritier âgé de deux ans, Ramon-Roger III Trencavel, avaient été mis en sécurité à Foix par le roi Pedro d'Aragon. Le 10 novembre, on lui avait donné le poison. Mais c'est tout récemment, des mois plus tard, lorsque toutes les traces du meurtre ont été effacées, que l'on a fait ressortir le Trencavel. Et, bien entendu, on l'a enterré en grande pompe.*

Son successeur commence à avoir des sueurs froides. Beaucoup des seigneurs occitans qui avaient abandonné châteaux et villes, pris d'une peur panique devant la croisade, ou les avaient même cédés à l'adversaire moyennant finances, ont reconquis leurs châteaux en un tournemain, et leurs villes leur ouvrent docilement les portes. La gigantesque armée des croisés s'est réduite à une petite compagnie, mais elle opère avec d'autant plus de dureté et de brutalité. Parmi les quelques fidèles demeurés autour de Simon, ce sont surtout les chevaliers ayant concouru à son élection qui se font une réputation d'épouvante au cœur de ce long hiver.

Tu auras appris depuis longtemps une bonne partie de ce que je te raconte ici — tu le sauras peut-être mieux que ta stupide chérie aux cheveux roux ! Mais notre ami Sicard m'a confié que, à l'instar de beaucoup d'autres, tu as trouvé refuge dans les grottes d'Ornolac et que l'on ne peut te joindre que par coursiers. Il est donc possible que la nouvelle de la fin de ma petite affaire insignifiante soit passée devant ta grotte comme une chauve-souris.

Après la chute de Carcassonne, un tribunal des templiers s'est rassemblé. On ne m'a même pas mise en accusation : j'ai été libérée sous caution. Et l'on a suggéré à messire Sicard de ne laisser ses terres ni à moi, ni à Lionel, mais à l'ordre des templiers. On a assuré à la famille des Belgrave un usufruit à vie, car l'on pouvait craindre que, dans le cas contraire, les Montfort ne cherchent à se venger du tort qu'on leur avait causé, ou qu'ils oublient tout simplement l'accord passé avec Sicard de Payra. On peut usurper des fiefs, mais personne ne s'attaquerait à la propriété de l'Ordre. Comme mon père était « empêché », on m'a demandé de donner mon accord.

Fidèle Alazaïs, que pouvais-je faire d'autre ? Et que signifie « posséder » par les temps qui courent — pour autant que ce mot ait d'ailleurs un sens en général. J'ai donc été libérée, les templiers m'ont fait parcourir, à moi-même et à Sicard, « sous bonne garde », le chemin jalonné de sentinelles de Montfort, et nous ont mené à L'Hersmort, qui ne pourra donc pas s'appeler « Mon Belgrave », comme l'avait rêvé Lionel. L'Ordre a aussi installé une « garnison » dans le château, bien que cette équipe, aussi efficace soit-elle, ne mérite nullement ce titre par sa taille. Elle est composée d'un antique sergent, d'un turcopole et du Maure sourd-muet de messire Sicard. Tous deux ont immédiatement hissé la bannière du Temple sur le minaret.

Quant à Gavin, on a considéré que les quelques jours passés au cachot à titre préventif suffiraient à le punir de son initiative. Une fois le verdict prononcé, les chevaliers à barbe grise de l'Ordre lui ont serré la main. À l'occasion, le Temple revaudra à Arnaud de l'Amaury d'avoir réussi sa trahison envers le Trencavel au prix de la réputation d'un de ses chevaliers. « L'Ordre est comme un éléphant », lui a garanti l'un de ces vieux guerriers. « Il n'oublie rien. »

Depuis ma tirade dans la tente du légat, je n'ai plus ni vu, ni entendu mon père, ce qui m'inquiète. Je vis de miettes d'informations, de petits morceaux que notre Sicard collecte pour moi à l'extérieur. Pour ma part, je ne suis pas autorisée à quitter L'Hersmort, la garnison des templiers y veille. Je pense qu'il serait dangereux d'écrire à Lionel, la lettre serait interceptée par Montfort. Je suis heureuse que Sicard se soit manifestement décidé à rester à L'Hersmort, « à notre service », comme le dit parfois ce brave homme en plaisantant.

Je te souhaite d'avoir un ange gardien aussi rond et attentif que notre Sicard. Le savoir à ton côté, savoir qu'il garde et protège tes parcours dans le pays, mériterait à mes yeux que je renonce à sa présence. Sicard saura où te joindre, mais j'espère, ma chérie, que tu prends toutes les précautions dans ton service plein d'abnégation auprès de tes frères de foi, car ta Laurence est à ce point égoïste qu'elle veut te sentir bientôt en vie dans ses bras, tendre et chaude. J'embrasse ta bouche, tes yeux étoilés, ton corps blanc, cher Soleil.

Laurence.

Nez ensanglantés

Laurence était encore au lit et pensait à sa lointaine bien-aimée lorsque sa mère se trouva tout d'un coup à la porte. Belkacem était allé l'accueillir devant la porte de la tour, où elle était arrivée dans sa litière sur roues. L'Hersmort lui plut aussitôt. La dame s'entendit aussi tout de suite avec Belkacem — rien d'étonnant à cela : il lisait dans ses yeux le moindre de ses désirs.

La *Mater superior* avait encore maigri depuis que Laurence l'avait rencontrée à Constantinople. Mais Livia débordait d'énergie. Elle rapporta aussitôt à sa fille, avec exaltation, les hauts faits d'un certain Xacbert de Barbeira, qui avait conquis en un tournemain le château d'Alaric. Montfort, furieux, était arrivé trop tard pour y secourir les deux gouverneurs qu'il y avait nommés, deux chevaliers français. Leurs corps démantibulés reposaient déjà au pied de la tour du château lorsque messire Simon arriva. Laurence espéra un instant qu'il s'agissait d'Alain et Florent, ces deux crapules, mais dame Livia lui donna deux autres noms. Elle était aussi sûre d'elle que si elle s'était trouvée sur les lieux.

— Montfort a dû repartir d'Alaric sans avoir accompli sa besogne. Mais on était déjà en novembre, ajouta Livia. Simon séjournait à Montpellier, où Agnès, la veuve du Trencavel, lui a confirmé qu'elle lui cédait définitivement Carcassonne moyennant une rente à vie. Je revenais pour ma part de Rome, où le comte Raymond se plaignait de Montfort, ayant sans doute compris qu'une fois le titre de vicomte en poche celui-ci tenterait de s'emparer du comté de Toulouse. Mais j'ai bientôt revu le comte à Saint-Gilles, où il a offert ses biens en Provence à l'empereur Otton, sous forme de fief impérial, afin de le rallier à sa cause.

Tout en écoutant ce flot de paroles, Laurence comprenait peu à peu que dame Livia devait avoir séjourné depuis un certain temps à proximité du château, et constamment accompagnée par ce seigneur de Barbeira ! Son siège principal ne se trouvait-il pas tout près de Douzens, où Laure-Rouge avait été placée sous la protection des templiers, juste au-dessus de la route de Carcassonne. Et Alaric, sur le coteau occidental de la même chaîne de massifs, se dressait juste de l'autre côté. Un col aussi étroit avait dû, jadis, apparaître aux rois goths comme un point idéal de fermeture de route et d'attaques éclairs. Livia partageait ce point de vue. Elle s'était transformée en une véritable guerrière.

— Ensuite, nous avons préparé le coup contre Montlaur, au cœur du plus profond hiver, tout était couvert de neige. Déguisée en nonne poursuivie par des hérétiques, j'ai pu entrer dans cette citadelle bien gardée, et tandis que la garnison française sommeillait sans se douter de rien, j'ai ouvert une haute fenêtre à Xacbert et à ses fidèles ; ils l'ont franchie à l'aide d'une échelle. Les soldats surpris dans leur sommeil eurent la gorge si vite tranchée qu'ils ne purent même pas pousser un cri d'alarme. Mais leur sang se mit à couler sur la neige, juste devant un homme qui faisait sa ronde. Il courut au donjon et, plus rapide que nous, nous ferma la porte au nez. Comme il y était enfermé à double tour, nous sommes allés prendre un repos bien mérité.

» J'étais couchée avec Xacbert et nous nous préparions à briser quelques lances lorsque quelqu'un cria « Au feu ! » Le donjon était en flammes, ce qui devait se voir de très loin — au moins jusqu'au château tout proche de Capendu, où Montfort avait pris ses quartiers pour nous attaquer à Alaric. J'ai pressé Xacbert de quitter le château avant le lever du jour. Mais mon lion de combat a tenu à ce que nous achevions d'abord notre corps à corps, ce qui m'a emplie de plaisir.

» L'aube pointait déjà lorsque nous avons aperçu, de loin, les torches qui se dirigeaient vers Montlaur. Nous avons éveillé nos compagnons et nous nous sommes enfuis par la fenêtre et l'échelle. Le garde qui avait mis le feu au grenier du donjon lançait encore des poutres enflammées sur le chemin du portail. Comme la plupart de nos hommes tenaient à passer par cette sortie honorable, ils se sont contentés d'éteindre les flammes et de déblayer les restes. Lorsqu'ils ont enfin pu ouvrir les portes, ils sont tombés droit dans les bras de Montfort. C'étaient de solides gaillards, c'est bien dommage ! conclut Livia.

Laurence avait toujours cru que sa mère n'avait plus aucun intérêt pour les choses du sexe, au moins sous le costume d'abbesse qu'elle lui connaissait. Cela ne semblait plus jouer aucun rôle non plus dans sa relation avec Lionel — Laurence aurait parié que cette abstinence durait depuis qu'ils l'avaient engendrée. Le récit de Livia la stupéfiait. L'abbesse reprit :

— Pour Xacbert, cette entreprise finalement échouée et chèrement payée était un sérieux revers, une première défaite qui le mit dans une colère folle. Plus tard, on trouva dans le donjon le cadavre du courageux gardien. Mais c'est Montfort qui sortit le véritable maître du château, dégoulinant et grelottant, de la citerne où il s'était caché. C'était un certain Charles d'Hardouin ; il s'est ensuite défoulé en achevant nos hommes. Une période difficile a suivi, commenta Livia. Nous étions installés dans le château d'Alaric, une bâtisse glaciale, et nous savions que Montfort n'oublierait pas la honte que nous lui avions infligée. À Pâques, au mois d'avril, ce fut chose faite. Xacbert, moi-même et quelques-uns de nos hommes parvînmes à sauver notre vie en sautant par un trou réservé aux déchets de cuisine, alors que l'ennemi s'était faufilé dans le château en pleine nuit, par une galerie souterraine. Nous nous sommes réfugiés dans la montagne, et j'ai découvert pour la première fois — et la dernière, je l'espère fortement — les épreuves d'une vie de faidite. Persécutés, traqués, sans sommeil, gelés et affamés. Comme le gibier est attiré par les mangeoires dans la neige de l'hiver, nous tentâmes bien sûr de rejoindre Barbeira. Mais le chasseur nous y attendait. Je ne crains pas la mort, conclut la *Mater superior*, mais je ne souhaite pas connaître la fin qu'ont eue les habitants d'Alaric, hommes, femmes et enfants.

— À Pâques, reprit Laurence pour lui éviter cette description, messire Sicard s'est rendu à Bram pour y établir aussi la *Confrérie noire*.

— Ah, ce mouvement de résistance des Toulousains, répondit Livia, fort bien informée, auxquels déplaît souverainement le zèle dont fait preuve leur évêque Foulques à l'égard de Montfort.

— Oui. Sicard a plus ou moins dit qu'il comptait y rencontrer des envoyés de Toulouse disposés à défendre la cause du comte Raymond.

— Et il n'est pas encore revenu ? demanda Livia, alarmée.

— Non, dut reconnaître Laurence, et ce n'est pas son

genre. Je lui avais aussi demandé de prendre des nouvelles de mon père, dont je n'ai plus...

— Lionel se tient toujours au côté de Montfort, fit-elle en lui coupant brutalement la parole. La dernière fois, on l'a vu dans les murs d'Alaric reconquis. En revanche, nous devrions nous occuper sérieusement du bon Sicard. (Elle parlait de lui comme d'une vieille connaissance.) Bram n'est pas si éloigné que cela...

Un beau jour, Xacbert frappa à la porte. Laurence le reconnut aussitôt, Livia le lui avait bien décrit, mais elle ne lui avait pas parlé de son sourire de jeune homme, de la malice qu'on lisait dans ses yeux et de ses lèvres douces à demi recouvertes par une barbe sauvage. Il annonça aussitôt aux femmes qu'il comptait se réfugier chez elles pour quelques jours seulement. Mais Livia et lui commencèrent ensuite à préparer des plans destinés à aider les enfants errants des faidits qui, souvent, aussi hagards que des louveteaux dont on aurait tué les parents sous leurs yeux, vivaient dans les forêts ou restaient prostrés dans les ruines de châteaux détruits et calcinés où leur père était encore pendu à la potence d'entrée, leur mère violée baignant dans son sang. Il fallait arracher les enfants à ce destin, leur offrir sûreté et chaleur. Il les ferait venir au château, et elle, abbesse honorable et miséricordieuse, conduirait les enfants à Rome, où ils seraient pris en charge par son couvent.

Laurence accueillit aussitôt ce plan avec passion. Sa mère hésita, elle ne croyait pas sa fille capable d'assumer pareil engagement. Mais Xacbert accepta de la prendre pour alliée. Et Laurence brûlait d'impatience à l'idée de partir enfin avec eux.

— Et de quoi a-t-il le moins besoin, ce gentil petit gros ?
— De sa quéquette, plaisantaient ses bourreaux. Cela va faire sangloter notre porcelet... À moins qu'il ne se mette enfin à grogner.
— Je ne m'attaquerai pas à une chose pareille !
Florent de Ville repoussa l'exigence de son compagnon. C'était celui-ci qui, le premier, avait brandi le poignard affûté sous le nez de Sicard ; il avait ensuite voulu le poser dans la

main de Florent. En spécialiste, Alain du Roucy avait préparé sous ses yeux la lame de son couteau sur une pierre.

— Laissons-le regarder encore un peu par la fenêtre, tant qu'il peut voir, proposa Florent. Et qu'entende aussi celui qui a encore des oreilles !

Ils connaissaient bien leur rôle, tous les deux. Ils quittèrent la cuisine installée au rez-de-chaussée du château de Bram et passèrent dans la cour intérieure. Une plainte à plusieurs voix les accueillit, mêlée d'un cri de douleur et de longs gémissements. Entassés dans les stalles à cochons, à côté des offices, les condamnés attendaient leur mutilation. Ceux qui ne prenaient pas volontairement le chemin du boucher étaient attrapés avec une corde comme des veaux récalcitrants et traînés jusqu'au bélier ensanglanté où on les jetait sur le dos. Les sbires tiraient les bras de la victime vers l'arrière et lui sautaient aussi sur les jambes s'il lui venait l'idée de les agiter. Selon leur humeur, les bouchers que l'on avait forcés à remplir les fonctions de bourreau (ils n'étaient pas de Bram) découpaient le nez, la lèvre supérieure ou bien les deux oreilles, ou bien encore leur arrachaient les yeux avant de renvoyer les suppliciés d'un coup de pied. Ensuite, des soldats poussaient les malheureux vers le portail de la ville, tandis que d'autres faisaient sortir d'autres prisonniers des caves pour remplir les stalles.

On retenait les femmes à part, surtout les jeunes, pour des raisons que l'on devine, mais aussi pour que les cris de la foule restent dans certaines limites. Ceux des bouchers qui en ressentaient le besoin se dirigeaient vers elles et s'offraient *a tergo* une satisfaction rapide, sans doute contre la promesse de se contenter d'un œil ou d'un lobe d'oreille. Les propositions ne manquaient pas, comme pouvait le constater Sicard aux fesses dénudées qui s'offraient aux équarrisseurs. Il aurait pu se croire tombé dans l'enfer du Jugement dernier.

Derrière ces scènes et les murs sombres, les incendies qui avaient balayé la petite ville de Bram étaient encore incandescents. La fumée noire montait de partout et se déposait comme un nuage de suie sur cette horreur qui portait un nom : Simon de Montfort. Et Sicard crut le voir écrit sur le mur en lettres de feu.

Les cloches avaient tiré les citadins de leur lit, au beau milieu de la nuit. C'étaient les prêtres catholiques qui les avaient actionnées — ce qui leur valait d'attendre avec leur troupeau dans les stalles. Les habitants avaient vite été réveillés : ils avaient fermé les portes et occupé les murs. Ils parvinrent aussi à repousser les échelles d'assaut que l'on avait déjà posées sur les murs, et déversèrent sur les agresseurs le mélange d'huile bouillante et de poix qu'ils avaient préparé depuis deux jours. Ceux qui parvenaient à se hisser en haut de la muraille étaient abattus au fléau ou déchiquetés à la faux et à la faucille.

Les habitants de Bram ne laissèrent pas non plus l'ennemi défoncer le portail. Ils précipitèrent aussitôt des sacs de céréales sur l'accès aux portes, si bien que les béliers ne purent rien faire. Les cloches sonnaient constamment pour appeler au secours, et Simon dut craindre un moment que tout le pays ne s'insurge avant qu'il ne se soit emparé de cette étape militaire importante sur la route de Toulouse. Pris d'une sainte fureur, il fit acheminer en toute hâte les lourdes catapultes et les beffrois.

Au petit matin, les sapeurs avaient ouvert la première brèche. Les habitants tentèrent de faire un rempart de leurs corps, mais la volée de pierres lancées par les trébuchets transforma leur résistance en bouillie. Ils se réfugièrent dans le château, dont la porte leur fut aussitôt ouverte. Le seigneur des lieux se fraya un chemin à cheval parmi les fuyards pour négocier avec les agresseurs. Florent de Ville lui attrapa les rênes et Alain du Roucy lui fendit le crâne. Ensuite, on ferma la porte, et l'on rétablit l'ordre. Récalcitrants mais épuisés, les habitants de Bram se plièrent aux ordres, et acceptèrent qu'on les divise en plusieurs groupes et qu'on les garde ainsi captifs.

Puis, pendant un long moment, plus rien ne se produisit : les cloches battaient toujours, il fallait les faire taire. Avec l'arrivée des prêtres, qui avaient manifestement été maltraités, et le déclenchement des incendies, les cloches s'arrêtèrent les unes après les autres, jusqu'à ce que l'on n'entende plus qu'un petit glas qui cessa lui aussi bientôt de tintinnabuler. Simon de Montfort n'avait pas mis les pieds dans la ville : il continuait sa route. Il laissa à ses hommes, Florent de Ville et Alain du Roucy, le soin d'apporter aux résistants la leçon qu'ils méritaient.

En assistant aux actes atroces que les bourreaux perpétraient devant lui, d'un geste désormais mécanique, Sicard attendait patiemment le retour des deux sbires de Montfort. Il aurait pu tenter de se cacher dans le vaste château, mais il ne le fit pas. Ils finirent par revenir, après avoir constaté que, à l'extérieur, le travail se déroulait conformément aux ordres.

— Les truies couinent comme si on allait les égorger, dit Roucy à son compagnon. Pourtant, les jeunes dames ne perdent que les oreilles.

— Qui a donc besoin de tant d'aveugles dans ce pays ? Tous des futurs mendiants ! ajouta Florent avant de se tourner vers le dernier cas de sa journée : Alors, vous ne savez toujours pas où s'est dissimulé le faidit Xacbert de Barbeira ?

— Je ne l'ai encore jamais vu, répondit Sicard, ce qui était d'ailleurs la vérité.

— Ce n'était pas ma question.

— Eh bien, je ne sais pas ! s'exclama Sicard.

Florent aimait l'entêtement.

— Et cette vieille sorcière qui se rend invisible à chaque fois que nous croyons l'avoir prise au piège, vous n'en avez jamais entendu parler non plus ?

— Je m'estimerais heureux de connaître une pareille femme, dit Sicard, qui prenait de l'assurance. Malheureusement, je ne puis vous être d'aucun secours non plus à son propos.

— Ah, dit Florent d'une voix languissante.

Roucy tint son poignard au-dessus du feu de la cheminée jusqu'à ce que la lame se mette à rougir.

— Voulez-vous cela ?

— Ce qui est en mon pouvoir...

Roucy lui coupa la parole.

— C'est vous qui êtes en notre pouvoir. Et si nous vous laissons vos yeux et vos oreilles, c'est uniquement pour que vous puissiez espionner à notre profit, dit-il avec jouissance, tout en attrapant Sicard par le nez et en le tirant brutalement vers lui. Cela, c'est pour que vous ne l'oubliez pas.

Sicard ne ressentit qu'un terrible coup. D'un geste rapide, Alain lui avait coupé le nez, et avant que le sang ne puisse jaillir, il lui pressa la lame incandescente contre la plaie ouverte, qui se mit à siffler. La douleur lui transperça le cerveau comme un éclair, le feu étouffa son cri. Et tandis qu'il gémissait, Florent lui expliqua, d'une voix apaisante :

— Par contre, vous n'aurez pas besoin de sentir.

— Mais il ne faut pas perdre votre sang, ajouta Roucy, presque bienveillant, en ôtant d'un coup sa lame de la chair brûlée.

Sicard avait déjà sombré dans une inconscience miséricordieuse.

Au fil du temps, les gens du cru avaient remarqué la présence du chevalier Xacbert de Barbeira au *Caz' del Maurisc*, comme ils appelaient en privé le château de L'Hersmort, avec son doigt dressé. Mais ils s'abstenaient de commentaire sur la longueur et le diamètre de la chose lorsque les dames du château descendaient à la taverne, ou lorsqu'un étranger était présent — Montfort, désormais surnommé *Le Brut*, y avait ses espions partout. L'homme au visage de cheval en était peut-être un ; il avait stupidement demandé s'il n'était pas arrivé un homme au château abandonné par messire de Payra... Ils lui avaient ri au nez : il n'y avait qu'un seul homme, et c'était Belkacem, le Maure !

— Ça, pour un homme, c'est un homme ! s'exclama l'un des villageois.

— Et il parle comme une chute d'eau ! ajouta un autre.

Et tous rirent insolemment à cet homme au visage de canasson bringuebalant. Lorsque l'étranger partit, ils constatèrent qu'une troupe de cavaliers l'attendaient au tournant. Tous étaient ensuite repartis au galop.

À L'Hersmort, la mère et la fille se tenaient face à face. Laurence était déjà en « tenue de voyage », portant une partie de l'armure que lui avait léguée l'ancien seigneur du château. Elle n'avait pas encore passé le plastron, et même si personne n'avait jamais dit qu'elle avait une forte poitrine, se nouer les seins à chaque fois n'était pas une partie de plaisir. Elle se contenta donc pour l'instant des épaulettes ornées d'ailettes, des cuissots et des brassards. Elle aimait aussi mettre en scène devant sa mère sa jeunesse, sa force et son énergie.

La mission que les deux femmes s'étaient fixée ne tolérait ni jalousie, ni querelles. Elles s'étaient longuement demandé si Laurence ne ferait pas mieux de se déguiser en simple campagnarde, en paysanne sur le chemin du marché ou en bergère menant quelques chèvres. En parcourant ainsi la campagne, elle aurait pu rassembler les enfants d'hérétiques orphelins. Mais Xacbert avait refusé cette mascarade. Son physique la ferait immédiatement remarquer, même si elle portait un foulard, et Laurence ne pourrait pas se rendre assez laide pour ne pas être constamment importunée. Et puis tout le monde trouverait très étrange qu'une jeune femme seule se promène

sur les routes. Les groupes de maraudeurs de *El Bruto* contrôlaient les routes secondaires.

Il était hors de question que Livia aille elle-même chercher
les enfants. Du moins Xacbert refusa-t-il cette solution avec
virulence. Laurence, elle, se disait secrètement que la maigre
Mater superior remplissait admirablement les conditions pour
tenir ce rôle, et qu'elle était toute disposée à en assumer les
peines. Mais Xacbert fit valoir que Na'Livia était « brûlée »
après toutes les frasques qu'elle avait faites dans le pays. Trop
de gens l'avaient vue, même si rares étaient encore les témoins
vivants susceptibles de livrer au couteau de Montfort la
complice du fameux Lion de Combat.

Il veut la protéger, se dit Laurence. Comme c'est touchant !
Xacbert avait beaucoup moins de scrupules avec elle — cela
tenait cependant aussi à son comportement face à cet homme-
lion. On s'en doute, les étincelles n'avaient pas tardé à jaillir
entre ces deux personnalités.

Ils avaient finalement décidé que Laurence se ferait passer
pour un jeune chevalier venu du Proche-Orient, accompagné
par le Maure Belkacem. Presque tous les accompagnateurs de
Montfort l'avaient certainement vue porter cette armure dans le
campement, devant Carcassonne. Mais cela remontait à près
d'un an, et les gens se rappellent mieux un visage qu'une cuirasse.

Le chevalier fut donc déguisé « à la Maure » : Laurence
portait sur son turban vert un heaume pointu qu'ils avaient
déniché dans la salle des armes de L'Hersmort, et qui était
beaucoup plus confortable ; pour le reste, elle avait une longue
djellaba blanche et un authentique cimeterre, qui ornait jusqu'alors un mur de la chambre à coucher du châtelain.

— On dirait un fils de calife des Mille et Une Nuits !

Xacbert se mit à rire impudemment. Mais il affirma
ensuite que rien n'était moins suspect qu'une personne qui
attire sur elle toute l'attention. Et puis d'un prince venu de
l'Orient, personne ne s'étonnerait s'il se comportait en original.
S'il rassemblait des orphelins, s'il les faisait courir derrière lui
en légions, il courrait tout au plus le risque que des parents
indignés le soupçonnent de vouloir les châtrer ou les réduire
en esclavage dans son harem. C'est d'eux qu'elle devrait se garder, et pas des sbires de *El Bruto !*

Il ne leur restait plus qu'à trouver un nom au chevalier, et à lui imaginer des ancêtres nobles sur trois générations. On savait désormais aussi, dans l'Occident chrétien, que même les Sarrasins connaissaient la généalogie, et qu'ils attribuaient même une grande valeur à la longue liste de leurs aïeux — bien plus que les barbares blonds. Dans le comté de Toulouse, qui, grâce au croisé Raymond IV, avait fondé l'une des plus vieilles principautés de la Terre sainte — le comté de Tripoli, sur la côte du Liban —, on possédait justement, par les récits ou l'expérience personnelle, une certaine connaissance des familles des voisins ou sujets musulmans. Après plus de cent ans de combats, de conquêtes et de défaites, beaucoup des anciens croisés s'étaient installés au Liban, ils s'étaient fréquemment alliés à la noblesse locale par le mariage. On ne pouvait donc pas se contenter de choisir un nom imaginaire. La tâche était ardue.

Sicard, le maître de L'Hersmort, n'avait toujours pas reparu, ce qui préoccupait tout le monde. Mais la seule à se faire de vrais soucis était Laurence, qui s'était prise d'affection pour ce gros homme aimable. Lui aurait sans doute pu lui conseiller un nom. Le prince anonyme, dans sa détresse, finit par s'adresser à Belkacem. Le Maure était certes sourd et muet, mais il savait au moins écrire. Laurence entreprit d'expliquer son vœu au brave serviteur. Mais il s'avéra rapidement qu'il n'avait pas la moindre idée sur les lignées de sang bleu syriennes. Lui-même venait du Maghreb.

— *Inch'allah !* Ce sera un prince berbère ! Le fils d'un cheikh du Rif ! s'exclama Xacbert. Nous ne sommes jamais allés là-bas, nous, les chrétiens. Personne ne connaît les familles de cette région.

Cela parut évident à Laurence, mais plongea le pauvre Belkacem dans la confusion.

— Écris seulement le nom de tes parents, lui suggéra-t-elle, et celui du père de ton père.

Belkacem se retira dans le donjon avec une plume, de l'encre et un peu de parchemin. De là il pouvait guetter son maître, dont il attendait le retour comme un chien fidèle.

Laurence se retourna fièrement vers Xacbert, mais celui-ci avait disparu. Elle interrogea sa mère, qui ne l'avait pas vu non plus. L'interrogatoire du personnel peu nombreux qui se trouvait encore à la cuisine et dans les jardins ne lui donna aucune information non plus sur le Lion de Combat. Il semblait s'être volatilisé.

Depuis le donjon, on entendit sonner le petit cor que le Maure portait toujours sur lui et dont il jouait lorsqu'on l'appelait ou lorsqu'il voulait attirer l'attention sur lui. Belkacem finit par apparaître en personne, surexcité, en brandissant un morceau de parchemin sur lequel il avait griffonné : « Danger — cavaliers arrivent ! »

Tous allèrent se poster à la fenêtre de la galerie. En bas, le vieux gardien, un sergent du Temple, fit descendre la herse en grand fracas ; mais il n'eut pas le temps de soulever le pont-levis. Dans la plaine, la vallée du bras mort du Hers, une troupe de cavaliers se dirigeait très rapidement vers le château, précédée par un personnage brandissant un sabre, qui portait un *barnus* flottant au vent, un turban trop élevé, mais aussi un masque de cuir étrangement découpé.

Belkacem perdit la tête en apercevant le masque. Il se mit à souffler comme un fou dans sa corne, avant de descendre en courant vers la porte. Le regard de Laurence se dirigea sur une autre silhouette qui galopait juste derrière, une jeune femme qui tenait un enfant sur la selle, devant elle — c'était Loba !

Dès que le Maure et le vieux gardien eurent relevé la grille de fer, le cortège s'élança sur le pont. À sa tête, Sicard de Payra, son visage débonnaire orné d'un nez de cuir plus long que le bec d'un pic. Il sauta de cheval, léger comme un jeune homme, repoussa en riant Belkacem qui lui avait sauté au cou, et aida Loba et son fils à descendre de cheval. Titus ne peut pas avoir plus de trois ans, songea Laurence en serrant la Louve dans ses bras. Loba avait la peau hâlée, et ses yeux vifs brillaient d'envie d'agir.

— J'ai trouvé ce drôle de hérisson, fit-elle en désignant Sicard, il y a quelque temps, dans les Montagnes Noires, recroquevillé dans des feuilles de chêne où il cherchait des truffes. Il s'est perdu lorsqu'ils l'ont chassé de la ville de Bram.

— Bram ? intervint la *Mater superior*. N'est-ce pas là que... Oh ! mon Dieu... Ils lui ont coupé le nez ?

— Entièrement, confirma messire Sicard. Ça vaut mieux que les couilles !

Sicard ne tenait pas du tout à la pitié, surtout pas à celle d'une dame de classe qu'il ne connaissait pas. Loba prit Laurence par le bras et l'entraîna à part.

— En fait, je voulais aussi amener Raoul. Tu aurais eu l'enfer à L'Hersmort, entre lui et mon petit diable Titus !

— Raoul ? Ce garçon bruyant n'est-il plus chez...

— Alazais se trouvait dans l'un de ses voyages de parfaite, et elle était...

— Était ? Qu'est-ce que cela veut dire ?

— Elle *est* une parfaite, rectifia Loba. Et elle se trouvait dans le petit hameau de Bordas, auprès de gens qui avaient besoin d'aide. Elle était invitée au château lorsque Amaury a attaqué le fort voisin de Puivert — en vain. Il s'en est sorti avec des plaies et des bosses.

— Enfin une bonne nouvelle, soupira Laurence.

— Furieux, l'abbé a dû se replier, reprit Loba. Il aurait pourtant aimé se faire une réputation de guerrier, comme son neveu désormais célèbre, Simon *le Brut*. Sur le chemin, le prêtre de Bordas est venu à sa rencontre. Dans sa paroisse, annonça le religieux, une mourante venait de recevoir le *consolamentum*. « Est-elle déjà morte ? » demanda Arnaud de l'Amaury. Le prêtre a répondu par la négative. Alors, l'abbé, escorté de nombreux soldats, s'est lui-même rendu dans la maison de la moribonde, une vieille femme. « Voulez-vous recevoir les sacrements de la sainte Église ? » a-t-il demandé d'un ton proprement bienveillant. La vieille n'était plus en état de parler, elle a secoué la tête. Alors, poursuivit Loba, Arnaud a fait porter le lit et la femme devant l'église, et ramasser du bois et de la paille. Ils en ont fait un tas, les femmes du village l'ont entouré. « Croyez-vous à Jésus-Christ, né de la Vierge Marie ? » Alors, la vieille a rassemblé ses dernières forces, soulevé la tête de son oreiller trempé de sueur, et a craché au visage de l'abbé qui se penchait sur elle. Il l'a fait asperger d'eau froide, soulever avec son lit au milieu du bûcher, qu'il a fait allumer. Les femmes, tout autour, se sont mises à pleurer et à gémir. Arnaud a ordonné de les rassembler et d'apporter encore du bois et de la paille. Lorsque ce bûcher gigantesque a brûlé, les soldats ont frappé et piqué les femmes avec leurs lances, et les ont forcées à se jeter dans les flammes. Leurs cris s'entendaient jusque dans le château. Alazais est sortie et a rejoint les femmes. Elle les a consolées jusqu'à ce que son tour soit venu. La majesté de sa démarche et ses vêtements, qui n'étaient pas ceux d'une villageoise, ont empêché les soldats de poser la main sur elle. Elle a avancé en souriant et s'est jetée dans la fournaise.

Chroniqueuse malgré soi

Du journal intime de Laurence de Belgrave

Été, Anno Domini 1210

... Ma vue s'est brouillée, le coup sur la nuque aurait assommé n'importe quel veau, et même une vache stupide comme moi. Loba m'avait exhortée à ne pas me séparer de mon épée et de ne pas ôter mon casque. Mon cimeterre était posé contre la pierre où jaillissait la source, et j'avais voulu utiliser le heaume pointu comme récipient. Je m'imaginais déjà combien il serait rafraîchissant de déverser l'eau fraîche d'un seul coup sur ma tête lorsque j'ai vu ces étoiles... Dieu soit loué, Loba avait noué mes cheveux rouge cuivre en une couronne paysanne, craignant qu'ils ne me trahissent. J'ai ainsi sauvé ma calotte crânienne, bien que le choc ait produit un bruit épouvantable. J'ai pu constater qu'elle n'avait pas éclaté en tâtant la bosse grosse comme un œuf d'oie qui y était apparue ; mais à ce moment-là, je me trouvais déjà dans une tente que j'ai reconnue comme celle de mon père.

Ce n'est pas Lionel qui m'avait fait maltraiter ainsi : des soldats de Montfort s'étaient emparés de moi, notamment ce capitaine de la garde qui, à l'époque, m'avait laissée accéder au pavillon du légat pontifical. Il m'en voulait et ne m'adressa pas un mot avant d'avoir jeté sa prise (mains nouées dans le dos, un bâillon sur la bouche) devant la porte de la tente paternelle.

Lionel, à côté duquel se tenait Montfort qui attendait apparemment une explication, sinon des excuses, se contenta de hausser les épaules. Même s'il se sentait responsable de moi, il ne le montra pas. C'était bien comme cela ! Et c'était aussi bien fait pour moi : ils m'avaient reconnue à mes brassards magnifiques et aux épaulières — les uns comme les autres étaient faits pour emplir de jalousie un simple capitaine qui n'avait rien pour se protéger les os.

J'étais sortie avec Loba pour aller chercher des enfants dans Bram détruite ; selon les indications de Sicard, beaucoup continuaient à errer comme des animaux apeurés dans les Montagnes Noires, au nord de Carcassonne. Nous n'en avions encore trouvé aucun. Loba s'était brièvement séparée de moi pour aller rendre visite à son frère à Las Tours, que tenait toujours Peire-Roger de Cab d'Aret. Je comptais me rendre dans le proche château de Saissac : là-bas, même si je n'en trouvais pas, j'espérais au moins obtenir quelques renseignements sur l'endroit où je pourrais chercher des enfants égarés. Les seigneurs de Saissac passaient pour des amis des cathares.

Mais comme je l'ai dit, je n'allai pas jusque-là. Dès que ma tête de coucourde enflée eut été couverte de chiffons humides qui la transformèrent en une betterave extrêmement sensible, mon père m'informa que messire Simon avait trouvé pour moi un emploi utile : puisque je savais écrire, je tiendrais désormais le journal de guerre. Le moine cistercien auquel revenait jusqu'ici cette honorable mission était tombé tête la première dans les latrines et s'y était étouffé. On l'y avait peut-être un peu aidé, me consola Lionel : ses hauts-de-chausses n'étaient pas à la hauteur de ses genoux, mais noués autour de ses bras et de sa gorge. En tout cas, après cette précision, la position de scribe, en soi humiliante, m'apparut sous un autre jour...

Extraits de la chronique de la croisade contre les hérétiques

Devant Pamiers, juin Anno Domini 1210

« Mes ennemis boiront jusqu'à la lie le calice qu'ils me destinaient ! » Paroles de messire Simon après qu'il a quitté la ville de Pamiers. Il est venu ici pour rencontrer, en présence du roi Pedro d'Aragon, les comtes Raymond de Toulouse et Roger-Ramon de Foix. On se plaint du comportement rebelle d'anciens vassaux du Trencavel, Peire-Roger de Cab d'Aret, Raymond de Termes et Aimery de Montréal, qui doivent maintenant fidélité de vassal à messire Simon.

Au lieu de cela, ils cherchent la protection du roi d'Aragon *pour couvrir leurs désobéissances. Aucun d'entre eux ne combat l'hérésie sur ses terres, au contraire, ils protègent ceux qui se sont éloignés de l'Église, et persécutent ses prêtres.*

Avant même l'ouverture de la conférence, messire Simon a donc présenté comme une condition préalable et sine qua non *la remise des châteaux de Peire-Roger de Cab d'Aret, que le peuple appelle « Las Tours », et lui a généreusement offert en contrepartie un domaine de même valeur sur la côte, dans la région de Béziers. Mais comme celui-ci méprise les propositions favorables de messire Simon et refuse de mener des négociations à ce propos, le comte de Foix, sans chercher une excuse, a refusé la rencontre, à la manière brutale qui caractérise les gens de ce pays. La colère de messire Simon est considérable ; pour montrer au comte de Foix ce qu'il pense de lui et ce à quoi il doit désormais s'attendre, messire Simon, téméraire, suivi par un seul écuyer, traverse sa ville en courant, car les portes sont déjà ouvertes pour recevoir les princes. L'écuyer est tué par des pierres lancées par des habitants ; messire Simon bénéficie quant à lui de la protection de la Vierge. En représailles, les jardins de Pamiers sont dévastés, la récolte est foulée, les ceps de vigne coupés.*

Le fidèle Foulques, évêque de Toulouse, fait savoir à messire Simon qu'il a obtenu dix otages des consuls de la ville, tous d'honorables notables qu'il a déjà fait transférer à Pamiers pour qu'ils y soient remis à messire Simon. En contrepartie, il a levé l'interdit qui pesait sur Toulouse. La raison en était l'oubli réitéré du comte Raymond, qui avait plusieurs fois promis au pape d'agir énergiquement contre les hérétiques de la ville et contre les usuriers juifs. Messire Simon a rebroussé chemin une fois de plus, et exige de la ville de Pamiers que les otages lui soient livrés sur-le-champ. Mais entre-temps, les murs ont été occupés et les portes fermées.

L'évêque a conclu son récit par les mots suivants :

« Ces troubles montrent une fois de plus que les hérétiques sont loin d'avoir été éliminés, et qu'il faut — s'il plaît à Dieu — rapidement une main puissante qui aide sa volonté à s'accomplir. » Ces événements déplaisants lui donnent raison.

L'évêque Foulques a fondé à Toulouse une fraternité des citoyens catholiques, la « Confrérie blanche », qui mène depuis une lutte implacable contre la vermine de la cité. Ils font la chasse aux hérétiques et mettent le feu aux maisons des juifs. Ceux que l'on persécute ainsi se sont entre-temps rassemblés en bandes de criminels qui se sont données le nom insolent de

« *Confrérie noire* ». *Cette engeance et les partisans de l'Église du Christ se livrent à présent à de sanglantes batailles de rue.*

« Dieu n'a pas offert à son serviteur, l'évêque de Toulouse, une paix à bon marché, mais une juste guerre. » Paroles de maître Simon.

Devant Minerve, en juillet Anno Domini 1210

Ce sont les citoyens de Narbonne qui ont envoyé une délégation à messire Simon pour exprimer leur plainte sur les hommes du sire de Minerve, dont les attaques insolentes mettent leur commerce à mal. Ce site des Montagnes Noires est depuis longtemps une épine dans le pied de messire Simon : il domine la route menant de Carcassonne à Béziers, l'unique liaison avec la côte, d'une très grande importance pour le nouveau vicomte s'il veut éviter le détour par Narbonne, qui n'est guère fiable. Située sur un rocher à pic de plus de cinquante mètres, la ville de Minerve proprement dite est dans une position si favorable qu'elle peut fièrement renoncer à toute muraille. Le château de Guilhem de Minerve se trouve à l'extrémité du long plateau, une ravine artificielle taillée dans la roche le met en outre à l'abri de toute espèce d'attaque surprise.

Messire Simon procède selon ses plans. Il dispose autour du cône rocheux un solide anneau de troupes de siège, équipées de catapultes de tout calibre. La ville de Narbonne, elle aussi, doit y participer avec un contingent important. Elle tient sa fierté particulière d'une catapulte, appelée « Magn'optima' » que son archevêque a construite et dont l'entretien coûte vingt et une bonnes livres quotidiennes. Les tirs commencent et ont bientôt des effets ravageurs, d'autant plus que l'on découvre au pied du rocher, caché derrière un mur, le petit point de puisage de l'eau du Brian. Messire Simon le détruit à distance. Une nuit, les assiégés entreprennent une tentative pour incendier la Magn'optima, mais cette attaque est éventée grâce à la vigilance de l'équipe qui sert cette machine.

Au bout de sept semaines, la faim et la soif ont à ce point désespéré la ville bourrée de réfugiés que le châtelain demande un entretien avec messire Simon. Celui-ci, magnanime, lui pose ses conditions : libre départ pour la garnison, la population catholique et les cathares disposés à abjurer leur foi erronée. Indigné,

Guilhelm de Minerve répond qu'il n'y a pratiquement pas de catholiques dans la ville, et qu'il ne connaît pour sa part aucun cathare qui accepterait pareille infamie.

Incrédule, messire Simon veut aller se convaincre personnellement de l'attitude de ces gens. C'est alors qu'apparaît l'abbé Arnaud ; devant toute l'assemblée, il lui reproche sévèrement de vouloir épargner les hérétiques. Les croisés demeurés avec eux expriment ouvertement leur inquiétude : un hérétique vivant pourrait leur échapper en faisant croire à sa conversion. Ils réclament donc que tous les habitants soient jetés dans les flammes. Messire Simon apaise ces excités : « Vous verrez, aucune des personnes concernées ne fera usage de cette offre ! »

Sur ces mots, Guilhelm de Minerve se remet, lui-même et la ville, aux mains de messire Simon, aux conditions imposées. Simon fait planter à côté de sa bannière, sur le donjon du château, une croix visible de loin, « signe que Dieu a repris possession de Minerve ». Accompagné par son propre chapelain, monseigneur Pierre des Vaux-de-Cernay, il se rend dans la maison où se sont rassemblés les cathares, afin de les convaincre de faire la paix avec l'Église.

Ils lui répondent : « Vous n'avez pas à nous faire de prêche ! Nous nous sommes séparés de Rome ! La mort est préférable à la vie que vous pouvez nous promettre. »

Entre-temps, dans une ravine située en contrebas de la ville, on a édifié un gigantesque bûcher. Lorsque les flammes dardent jusqu'au rebord de la falaise, les cathares descendent d'eux-mêmes le sentier qui y mène et sautent dans les flammes sans qu'il soit nécessaire de les y pousser. Ensuite, Minerve paraît une ville morte : presque tous les autres suivent Guilhelm et son épouse Rixovenda de Termes dans la région où ils possèdent de nombreuses terres, entre Béziers et Narbonne.

Du journal intime de Laurence de Belgrave

Devant Carcassonne, août Anno Domini 1210

Ma chérie, voici déjà longtemps que je voulais t'écrire. J'étais tombée dans un trou noir, comprends-moi, de plus en plus profondément, et je descends toujours ce gouffre infernal au fond duquel bouillonne l'épouvantable lave, cette braise qui consume *tout ! J'invoque ton image, aimée ! Ma lettre vient te chercher, te sauve des flammes, ligne après ligne, mot après mot :*

La prise de Minerve, et le traitement indulgent infligé à son seigneur n'ont pas manqué de produire leur impression, et telle était aussi l'intention de Montfort, me comprends-tu ?

Parce qu'il est encore loin d'être parvenu au terme de ses ambitions, qu'il place forcément de plus en plus haut, il est constamment forcé d'agir. Toute immobilisation de sa machine de guerre lui serait reprochée comme une faiblesse et entraînerait des revers immédiats, des insurrections et la perte de ce qu'il a laborieusement conquis. Le conseil de guerre compte désormais aussi son épouse Alix de Montmorency, une personne très fervente, si tu ne la connais pas, qui sait manier ce guerrier mal dégrossi. Elle lui a apporté des renforts considérables du Nord, notamment des trébuchets à longue portée, des mangonneaux de gros calibres, et des équipes expérimentées pour servir ces machines. Le reste de ce conseil est constitué, naturellement, de Guy de Levis, le maréchal, de son fidèle ami Robert Mauvoisin, et de monseigneur des Vaux-de-Cernay, le chapelain de famille des Montfort.

Celui-ci a également entrepris de faire accéder son seigneur séculier, Simon, à la postérité, en rédigeant une chronique qu'il compte intituler Historia Albigensis *— comme si Monfort le Brut ne contribuait pas déjà suffisamment à ce que son nom, écrit en lettres de sang sur des murs noircis par la fumée, pèse à tout jamais comme une malédiction sur le Languedoc, du moins tant que Paris le tiendra entre ses griffes ! C'est aussi le motif pour lequel Kaplan vient souvent lire ma propre copie pour y chercher le sens de l'historique, et intervient pour me corriger, surtout lorsque j'abrège et ignore des détails. Pour une jeune dame, estime-t-il, laudatif, je fais preuve d'un sens étonnant de la chose militaire. Ce qui l'étonne le plus en moi, c'est mon absence de tout frisson d'horreur devant les atrocités de la guerre. Beaucoup de faits lui hérisseraient le poil s'il devait les consigner, alors qu'ils coulent facilement de ma plume, comme si je cueillais des fleurettes sur une prairie.*

Comme monseigneur Pierre des Vaux-de-Cernay est un homme intelligent, et pas du tout un prêtre obstiné, malgré son passé d'abbé — une fonction qui reste pour moi une menaçante alternative, mais je ne le lui dis pas —, je lui parle en toute franchise. « On ne sert pas », lui ai-je donné à réfléchir, « les générations futures en leur transmettant comme une chose anodine les abominations d'une guerre. Car la guerre, quel que soit son objectif, est peut-être la volonté de Dieu, mais ne respecte certainement pas l'esprit de son fils Jésus-Christ, qui nous a explicitement enseigné le contraire. »

Il m'a alors dévisagée, l'air encore plus affolé que lorsqu'il avait survolé les horreurs méticuleusement décrites dans mon texte : « Cela, vénérée jeune dame, je veux ne pas l'avoir entendu. Le Sauveur et sa mère Marie, la Vierge, bénissent cette croisade à chaque victoire de nos armes et à chaque hérétique brûlé ! Ne vous laissez plus entraîner à pareille déclaration que je veux accepter comme une confession, mais que d'autres pourraient prendre pour de l'hérésie. »

Je lui tus alors ce que je m'apprêtais à lui confier : que la rédaction du journal de guerre de messire Simon m'aurait effroyablement ennuyée s'il n'y avait pas eu ses séquences atroces — je les aurais d'ailleurs tirées sans le moindre scrupule de mon imagination si elles n'avaient eu lieu effectivement. Je suis fermement convaincue que seul le récit drastique, soit par son horreur, soit par la force de ses émotions, éveille constamment le lecteur et l'incite à participer par l'esprit.

Simon de Montfort mène sa guerre d'une manière très analogue : seuls des coups par surprise, parfois durs, parfois impitoyables, lui permettent d'imposer sa volonté et d'étendre son pouvoir. Ainsi, à mon gigantesque étonnement, Aimery de Montréal s'est présenté au château où messire Simon a installé ses quartiers — hors des murs de Carcassonne, par souci de sécurité. L'unique chevalier qui m'ait inspiré plus que du respect offrait sa soumission à son ennemi juré ! Je n'en ai entendu parler que par mon père, dont on n'a pas sollicité la présence au conseil de guerre, mais qui doit être présent, pour meubler, à toutes les cérémonies. Je ne voulais pas non plus être vu d'Aimery, ma honte était trop grande pour cela — et le fier chevalier aurait sans doute mal supporté de savoir que j'avais été témoin de son humiliation.

La reddition sans combat de Montréal était manifestement préparée de longue date : dans le cas contraire, ce sire dont l'hostilité et les actes sont parfaitement connus ne serait pas allé se jeter dans le gosier du vautour. Le fait que des documents écrits aient déjà été échangés auparavant, qui prévoyaient aussi, en contrepartie et en dédommagement, l'installation d'Aimery dans la plaine de Béziers, plaide aussi en faveur de cette hypothèse. Je ne peux m'imaginer que le seigneur de Montréal, jadis si batailleur et combatif, s'y installe tranquillement et se satisfasse à tout jamais de son destin. Il est encore jeune !

Le conseil de guerre a décidé que le prochain objectif serait

Termes. C'est ce que monsignore des Vaux-de-Cernay a fait savoir à sa « chroniqueuse », sous le sceau du « secret professionnel ».

De la chronique de la croisade contre les hérétiques

Devant Termes, en septembre Anno Domini 1210

Seule une colline située au sud de la ville s'est révélée appropriée pour y édifier un camp. Et c'est là que nous séjournons depuis plus d'un mois. Termes se situe au milieu du paysage raviné des Corbières, bien protégé par ses parois rocheuses et ses murailles puissantes. Pour surprendre la garnison et éviter des sorties, messire Simon était arrivé avec ses chevaliers et ses fantassins au pas de charge ; il avait laissé son lourd matériel de guerre, comptant le faire suivre au moment où le chemin serait devenu sûr. Mais à peine le convoi s'était-il mis en route, pendant la nuit, que Peire-Roger de Cab d'Aret et ses gueux de Las Tours, qui l'avaient discrètement encerclé, s'abattirent sur lui. Ils mirent le feu aux coûteuses machines de jet et les taillèrent menu. Le reflet des flammes était visible jusqu'à la citadelle de Carcassonne. La garnison accourut aussitôt pour aider les soldats menacés, et parvint à repousser ces bandits de grands chemins. Mais les trébuchets et les balistes, ces engins fragiles, avaient déjà subi de tels dommages qu'il fallut tous les faire rentrer dans la ville pour les remettre en état.

La cité que nous encerclons désormais est défendue par Ramon de Termes. De temps en temps, le vieux seigneur sort sur son balcon, fait briller au soleil son casque d'or et regarde nos efforts, toujours courroucé. Il est étroitement lié à la famille des seigneurs de Minerve, sa sœur Rixovenda passe pour une pure, et son frère Benoît a même été évêque cathare de Razès.

Entre-temps, les catapultes réparées sont enfin arrivées — cette fois-ci, messire Simon avait envoyé ses Bretons à leur rencontre — et ont été mises en position, même si ce faidit de Peire-Roger ne cesse d'attaquer notre arrière-garde. Jusqu'ici, toutes les attaques des croisés ont été repoussées par les défenseurs, car la partie adverse dispose elle aussi de catapultes efficaces. À Termes, on dit que la pénurie d'eau commence. Mais nous aussi, nous souffrons de chaleur, et même de la faim. Cette région est inhospitalière, et les croisés se sentent de plus en plus comme des prisonniers dans ce désert de roches, souvent coupés pendant des journées entières de l'indispensable intendance.

Ce qui nous donne le plus de mal, c'est le bastion dont la tour gigantesque surplombe notre camp : les archers qu'il abrite nous menacent en permanence, et nous empêchent d'attaquer efficacement la ville. Messire Simon fait donner l'assaut à cette tour, ce qui lui vaut des pertes sévères parmi ses mercenaires de Bretagne. Il veut y faire monter en pièces détachées pius raptor, *la meilleure catapulte de l'archevêque de Paris. Le « pieux brigand » parvient enfin à creuser une brèche dans les murs, pierre après pierre, mais les défenseurs ne cessent de la reboucher avec les poutres et les gravats de leurs maisons détruites.*

Le climat commence à se tourner contre nous, les premières tempêtes d'automne commencent — mais il ne tombe pas une goutte d'eau. Certains jours, nous n'avons littéralement plus rien à manger. Les gens de l'archevêque de Paris suspendent les tirs parce qu'ils vont ramasser des glands et des noix, ils mangent même des racines et des écorces d'arbre pour remplir leur ventre qui crie famine.

Octobre Anno Domini 1210

Beaucoup nous ont déjà quittés. Messire Simon, fou de rage, ordonne tout de même que l'on poursuive l'attaque pour mettre l'adversaire à genoux. Termes doit être frappée jusqu'à ce qu'elle finisse par lui tomber dans les mains comme une pomme sèche ! Il a encore une fois lâché ses Bretons contre les murailles. Leur assaut contre la brèche barricadée a été repoussé par les défenseurs avec une violence dont seuls sont capables les désespérés. Mais au moment précis où notre messire Simon, empli d'une profonde résignation, pense déjà à abandonner et à se replier, la situation bascule. Dieu comprend et récompense son fidèle serviteur ! Sans doute parce que les citernes de sa ville sont vidées jusqu'à la dernière goutte, cette vieille tête de mule de Ramon se déclare tout d'un coup prêt à négocier.

Messire Simon envoie son maréchal Guy de Levis. Le vieux monsieur, toujours un solide guerrier, offre cependant exclusivement de laisser son château à Montfort, pour tout juste la moitié d'une année : il veut qu'on lui restitue son bien à Pâques.

Malgré les protestations d'Arnaud de l'Amaury, démis de ses fonctions — le pape a nommé un nouveau légat —, et à l'étonnement de tous, messire Simon accepte.

L'abbé se précipite alors comme un taureau excité hors de Narbonne, où il s'était retiré.

« Dieu m'a appelé ! » Avec cet impetus, *son serviteur zélé sait empêcher toute capitulation qui ne prévoit pas explicitement la livraison des hérétiques. « Termes est un redoutable nid d'hérétiques ! » De telles revendications furieuses, auxquelles messire Simon ne peut totalement s'opposer, ont pour conséquence de rallonger les pourparlers.*

D'autres alliés quittent le campement, entre autres l'archevêque de Paris. La comtesse Alix se jette à ses pieds, s'accroche à ses genoux, l'implore de demeurer encore avec nous. Elle n'obtient qu'une chose : il nous laisse le pius raptor. *Le maréchal Guy de Levis se rend quotidiennement dans la ville pour y rencontrer son homologue coriace. Ramon de Termes se montre intraitable sur l'exigence de l'abbé, d'autant plus qu'il a dû entendre parler des difficultés de son adversaire. Il joue sur le temps. Lui aussi attend un miracle.*

Le soir, un petit nuage insignifiant passe au-dessus des Corbières. Le chapelain, qui sait reconnaître le doigt de Dieu, nous prédit un terrible orage. « Surtout pas cela ! » s'exclame l'intelligente comtesse. « Une pluie à ce moment remplira les citernes du Casque d'Or et noiera notre campement dans la boue ! » C'est pourtant exactement ce qui se produit. Le nuage grossit à la vitesse du vent, et un effroyable orage s'abat sur nous.

Le bailli de Saissac

— Chut !

À la vive lueur d'un éclair, entre deux coups de tonnerre, les doigts de Loba se posèrent sur ses lèvres, dès que Laurence, trempée jusqu'aux os, eut atteint la tente de son père.

— Nous n'avons pas de temps à perdre ! lui chuchota la Louve.

Laurence se montra décidée à prendre la fuite. Elle passa uniquement sa coiffe de métal. Cela lui faisait de la peine d'abandonner son armure, mais sa liberté passait avant tout. Au dernier moment, elle attrapa pourtant dans la pénombre ses chers brassards, et comme les épaulières lui encombraient le chemin, elle les serra également contre elle.

Les deux jeunes femmes, manteau sur les épaules, traversèrent à grands pas le campement fouetté par la tempête, sans se faire remarquer. Deux chevaux sellés les attendaient auprès des autres — tous s'efforçaient de boire dans les flaques d'eau qui se formaient rapidement. Elles chevauchèrent toute la nuit et, à l'aube, avant qu'il ne fasse clair, se cachèrent dans une baraque en ruine où elles purent faire entrer leurs montures, mais qui n'avait plus de toit — la maison avait été incendiée. Elles avancèrent ainsi de nuit en nuit jusqu'à ce qu'elles atteignent Puivert. Laurence manqua tomber de cheval. La fièvre s'était emparée d'elle. Les femmes du village l'enveloppèrent dans des couvertures, lui servirent une décoction d'herbes macérées — du tussilage, du sureau et du lierre — et la firent transpirer.

Pendant trois jours et trois nuits, Laurence lutta contre la mort. Loba était assise auprès d'elle et la forçait constamment à boire. Dans ses rêves trempés de sueur, la jeune femme entendait des voix évoquer la fin de la ville de Termes, et voyait des images atroces.

Au matin, après l'orage, le maréchal Guy de Levis était, comme d'habitude, monté jusqu'au château pour réclamer la conclusion définitive d'un accord. Ramon de Termes le renvoya brutalement : il n'était pas question qu'il se rende. Les habitants avaient bu toute la nuit : de l'eau, de l'eau, de l'eau ! Ce fut le deuxième jour que la dysenterie éclata. Des cadavres d'animaux flottaient dans les citernes : ils avaient empoisonné l'eau. Tous ceux qui en étaient encore capables s'enfuirent de la ville dans la panique, empruntant des galeries souterraines qui menaient dans les montagnes.

Le lendemain matin, lorsque Guy de Levis revint pour tenter de convaincre le parjure, personne ne le laissa entrer. Il frappa à la porte et cria — en vain. Suspicieux, il fit venir quelques Bretons. Ils ouvrirent la porte et trouvèrent les premiers morts dans les rues. Les agonisants peuplaient les maisons. C'était un spectacle lugubre. Ils entrèrent dans le château abandonné. Alors, comme un spectre, le vieux maître des lieux sortit des profondeurs de la cave, stigmatisé par la maladie, l'esprit troublé. Il cherchait son casque d'or. Guy de Levis le mit en état d'arrestation, les Bretons le déposèrent, dans un brancard, devant Simon de Montfort. Le vieil homme n'était plus capable de donner une réponse rationnelle à la moindre question. Mais Simon était tellement furieux de son obstination qu'il le fit transporter à Carcassonne et emmurer dans le même cachot que, jadis, le Trencavel.

La fièvre de Laurence était tombée ; elle se sentait encore si faible qu'elle tenait à peine sur ses jambes. Loba avait convaincu les femmes d'abattre une poule ; elle fit absorber le bouillon à son amie, puis elle lui fit ingurgiter, une bouchée après l'autre, la viande attendrie par la cuisson. Laurence sourit avec reconnaissance et sombra dans un sommeil salvateur, un jour et une nuit entière. Ensuite, des cris résonnèrent dans Puivert : « Ils arrivent ! *El Bruto* est en marche ! Sauve qui peut ! »

Laurence s'éveilla aussitôt. Elle chercha son armure. Lorsqu'elle se fut rappelé qu'elle l'avait laissée dans la tente de son père, Loba la força à passer le manteau sur ses épaules et à se contenter du casque. La malade obstinée tint à emporter ses épaulières et ses brassards. Loba les lui passa. La plupart des habitants quittèrent Puivert. Le château disposait d'une magnifique cour intérieure, connue pour ses fêtes et pour les tournois qu'on y avait donnés jadis, aux temps heureux. Mais du même coup, les murs étaient beaucoup trop allongés pour que l'on puisse les défendre sérieusement contre un siège.

Loba prit le cheval de Laurence par les brides ; elles chevauchèrent ensemble vers le nord pour ne pas tomber entre les mains de Montfort, qui arrivait. Lorsqu'elles furent à Mirepoix, l'état de Laurence s'était tellement dégradé que Loba se demanda si elle ne devait pas faire parvenir un message à Lionel. Mais elle commença par faire entrer son amie à l'hôpital des Frères de la Miséricorde, qui se réclamaient d'un certain frère François, dans la lointaine Assise, et se donnaient aussi le nom de frères mineurs. En tout cas, ils soignèrent l'étrangère avec le plus grand dévouement, si bien que Loba reprit espoir.

Et quelques jours plus tard, après un nouveau terrible cauchemar, Laurence abandonna la maladie derrière elle comme une peau de serpent dont elle n'avait plus besoin. Loba envoya un messager à L'Hersmort : il fallait venir chercher Laurence à l'hôpital et la ramener.

Le Chevalier du Mont-Sion chevauchait vers les quatre tours pour prévenir son jeune ami Peire-Roger de Cab d'Aret : Simon le Brut préparait son prochain coup de main contre Las Tours. Le seigneur de Cab d'Aret le reçut en dessous de ses fortifications, construites avec génie.

— Simon le Brut veut..., commença le chevalier.

— Je sais, l'interrompit Peire-Roger, combien vous êtes fier d'avoir inventé ce surnom ! Si El Bruto tient tellement à prendre Las Tours, cela tient au chevalier Bouchard de Marly, que mes infatigables bandits de grands chemins ont capturé il y a plus d'un an, et que je tiens depuis sous bonne garde, et bien traité.

— Mais il s'agit d'un proche parent de la comtesse Alix de Montmorency, l'influente épouse d'El Bruto. Elle appartient à la haute noblesse de Bourgogne !

Messire de Las Tours lui répondit que les Cab d'Aret avaient à ce jour repoussé toutes les attaques de ce parvenu de Montfort. Le chevalier attira toutefois son attention sur le fait que, cette fois, le riche duc de Bourgogne finançait la campagne.

— ... Et il a réclamé Las Tours en compensation, expliqua le Chevalier. Contre pareil déploiement, même le plus brave des Cab d'Aret ne pourra pas grand-chose. Vous ne pouvez qu'aller au-devant du désir de Bourgogne. D'une manière ou d'une autre, Las Tours est perdu.

Messire de Las Tours, déguisé en prisonnier du Chevalier, dut courir au bout d'une corde à l'arrière de son cheval jusque dans la cour de son propre château. De la même manière, ceux de ses hommes dont Bouchard de Marly connaissait le visage furent attachés en file indienne. Les autres, le Chevalier les avaient pris sous sa bannière : ils étaient désormais les « vainqueurs ». Ils commencèrent par placer les hommes arrêtés dans les caves, ou dans d'autres endroits, hors de vue de Bouchard. Puis le Chevalier se présenta au prisonnier comme son libérateur, le comte Valdemar du Limbourg. Seigneur de Lorraine, il avait quitté sa région afin d'assister Simon dans sa louable entreprise. Il est vrai que beaucoup d'Allemands accouraient de l'empire pour mériter leur petite part de paradis : ils prenaient la croix et fourraient leur salaire de Judas dans leurs poches, aussi souples et larges que leur conscience.

Mais le Chevalier n'était pas homme à se contenter de jérémiades. Il commença par faire couper les cheveux à « son cher ami, fidèle soutien du grand général Simon de Montfort », tandis qu'on lui préparait un bain. Si les hommes du comte montaient la garde devant la porte de sa chambre, ce n'était bien sûr que pour assurer sa sécurité. « Nous autres Allemands, nous ne nous fions qu'à Dieu », l'informa le « comte Valdemar ».

Puis l'homme aux multiples identités alla discuter avec Peire-Roger, caché dans le château, de la prochaine étape. Pour prévenir toute surprise désagréable, il n'avait pas encore libéré le seigneur du château des cordes qui lui attachaient les mains. C'est alors que surgit du néant, après avoir sans doute emprunté l'un des accès secrets du système de tunnels qui reliait les quatre tours du château, la plus jeune sœur du seigneur de Cab d'Aret. Elle s'abattit sur le faux comte comme un chat sauvage, poignard étincelant à la main, dès qu'elle eut aperçu son frère enchaîné. Le Chevalier ne dut la vie sauve qu'à l'immense éclat de rire poussé en même temps par Peire-Roger et par lui-même : le frère de la jeune femme profita de son instant de confusion pour lui ôter la lame des mains.

« Lovita », comme il l'appelait tendrement, n'en fut ni furieuse, ni vexée : elle comprit le plan plus vite que son frère. Elle apportait cependant une mauvaise nouvelle :

— Livia di Septimsoliis, la mère de Laurence et l'une de nos amies, connue ici sous le nom de « lady d'Abreyville », est enfermée à Saissac. Si la garnison a pour l'instant laissé la vie sauve à la complice de Xacbert de Barbeira, c'est parce qu'elle doit être remise à Simon le Brut, afin d'être jugée pour hérésie !

Loba se tenait déjà dans le bac lorsque l'on dirigea Bouchard vers son bain. Derrière une mince paroi, dans la pièce voisine, avait lieu une discussion de conjurés entre Peire-Roger et le maître d'armes du chevalier, qui devait tenir le rôle du faidit Xacbert, puisqu'il connaissait le catalan. Le Chevalier surveillait le bain de Bouchard par un trou dans le bois. Mais la petite Louve attira si bien son attention qu'il en oublia presque sa mission. Loba, sans sa fourrure, était une vision très excitante, et pas seulement pour l'œil caché derrière la cloison.

Bouchard de Marly, avec lequel il aurait volontiers échangé sa place dans le baquet, put étendre ses jambes. Le petit animal tout nu lui jeta de l'eau au visage, s'assit sur ses jambes ou sur ce qui en dépassait, agita les seins et s'accrocha à son cou. Il agrippa ses hanches en haletant... Le pauvre Chevalier se détourna, donna le signal convenu, et Peire-Roger commença. Son chuchotement était assez bruyant pour être entendu dans l'autre pièce.

— Êtes-vous devenu fou, pour vous introduire en ces lieux, Xacbert ? Las Tours n'est plus entre mes mains. Je suis prisonnier dans mon propre château !

Il se racla la gorge et répéta la même phrase, d'une voix encore plus indignée :

— Vous vous rendez compte, Xacbert de Barbeira : *moi*, prisonnier dans mon propre château.

Loba posa sa main sur les lèvres de Bouchard, qui gémissait. Mais elle n'arrêta pas pour autant l'ondulation de son bassin.

— Je crois que quelqu'un nous épie ! dit-elle en désignant de la tête la paroi en bois.

Et ils purent entendre directement la suite :

— Je pourrais vous libérer, Peire-Roger. À moins que vous ne préfériez que je règle son compte à cet Allemand.

— Vous ne commettrez pas un acte pareil, Xacbert ! s'exclama le châtelain en contenant difficilement sa colère. Le comte a fait preuve de noblesse, il m'a laissé la vie...

— Mais vous a pris votre château ! s'indigna Xacbert.

— J'ai de toute façon perdu Las Tours. Le comte m'a arraché la promesse d'abandonner et de quitter cette propriété des Cab d'Aret. Tel est le prix.

Il y eut un instant de silence. Puis Xacbert ajouta, moqueur :

— Je ne peux vous empêcher de récompenser la magnanimité de l'ennemi. Vous lui tendez l'autre joue ? Soit ! Mais mon principe à moi, Xacbert de Barbeira, c'est « Œil pour œil, dent pour dent ». Je ne vous dérangerai plus, Peire-Roger. Je vais prendre Saissac. La garnison est faible, et je la surprendrai comme je vous ai surpris. Et vous ne pourrez rien y faire.

Le maître d'armes, feignant la colère, avait prononcé ces derniers mots avec une telle force que le Chevalier, d'un signe, lui fit comprendre qu'il devait modérer sa voix. En théorie, il aurait dû sortir en claquant la porte. Mais Peire-Roger improvisa.

— Je vous assisterai, Xacbert, pour que vous n'alliez pas croire que les dents de Peire-Roger de Cab d'Aret sont tombées comme celles d'une vieille femme.

Enfin, le faux Xacbert disparut et le silence revint dans le faux cachot de Peire-Roger. Le vrai Bouchard de Marly resta silencieux. Il n'avait manifestement aucune intention de commenter ce qu'il avait entendu, ni de partager ses pensées avec la servante attentive. Il quitta le bain sans prévenir.

Bouchard se tenait à présent dans la salle d'habillage du maître des lieux. Le Chevalier lui avait fait préparer les vêtements les plus fins qu'il ait trouvés dans les bahuts et les armoires.

— Vous avez l'air d'un nouveau-né, messire Bouchard, commença gracieusement messire le comte, à peine entré dans la chambre où les servantes s'occupaient de cet hôte d'honneur.

— Des vêtements un peu plus sobres m'iraient mieux. Pour le voyage, expliqua Bouchard.

— Peire-Roger de Cab d'Aret compte vous offrir au cours d'une cérémonie solennelle ses terres de Las Tours : une transmission formelle de tous ses biens et des droits qui les accompagnent. Il m'a demandé de vous en informer.

Bouchard ne s'était pas attendu à cela, et cela ne convenait manifestement pas très bien à ses plans. Mais il se reprit vite.

— Bouchard de Marly n'a pas l'habitude de recevoir des cadeaux d'un homme qu'il ne peut considérer comme son ami.

Il était clair qu'il ne s'agissait pas d'une feinte. Le Chevalier répondit donc précautionneusement :

— Messire de Cab d'Aret se considère comme votre débiteur...

— Faites-lui savoir, je vous prie, cher comte du Limbourg, qu'il ne me doit rien. Je dois ma liberté à votre intervention, que je n'oublierai jamais. Mais je préfère ne plus voir messire Peire-Roger. Il est à vous. Maintenant, je vous le demande de tout cœur, cher ami, laissez-moi reprendre ma route.

Le faux comte donna l'accolade à Bouchard, pour lequel il ressentait effectivement une grande sympathie.

— Celui qui était jusqu'ici le seigneur et demeure le propriétaire de Las Tours veut soulager sa conscience avant d'entrer au monastère, reprit-il avec douceur avant de se permettre un peu de sensiblerie. Il vous doit tout de même une année de votre vie !

— Cela, c'est *moi* qui le lui offre ! répliqua Bouchard avant d'ajouter en confiance : Quant au monastère, mon cher Valdemar, je n'y crois pas. Il continuera à se battre contre nous.

Le « comte » prit l'air consterné.

— Dans ce cas, mon cher Bouchard, faites-le pour moi, je vous en prie. Acceptez ce cadeau. Messire Simon se réjouira certainement de savoir que Las Tours est entre vos mains. Et puis vous pourriez lui consacrer l'église. Faites-moi ce plaisir, dirigez cette brève cérémonie, et ensuite...

— Ensuite, je me rendrai aussitôt auprès de mon commandant suprême, le comte Simon !

— Nous pourrons entreprendre ce voyage ensemble ! s'exclama le comte avec une telle joie que Bouchard aurait eu du mal à le lui refuser. Car c'est aussi le but de mon voyage ! C'est pour cette raison que j'ai fait parcourir à mes hommes le long trajet qui mène de l'Allemagne à ces lieux. Au nom de la Sainte Croix qu'a portée pour nous Notre Seigneur Jésus-Christ.

Ce fut alors au tour de Bouchard de prendre le « comte » dans ses bras.

— Vous m'avez fait honte ! Nous devons pardonner à nos ennemis. Après tout, messire Peire-Roger ne s'est pas contenté de me laisser la vie sauve, il s'est aussi toujours comporté en homme d'honneur.

La cérémonie solennelle de transmission était passée, et Bouchard de Marly laissa libre cours à ses larmes lorsque Peire-Roger lui offrit, en plus du reste, un splendide destrier de la plus noble race, entièrement harnaché du cuir le plus fin, avec une chabraque de velours et de tissu damassé. C'étaient les femmes qui l'avaient réalisée en travaillant la nuit, aux couleurs et au blason des Marly. Les domestiques sanglotaient eux aussi lorsqu'un page descendit la bannière de messire de Cab d'Aret de la plus haute des quatre tours et la tendit à son seigneur.

Peire-Roger était le seul à ne pas manifester la moindre émotion. Il replia le tissu et le fourra dans sa bâtière. Puis il fit signe à ses hommes, et le cortège imposant se mit en route, officiellement en direction de la côte, c'est-à-dire vers l'est. Parmi les femmes se trouvait aussi sa sœur Roxalba, dite Loba la Louve. Le petit animal lança un clin d'œil insolent à Bouchard avant de repartir. Celui-ci, accompagné par le comte Valdemar du Limbourg, quitta Las Tours peu après, en direction opposée.

— Eh bien ! fit le faux comte, satisfait, à Bouchard, rien ne nous empêche plus à présent de prendre le chemin le plus court pour Lavaur. C'est là, je l'ai entendu dire à Béziers, que Simon rassemble son armée pour la prochaine campagne.

Bouchard de Marly le toisa de biais.

— Certainement, mon cher comte. J'aimerais seulement faire un petit crochet pour voir Saissac, qui se trouve tout près de notre chemin.

— Pourquoi pas ? (Le poisson avait mordu à l'hameçon !) À moi aussi, on a cité ce château parmi les étapes sûres de notre trajet, répondit le « comte » d'un air distrait.

Bouchard répondit tout aussi naïvement :

— Je dois avertir la garnison d'un péril qui la menace. On peut craindre qu'une attaque perfide se déroule sous peu. Vous ne sauriez pas, par hasard, qui commande désormais la garde de ce château ?

Cela ne ressemblait pas à un soupçon, et le « comte » fit comme s'il recherchait le nom dans sa mémoire. Bouchard vint à son secours :

— Lorsque j'ai été fait prisonnier, c'était encore d'Hardouin. *Charles-sans-selle* ! Il n'a pas plus de cervelle qu'une vieille haridelle. Et ce que je dis n'est pas gentil pour les chevaux !

Sa remarque parut le réjouir démesurément. Le Chevalier, beaucoup moins, mais il fit contre mauvaise fortune, bon cœur. Il avait déjà rencontré ce Charles d'Hardouin. Seulement il ne se rappelait plus où. En tout cas, à l'époque, ce n'était certainement pas sous les traits du comte Valdemar du Limbourg qu'il s'était présenté. Il restait simplement à espérer que la mémoire du bailli de Saissac ne tenait pas plus en selle que son détenteur.

À Laurence de Belgrave (sans nom d'expéditeur) — par messagers de confiance —

En été, Anno Domini 1211

Ma très chère Laure-Rouge !

Votre subtilité vous permettra certainement de deviner dès les premières lignes de cette lettre quel admirateur infidèle s'adresse de nouveau à vous après une longue période de silence, comme si rien ne s'était passé de très important, mis à part le fait que Lady d'Abreyville a été capturée par les hommes de Charles d'Hardouin, et enfermée au château de Saissac. Cette arrestation impressionne tellement ce brave Charles-sans-selle qu'il lui épargne l'effroyable colère de son seigneur, Simon Le Brut.

Loba s'est échappée ! Il y aurait autrement encore beaucoup à dire sur les caprices de dame Fortune. Outre la faveur de pouvoir m'agenouiller moi-même, en tant que messager, j'aurai ainsi le bonheur de pouvoir enfin me faire reconnaître de Livia, mon amie vénérée, en partant désormais avec le frère de Loba, Peire-Roger, et l'habile Xacbert...

Laurence, pour avoir personnellement vécu certaines situations, avait l'habitude de voir des lettres s'achever de manière abrupte, sans salutations ni signature. Ce Jean du Chesne, le chevalier du Mont-Sion, était vraiment un homme du diable, qui cherchait les aventures les plus périlleuses et les surmontait toujours, comme les coureurs de jupons mènent leurs amours : galants, fugitifs, insaisissables, même pour leurs amis. Il apportait son aide à chaque fois qu'il le pouvait, mais il aurait refusé avec indignation que l'on parle d'abnégation à son propos. *Nec spe, nec metu :* ni espoir, ni crainte, telle était sa devise.

Laurence savait au moins, désormais, où se trouvaient Loba et sa mère, Livia. Lorsque Laure-Rouge avait enfin guéri de sa sévère maladie, à L'Hersmort, les deux femmes avaient ourdi depuis longtemps les plans de nouvelles entreprises. Elles étaient parties sans l'attendre. Plus le temps avait passé, plus Laurence avait du mal à comprendre sa mère. Entre l'inabordable *Mater superior* qui dirigeait avec rigueur son couvent romain, et la faidite passionnée, quelle était la bonne ?

Le cher Lionel, son père, qui avait été très longtemps sa

personne de confiance, son point de repère, passait de plus en plus au second plan. Il lui arrivait aussi, parfois, de l'oublier totalement — elle savait qu'elle refoulait ainsi l'homme qui, en tant que vassal de Montfort, était responsable du naufrage de ce pays qu'elle aimait tant, elle, son Petit Renard.

C'étaient El Bruto et ses sbires qui avaient mutilé le bon Sicard, lâchement assassiné le Trencavel et poussé Alazaïs dans les flammes. Laurence aurait pu gifler son père, d'avoir ainsi pu offrir son cœur à l'une de ces canailles. Aujourd'hui, elle poignarderait froidement Florent de Ville et, avec lui, son répugnant compagnon Alain du Roucy !

Laurence souhaitait le même destin à la face de cheval, Charles d'Hardouin : un couteau planté bien droit sur la pomme d'Adam de son cou trop maigre. Mais elle était sûre que dans son cas, elle ne serait pas la seule à se réjouir. Avec le frère de Loba, la libération de Livia, emprisonnée dans les geôles de Saissac, était entre les meilleures mains. Ce fou de Chevalier n'aurait pu réussir seul cette entreprise, pas plus que cette tête brûlée de Xacbert, ce lion au combat. Mais à trois — quatre, avec la Louve —, ils étaient invincibles. Laurence attendait cette sortie avec une tension nonchalante.

Le château de Saissac veillait sur la plaine de Montréal, et par là même sur la principale artère de l'Occitanie, la route qui menait de sa capitale, Toulouse, à Carcassonne, puis atteignait la mer près de Narbonne. Il trônait, visible de loin, sur un gigantesque cône rocheux avancé, avant même le contrefort latéral des Montagnes Noires. Saissac était un gardien : un château repoussant, qui n'avait rien de la cordialité de Puivert, et qui était aussi plus rigoureux et plus renfermé que l'étrange citadelle des quatre châteaux de Las Tours.

L'accueil que la garnison réserva aux étrangers à la tombée du soir fut en adéquation. On fit brutalement tomber la herse, comme un chevalier rabat sa visière, et l'on prit position derrière les créneaux du gigantesque portail. Messire Charles d'Hardouin, accouru à l'entrée, ne laissa d'abord entrer que deux des chevaliers. Son visage équin s'éclaira lorsqu'il reconnut Bouchard de Marly, et s'assombrit en voyant le Chevalier — mais un bref instant seulement, afin de ne pas laisser son hôte deviner son soupçon.

— Voici mon ami et mon libérateur ! s'exclama Bouchard de Marly. Le comte Valdemar du Limbourg ne m'a pas seulement arraché aux griffes de Peire-Roger de Cab d'Aret. Il m'a aussi donné Las Tours en cadeau.

Le bailli du château s'arracha un « bienvenue » grognon.

— Considérez-vous comme mon invité, ajouta-t-il tout en prenant Marly énergiquement par le bras et en l'attirant dans un coin.

— Ce comte...

Il voulait bien sûr faire part de son mauvais sentiment à son égard. Mais Bouchard ne le laissa pas l'exprimer.

— Je dois vous mettre en garde, Charles ! L'ennemi approche, derrière nous ! Cette nuit même, vraisemblablement, Xacbert de Barbeira tentera de s'emparer de ce château. Et, sauf erreur de ma part, Peire-Roger l'y aidera.

La face de mule était devenue livide. Mais messire Charles fit aussitôt sortir ses incisives proéminentes.

— Il vient chercher sa vieille sorcière, s'exclama-t-il avec rage, celle que je garde pour que l'abbé voie brûler cette maudite Lady d'Abreyville.

Son invité fronça les sourcils.

— Mais êtes-vous réellement en sécurité entre ces murs ? Pas de passage secret ? On peut se fier à vos hommes ?

D'Hardouin ne parvint pas totalement à cacher la peur qui montait en lui : en réalité, il ne connaissait pas les tréfonds du château. Et comment pouvait-il savoir si des faidits ne s'étaient pas glissé parmi ses gardes, essentiellement des gens du cru ? Il tonna tout de même :

— Nous allons réserver à ces deux gueux une réception qui va leur...

— *Nous ?* l'interrompit Bouchard. Si vous faites preuve d'aussi peu de perspicacité, moi-même et le comte aurons quitté depuis longtemps le château lorsque l'épée de ces bandits vous chatouillera le menton. Ils se seront faufilés en pleine nuit par une porte dérobée.

Bouchard de Marly appréciait visiblement de terroriser ce stupide Charles-sans-selle.

— Je préférerai tuer la vieille, je l'étranglerai de mes propres mains.

— Dans ce cas-là, ils ne vous chatouilleront pas longtemps, et vos mains vous tomberont sur les pieds. Par petits bouts, d'abord les doigts, l'un après l'autre, lui expliqua Bouchard. Je n'assisterai malheureusement pas à votre souffrance et à votre mort héroïques. Mais je raconterai volontiers à notre seigneur Simon comment il a perdu Saissac par votre faute.

Charles d'Hardouin prit une petite voix :

— Mais que devons-nous faire ?

Puis, en regardant le Chevalier, il murmura :

— Je n'ai pas confiance en ce comte. Je l'ai déjà vu quelque part. Et il ne portait certainement pas le nom de comte du Limbourg. Je le saurais ! Ce bon Charles a une mémoire de...

— Je ne peux pas attendre que le lion Xacbert s'abatte sur nous parce que vous lui avez volé son épouse. Et parce que vous cherchez des fantômes au lieu de vous mettre en sécurité !

— Et de lui laisser la vieille ? hurla messire Charles.

— Eh bien ! Prenez-la donc avec vous !

Bouchard de Marly perdait patience. Il se détacha du nobliau qui continuait à se lamenter et tentait de le retenir par le bras.

— Non, attendez ! Je viens avec vous ! Je vais la chercher !

— Eh bien, faites vite ! Au galop, monsieur d'Hardouin ! ordonna Bouchard, excédé, en faisant signe au comte Valdemar de le rejoindre.

— Je lui donne le temps d'un Ave Maria, et nous partons, avec ou sans lui.

— Qu'est-ce qui nous retient encore ? demanda le Chevalier un instant plus tard.

— Messire Charles veut faire la route avec nous. En compagnie d'une dame.

— Ah ? fit le Chevalier.

— N'en attendez pas trop, mon ami ! Elle n'est ni jeune, ni jolie.

Cela ne parut pas déranger le « comte ». Il souriait, satisfait.

Le petit cortège quitta Saissac comme une escouade de brigands, en pleine nuit. Le bailli n'avait emmené qu'une poignée de ses hommes : nul ne devait pouvoir lui reprocher d'avoir dépouillé de sa garnison le château qui lui avait été confié. Mais Charles d'Hardouin avait mauvaise conscience tout de même. Il avait laissé les autres sur place en leur faisant croire qu'il s'agissait seulement d'une courte sortie.

— Je prends la tête du convoi, annonça-t-il à Bouchard de Marly. Veuillez quant à vous surveiller la prisonnière, qui avancera au milieu de notre troupe.

Charles s'efforçait de ne pas montrer son angoisse, mais le Chevalier crut entendre ses dents claquer dans le noir.

— Mieux vaut, mon cher, proposa Bouchard, que nous la laissions chevaucher à l'avant. Nous l'aurons ainsi à l'œil.

— Et je pourrai planter ma lame dans les côtes de cette sorcière si l'idée de fuir devait lui passer par la tête ! trompeta le bailli.

Cette idée l'excitait tellement qu'il en cessa un instant de trembler.

Bouchard n'avait aucune sympathie pour cette vieille dame qui se tenait à l'écart, très digne, comme si tout cela ne la concernait pas. Mais le noble n'appréciait pas les épanchements inutiles. Et puis cette femme n'avait vraiment pas l'air d'une sorcière.

— Je marcherai à côté d'elle, proposa-t-il.

— Vous restez à côté de moi ! ordonna-t-il dans une sorte de râle, tant il tenait à avoir la protection de Marly. Le comte du Limbourg pourrait peut-être occuper l'avant-garde ?

Il ne s'était pas adressé directement au « comte », dont la vue le gênait, mais à Bouchard.

— Si ces messieurs me font confiance à moi, l'étranger, pour trouver un chemin dans la pénombre, fit le Chevalier.

— Mais certainement, noble ami, confirma Bouchard. Lorsqu'on a parcouru le chemin qui a été le vôtre, on conquerrait toute l'Occitanie plutôt que de se perdre dans la forêt de Montgey.

— Il s'agit du pire repaire de brigands sur la route de Lavaur ! hennit Charles-sans-selle. Les faidits et autres vermines y grouillent !

— Là aussi, nous nous en sortirons, le consola Bouchard de Marly. Et maintenant, messires, en route !

Le Chevalier avait saisi les rênes du cheval qui portait Livia et l'entraîna avec lui vers l'avant. Il évita de la regarder, et elle ne montra pas qu'elle avait reconnu le Chevalier. Ses mains étaient liées. À côté de son cheval couraient les soldats qui devaient la surveiller.

Ils traversèrent la forêt montagneuse : ils avaient encore les Montagnes Noires à leur droite, et messire Charles ne voulut pas non plus descendre dans la plaine, comme il le faisait savoir par messagers à son avant-garde, à chaque bifurcation. Il s'y trouvait en effet encore quelques villes sur lesquelles un valet de Montfort ne pouvait certainement pas compter.

Le bailli s'efforça de garder l'œil sur la tête du cortège, pour autant que la pâle lueur de la lune le lui permettait.

— Nous devrions nous débarrasser de ce faux comte au cours de la nuit, proposa-t-il à son voisin. Abattu pendant une tentative de fuite !

Bouchard secoua la tête. Ce n'était même pas de l'étonnement, mais une profonde compassion qui se lisait dans son regard.

— Avez-vous donc mangé des champignons dangereux, pour prononcer si folles paroles ?

Le bailli ne se laissa pas impressionner.

— Les arbalétriers sont déjà prêts. Et ce lascar va tenter de s'enfuir ! lança messire Charles, triomphal. Je vais partir au galop et crier : « Vous êtes démasqué, misérable traître ! » Il va être épouvantablement effrayé, va tenter de s'enfuir et tomber de son cheval, percé par les flèches et les lances.

— Et si vous vous trompez, mon cher Charles, vous aurez abattu un allié de notre seigneur Simon, venu à son secours depuis la lointaine Lorraine. Par ailleurs, la plupart des arbalétriers qui nous accompagnent sont *ses* hommes.

— Je ne dois donc pas ? demanda-t-il d'une petite voix.

Le bailli vit alors une ombre noire s'approcher en volant depuis le branchage des arbres majestueux. Un grand oiseau arracha la prisonnière à son cheval et remonta avec elle dans les branches des sapins. Le cheval du comte du Limbourg fit un grand bond en avant.

— Trahison ! cria de derrière Charles-sans-selle. Frappez ! Abattez-la ! Tirez !

Le reste de ses ordres, criés d'une voix de fausset, se perdit dans les jurons de son entourage. Un gigantesque filet leur était tombé dessus dès que la prisonnière avait été enlevée. Ils y étaient désormais empêtrés.

Bouchard de Marly fut le seul à garder la maîtrise de la situation. Il se fraya un chemin jusqu'au bord de cette toile aux grosses mailles et en sortit, tandis que le bailli continuait à donner des coups d'épée dans les mailles. Son arme lui fut cependant bientôt arrachée. Bouchard vit seulement que, à l'avant, le comte avait forcé son cheval à reculer, et hurlait aux soldats :

— Plus un geste ! (Les soldats, effrayés, cessèrent leurs gesticulations.) Et maintenant, ordonna le comte Valdemar du Limbourg, soulevez le filet ! Et sortez un par un !

Tandis que Bouchard de Marly se demandait encore si l'intervention de son ami signifiait l'arrestation téméraire de toute l'escorte venue de Saissac ou sa libération, messire Charles s'était libéré des dernières mailles qui le gênaient. D'un regard, il constata que le comte ne s'était pas enfui, et il plaça toute sa confiance en cet homme courageux.

— Comte Valdemar ! lui cria-t-il. Ne laissez pas cette créature s'échapper ! Je vous le demande ! Poursuivez la sorcière !

Le comte éperonna encore une fois son cheval et bondit hardiment dans le sapin, dont les branches se refermèrent derrière lui. Ensuite, un craquement terrifiant et un roulement de tonnerre emplirent la forêt. Des blocs de roche dévalèrent la montagne, des pierres éventrèrent la forêt ; ceux qui étaient encore empêtrés dans le filet furent tous pris au piège.

Bouchard tira le bailli avec lui derrière un gros tronc d'arbre et laissa l'avalanche rocheuse passer devant lui.

— Pour moi, expliqua Bouchard à Charles d'Hardouin qui tremblait de peur, c'est le comte qui a ourdi cette habile libération.

Il passa sous silence le fait qu'il soupçonnait aussi son ami et libérateur d'avoir fait sortir à temps ses propres hommes du filet mortel. La cascade de pierres avait cessé, mais on entendait encore partout les gémissements et les plaintes des blessés, toujours coincés sous les masses rocheuses. D'autres étaient totalement ensevelis ou écrasés.

— Nous devrions peut-être le tuer tout de même, suggéra Bouchard. Dans le cas où il reviendrait...

— Si vous êtes tellement persuadé qu'il s'agit d'un traître, geignit Charles, toujours adossé à son tronc d'arbre, faites-le donc venir avec nous à Lavaur. Là-bas, Simon décidera...

— Pour que vous ne soyez pas contraint de vous présenter devant lui les mains vides, messire Charles ! se moqua Bouchard en tournant les talons.

— Ma connaissance de l'humanité ne me trompe jamais : voilà le comte qui revient !

Charles courut à sa rencontre.

— L'avez-vous eue ?

Le comte, sans un mot, désigna son épée ensanglantée.

— Et où est-elle ? demanda Bouchard de Marly, qui les avait rejoints et s'efforçait de ne pas laisser transparaître la moindre once de suspicion dans sa voix.

— Ma lame a touché la vieille à l'épaule. Elle a été précipitée dans la ravine.

— Pour un étranger, vous connaissez extrêmement bien cette région ! remarqua Bouchard, d'un ton qui pouvait ressembler à une marque d'admiration et de louanges.

Mais le comte était sur ses gardes :

— Nous autres Allemands, nous avons coutume de bien préparer nos pèlerinages et de nous renseigner en arrivant sur les lieux. À présent, conclut-il, en route pour Lavaur ! Nous avons perdu un temps précieux !

Ni la mère de Laurence, la Lady d'Abreyville, ni Loba n'étaient revenues à L'Hersmort lorsqu'une nouvelle missive du Chevalier y arriva. Personne n'avait vu le messager. Un matin, Belkacem, qui partageait avec le vieux gardien des lieux une chambre située juste à côté du portail, trouva simplement le pli sur son lit.

Mort par les flammes et adoubement

À Laurence de Belgrave, sur L'Hersmort
(Sans nom d'expéditeur)

Dans la forêt de Montgey

Vénérée, désirée, inabordable Laure-Rouge !
Je suppose au moins que vous êtes de nouveau parmi les

vivants — à moins que vous n'ayez encore défié la Grande Fau-
cheuse en vous habillant d'une manière totalement décalée par
rapport à cette saison humide et froide. Je ne peux vous adresser
plus que des salutations hâtives de Na'Livia, nous n'avons pas
vraiment eu le temps de bavarder, mais elle est saine et sauve, et
a retrouvé notre petite Louve — ou peut-être aussi votre Lion ?

Après votre « perte », que Charles-sans-selle a amèrement
regrettée, j'ai poursuivi mon long chemin avec ce héros et le che-
valier Bouchard de Marly. Circonstance piquante, notre troupe
était presque exclusivement composée de mes Allemands et des
hommes de Peire-Roger de Las Tours, mon allié : car il n'y avait
presque aucun survivant parmi les hommes de la garnison fran-
çaise du fameux bailli. Je pourrais donc faire prisonniers ces sei-
gneurs à n'importe quel moment. Malheureusement, j'en ai
besoin. J'ai appris de sources sûres que Raoul, le fils d'Alazais —
et le mien, vous le savez depuis longtemps —, s'est justement
rendu à Lavaur. Il me fuit, car il me hait — comme si j'étais
responsable de la mort de sa mère dans les flammes ! À Lavaur,
il connaît une bonne amie d'Alazais, Na'Giralda de Laurac, la
châtelaine. Il lui a peut-être échappé qu'elle aussi est une parfai-
te ; car ce sont les cathares, et non, par exemple, Simon Le Brut,
qui constituent aux yeux de ce gamin par ailleurs éveillé la cause
et l'origine de tout le malheur.

Raoul est sans doute passé chez vous, à L'Hersmort, il a
même dû y dormir dans sa marche en rase campagne. Dommage
que vous n'ayez pu l'y retenir ! C'est le motif pour lequel je me
rends à Lavaur, droit en enfer, si je songe au sort que Simon Le
Brut a réservé à ces lieux. Vu par Dieu, notre Seigneur, mon
attitude doit être extrêmement déconcertante. Mais pour ma
chance vacillante, Charles-sans-selle m'accorde désormais son
amitié chevaline, tandis que mon ami Bouchard de Marly m'ob-
serve avec une profonde méfiance depuis cet incident nocturne
dans la forêt de Montgey. Je dois aller chercher Raoul à Lavaur
et l'en faire sortir avant que...

Dès son arrivée à Lavaur, Bouchard de Marly se fit confirmer
par Simon le document attestant l'acquisition légale de Las Tours.
Montfort sembla même heureux non seulement d'être débarrassé
de la menace constante qui pesait sur « son » Carcassonne, mais
aussi de savoir son château entre les mains du fidèle Bouchard, et

non du duc de Bourgogne, un homme peu commode. Il céda donc sans détour au vœu du chevalier : décréter par écrit une amnistie en faveur de l'ancien propriétaire, Peire-Roger de Cab d'Aret — qui était tout de même jusqu'alors l'un de ses pires ennemis —, et lui offrir, en petite consolation, l'un des domaines qu'il avait dans son butin, près de Béziers.

À cette occasion, Bouchard présenta aussi à Montfort le comte Valdemar du Limbourg, son libérateur. Charles d'Hardouin était aussi présent, et fut certainement soulagé en constatant que ni le comte ni Bouchard ne racontèrent l'histoire de Na'Livia, d'abord capturée, puis de nouveau libérée.

Charles-sans-selle fit cependant triste mine lorsque Montfort lui demanda ce qu'il faisait ici et lui reprocha d'avoir abandonné sans nécessité son poste à Saissac. Il fit presque de la peine au Chevalier. Mais ce dernier s'intéressait surtout à Simon le Brut, devant lequel il se retrouvait enfin *in personam*.

Simon de Montfort, comte de Leicester, et désormais vicomte de Béziers et de Carcassonne, était un personnage d'une grande sobriété. Un campagnard grossier, avec le caractère d'un molosse. Il renvoya en grognant Charles vers Saissac — la malheureuse face de mule pouvait en outre s'attendre à ne pas retrouver les lieux dans l'état où il les avait quittés aussi vite que possible.

La comtesse Alix, épouse de Montfort, était en revanche une dame charmante ; l'œil exercé du chevalier reconnut aussitôt l'énergie qu'elle recelait. Elle serra cordialement le comte dans ses bras, se mit aussitôt à tisser des conjectures sur leur degré de parenté, « mon cher cousin ! ». Le comte Valdemar du Limbourg se sortit élégamment du nœud coulant en indiquant avec modestie qu'il ne descendait pas de la lignée des ducs, mais d'une lignée secondaire et négligeable, ce qui atténua aussitôt l'intérêt que lui portait Alix.

Montfort considérait de toute façon que l'arrivée du faux comte était toute naturelle : il attendait depuis longtemps des renforts de Lorraine et de Frise.

Bouchard de Marly accompagna le « comte » devant la tente.

— Mon cher comte, lui dit-il à voix basse, je vous dois ma gratitude, et je tiendrai parole. Mais n'espérez pas une amnistie s'il s'avérait que vous n'êtes pas celui que vous prétendez être. Las Tours n'a pu être pardonné qu'une seule fois.

— Je pourrais prendre ma revanche en récupérant Saissac, plaisanta le faux comte en riant.

— Vous êtes un incorrigible joueur, quel que soit votre nom ! Le Chevalier saisit l'occasion.

— Dans cette ville que nous encerclons, lui confia-t-il, se trouve mon fils unique, un jeune homme dans l'âge difficile de quinze printemps...

— Vous pouvez compter sur moi ! l'interrompit Bouchard avec sa spontanéité habituelle. Et son offre était sincère.

— Si je parviens à en sortir sain et sauf ce gamin récalcitrant, Bouchard de Marly, vous ne me devrez plus rien. C'est moi, au contraire, qui serai votre débiteur...

Une fois encore, Bouchard lui coupa la parole en lui donnant rapidement l'accolade :

— Pardonnez et oubliez les rudes paroles que je viens de prononcer. Nous sommes tous des pécheurs et nous n'avons strictement rien à nous pardonner. Je vous en prie, demeurons amis, jusqu'à la fin de nos jours.

Il serra encore une fois fermement le faux comte sur sa poitrine, et s'en alla.

Dans le camp, le Chevalier entendit dire que le comte Raymond de Toulouse venait d'abandonner la croisade avec tous ses hommes. Cela ouvrit une brèche dans l'anneau d'encerclement. Aimery, qui guettait depuis des jours dans la forêt, ne s'y attendait pas. Mais cela répondait fort bien à ses plans, et le seigneur de Montréal en profita pour entrer dans la ville avec quatre-vingts chevaliers.

Aimery était le frère naturel de cette Na'Giralda, veuve Guiraude de Laurac, dont l'époux était mort en défendant Carcassonne. Pour Aimery, courir à l'aide de sa sœur était tout naturel — même si cela l'entraînait à s'opposer une fois de plus à Montfort. Tout alla si vite que le Chevalier rata l'occasion d'entrer en même temps qu'Aimery dans Lavaur assiégé, et de s'assurer de la présence de Raoul, qu'il supposait auprès de Na'Giralda. Il restait juste à espérer que le garçon ne commettrait pas d'actes absurdes lors de la prise de la ville. Car la fureur de Montfort avait été considérable lorsqu'il avait appris les derniers développements. Le comportement d'Aimery lui apparaissait comme une trahison particulièrement scélérate. Le Chevalier eut vent de cette menace supplémentaire par Bouchard, qui lui avait proposé de se battre près de lui, afin que celui-ci puisse lui montrer son fils perdu, s'ils le découvraient à temps.

De la ville de Toulouse, et sous la direction de leur évêque, Foulques, arrivèrent cinq mille bourgeois qui n'approuvaient pas le revirement de leur comte, Raymond — ou qui ne parvenaient pas à le comprendre. Ils se donnaient le nom de « Confrérie blanche » et réclamaient de pouvoir combler la brèche que le comte avait ouverte dans le dispositif en quittant la croisade. Ensuite débuta le bombardement de Lavaur : toutes les catapultes mises en position autour de la ville entrèrent en action en même temps.

Mais cette opération n'eut pas de résultat. La distance était trop grande pour les lourdes catapultes. Montfort essaya de construire deux gigantesques beffrois — des tours mobiles aussi hautes que les mâchicoulis des murailles. Peut-être quelqu'un lui avait-il rappelé que le maître du château, voyant une croix chrétienne, s'était jadis exclamé : « Je ne voudrai jamais être sauvé sous ce signe-là ! » En tout cas, messire Simon fit clouer un crucifix au sommet de l'une des tours, signe de sa foi en Dieu. Les arbalétriers des défenseurs visèrent immédiatement l'effigie du Sauveur. Lorsque le crucifix éclata et que la figurine de Jésus-Christ tomba dans les douves, les tireurs jubilèrent. Montfort, auquel on rapporta aussitôt l'incident, jura une effroyable vengeance.

À deux reprises, les chevaliers téméraires que dirigeait Aimery de Montréal étaient presque parvenus à se faufiler la nuit jusqu'aux beffrois, qu'ils comptaient mettre en flammes. Mais ils furent découverts. Pendant ce temps-là, les artisans de Lavaur, qui avaient une longue expérience dans les travaux miniers, avaient creusé plusieurs galeries souterraines et, telles des taupes, avaient avancé jusqu'en dessous des lourdes tours. Les deux beffrois piquèrent en avant, l'un d'eux se coucha avec toute sa brigade. Montfort écumait ; il n'ordonna cependant pas l'assaut attendu pour provoquer une décision rapide, qui entraînait presque toujours des pertes sévères parmi les attaquants. Il voulait attendre les renforts qui devaient arriver d'Allemagne depuis des jours. Une avant-garde de trois hommes s'était présentée au camp pour annoncer leur arrivée. On avait failli confier au comte du Limbourg la charge d'interroger plus précisément les Lorrains. Mais c'était Bouchard qui s'en était finalement occupé. Il parlait passablement l'allemand, à la surprise du Chevalier.

Lors de cet interrogatoire, les assiégeants apprirent en tout cas que le gros des troupes avait été dirigé par un chevalier prétendument envoyé par messire Simon sur cette route qui traversait la forêt de Montgey — et qui n'était pas du tout le chemin le plus court ! Cela éveilla la suspicion de Bouchard. La description de ce noble qui leur avait indiqué le chemin et qui était escorté d'une bonne escouade de superbes chevaliers correspondait trait pour trait à Aimery de Montréal ! Celui-ci n'avait choisi que trois des meilleurs cavaliers et les avaient ensuite conduits à Lavaur : la troupe, presque uniquement des fantassins, avançait trop lentement pour lui.

Messire Simon soupçonna alors lui aussi un mauvais coup. Il suspendit le siège et envoya immédiatement Bouchard dans cette forêt tristement célèbre. Le « comte » préféra rester dans le camp, il ne tenait pas à rencontrer des Allemands — pour autant qu'il restait des survivants.

Simon, en grinçant des dents, fit mettre à l'abri les deux beffrois, ce qui provoqua de nouvelles pertes. L'une des rares personnes à oser s'adresser au chef de guerre furibond fut l'évêque de Toulouse. Foulques proposa d'utiliser les galeries creusées par les défenseurs, de les bourrer de bois et de feuilles humides, et d'enfumer les taupes. On parviendrait peut-être même à faire effondrer les murs de la ville qui se dressaient au-dessus. Simon le laissa faire.

Au bout de quatre jours, Bouchard était de retour. Ses pires craintes s'étaient avérées. Après un bref rapport à Simon, c'est au comte du Limbourg, et en tête à tête, qu'il raconta ce qu'il avait vu.

— Cinq mille Allemands, recrutés dans la région du Rhin et sur la côte de la Baltique, étaient en marche vers Lavaur. Ils coupaient tout droit dans la sombre forêt de Montgey, parce qu'un noble chevalier leur avait indiqué ce chemin. Il les quitta très tôt parce que quelques-uns traînaient épouvantablement et tentaient de chasser — mais c'était surtout, sans doute, parce qu'ils chantaient tous très faux et très fort. Au milieu de la forêt, le comte de Foix leur avait tendu une embuscade. Palatins ou Frisons, pèlerins ou prêtres, ils ont été tirés comme des lapins, traqués comme des renards, car le vieux comte a lâché ses meutes de chiens sur eux. Ses *picadores* les ont embrochés comme des sangliers. Ce fut ensuite au tour de ses chevaliers : Ramon-Drut, l'infant, en tête, ils chargèrent et abattirent tous ceux qui avaient survécu aux premières vagues du massacre et cherchaient un salut dans la fuite. Pour ces faidits, ce dut être une fête. Je n'avais jamais vu tant de crânes fendus, de membres coupés, de corps ouverts en une seule fois. Les villageois des environs achevèrent le travail. Ils étaient accourus par légions, ils dépouillèrent les cadavres, pillèrent les blessés, qu'ils aidèrent, à coup de massue, à oublier leurs souffrances, et tranchèrent la gorge aux autres. Écœuré, j'ai ordonné à mes hommes de chasser cette racaille, conclut Bouchard de Marly, de suspendre à la branche la plus proche tous ceux qu'ils pouvaient attraper et d'incendier les villages voisins, avant de se retirer au plus vite de cette sinistre contrée.

Ni le chagrin, ni la colère, ni les autres déceptions ne retinrent Montfort de livrer alors l'assaut à la ville récalcitrante, avec une violence inattendue. L'évêque fit allumer son « encens » dans les galeries, ses pieux compagnons de lutte de Toulouse entonnèrent l'hymne des croisés. Dans le feu, la fumée et le fracas des blocs de pierre, les murailles s'effondrèrent.

« *Veni creator spiritus !* » C'est avec ce hurlement que les assaillants s'engouffrèrent dans la brèche ainsi ouverte et se déversèrent dans la ville. Simon fit d'abord poursuivre et capturer les défenseurs. Lorsque tous les hommes furent rassemblés, on tria et on ligota les chevaliers. Quelques braves bourgeois se faufilèrent parmi les nobles, dont on savait qu'une rançon permettrait de racheter la liberté.

À leur grand effroi, les autres virent Simon le Brut élever une gigantesque potence avec le bois de leurs catapultes. On amena devant lui Aimery de Montréal. On l'accusait de haute trahison — Montréal était le vassal de Simon, et il s'était dressé à deux reprises contre son maître. « Mort par pendaison ! » : tel fut le verdict, non seulement pour lui-même, mais pour tous ceux qui l'avaient suivi. Aimery fut le premier conduit au gibet. Alors, un gamin sortit de la foule silencieuse, se précipita vers lui et s'agrippa à ses jambes.

— Vous ne pouvez pas faire cela, Aimery ! glapit-il sous les coups des gardiens.

Le Chevalier était comme pétrifié, incapable de prononcer le moindre mot ni de faire un geste.

— Je ne te quitte pas, je veux mourir avec toi ! criait Raoul.

Mais Bouchard l'avait déjà rejoint, et l'avait arraché aux gardes en lui donnant un coup de poing sur la bouche. Il lui en assena un second sur le menton, et Raoul, ensanglanté, lui tomba dans les bras. Puis il l'emmena loin de ces scènes sinistres.

« Ce gamin m'appartient ! » avait-il crié à Montfort, qui le laissa faire. Mais Bouchard avait adressé au Chevalier un regard qui signifiait : « Ne bouge pas, je m'en occupe ! » Raoul était donc sauvé. Son père avait les genoux tremblants. Comme en rêve, enveloppé de volutes de fumée, fouetté par les criaillements de la plèbe, les pleurs des femmes, les gémissements des mourants et de leurs bourreaux, l'odeur mordante et terne de la mort, du sacrifice sanglant, le Chevalier vit la potence s'effondrer dès que l'on y eut pendu Aimery et les premiers de ses fidèles. Les images devinrent floues, les bruits se mélangèrent, décoction de plaintes, de halètements, de grognements, assaisonnées d'ordres aboyés et de jurons.

Simon perdit patience et fit étrangler ou poignarder le reste des prisonniers. Toute la garnison fut passée au fil de l'épée. Ce fut ensuite le tour des femmes. El Bruto laissa à la plèbe le soin de désigner à ses soldats les hérétiques parmi les bourgeois. Les cathares, sans résister, se laissèrent regrouper dans un coin de la place. Les ruines de la potence étaient encore utilisables comme bois pour le bûcher. Lorsque ses flammes s'élevèrent vers le ciel, les purs, femmes en tête, marchèrent la tête haute et se jetèrent dans le brasier.

Na'Giralda dispensait à chacun courage et consolation. La fière attitude de la châtelaine mit l'évêque en rage : il s'estimait privé de son triomphe. Ces femmes devaient trembler de peur, et elles lui souriaient ! Il allait gâcher à cette bonne femme son saut dans le doux paradis ! Il la livra à la populace. Guiraude de Laurac fut ainsi lapidée. Comme elle respirait encore, on la tira vers la fontaine, on l'y plongea tête la première et on lui lança des pierres jusqu'à ce que ses gémissements prennent fin.

La nouvelle des événements survenus à Lavaur se répandit dans le pays comme une traînée de poudre — on fit d'ailleurs en sorte qu'il en soit ainsi. Ces informations n'étaient pas faites pour permettre à Laurence de surmonter la profonde dépression dans laquelle elle avait sombré depuis sa lente guérison. Désormais, Aimery était mort, lui aussi. Laurence ne parvenait plus à effacer de son esprit les images que lui avaient décrites les témoins. Elle se tourmentait en se demandant comment elle se serait comportée, elle, si elle avait été l'un des quatre-vingts chevaliers, tous bien équipés, armés et éprouvés au combat. Pourquoi aucun d'entre eux ne s'était-il rebellé, défendu, pourquoi n'avaient-ils pas au moins vendu chèrement leur peau, entraîné avec eux dans la mort autant d'ennemis que possible, pourquoi ne s'étaient-ils pas battus jusqu'à leur dernier souffle ? « Ils tenaient tellement à la vie qu'ils y sont restés pendus », avait répondu le Chevalier.

Au début de l'été, Lady d'Abreyville, *alias* Livia di Septimsoliis, revint à L'Hersmort. Étrangement, son apparition donna de nouvelles forces à sa fille toujours souffrante. La vieille femme avait bruni, elle semblait vouloir constamment rajeunir. Livia n'était certes faite que de peau et d'os, mais elle était solide et la soif d'action la faisait vibrer comme une arbalète tendue.

Et puis elle avait trouvé de l'argent — sa part du butin, comme elle l'expliqua laconiquement à Laurence. Elle s'était adjoint une troupe de *routiers*, tous des Burgondes germanophones. Fait piquant, c'était à Saissac qu'elle les avait trouvés, où ces étrangers s'étaient repliés après être arrivés à Las Tours et n'y avoir trouvé personne. Ils avaient été envoyés en éclaireurs par leur duc, qui se considérait déjà comme le futur occupant des quatre tours. Livia avait témoigné sa reconnaissance pour sa libération en revenant à Saissac avec Peire-Roger : elle avait pris les gardes de la tour par surprise et lui avait remis les clefs de la forteresse.

Ils s'étaient répartis la cassette de guerre de Charles-sans-selle, absent du château. La *Mater superior* prit à son service la bonne douzaine de jeunes Burgondes. Cette dame consciente de son rang et de sa charge leur fit tailler des habits neufs : elles portaient désormais sur la poitrine les insignes pontificaux, des clefs croisées. Celles-ci ornaient aussi les litières dans lesquelles les soldats escortaient leur nouvelle maîtresse et le bahut chargé de pièces à travers le pays ravagé. Lorsqu'ils furent arrivés à L'Hersmort, le vieux sergent du Temple qui avait jusqu'ici constitué avec Belkacem la « garnison » du château les répartit sur les murs et le portail.

Belkacem se débarrassa de la cuirasse avec laquelle il montait la garde, remit son pantalon bouffant et rejoignit son logement, au sommet du minaret, où nul ne pouvait plus l'importuner. Le seul qui lui rendait visite là-haut était le petit Titus, dont nul ne s'occupait vraiment. Le gamin n'avait pas encore six ans, c'était un enfant laid, renfermé et méchant. Loba n'était toujours pas revenue au château. Livia savait juste que la Louve était restée auprès de son frère Peire-Roger et parcourait avec lui les contrées dont les Cab d'Aret avaient jadis été les seigneurs. Elle possédait tout de même encore le château de Roquefixade, son nid d'aigle situé entre Foix et Montségur, dans le Plantaurel, une région où Montfort ne s'était pas hasardé jusqu'ici.

Le nouveau vicomte de Carcassonne et de Béziers visait un autre objectif, plus élevé. Tous ses actes et méfaits précédents n'avaient été que des étapes vers l'objectif dont il rêvait depuis longtemps, et qu'il préparait désormais : la prise de Toulouse. Simon avait rassemblé une armée puissante et lança sa marche sur la capitale.

Les Toulousains envoyèrent aussitôt une délégation auprès des légats, et se plaignirent énergiquement : ils s'étaient réconciliés avec l'Église, l'interdit avait été levé. Les envoyés du pape leur garantirent que les mesures prises n'étaient pas du tout dirigées contre eux, les bourgeois de la ville, mais uniquement contre le comte. La seule chose qu'on pouvait leur reprocher était d'avoir accordé l'asile à l'excommunié. S'ils l'abandonnaient et en choisissaient un autre comme chef, la ville ne serait pas attaquée. Mais la menace ne se fit pas attendre : « Dans le cas contraire », expliquèrent les légats, « c'est-à-dire en cas de refus, on vous traitera tous comme des hérétiques ! » Les représentants de Toulouse rejetèrent cette offre avec indignation, et revinrent en ville avec cette nouvelle.

Livia fit à sa fille et à Sicard un rapport sur la situation. On comprit peu à peu que la *Mater superior* n'avait pas appris cette histoire de seconde main, mais qu'elle revenait tout droit de Toulouse menacée pour rentrer à L'Hersmort.

— Au bout du compte, expliqua-t-elle, les catholiques oublièrent leurs différends avec les cathares, et l'on décida de se battre au coude à coude pour défendre Toulouse contre les mercenaires au service de la Croix. Le comte Raymond l'Ancien appela en outre à l'aide ses vassaux de Foix et de Comminges. De la lointaine Agen accourut aussi son beau-fils, qui y occupe la fonction de sénéchal, et qui arriva avec des renforts. Près de Muret, au sud de Toulouse, poursuivit Livia, j'ai rencontré le Chevalier. Il attendait les homme de Foix pour les faire entrer dans la ville avant Simon, qui arrivait par le nord-est. En voyant mes « soldats à clefs », ce lascar m'a proposé une plaisanterie tout à fait dans ma manière. Je devais demander à entrer dans Toulouse comme légat pontifical, pénétrer dans la première église venue et annoncer au peuple que l'interdit était levé. Cela attiserait puissamment l'ardeur des défenseurs ! Notre cher Chevalier insista pour que je m'équipe d'un précieux *sanctissimum sacramentum* qu'il voulait « emprunter » je ne sais où. J'ai refusé pareil sacrilège, mais je me suis aussitôt mise en route. Ma parole devrait suffire.

» Entre-temps, cependant, Simon le Brut avait déjà lancé son attaque. Elle fut repoussée, mais je ne pus m'approcher des murs, surtout pas dans la tenue que j'avais choisie. On me tira immédiatement dessus, puis les bourgeois entreprirent une sortie audacieuse, et il me fallut décamper avec ma litière. Depuis une colline, je vis le camp de Montfort pris d'assaut par l'infant Ramon-Drut de Foix. Je suis certaine que, cette fois, Montfort va se casser les dents, conclut la dame énergique.

— Je le lui souhaite ! ajouta Sicard.

— Lorsque je serai devenu abbé, le contredit Titus, je découperai les hérétiques en petits morceaux et je les brûlerai !

Le brave Sicard resta détendu et n'ôta même pas son masque pour effrayer le gamin avec son moignon de nez. Depuis son retour à L'Hersmort, personne n'avait jamais vu messire de Payra sans son masque protecteur. Ne pas montrer sa mutilation n'était pas seulement un égard pour son entourage : c'était devenu sa fierté.

Sicard passait la plus grande partie de son temps à entretenir son « oasis », le jardin orné de mosaïques qui se trouvait dans la cour du château. Lorsque Laurence avait été malade, c'est lui qui avait passé des nuits à son chevet, en lui faisant boire des décoctions brûlantes de feuilles, de fleurs et de racines. Dès qu'elle fut remise, il lui fit de nouveau la cour, lui lut des poèmes soufis ou lui raconta des histoires de la Terre sainte, où il n'avait jamais été.

La corne du minaret lança l'avertissement. Le jeune lieutenant des Burgondes fit rouler son tambour, les routiers occupèrent les murailles, la herse retomba avec un bruit strident dans sa fente de pierre, tandis que les chaînes soulevaient en grinçant un pont-levis qui n'avait plus été actionné depuis des années et qui se referma dans un bruit sourd contre l'arcade de la porte. Un convoi de cavaliers inconnus galopait vers L'Hersmort en formation serrée. Au-dessus d'eux battait le drapeau rouge sang à la croix jaune, signe des hordes de Montfort.

Laurence était immédiatement montée sur la haute fenêtre de la tour. Collée au mur, elle s'efforçait de se faire une idée de ce qui se déroulait devant elle, en veillant à ne pas servir de cible pour les flèches. Sa mère, Livia, l'imita ; de son côté, elle avait une meilleure vue sur la tour au pont relevé qui repoussait tout assaillant : le fossé en forme de crevasse creusé dans la roche était infranchissable, même pour des hommes à cheval. L'œil de Livia se porta sur l'homme trapu qui dirigeait les soldats. Elle ne l'avait vu qu'une fois, pendant cette nuit de Saissac, mais cela ne pouvait pas en être un autre. La silhouette s'était gravée en profondeur dans son souvenir. Un jeune homme, presque un gamin encore, et sans armes, se détacha du lot et approcha du chevalier qui lui tendit la main en relevant sa visière. C'était Bouchard de Marly !

Mais Laurence, face à elle, cria :

— C'est Raoul ! et fit signe au sergent qui gardait la herse de le laisser entrer immédiatement. C'est le fils d'Alazais ! tenta-t-elle d'expliquer à sa mère, car les Burgondes ne bougeaient pas et attendaient un signe de la femme qu'ils reconnaissaient pour seule maîtresse.

Livia sourit.

— L'enfant du grand amour du Chevalier. Un bâtard, comme toi !

Laurence, indignée, s'apprêtait à protester ; mais la vieille femme l'avait déjà saisie et la serrait dans ses bras nerveux.

— Ma Laure-Rouge ! Ma fille tellement aimée ! gronda-t-elle tendrement. L'unique faux pas de ta mère pécheresse, et Dieu l'a récompensé !

— *Mater superior !* fit Laurence en s'inclinant devant sa mère. Je vous en prie, faites ouvrir la porte.

Elles revinrent toutes deux à la fenêtre. En bas, Bouchard de Marly agitait un petit mouchoir vers les dames, comme s'il allait chevaucher en tournoi. Cela plut à Laurence, d'autant plus que cela correspondait exactement au tableau qu'on lui avait brossé de lui : un homme courageux et honorable. Elle répondit d'un signe, et s'aperçut que sa mère faisait de même. Elles se mirent à rire toutes les deux.

Raoul avait quinze ans à présent, et ce n'était certainement plus un enfant, après tout ce qu'il avait vécu. C'était un garçon raffiné, souvent plongé dans ses méditations, beaucoup plus sensible que Laurence, qui avait la peau dure et le tempérament ensoleillé d'une *pessimista feliz*. Ce garçon poussé en longueur avait une mauvaise posture — il était le plus souvent penché au-dessus d'un livre. Mais c'était aussi une vraie tête de lard, rancunier, et qui ne revenait pas sur ses opinions une fois qu'elles avaient été formées. Il ne parlait pas de la tristesse que lui inspirait la mort de sa mère ou de son ami Aimery, mais s'exprimait d'autant plus sur le fait qu'ils avaient été responsables de leur fin violente. Il leur reprochait d'avoir enduré la mort pour leur foi et leur patrie : Raoul ne reconnaissait pas ce genre de valeurs. Il était sur ce point le bon fils de son père, qu'il détestait cependant et dont il avait, pour le reste, bien peu hérité, physique mis à part. Il voyait en lui l'incarnation du démiurge, de Lucifer, qui portait dans le monde la lumière de la libre décision, le flambeau scintillant de la séduction, et qui vivait sans aucun lien, sans avoir de comptes à rendre à nul autre que lui-même. Raoul était donc bien sûr opposé au catharisme, cette hérésie à laquelle ils avaient tous succombé, qu'il avait aimée ou, sans se l'avouer, qu'il aurait apprécié d'aimer.

Laurence avait eu le projet d'impliquer ce gamin inventif, dont elle avait eu à connaître la perspicacité et la témérité, dans l'activité qu'elle songeait à présent à reprendre avec la *Mater superior* : recueillir des enfants orphelins. C'est Livia qui l'en dissuada vivement. L'attitude négative de Raoul n'était nullement compensée par son ingéniosité, il demeurait imprévisible et pouvait à tout moment devenir sinon un traître, du moins un péril pour une entreprise de ce type. Laquelle était déjà bien assez dangereuse !

En secret — elles n'avaient prévenu que Sicard —, la mère et la fille quittèrent le château de L'Hersmort au petit matin, et chevauchèrent vers le nord, en remontant le lit du bras mort de l'Hers.

Sicard avait entendu dire que, après la défaite essuyée à Toulouse, Simon le Brut dévastait le comté, anéantissait les récoltes et veillait surtout à « nettoyer » la route de Carcassonne, pour avoir le terrain libre lorsqu'il s'efforcerait de nouveau de conquérir la capitale, et garantir l'arrivée des renforts. Il ouvrit ainsi une vaste trouée de terreur, incendia les villages, abattit le bétail et chassa la population des deux côtés de la « voie royale », comme il appelait déjà, en particulier, cette route ouverte à son armée.

La petite ville de Cassés avait eu le malheur de se trouver à portée de cette voie, au nord, même si elle ne la touchait pas immédiatement. Même le clergé catholique avait demandé que l'on épargne cette montagne. La seule chose qu'accepta El Bruto fut que l'on y sélectionne soixante cathares qu'il jeta aux flammes sur-le-champ, avec l'ensemble de la ville dont on avait chassé les autres habitants. On disait qu'ils s'étaient réfugiés dans les Montagnes Noires. Sur ce trajet, il était donc légitime d'espérer trouver des enfants auxquels la mère et la fille pourraient apporter leur aide. Leurs costumes de soldats pontificaux risquaient cependant de ne pas inspirer une grande confiance aux victimes.

Laurence et Livia n'avaient emmené que la moitié de leurs Burgondes, d'abord pour ne pas totalement dégarnir L'Hersmort, mais aussi et surtout parce qu'une petite troupe se ferait moins remarquer. Quatre hommes portaient la litière vide, destinée à recueillir les pauvres créatures. Deux autres portaient la robe de prêtre ; Laurence et la *Mater superior* préférèrent elles aussi se présenter en tenue de membres masculins de la curie. Elles portaient leurs cuirasses sous leurs vêtements, ce qui était devenu depuis longtemps une habitude au sein du haut clergé.

À peine avaient-elles atteint la lisière de la dernière chaîne de collines, au pied de laquelle s'étend la vaste plaine de Castelnaudary, qu'elles restèrent comme enracinées : la vallée n'était plus qu'un fleuve étincelant de heaumes de combat métalliques et de pointes de hallebardes, où se mêlait le brun du corp des chevaux et les taches de couleur vives des chabraques, des boucliers et des parures de casques ; au-dessus de tout cela battaient les fanions des régiments et flottaient les bannières des princes. Eux seuls permettaient de distinguer amis et ennemis à cette distance, car cette mer humaine faisait des vagues, comme secouée par le ressac.

— Voilà un tableau irréel, fit la *Mater superior*, le regard transfiguré. Et d'une beauté saisissante !

Laurence lui lança, de biais, un regard réprobateur. Mais sa mère n'avait d'yeux que pour le jeu des taches de couleur et des lignes qui se recoupaient et se dissolvaient. Derrière, d'un côté, la silhouette de la ville, avec ses murailles et ses tours, encadrait le tableau d'une limite rigoureuse. De l'autre côté, un campement de toile aux pointes blanches, léger, presque aérien, dans la brume de la plaine, laissait tout ouvert.

Des sons montèrent jusqu'à elles. Le cliquetis des épées, le battement des lances, le fracas avec lequel les corps engoncés dans le métal étaient précipités au sol était le fruit de leur imagination, tout comme le tremblement de la terre causé par le trépignement de milliers de sabots. On n'entendait strictement rien ! Pourtant, elles avaient devant elles une immense mêlée où des hommes se livraient, au corps à corps, à une bataille acharnée et sanglante.

— Simon de Montfort cherche à emporter la décision par une bataille ouverte, dit Livia, qui avait oublié sa fascination. Cette fois, le comte de Toulouse ne peut pas tergiverser, il va devoir se battre.

— Il serait bien avisé de se lancer dans la bataille... (Laurence, tout aussi captivée, suivait elle aussi les événements ; mais elle n'était pas sensible à la beauté des couleurs.) Les Occitans sont en surnombre, cela se voit à leur blason, pieux rouges sur fond d'or.

— Mais le lys français se bat plus habilement, critiqua sa mère. Les Burgondes isolent Foix et Comminges. Raymond commet l'erreur de ne pas concentrer toutes ses forces sur l'unique objectif qu'il devrait avoir en tête à présent...

— ... abattre son rival, même si cela devait lui coûter mille de ses meilleurs chevaliers ! Mort à Montfort ! (Laurence avait depuis longtemps compris de quoi il retournait ; et elle savait aussi que ce vœu ne serait pas exaucé.) Les nôtres dispersent, les ennemis ne sont pas battus, les deux partis se proclameront vainqueurs. Viens, mère, partons d'ici. Nous ne pouvons pas espérer passer. Ils se séparent déjà, on lève le campement.

— Vous avez raison, ma fille avisée. Moi non plus, je n'ai aucune envie de tomber entre les mains de l'une de ces troupes en dispersion. Les uns pourraient nous prendre pour de faux prêtres. Les autres, pour des vrais, et ce serait fatal.

Et de fait, des groupes isolés rejoignaient à présent la chaîne des collines. La litière et son escorte disparurent au plus vite entre les arbres. Même Livia connaissait les lieux, à présent ; ils n'empruntèrent que des sentiers parcourus, d'ordinaire, par les bergers.

Mais dès le premier virage, ils rencontrèrent un chevalier qui tenait devant lui, sur sa selle, une jeune fille. Un charmant tableau de l'amour tendre, même si la petite semblait encore bien jeune pour cela. Une chose frappa Laurence dans l'apparence du chevalier : si ses épaules paraissaient si larges, c'est parce qu'il portait *ses* ailettes, et c'étaient *ses* brassards à elle qui ornaient ses avant-bras et ses coudes ! Sur la tête, il portait un heaume cylindrique et informe. Mais c'était Raoul qui s'y cachait :

— Je vous ai suivie, Na'Livia, annonça-t-il à la vieille femme, pour vous montrer que je sais me comporter en homme lorsqu'il s'agit d'héberger et de protéger une jeune fille. (Il laissa prudemment l'enfant en pleurs glisser au sol.) Je vous présente Elinor de Mauriac. Ses deux parents sont morts. Sa mère a fait une chute de cheval, son père s'est noyé, son château est en flammes, victime de la foudre. Je l'ai trouvée dans la vigne. Cette petite idiote s'est aussi gâté l'estomac, elle avalait des raisins verts...

— Il suffit, Raoul, l'interrompit Laurence. La litière lui fera du bien. Et notre cher Sicard lui préparera son breuvage aux herbes à L'Hersmort.

La petite cessa de pleurnicher et laissa les Burgondes la hisser dans la chaise à porteurs. Ils ne revenaient donc pas totalement bredouilles.

Une fois qu'elle fut à l'abri, l'intérêt que portait Raoul à cette jeune dame ne tarda pas à s'éteindre. Il est vrai qu'Elinor n'avait que neuf ans, peut-être même moins. Un tout autre manque préoccupait le fils d'Alazais. Le commentaire de Laurence sur son armure partielle avait blessé Raoul : il n'avait

aucun droit de la porter, il n'était pas un chevalier. Raoul
contint son orgueil et fit part de son désir à celle-là même qui
l'avait offensée. Quelques jours plus tard, après que Laurence
eut plaidé sa cause auprès de Sicard — puisque c'était son fils
qui avait laissé cette armure —, Raoul franchissait la haie formée par les hallebardes croisées des Burgondes, dirigés par le
vieux sergent des templiers en grande tenue. Belkacem portait
l'épée sur un coussin, devant eux.

Dans le verger, messire Sicard de Payra, flanqué des deux
dames, attendait le cortège solennel. Raoul s'agenouilla. Sicard
prit l'épée sur le coussin pour toucher du plat de la lame les
épaules du digne jeune homme. Raoul dit alors :

— Je sais que je dois à présent trouver un nouveau nom,
car je veux me séparer de mon passé. Pas seulement de mes
anciens liens avec le Chevalier du Mont-Sion, mais aussi de ma
mère Alazaïs d'Estrombèze, qui m'a abandonné. Je vous en
prie, madame...

Il s'agrippa à Laurence comme un homme en train de se
noyer, tant la douleur le terrassait. Il avait les larmes aux yeux. Et
Laurence, elle aussi, dut se contenir pour ne pas pleurer avec lui
lorsqu'il mentionna son amante défunte. Sicard intervint alors :

— Je connaissais l'homme d'honneur qui, tant qu'il fut en
vie, t'éleva comme son propre fils et fut pour ta mère un soutien dans les temps difficiles : Alphonse de Bourivan.

— Voilà qui est parfait ! s'exclama Laurence. Que cela soit
alors ton nom : Créan de Bourivan !

Raoul fut ainsi adoubé ; il s'appelait désormais Créan.

La première à se ruer sur lui, un bouquet de fleurs des
champs à la main, et à le serrer vigoureusement dans ses bras,
fut la petite Elinor.

— L'essentiel, c'est que tu restes mon chevalier ! s'exclama-t-elle avant de repartir.

Titus suivait sa nouvelle amie. Elinor pleurait à chaudes
larmes.

— Maintenant, je n'ai plus personne !

— Quand je serai grand, et cardinal, dit Titus pour la
consoler, je l'excommunierai.

La petite pleura encore plus fort. Livia, inquiète pour sa
protégée, avait entendu les derniers mots du garnement, qui
prit une bonne gifle.

— Des serviteurs comme toi, l'Église en a déjà bien assez !

Que disait le Seigneur ? « Laissez venir à moi les petits enfants. »

— Excommuniez-la aussi ! cria Titus, furieux. Ex ! Vous tous ! (Il en bredouillait de rage.) Excominucution ! Ex !

Belkacem prit l'enfant par la main et l'éloigna. La *Mater superior* s'assit à côté d'Elinor et lui sécha ses larmes.

— Plus les hommes vieillissent, lui dit-elle, plus ils deviennent cruels. Mais si quelqu'un commence dès son enfance...

— Titus n'est pas un enfant, lui répondit Elinor avec une fermeté inattendue. C'est le diable ! Ils ressemblaient à cela, ceux qui ont tiré sur mon père et l'ont poussé dans le fleuve. Chacun d'entre eux portait une croix sur la poitrine. Ils lui ont jeté une corde au-dessus de la tête, et ils l'ont tiré dans l'eau jusqu'à ce qu'il cesse de se défendre.

Livia se tut longtemps, ne sachant pas si elle devait continuer à interroger la petite.

— Et ta mère ? finit-elle par demander, prudemment.

— Ils l'avaient déjà fait tomber de cheval. Quand elle s'est retrouvée couchée par terre, les diables noirs se tenaient autour d'elle, et ils ont sorti de petites baguettes rouges de sous leur pourpoint.

— Et ensuite ? voulut savoir Livia.

— Ensuite, elle était morte, conclut Elinor, songeuse.

— Et toi, d'où tiens-tu cela si précisément ?

— J'étais montée dans le pommier. Ils ne m'ont pas découverte. Sans cela, ils m'auraient tuée moi aussi.

La *Mater superior* se demandait si cela aurait un sens de dire à la petite, dès à présent, que Rome était la ville d'où venaient les diables noirs.

— Je vais t'emmener dans mon château, loin d'ici, Elinor. Tu y seras en sécurité.

— Je ne le crois pas, répondit Elinor. Ils sont partout. Mais où puis-je aller, sinon là-bas ?

Livia décida que le temps était venu d'ôter le manteau de l'aventurière Lady d'Abreyville et de revenir à Rome, où l'attendaient les lourdes charges d'abbesse du couvent « L'Immacolata del Bosco ». Elle emmènerait Elinor et Créan. Elle s'était aussi proposée de transporter Titus dans sa litière, mais Laurence n'était pas du tout certaine que Loba approuverait cette mesure. Livia accepta aussitôt cette objection : cet enfant l'inquiétait.

Les préparatifs furent rapides. La moitié des Burgondes

dut jurer fidélité à Laurence : ils resteraient à L'Hersmort. Les autres accompagneraient la vénérable mère supérieure sur le Monte Sacro, dans la Ville éternelle.

Mais lorsque le jour du départ fut venu, Créan demeura introuvable. Ils attendirent un moment. La troupe finit par s'en aller sans lui. Laurence suivit longtemps sa mère du regard. La vieille femme lui manquerait.

« Viva la muerte »

Depuis le minaret retentit la corne du Maure. Titus arriva en courant et cria :

— Un homme se tient devant la porte et réclame d'entrer ! Les gardes le lui interdisent, le templier est au village. Cet homme affirme que ce château est *son* Belgrave !

— Lionel ! cria Laurence. Mon père !

Elle partit tête baissée. Sicard la suivit en trébuchant.

Ils étaient assis face à face, le père et la fille, devant la table dressée comme pour une fête. Sicard ne s'était pas privé du plaisir d'aller lui-même mettre la main à la pâte dans la cuisine du château de L'Hersmort, et il avait aussi décidé l'ordre des plats. Belkacem commença par servir de l'eau de source fraîche et un vin rouge clairet qu'on appelait « bernabei » dans le Languedoc, un breuvage râpeux au goût de terre. Il servit ensuite l'espadon fumé découpé en fines tranches, arrosé d'huile d'olive fraîchement pressée et de quelques gouttes de citron. Avec cela, une galette croustillante frottée avec une gousse d'ail. Laurence servit son père, qui semblait moins accablé par l'épuisement physique que par la lassitude morale.

— Vous vous êtes donc séparé de Montfort ?

Lionel regarda sa coupe ; sa main tremblait un peu.

— Après la bataille de Castelnaudary, où nous avons remporté une victoire qui n'en était pas une, j'ai demandé une dispense au seigneur. Je me suis tenu à ses côtés et derrière lui pendant deux ans de combat, plus longtemps qu'aucun de ses favoris, qui occupent tous désormais leurs châteaux, chargés de titres et de grasses prébendes.

— Le lui avez-vous dit ainsi ? demanda Laurence à son père.

— Pas en ces termes. Je n'avais pas l'intention de le mettre en accusation. Je me suis contenté de lui indiquer courtoisement que j'avais acquis une modeste propriété, deux automnes plus tôt. « Pas acquis, reçu de moi en fief », me répondit-il sèchement en me coupant la parole. « Je l'ai obtenu de l'ordre des templiers, avec usufruit perpétuel ! » répliquai-je au nom de la vérité. « Jusqu'ici, je n'ai pu en franchir le seuil, parce que je vous ai fidèlement servi, sans la moindre interruption. Laissez-moi au moins voir mon château », lui ai-je demandé.

— Et comment l'a-t-il pris ? Racontez-moi, père !

Lionel prit sa coupe et en avala le contenu d'un trait, répandant une bonne partie de son contenu. Comme il a vieilli, se dit Laurence.

Le fier cuisinier apporta en personne le pâté de chevreuil.

— Joignez-vous donc à nous, messire Sicard, l'invita Lionel en lui tendant une chaise.

— Foie haché, un peu de lard, rôti dans son propre jus et mélangé à du thym pilé, expliqua Sicard, dont le nez de cuir frétillait à l'avance de ce plaisir culinaire.

— Je veux savoir ce que Simon le Brut a répondu ! fit Laurence d'une voix sèche.

Son père sursauta.

— « Estimez-vous heureux, Lionel de Belgrave », a-t-il dit très tranquillement, signe de grand péril, « que je vous aie su près de moi pendant tout ce temps. Je devrais autrement supposer que toutes les manœuvres ourdies depuis L'Hersmort ont reçu votre approbation. C'est un nid de guêpes, peuplé de traîtres, de coupe-jarrets et de brigands, un repaire d'hérétiques. Et c'est là que se trouve Laurence, la reine des faidits ! » Son ton était devenu virulent. Je lui ai répondu d'une voix ferme : « Il est d'autant plus urgent que j'aille y rétablir l'ordre ! » Il a alors menacé, d'une voix très basse : « Vous voulez donc me quitter, Lionel ? Cesser de faire partie de mon escorte ? » « Ce n'est en rien mon intention », ai-je tenté de me défendre. Mais il m'a chassé de sa tente : « Vous pouvez partir, messire, je ne vous connais plus ! » Je suis donc parti. Et me voici là, désormais, conclut Lionel d'une voix terne.

C'était un homme brisé : cette guerre ignoble dévorait aussi les seigneurs qui la menaient, détruisait leur âme, ravageait leur courage et leur fierté. Lionel faisait de la peine à Laurence.

— Et vous ne reviendrez pas à la croisade ? demanda-t-elle pourtant, implacable.

— Pas même s'ils viennent me prendre ! Je préfère monter en enfer !

Alors, Laurence bondit et serra son père dans ses bras. Ils pleurèrent toutes les larmes de leur corps.

— La truite ! Prise à mains nues par Belkacem ! tonna Sicard, dont le nez de cuir pendait piteusement.

Il tenta de détendre l'atmosphère.

— Pêchée le matin à l'aurore, mangée le soir et sans remords ! Cuite à la vapeur avec de la menthe et de la mélisse du jardin. Ce poisson agile est désormais couché sur les fleurs de citrouille en beignets, elles-mêmes remplies de mousse de poisson.

L'énumération des splendeurs culinaires, le nez piteux de Sicard et le large sourire du Maure firent rire Laurence. Lionel se moucha et se servit un verre. Belkacem leva les filets et les présenta.

— Et que va-t-il se passer maintenant ? demanda messire de Payra avant de revenir dans la cuisine. Pensez-vous que Montfort, le vengeur, va vous oublier ? Après le tort que vous lui avez causé ?

Lionel mâcha, trouva une arête, la recracha et accompagna sa truite d'une quantité impressionnante de bernabei.

— Un jour, il se souviendra de nous, fit-il, l'air satisfait. Ou bien nous aurons franchi les Pyrénées avant, ou bien...

— ... ou bien nous passerons au fil de son épée, compléta Laurence.

— Pour ce qui me concerne, déclara Sicard, je n'aime pas particulièrement les montagnes, notamment en hiver. À quoi bon me séparer encore de L'Hersmort si je sais qu'il ne se trouve plus entre vos chères mains ?

Il s'était tourné vers Laurence.

— El Bruto a pour l'instant autre chose à faire qu'à penser à nous, dit-elle pour se donner du courage. Lorsqu'il aura pris

Toulouse, et pas avant, il songera à s'installer dans le comté. Mais à ce moment-là...

Belkacem échangea l'âpre bernabei contre une cruche de piras capiteux. Il ôta aussi les gobelets d'étain pour laisser place à des coupes de cristal. Un feu sombre brûlait au cœur du rouge profond du breuvage lorsqu'on le tenait face à la lumière des bougies. Le silence régnait lorsqu'on mit le rôti à table — des gigots de sanglier en croûte, farcis de branches entières de romarin.

Sicard se fit donner par Belkacem la fourchette à deux dents et le long couteau pointu. Il découpa les tranches avec componction et les déposa sur les plats de terre que l'on avait mis à chauffer devant la cheminée, et où s'accumulaient déjà des montagnes de marrons glacés et d'anneaux d'oignons rôtis qui entouraient de grandes pommes à cuire remplies de miel, et une mousse aux fruits, faite de canneberge, de zarza, de calbara et de *pepinos*, de minuscules cornichons épicés. Cette fois, le cuisinier rejoignit ses convives à table. Ils levèrent leurs coupes remplies.

— À la vie, dit messire de Payra, tant qu'elle est encore belle et précieuse !

Laurence pensa que le ban était levé. Mais Sicard ne s'arrêta pas là :

— *Viva la muerte !*

Ils buvaient. Laurence s'étrangla, et Sicard lui tapa dans le dos.

— Au fait, comment avez-vous retrouvé le chemin de votre « Belgrave » ?

Lionel répondit. Il avait encore le souffle court.

— Je connaissais la direction. Ensuite, je suis tombé sur un jeune chevalier qui portait l'armure de mon Petit Renard. Je l'ai mis à la question, parce que je redoutais un vol, sinon pire. Il a alors commencé à chercher des échappatoires, et m'a refusé non seulement mon renseignement, mais aussi le respect. J'ai sorti mon épée, et il a fait de même. Ce jeune garçon se battait sacrément bien, je me trouvais même en difficulté lorsqu'il s'est exclamé : « Quel dommage que mon maître Sicard ne soit pas là pour voir cela ! » Alors, Petit Renard, je me suis présenté comme ton père. Et Créan, le fils d'Alazaïs, m'a présenté ses excuses. Il m'a conduit à portée de votre château.

— Ça n'est sûrement plus le mien, l'interrompit joyeusement le nez de cuir. Mais ne laissez pas refroidir cette précieuse nourriture !

— C'est notre château ! s'exclama alors Laurence en buvant un nouveau verre. Ce bâtard de Créan n'a pas cru devoir se présenter à moi avant de partir. Il a eu raison. Mes beaux brassards... Quelle canaille !

Le plat où reposait le gigot se trouvait encore sur une grille de forgeron, au-dessus de la braise de la cheminée, qui s'éteignait lentement. Comme la graisse tombait du jambon, goutte après goutte, les parts suivantes, que découpa messire de Payra, étaient plus délicates encore.

— Dites-moi, Lionel... (L'histoire de Créan préoccupait son fier maître d'armes.) Le fils du Chevalier savait-il vraiment si bien manier son épée qu'il puisse vous résister dans un combat ? Avec toutes les feintes et tous les raffinements ?

— Cela, je veux bien vous le jurer, mon précieux Sicard ! s'exclama Lionel, la face cramoisie : le vin, dont il ne cessait de se resservir, lui montait à la tête.

— Dans ce cas, je lui offre aussi mes épaulettes ! fit Laurence. Puissent-elles leur faire honneur ! Mais *pas* les brassards !

Ils mangèrent et burent ainsi jusqu'à ce que le fût soit bien entamé et le gigot rongé jusqu'à l'os.

Pendant tout l'hiver, de l'aube jusqu'à la nuit passée, ils gardèrent le regard rivé sur les collines blanches : Belkacem depuis son minaret, Laurence depuis ses créneaux, Titus, silencieux, à côté d'elle, et le sergent du Temple depuis les mâchicoulis du portail. Même le brave Sicard se montrait assez souvent sur les murs. Lionel était le seul à se refuser à jeter ne fût-ce qu'un seul regard à l'extérieur. Lorsqu'il ne trouvait personne pour jouer aux échecs, il allait se resservir dans le grand fût plein de piras.

La nuit, les Burgondes faisaient leurs patrouilles sur le chemin de ronde enneigé, et le pont-levis demeurait levé. Mais on ne voyait rien. Leurs yeux étaient rougis par la réverbération de la neige lorsque le soleil brillait, ou par la fatigue lorsque la brume grise s'accumulait dans les vallées et dessinait toutes sortes de chimères — ici, l'éclair des hallebardes, là-bas, de sombres silhouettes, fantômes errant entre les arbres, ou bruits que nul autre ne parvenait à entendre.

Le printemps se leva sur le pays, la glace fondit, les chatons de saule s'ouvrirent, et les coteaux furent bientôt recouverts de fleurs jaunes. On aurait dit qu'ils respiraient. On ne put certes pas voir depuis L'Hersmort les premiers feux de la Saint-Jean, mais on aperçut la fumée qui montait en volutes, au loin. Puis elle devint plus épaisse et plus noire. L'odeur de l'incendie se fit plus forte, il approchait.

Les premiers bergers frappèrent aux portes. Ils étaient accompagnés par leurs animaux.

— El Bruto brûle les pâturages. Il chasse les troupeaux !

Les paysans des villages voisins fuyaient avec leurs familles. Ils avaient tout perdu : « Tout a été brûlé ! » Laurence et Sicard s'occupèrent d'eux, soignèrent les blessés, consolèrent les désespérés.

Dans le grouillement des fugitifs, Bouchard de Marly était parvenu à se frayer un chemin sans se faire remarquer jusqu'à l'entrée du château. Seul Titus avait remarqué le chevalier, et l'avait suivi des yeux, mais il n'en avait rien dit à personne. Bouchard n'avait pas de mauvaises intentions — du moins, il ne comptait pas faire usage de la ruse. Il demanda à Belkacem de le conduire auprès de Lionel de Belgrave.

Le message de Montfort était concis et sans équivoque :

— Lorsqu'il arrivera à L'Hersmort, il souhaite trouver le château vide et portes ouvertes. Tout ce qui s'y trouvera encore à ce moment-là sera livré aux flammes.

— C'est ainsi que se comporte El Bruto avec un homme qui l'a fidèlement servi, et qui en a été brisé ? (La fille de Lionel était intervenue, enflammée, dans la discussion.) Comme s'il s'agissait de vermine !

Bouchard rougit jusqu'aux oreilles, et Laurence crut discerner qu'il avait honte.

— Si vous, chevalier, n'aviez pas eu autant de bonté pour ma mère, Lady d'Abreyville, et sauvé le fils unique du Chevalier du Mont-Sion, je saurais dans quel état nous restituerions au seigneur son messager de malheur.

— Arrachez-lui les yeux ! couina Titus, qui s'était discrètement faufilé dans la pièce. Coupez-lui le nez !

Belkacem, qui avait couru derrière l'enfant, prévint d'autres tirades haineuses et emmena le gamin, qui donnait des coups de pied à l'aveuglette.

— Bouchard, dit Lionel d'une voix lasse, vous voyez ce que

cette guerre provoque dans nos cœurs à tous, y compris chez les enfants. Nous nous connaissons depuis suffisamment de temps, et j'ai beaucoup d'estime pour vous. Pour votre part, vous n'avez jamais manqué d'amitié et de respect à mon égard.

Lionel fit asseoir son ancien compagnon de combat. On apporta du vin.

— Mon cher vieil ami, dit Bouchard, ce que je vous ai présenté comme les paroles de Montfort ne l'était pas. Messire Simon ne sait pas que je suis ici. S'il le savait, il me ferait écarteler et découper en petits morceaux. Je me suis infiltré secrètement dans votre château pour vous mettre en garde. (Il s'adressa à Laurence.) Celui que vous, la célèbre Laure-Rouge, aimez à appeler El Bruto, n'aimerait rien tant que de vous envoyer tous au diable, avec votre château ! N'allez pas vous imaginer que cela signifie une mort paisible dans les flammes d'un bûcher. Sauvez donc votre peau ! (Il vida son verre.) Voilà un excellent breuvage, messire Sicard de Payra !

Sur ces mots, il se leva d'un bond et s'apprêta à repartir.

— Je souhaite pouvoir en boire un nouveau verre avec vous d'ici quelque temps !

Bouchard de Marly s'inclina devant Laurence, donna l'accolade à Lionel et quitta la salle à grands pas.

— Y a-t-il pire que d'être brûlé vif ? demanda Laurence, moqueuse, dans le silence insupportable.

— Oh oui ! lui répondit Sicard de Payra. On peut être écorché, passer à la roue, se faire empaler...

— Arrêtez ! tonna Lionel d'une voix qui ressemblait à celle d'un torturé au bout de ses forces. Ce château n'est-il pas un fief du Temple ? Comment Simon peut-il oser priver l'Ordre...

— Du droit de celui qui ne connaît pas le droit ! Une fois qu'il aura apaisé sur nous sa haine froide, il s'excusera et restituera son bien au Temple, prédit Sicard. Et nous regarderons tout cela d'en haut.

— J'ai toujours cru que l'enfer était en dessous de nous ! se moqua Laurence. Nous devrions partir tant qu'il est encore temps.

— Il n'en est pas question ! gronda Lionel. Allez chercher le sergent, je vous prie.

On fit venir le vieux templier. La plus proche commanderie de l'Ordre était Montgeard, un château doté d'une forte garnison, que l'on atteignait au bout d'à peine une demi-journée de chevauchée vers le nord. Lionel griffonna rapidement quelques lignes sur son parchemin, Sicard le signa comme témoin en confirmant une fois de plus que L'Hersmort appartenait à l'Ordre. Ils scellèrent le pli, et Laurence le cousit dans la doublure de la manche du vieil homme, avant qu'il ne parte au galop.

— Nous devons donc tenir le château jusqu'à ce que les templiers nous délivrent, constata Laurence. Pour cela, il va nous falloir peupler nos murailles, nos six Burgondes n'y suffiront guère.

— N'aviez-vous pas l'intention de partir, Laurence ? demanda Sicard à voix basse. Cela me paraîtrait une sage mesure. Vous êtes encore jeune.

— Merci, mon bon Sicard, merci pour tous. Mais mon père est âgé. Je ne peux le laisser seul ici.

— Petit Renard ! Mon Petit Renard ! (Malgré le vin dont il faisait désormais un usage assez fréquent, Lionel avait compris l'essentiel.) El Bruto, le démon, veut venir me chercher, moi et moi *seul* ! Et je n'ai aucune envie de m'enfuir devant lui. Ne courez pas à votre perte à cause de moi. Quittez ce lieu avant que l'enfer ne s'y ouvre !

— J'ai toujours eu envie de faire un dernier grand voyage. À vrai dire, je pensais plutôt à la Terre sainte, dit Sicard. Mais maintenant que les croisades se déroulent au cœur de l'Occident, je saisis l'occasion ! Tout de suite ! Cela m'évitera l'écœurante traversée. Je hais les navires, ils me donnent le mal de mer.

— Ha ! fit Lionel dans un éclat de rire mugissant. Ha ! ha ! Ce n'est pas Jérusalem que vous atteindrez, c'est l'enfer !

— Non, répondit Sicard. C'est le paradis.

Laurence avait entrepris de présenter aux paysans et aux bergers la situation telle qu'elle se la figurait, en soulignant que l'assaut risquait d'avoir lieu avant l'arrivée des templiers. Ils avaient encore la liberté d'aller chercher rapidement un abri dans les forêts. Car aucune pitié n'était à attendre de Montfort, pour personne. Ils leur rachèteraient leurs bêtes à un bon prix. Mais ceux qui voulaient rester pouvaient aller chercher de quoi se battre dans la salle d'armes. Même leurs faux, leurs fourches et leurs crochets seraient les bienvenus pour le corps à corps sur les murailles, lorsque l'ennemi ferait usage de ses échelles d'assaut. Les femmes devraient préparer de l'huile bouillante dans des marmites, et de lourdes pierres. Ceux qui savaient

manier l'arc et la flèche étaient priés de se faire connaître. À
défaut de pointes d'acier, on pourrait forger et tailler au feu
des projectiles et des lances.

Avec ceux qui s'enfuirent du château, Laurence fit essai-
mer des équipes chargées de rassembler des branches de noise-
tier, des troncs de bouleaux et du roseau.

— Si j'ai bien compté, rapporta-t-elle à Sicard de Payra, il
nous reste environ trente-cinq hommes en état de combattre,
et à peu près deux fois plus de femmes et d'enfants. Parmi les
femmes, entre vingt et vingt-cinq sont sans doute utilisables
pour le combat. Après tout, elles sont habituées à manier la
hache, le couteau de boucher et la faucille.

Laurence fit cuire pour tous les habitants du château les
réserves de vivres abîmés. Elle fit abattre tous les chevreaux
nourris sous leur mère : les enfants auraient besoin du lait. On
donna un festin débridé autour d'un feu de camp, entre l'huile
qui bouillait et les pointes de fer rouge. Elle refusa en revanche
rigoureusement que l'on distribue du vin. On n'en donnerait
qu'à la dernière minute : un gobelet chacun, mais du meilleur !
Parmi tous ces combattants dont la mort était pratiquement
assurée, on chantait et on riait, on s'adonnait au plus grand
amour de la vie, on embrassait la mort. *Viva la muerte !*

Les chercheurs de bois revinrent de la forêt, chargés de
branches et de troncs. Laurence s'était rendue au portail. On
abaissa pour la dernière fois le pont-levis. Créan entra avec
les paysans — mais s'il était revenu, c'était uniquement pour
restituer à Laurence ses ailettes d'épaulière et ses brassards.

— Vous en aurez besoin, Laure-Rouge, dit-il tranquillement au cœur de la mêlée. Comme je vous connais, vous devez
avoir hâte d'en découdre.

— Gardez-les, Créan, en mémoire de moi.

— L'attaque est prévue pour la fin de l'après-midi. Les
croisés se rassemblent tout autour, dans les forêts, l'informa le
jeune chevalier. Ils sont menés par Charles d'Hardouin, qui
brûle de se venger de la descendance de Lady d'Abreyville.

— Je peux comprendre Charles-sans-selle, plaisanta Laurence. La vieille dame a fait détaler le Cheval comme un lapin,
et ce sous le regard sévère d'El Bruto, auquel il a fait perdre
Saissac comme un caniche apeuré.

— Ne sous-estimez pas l'adversaire ! Derrière d'Hardouin

chevauchent Alain du Roucy et Florent de Ville. Charles n'a pu arracher que l'honneur du premier assaut.

— Nous y résisterons ! répondit Laurence. Nous avons envoyé le sergent à Montgeard pour qu'il en fasse accourir les templiers.

Créan la dévisagea. Laure-Rouge était une créature courageuse, elle supporterait le coup.

— Le vieux est mort ! Je l'ai trouvé au bord du chemin, la gorge tranchée !

— *Diaus !* (Laurence, choquée, prit la main de Créan.) Il faut que vous retourniez sur le lieu où il repose. Ôtez-lui son pourpoint. Le message est dans la manche. Apportez-le à Montgeard !

— *Ave Caesar !* la salua Créan, le poing levé. Vous pouvez remonter à présent votre pont-levis. Ceux qui ne sont pas rentrés maintenant auront pris la poudre d'escampette. Ou alors...

Le geste de Créan à sa gorge ne laissait aucun doute. Il partit au galop.

Laurence, impassible, donna les ordres nécessaires. Avec un bruit de tonnerre, la herse s'abattit derrière elle dans la rigole prévue à cet effet. À l'intérieur, elle rencontra Sicard et son père. Les deux hommes étaient en armure. Le fidèle Belkacem se tenait derrière son seigneur, un gigantesque cimeterre à la ceinture, et chargé d'un faisceau de javelots étincelants.

— Je vais faire ouvrir le pavé de la cour, expliqua messire de Payra. Cela fournira des cabosseurs de heaume très maniables.

— Sicard et moi-même nous répartissons le commandement sur le mur, dit Lionel. Toi, mon Petit Renard, tu devrais à présent monter dans la tour et, d'en haut, surveiller la lisière de la forêt. J'ai envoyé les enfants dans les caves. Ils ne sont pas forcés de voir leurs parents...

— C'est à moi que vous prêtez pareille intention, Lionel ?

Laurence s'efforçait de plaisanter encore. Mais lorsqu'elle embrassa son père, elle sentit son cœur se serrer, d'autant plus qu'il crut devoir la mettre en garde :

— Fais attention à ce que rien ne t'arrive, mon Petit Renard ! Cela me briserait le cœur. Plus rapidement que mes vieux os !

Et il ajouta avec colère :

— Il aura peut-être ma peau, messire le comte de Montfort. Mais il la paiera cher ! Très cher !

Laurence l'embrassa encore une fois sur le front, et donna l'accolade à Sicard :

— Soyez remercié, noble sire, pour tout le bien que vous avez fait et pour les belles journées que nous avons passées à L'Hersmort.

— Nous voulions nommer notre château « Belgrave », rectifia messire de Payra avec mauvaise humeur. Que cela soit notre cri de bataille : Belgrave !

Laurence monta les marches étroites qui menaient au minaret. À chacun de ses pas, le charmant paysage vallonné s'ouvrait un peu plus à ses regards. Le soleil de l'après-midi brillait haut dans le ciel, mais il avait déjà franchi son zénith.

Laurence avait passé trois arcs à son épaule. Belkacem lui avait déjà monté ses flèches. À son grand étonnement, Titus les attendait derrière la rambarde couverte de la tour ronde. Il était assis à côté d'une marmite de bouillon noir et huileux sous lequel il avait allumé un petit feu.

— Tu comptes me faire goûter ta petite soupe ici ? demanda-t-elle au gamin, par plaisanterie.

En guise de réponse, celui-ci plongea l'une de ses flèches dans cette décoction bouillonnante, et y mit le feu.

— Tente donc d'éteindre la flamme, l'invita le petit avec un sourire. Tu n'y arriveras pas.

— Pas mal, Titus, le félicita Laurence. Ta mère serait fière de toi !

— Mon père le serait moins, murmura le louveteau. Ce sont *ses* croisés que j'anéantis.

— Alors baisse la tête, et ne nous mets pas le feu, ici, grogna Laurence avec un regard méfiant sur le tas de flèches qu'il avait déjà préparées et d'où coulait ce liquide si facilement inflammable.

Titus obéit.

— Nous n'aurons pas longtemps à attendre, commenta-t-il.

Il étouffa la flamme qui brûlait encore sur la pointe dans un tas de sable dont il avait fait un petit rempart autour du feu.

— Ils tenteront le premier assaut à la lumière du jour. Sans cela, il leur faudrait foncer en aveugles contre le mur.

— Maintenant, silence ! ordonna Laurence en observant le sommet vert des collines sur lesquelles se dressait la forêt.

Rien n'y bougeait. En dessous, dans la cour, tous étaient prêts, y compris les vieilles femmes auprès des marmites dans lesquelles bouillait de l'huile. Sur les faces intérieures du mur, on avait préparé des échelles pour hisser, le cas échéant, cette arme redoutable. Pour l'heure, c'étaient les cruches de vin que l'on acheminait vers les créneaux, et qui allaient de main en main. La profonde inspiration et la brève gorgée que prenait chacun des défenseurs rappela à Laurence un dîner célébré en commun. Elle ne pensait pas au sang du Christ, comme le lui avait appris l'Église, mais au *consolamentum* de la Gleyza d'amor, dont Alazaïs lui avait si souvent parlé.

— *Che Diaus vos bensigna !* chuchota Laurence.

Le soleil déclinait et les arbres commençaient déjà à projeter de longues ombres lorsqu'un cavalier solitaire sortit de l'obscurité des bois. Laurence voulut prendre la corne qu'avait laissée Belkacem, mais Titus l'avait déjà portée à ses lèvres. Laurence lui fit signe d'attendre encore.

Le chevalier, en haut du coteau, laissa son cheval faire quelques pas en avant, jusqu'à ce que les rayons dorés du soleil s'emparent de lui et le fassent briller. Charles-sans-selle leva la main sans détourner son regard de L'Hersmort, qui se dressait devant lui, tranquille et paisible à la lumière de la fin de l'après-midi, pressé contre la paroi rocheuse. Ce nid d'hérétiques, il allait le prendre et écraser les œufs sous ses sabots ! Il laissa sa main tomber, comme un bourreau abat son épée. Alors, Titus sonna dans son cor.

De la forêt, sans les braillements qui accompagnent l'assaut d'ordinaire, sortirent alors les meutes de Montfort. Des hommes à cheval avançaient devant eux. Ils tiraient, deux par deux, au bout de longues cordes, les échelles d'assaut. Ils allèrent jusqu'en dessous des murs, où aucun gardien ne s'était montré. Ils mirent pied à terre pour aider les fantassins accourus à dresser les échelles. L'effet de surprise semblait parfait !

Messire Charles descendit le coteau à son tour. Ils levèrent les échelles à la verticale, prêts à planter dans la couronne des murailles leur grappin de fer. Alors, le cor sonna trois fois, et d'un seul coup, les archers, les lanceurs de javelots et de pierres se dressèrent au-dessus des assaillants. Une grêle de projectiles s'abattit sur ceux qui montaient les échelles sans le couvert d'un bouclier. Les lourds mâts de bois avec lesquels messire Charles pensait entrer sans obstacle dans le château commencèrent à vaciller et s'écrasèrent sur la meute. Les chevaux blessés se roulaient au sol entre les hommes. Les Burgondes étaient tous des arbalétriers expérimentés, et les carreaux projetés par leurs armes traversaient n'importe quelle cuirasse.

Charles d'Hardouin ordonna à ses hommes de revenir en arrière et fit avancer ses propres tireurs, qu'il avait laissé en arrière-garde puisqu'il n'attendait aucune résistance. Mais sur les mâchicoulis, tous s'étaient depuis longtemps remis à l'abri. Il vit, impuissant, l'unique échelle ayant atteint son but remonter lentement la muraille. Lorsque les assiégés l'eurent suffisamment élevée, elle bascula sur le haut de la muraille et disparut par-derrière. Quant aux autres, elles étaient par terre, au pied du mur, et ne pourraient être récupérées qu'au prix de nouvelles pertes. Charles fit donc rallonger les cordes par des volontaires. On tira ensuite ces ustensiles indispensables.

— Un bon général, chuchota Titus, n'interrompt pas un assaut. Pourquoi n'as-tu pas tiré ?

— Parce que seul un mauvais général baisse son pantalon trop tôt...

— ... et montre sa queue !

C'était la première fois que Laurence voyait rire cet enfant renfermé.

D'Hardouin remit ses troupes en ordre de bataille. Cette fois, elles attaqueraient en même temps que les échelles, couvertes par un tir nourri de ses propres archers contre les défenseurs des murs. Et elles n'en démordraient pas avant d'avoir nettoyé les créneaux de ces chiens d'hérétiques.

En hurlant, cette fois-ci, ne serait-ce que pour assourdir leur peur, les assaillants marchèrent vers le château, brandissant les échelles vacillantes comme des lances gigantesques. Celui qui tombait restait au sol, un autre prenait sa place, jusqu'à ce que les grappins soient accrochés dans la pierre. Les premiers débutèrent immédiatement l'ascension, bouclier au-dessus de la tête. C'est alors seulement que les lourdes pierres dévalèrent sur eux et que gicla l'huile bouillante. Des défenseurs courageux poussèrent deux échelles au bout de longues perches, les assaillants en tombèrent comme des pucerons sur une feuille secouée. Mais cette fois, la mort fit aussi sa récolte sur la couronne des murailles : les archers des deux camps se transperçaient les uns les autres.

— Qu'est-ce que tu attends encore ? insista Titus en tendant une flèche à Laurence.

— Sois un bon général, Titus ! répondit-elle. Les flèches incendiaires ne valent rien pour les hommes. Elles volent trop lentement, et on les voit arriver.

— Eh bien ! prends celles-ci, dit-il en montrant la corbeille. Tire droit vers le ciel ; elles en redescendront avec une grande force, et toucheront là où nul ne se protège.

Mais entre-temps, la situation avait de nouveau tourné en faveur des défenseurs. Messire Charles venait de rappeler ses hommes une nouvelle fois, sous les cris de joie de ses adversaires : « Belgrave ! Belgrave ! »

Laurence vit le monstre avant tous les autres, y compris Charles-sans-selle. Venue de la vallée, la tour de bois montée sur roues avançait rapidement. Un beffroi, songea Laurence. Cela ne pouvait signifier qu'une chose : l'arrière-garde, inquiète, s'apprêtait à attaquer. Florent de Ville et Roucy avaient compris que Charles-sans-selle était incapable de prendre lui-même ne fût-ce qu'un castel comme L'Hersmort. El Bruto ne pourrait pas supporter un nouvel échec sur la route de Toulouse, et le soleil était déjà très bas : il teignait d'or et de rouge sang les murailles claires et le minaret pointu. Les templiers devraient aussi arriver de la même direction. Mais elle ne pouvait plus avoir le moindre espoir de ce côté-là : dans le meilleur des cas, Créan venait tout juste d'arriver à la commanderie du Temple.

Le beffroi ne perdit pas de temps. Il quitta la route et se dirigea droit vers les murailles, sur le flanc commandé par Lionel. Laurence le vit se retourner une fois encore et lui faire signe. Elle reconnut aussi avec rage l'homme qui, en dessous d'elle, avait mené le beffroi à sa destination : c'était Adrien d'Arpajon ! Ce chauve gras qui avait jadis été son voisin dans la lointaine Yveline était apparenté à Charles, son oncle. Ce répugnant personnage se frottait à présent les mains.

Lorsque le beffroi fut en état d'attaquer, les planches d'abordage prêtes à s'abattre sur les murs et les hommes armés cachés derrière, disposés à bondir sur les mâchicoulis, Laurence commença à semer le feu. Flèche après flèche, elle larda la bête de pointes enflammées. Titus les lui tendait allumées, elle n'avait qu'à armer et tirer avant qu'une boule incandescente ne décrive une longue courbe vers son objectif et ne se plante dans sa peau. Le beffroi prit feu en plusieurs endroits, des flammes se mirent à lui lécher les parois, la fumée en envahit l'intérieur. Les planches d'abordage tombèrent avant d'avoir touché le mur, des hommes se précipitèrent dans le vide comme des torches vivantes.

Mais en deux autres points, distraits par le sort du beffroi, les défenseurs avaient négligé les échelles, et les assaillants étaient déjà arrivés aux créneaux. Sicard et ses hommes repoussèrent ceux de la première échelle lorsqu'un javelot vola depuis l'autre côté. Belkacem se jeta à sa rencontre et l'arrêta avec sa poitrine. Sicard, consterné, se pencha vers son fidèle serviteur, mais une autre pointe se planta en haut de sa cuisse. Il tomba en avant sur son Maure et tenta d'arracher de ses fesses l'extrémité du javelot.

— Ils nous tirent dessus par-derrière, dit Titus.

— Épargne-toi tes mauvaises plaisanteries, feula Laurence sans se retourner vers lui.

Mais le gamin insista :

— La flèche venait de l'autre côté du château, peut-être des falaises au-dessus de nous.

Le beffroi brûlait comme l'enfer. Laurence avait pris pour cible les échelles d'assaut. Soudain, deux projectiles s'enfoncèrent de biais dans le bois, juste à côté de son nez. Ils ne pouvaient provenir que de derrière et d'en haut.

— Tu as raison, Titus, dit-elle en le poussant sur le côté — juste à temps : une troisième flèche se planta dans le sol, à l'endroit précis où il se tenait un instant plus tôt.

Laurence vit alors Lionel porter soudainement la main à son dos, tituber en avant, trébucher et dévaler le long d'une échelle d'assaut abandonnée. Les échelons suffirent à amortir sa chute. Il vivait encore en arrivant en bas.

Laurence entendit d'abord le hurlement de triomphe des ennemis. Puis elle vit que l'on traînait son père aux pieds de Charles. Il le fit redresser jusqu'à ce que Lionel soit agenouillé devant lui, la flèche encore plantée entre les épaules. Il fit un signe, Adrien d'Arpajon, debout à côté de lui, leva son épée et la fit briller aux derniers rayons du soleil couchant. Le silence se fit sur les murailles et à leur pied.

— Lionel de Belgrave ! Dites-leur qu'ils doivent se rendre ! ordonna Charles-sans-selle.

Lionel observa son « Belgrave ». Ses yeux cherchaient Sicard. Celui-ci s'était traîné jusqu'au bord du plus proche créneau. Lionel leva lentement la main, ce que fit également Sicard, tous deux le pouce dressé, tout comme les gladiateurs vaincus demandaient grâce, jadis, au vainqueur. Mais l'homme agenouillé secoua ensuite imperceptiblement la tête et renversa son pouce vers le bas. Le gros bourreau abattit son épée, la tête de Lionel roula dans le pré, et ils laissèrent le tronc s'effondrer au sol, la flèche toujours plantée entre les omoplates. Les défenseurs s'étaient jetés sur les assaillants avec un cri de fureur. Le combat au corps à corps faisait désormais rage aux quatre coins, et il serait implacable.

Comme dans un mauvais rêve, Laurence avait bondi et avait déjà passé une jambe au-dessus de la rambarde pour descendre les marches qui tournaient autour du minaret.

— Où vas-tu ? lui cria Titus.

— Je prends le commandement !

— De quoi ? cria l'enfant à la somnambule.

Alors, un boulet de catapulte frôla l'édifice et arracha les deux premières marches de pierre.

— Reviens !

Le coup suivant contre le minaret manqua lui faire perdre l'équilibre.

— Je dois me battre !

— Contre qui ? contre ceux-là ?

Titus la ramena en arrière et désigna la roche qui surplombait L'Hersmort. Des centaines d'hommes en armes descendaient la falaise au bout de longues cordes. Ils se fraieraient un chemin par les toits des offices, à l'arrière. Le sort des défenseurs était ainsi scellé. Seuls quelques-uns résistaient encore sur les murailles, sûrs de la mort qui allait les atteindre de face ou dans le dos.

Laurence se sentait toujours comme anesthésiée.

Titus ouvrit une lucarne de fer dans la pointe en pierre de la tour.

— Viens, maintenant, Laurence ! implora l'enfant. Avant qu'il ne soit trop tard aussi pour cette descente aux enfers...

— Je dois..., répéta-t-elle en bredouillant, juste avant que Titus ne la gifle.

— Loba n'apprécierait pas que son fils en pâtisse !

Le coup lui redonna ses esprits, juste à temps pour voir arriver l'ennemi. Poignard entre les dents, deux assaillants prenaient leur élan depuis la falaise et approchaient de la plate-forme du minaret. Le premier parvint à attraper la rambarde et s'apprêtait déjà à la franchir lorsque Laurence bondit et lui envoya au visage un coup de pied qui lui fit rentrer sa lame dans la bouche. L'élan du deuxième n'avait pas suffi : ses mains ne purent rien attraper. En guise d'adieu, Titus lui déversa dessus le contenu de son petit chaudron, si bien qu'il repartit comme une torche au bout de sa corde.

— Fiche le camp ! cria Laurence au garçon en voyant arriver le prochain assaillant. Je te couvre !

Le nouveau venu n'avait pas encore coincé sa jambe dans la balustrade qu'il faisait déjà tournoyer son fléau. Mais Titus avait sauté vers la lucarne, et bloqué les pointes de son arme avec sa plaque de fer. Laurence lui envoya un coup de coude sous le menton et fit éclater sa lèvre. Malgré son cri de rage assourdi, Laurence remarqua que Titus avait disparu dans les profondeurs. Elle prit le faisceau de flèches incendiaires, les planta dans le visage de l'homme et lança le reste aux deux suivants, qui prirent feu avant même d'avoir fini leur course.

Laurence attrapa la corde qui pendait, en entoura ses jambes et ses bras, se fraya un passage dans la lucarne, la referma derrière elle et se laissa glisser dans le noir. Il lui sembla que la chair de ses mains restait collée à la corde. Mais au-dessus d'elle, une menace plus terrible encore s'accumulait désormais.

Sa course vers le bas l'amena bien en dessous des fondations du château. Au bout du puits, Titus ne la recueillit pas, mais la poussa brutalement sur le côté — il en eut tout juste le temps, avant que le minaret ne s'effondre. Des blocs de pierre gros comme le poing descendaient le long du tuyau que Laurence venait de quitter. Ils avançaient en tâtonnant dans un réseau de grottes où aucune lumière extérieure ne tombait. Entre-temps, le soleil s'était totalement couché sur l'Hersmort.

Personne ne se demanda où était passée Laure-Rouge. Dès que La « Cathare » eut quitté son poste, un projectile lancé par le trébuchet depuis la falaise arracha le sommet du minaret. Les décombres furent précipités pour partie dans la cheminée, pour partie dans la cour. À cet instant, aucun des défenseurs ne vivait plus.

Les templiers arrivèrent au milieu de la nuit. Ils chassèrent la maigre garnison que messire Charles avait conservée autour de lui pour protéger son sommeil. Les chevaliers de l'Ordre les traitèrent sans ménagement, ils les rouèrent de coups jusqu'à ce qu'ils quittent tous le château en courant. Charles-sans-selle comme les autres.

8. « FAIDITE »

L'enfant monstrueux de l'Éminence grise

Laurence avait passé la nuit en compagnie de Titus, dans les profondeurs de la terre. Mais ils n'avaient pas dormi et n'étaient jamais restés immobiles : il régnait au fond de ces grottes un froid particulièrement vif. S'ils s'étaient assoupis, ils ne se seraient jamais réveillés. Laurence était d'une humeur tellement sombre, tellement désespérée qu'une pareille fin lui semblait souhaitable. Mais Titus ne lui céda pas. L'occasion qui lui était donnée de tourmenter son accompagnatrice semblait le maintenir plus éveillé encore que la peur de mourir de froid. Tandis qu'ils avançaient en trébuchant dans les sombres grottes, cet inquisiteur manqué lui raconta avec ferveur le processus de mort lente des membres humains. Ils avaient depuis longtemps perdu toute orientation et toute notion du temps dans ce labyrinthe.

À un moment, Laurence crut mieux discerner les contours de ce qui l'entourait, même si elle continuait à voir flou. Ce n'était pas que ses sens se soient habitués à cette pénombre humide : ses yeux continuaient à lui brûler, son nez coulait. Mais, manifestement, l'aube s'infiltrait dans les cavernes. Peu de temps après, ils arrivèrent dans une grotte qui s'ouvrait sur l'extérieur. Titus émergea de cette lumière crépusculaire et nébuleuse :

— Le terrain est libre, annonça-t-il fièrement, comme s'il y était pour quelque chose.

— Nous devrions attendre les templiers, gémit Laurence, à bout de forces, en tentant de voir à travers la brume matinale.

— Cela n'a de sens que si nous savons où nous nous trouvons.

Titus la précéda. Mais il s'arrêta net, comme pétrifié : ils étaient au bord d'un gouffre. Très loin en dessous d'eux s'étendait la vallée du bras mort de l'Hers ; et non loin d'eux, les contours de L'Hersmort se découpaient dans le matin gris, facilement reconnaissables au doigt brisé du minaret. Rien n'y bougeait plus, le château paraissait plongé dans un sommeil enchanté.

— Je propose, fit Titus en tirant Laurence de ses rêveries, que nous nous mettions en route pour Roquefixade avant que la neige ne tombe.

— Nous y rencontrerons peut-être Loba, murmura Laurence.

— Et après ? répondit le bâtard.

Laurence était trop fatiguée pour lui apprendre les bonnes manières. Elle pensa à son père. Son corps, sa tête avaient-ils été... ?

— Nous devons enterrer les morts, dit-elle avec une fermeté qui la surprit elle-même.

Titus la suivit. Au-dessus des rochers qui surplombaient le castel, ils s'approchèrent prudemment de L'Hersmort. Mais lorsqu'ils furent assez près pour pouvoir observer d'en haut la cour et le chemin de ronde, ils aperçurent dans le jardin la terre fraîchement retournée des tombes. Chacune était pourvue d'une simple croix de bois. Laurence s'agenouilla et pria pour Lionel, pour Sicard, pour le Maure et tous les autres. Après un temps d'hésitation, Titus l'imita. Laurence pria longuement et conclut enfin, en chuchotant :

— Ton Petit Renard pour l'éternité... Amen !

Laurence de Belgrave
à Livia di Septimsoliis, *Mater superior*
du couvent « L'Immacolata del Bosco »
sur le Monte Sacro, à Rome.

Roquefixade, décembre Anno Domini 1211

Ma mère vénérée,
Le Tout-Puissant a décidé de rappeler à lui notre cher Lionel.
Ont rejoint avec lui dans les légions du Paradis ce brave messire

Sicard et tous ceux que vous aviez laissés au castel de L'Hersmort. Il est mort dans un combat héroïque contre El Bruto et repose désormais dans « son Belgrave », un fief céleste que nul ne peut plus lui prendre. Que cela soit aussi une consolation pour vous qui l'avez jadis aimé — un amour auquel je dois tout de même mon existence.

On verra ce que vaut la vie que j'ai été seule à pouvoir conserver, avec Titus et Créan. J'ai encore la volonté d'arracher au cœur de pierre de Montfort un morceau qui servira de tombe à tous ceux que nous avons perdus dans ce combat qui est loin de s'achever. Ne vous faites pas de soucis pour moi. Un jour, je me tiendrai devant la porte de votre maison, je serai alors la fille que vous avez toujours souhaitée — et que vous avez sans doute aussi méritée.

Les belles journées passées avec Lady d'Abreyville ont beaucoup contribué à me faire prendre conscience du fait qu'une femme peut maîtriser son existence en se conformant aux directives de sa conscience, aux devoirs de sa fonction, mais sans renoncer aux besoins d'un esprit libre, notamment à la joie de vivre et à l'amour. Loin du couvent de Rome, vous êtes devenue ma grande maîtresse, ma véritable Mater superior ! *Je m'efforcerai de vous le rendre.*

Votre fille aimante,
Laurence de Belgrave.

La vie dans les murs sombres et froids de Roquefixade se déroulait autrement que Laurence se l'était imaginé. Loba n'était plus dans les lieux. Ils étaient totalement enneigés, et il était hors de question de quitter Roquefixade d'ici la fin de l'hiver. D'un autre côté, cette retraite dans le désert rocheux du Plantaurel les protégeait de toute attaque. Il existait sans doute un passage souterrain donnant en bas, dans la vallée, car les domestiques étaient toujours pourvus de tout ce qui était nécessaire à leur survie, et lorsque Laurence se plaignit du froid, on déposa aussi des bûches de bois dans la cheminée de la chambre où elle dormait, et dans la vaste pièce en encorbellement où elle passait ses journées.

Chaque nuit, à trois heures, Titus la réveillait pour dire les vigiles. Laurence s'était d'abord refusée à lire la Bible à ce grand garçon, et avait exigé qu'il la laisse dormir. Il était alors sorti sans dire un mot. Mais le feu s'était éteint peu de temps après : il lui avait pris tout son bois. Et la chambre de Laurence ne se verrouillait pas.

— Pour rendre hommage à Dieu, tu vas à présent rattraper les six psaumes des *nocturni*.

C'est par ces mots que Titus l'accueillit dans la salle commune glacée. Un regard sur la cheminée éteinte lui indiqua par quels moyens il comptait la faire plier.

— Suivront ensuite et chaque matin, ici, les *laudes*, puis de nouveaux six psaumes, et nous chanterons ensuite ensemble le « *Te Deum laudamus* ». Avant le petit déjeuner !!

Laurence se demanda un bref instant si elle devait le rouer de coups. Mais elle n'avait pas envie de se gâcher encore ce séjour forcé au château en menant une petite guerre avec ce méchant gamin, d'autant plus que la Louve, responsable de son éducation, n'était toujours pas revenue. Ce zélateur maniaque avait quelque pouvoir : aucun des domestiques ne parlait à Laurence. Elle prit donc le lourd psautier que lui tendait Titus et pensa, furieuse : « Je vais te faire rentrer les Saintes Écritures par un entonnoir jusqu'à ce qu'elles te débordent par les oreilles !»

— Lesquels dois-je lire ? demanda-t-elle aimablement.

Le visage de bois de Titus s'illumina.

— Pour les matines, le soixante-sixième et le cinquantième, ensuite du cent quarante-huitième au... Mais tu sais tout cela bien mieux que moi, fille d'une abbesse infidèle.

Il paraissait extrêmement satisfait d'avoir imposé si vite sa volonté. Il courut chercher de quoi se réconforter. La gouvernante, une vieille femme hargneuse, apporta des œufs de poisson frais, croustillants et brûlants, baignant dans l'huile d'olive chaude, des pains au lait et du miel.

— Tout cela n'a plus lieu d'être désormais, décida Laurence. Nous jeûnons jusqu'à la tombée du soir.

Cela parut convenir à son pieux écolier.

— J'accepte volontiers ce commandement pour ce qui me concerne. Mais toi, tu dois garder tes forces.

Elle n'en fit rien. Mais si elle avait cru faire plier Titus en augmentant encore la dureté de ces exercices, elle fut déçue.

— Un inquisiteur ne peut exercer le pouvoir sur les autres que s'il exerce un contrôle rigoureux sur lui-même, lui expliqua plus tard, en passant, ce gamin trop vite mûri.

Laurence fut d'abord effrayée par cet orgueil glacé et tenta de déterminer à quel point il était sérieux.

— Comme prêtre, tu pourrais dispenser ta bénédiction à d'autres, partager leurs soucis, leur apporter ton aide pour qu'ils trouvent un chemin leur permettant de sortir de cette vallée de larmes et d'arriver à Dieu, l'incita-t-elle.

— Voilà, s'exclama le gamin, c'est l'hérétique qui parle en toi, sœur Laurence ! Ce sont leurs péchés qui les font se lamenter, et le chemin qui mène à Dieu passe uniquement par l'expiation, imposée par la sainte Église — ou par les flammes purificatrices de l'autodafé !

— Aimerais-tu me voir brûler, Titus ?

— Oui, dans des flammes hautes, pour la juste foi, celle qu'enseigne l'*Ecclesia romana*. Et, la voyant consternée, il ajouta : Je veux que tu haïsses ceux que tu aimes, par exemple Loba, la pécheresse.

— Mais c'est ta mère ! fit Laurence, horrifiée.

— C'est bien la raison pour laquelle je ne peux pas lui en vouloir vraiment, à elle, admit cet enfant monstrueux. Mais *toi*, tu devrais damner tous les hérétiques, car ils ne t'ont apporté que de la souffrance — et ont causé un grand souci à l'Église.

— Au nom de l'amour, répliqua Laurence, que je ressens pour tous ceux que persécutent l'Église du pape, j'accepte volontiers cette souffrance. Quant à l'*Ecclesia romana*, elle devrait prendre exemple auprès de celui dont elle porte infidèlement le nom sur sa bannière.

— Lui... ?

Le petit inquisiteur avala sa salive.

Titus rayonnait lorsque Laurence priait et chantait pour elle. Souvent, il l'accompagnait de sa voix cassée. Mais il ne se lassait pas de l'écouter. Dans son combat avec ce gamin sauvage, Laurence commença à s'habituer au rythme d'une journée bien réglée. Elle s'éveillait d'elle-même la nuit lorsque le temps du premier office était venu, et rejoignait l'oratorium (c'était ainsi que Titus appelait désormais la salle commune) comme si elle ne pouvait plus s'en passer. Laurence prenait même de plus en plus plaisir à mortifier son corps — en jeûnant inexorablement, en se lavant le matin à l'eau glacée, en priant constamment. Cette année-là, Laurence allait avoir vingt-trois ans.

Cette extase monacale ne s'arrêta pas non plus lorsque

Loba fit son apparition dans le château, au printemps. Elle reprit aussitôt le commandement de ses domestiques et enferma son enfant dans la tour — « Faut-il donc que le diable gouverne Roquefixade ? » —, si bien que Laurence n'était plus contrainte à rien. Mais elle continua imperturbablement ses exercices rigides.

Au début, la Louve observa en souriant l'activité de son amie. Mais ces prières accomplies dites toutes les trois heures d'une mine béate ne tardèrent pas à l'excéder.

— Dehors, El Bruto dévaste tout, les prêtres de l'Église romaine traquent les nôtres, et toi, tu hurles avec la meute ? Ils ont tué ton père, abattu tes amis, et tu gémis les mêmes paroles pieuses que celles avec lesquelles ils jettent les purs dans les flammes ?

Laurence parut abasourdie.

— On te recherche, ajouta Loba. Ta tête est mise à prix, tu es considérée comme une faidite.

Loba comprit alors qu'elle se trouvait face à une possédée : elle devait faire preuve d'une plus grande prudence pour ramener Laurence à la dure réalité.

— N'importe qui a le droit de t'abattre comme une renarde enragée, dit-elle.

Cette image produisit son effet : comme un signal rouge remontant d'un passé refoulé, d'une vie de souffrance vécue avec fureur.

— Que dois-je faire ? demanda Laurence à Loba, encore incertaine, comme une convalescente qui fait ses premiers pas après une longue maladie.

— Commence par te réveiller, ordonna la Louve. L'hibernation est terminée.

— Depuis quand un loup chasse-t-il le renard de ses galeries ?

La colère de Loba la fit rire, cela la libéra.

— Où se cache Simon le Brut ? plaisanta-t-elle en brandissant une épée imaginaire. Ce pleutre doit accepter de nous affronter !

— N'exagère pas tout de suite, dit Loba, auquel ce brusque changement d'humeur ne plaisait guère. Tout le Languedoc gémit sous son joug, et ses sbires...

— Charles-sans-selle ! s'exclama Laurence. Mille morts !

Au moins, Loba avait retrouvé sa vieille Laure-Rouge.

— On ne pourra prendre le bailli que par la ruse, fit Loba.

Tu devrais simuler les remords, faire croire à une passion soudaine et inextinguible pour cette face de mule, afin qu'il te monte dans son lit !

— Brrr...

— Ensuite, tu lui couperas les...

— Brr... brr..., fit de nouveau Laurence. Et ses hommes me découperont en morceaux ! Quand ils auront découvert le poignard sur moi...

— Un petit couteau suffit. (Loba n'en démordait pas.) Une épingle à cheveux, enfoncée lentement dans les viscères.

Laurence ne parut guère convaincue.

— Je ne tiens pas à transpercer tant de merde ! tempêta-t-elle. Mais nous devrions de toute façon commencer par trouver d'Hardouin !

— C'est lui qui doit *nous* trouver, répondit Loba sans s'attarder sur cette idée.

— Dans ce cas, partons ! dit Laurence.

Le dégel n'avait pas encore commencé lorsque Laurence et Loba quittèrent leur nid d'aigle sur le Plantaurel et descendirent dans la vallée. Ici, en bas du flanc exposé au sud, le soleil de printemps avait déjà partiellement dégagé le vert mat des prairies. Les torrents avaient enflé, et un vent léger portait le parfum de la terre qui s'éveillait, du bois empli de sève et des premiers chatons de saule.

Les deux jeunes femmes n'avaient emmené pour ce voyage qu'un vieux palefrenier, elles avaient pris comme montures des mules insignifiantes couvertes de corbeilles et de sacs. Elles voulaient qu'on les prenne pour des femmes du peuple, le visage caché derrière des voiles, leur silhouette momifiée sous des couvertures informes. Elles avaient caché leurs armes tout en dessous : Loba, un cimeterre maniable pris dans les butins de son père. Son amie, un couteau de chasse que lui avait laissé la Louve.

Elles dirigèrent leurs pas vers le nord. Lorsqu'elles passèrent sous Laroque d'Olmès, Laurence jeta un regard timide vers le haut, en direction des maisons de pierre cachées dans la roche où l'avait jadis accueillie la belle Alazaïs. Le souvenir de sa merveilleuse amante l'assaillit si puissamment qu'elle chercha à y échapper.

— Au prochain croisement se trouve une taverne mal famée, se rappela-t-elle. Elle porte le nom de Quatre Camins.

— Nous allons entrer dans ce repère de brigands, accepta Loba. Le patron est redouté pour...

— Dos y dos...

Laurence se rappela alors sa sortie nocturne avec Créan, qui s'appelait alors Raoul, sa rencontre avec Ramon-Drut, l'infant de Foix, et la fuite de l'agent de la curie, le faux prêtre Roald of Wendower.

La taverne décrépie paraissait encore plus sinistre à la lumière du jour, sans le manteau de neige qui lui servait de cache-misère. La porte en grosses poutres n'avait toujours pas de poignée extérieure, et le propriétaire était encore bien plus revêche que Laurence n'en avait gardé le souvenir. Il leur ouvrit lui-même et voulut refermer la porte aussitôt en découvrant les deux femmes. Mais Laurence avait déjà coincé son pied dans l'entrebâillement.

— Dos y dos ? demanda-t-il, grognon.

— *Cinco !* répondit Loba.

— *Seis !* surenchérit Laurence.

Une lueur éclaira alors le visage ridé du chauve.

— Laure-Rouge ! crailla-t-il. Cela fait six ans que je n'ai plus entendu cette réponse.

— *Cinco*, corrigea Laurence. Ne nous laisse pas mourir de soif.

Et elle passa devant lui pour descendre l'escalier de pierre qui donnait dans l'estaminet.

— Avez-vous vu Créan ces derniers temps ? demanda dans son dos la Louve à Dos y dos.

— Il a laissé deux de ses chevaux ici, répondit le patron sans détour. J'ignore quand le chevalier les change. Et lorsqu'il le fait, c'est dans le plus grand secret.

Laurence prit place en bas, à la table située près du comptoir, sur le banc réservé aux invités particuliers de Dos y dos. Des buveurs étaient installés aux tables voisines, mais elle n'avait plus envie de garder la tête sous l'épais drap de coton. Elle l'ôta donc et secoua sa crinière rouge feu.

À l'instant même, les bavardages cessèrent aux autres tables. Laurence regarda autour d'elle. À cette heure de la journée, il n'y avait pas encore trop de clients. Mais les visages qu'elle enregistra semblèrent lui promettre un choix suffisant.

Dos y dos mena Loba à la table et promit d'aller chercher un nectar de première qualité dans sa *cantina*. Laurence portait sur elle un bon nombre de pièces d'or, prises sur la part du butin que sa mère lui avait laissée et qu'elle avait pu sauver de L'Hersmort parce qu'elle ne s'en séparait jamais.

— Tu ne m'avais pas dit que nous pourrions rencontrer Créan ici, reprocha-t-elle à son amie.

— Tu ne m'avais pas posé la question non plus, rétorqua Loba, taquine. Depuis quand t'intéresses-tu à de si jeunes hommes ? Il te plaît ?

Les yeux de la petite Louve brillaient, elle semblait avoir envie d'en découdre avec Laurence.

— Créan est le fils d'Alazaïs, répondit celle-ci.

— Mais ce n'est plus un enfant !

Laurence préféra changer de sujet :

— Et que devient ce jeune seigneur dont j'ai fait un chevalier ?

Elle n'avait pu s'empêcher de lancer son coup. Il porta. Loba avait sans doute dû se rouler avec lui une ou deux fois dans la paille, mais elle s'abstint sagement de répondre qu'elle-même en avait fait un homme, et répliqua sobrement :

— Créan poursuit méthodiquement le travail entrepris par Lady d'Abreyville.

La Louve baissa la voix.

— Il s'occupe des orphelins. Et il me semble qu'il s'est assuré les services de Dos y dos.

Elle s'arrêta ; le patron revenait avec le cruchon promis, et servit les dames.

— J'ai la vague impression, marmonna-t-il, que Raoul... Messire Créan, corrigea-t-il, va nous faire une visite cette nuit. Si ces dames se contentaient d'une couche de paille fraîche dans l'écurie, il se pourrait...

— Merci, dit Laurence. Qu'est-ce que je vous dois ?

— Accordez-moi votre bienveillance, Laure-Rouge, et cet honneur fera plus que dédommager Dos y dos. Et ne laissez plus jamais cinq ans s'écouler ! Nous ne sommes plus tout jeunes, tous autant que nous sommes, et nous vivons des temps dangereux.

— À propos, dit Laurence. J'aurais besoin, contre bonne solde... (Elle baissa la voix pour chuchoter, mais elle perçut le silence qui se faisait aussitôt dans la salle.)... de deux ou trois hommes qui connaissent leur métier.

— Vous les trouverez demain matin, tout prêts devant l'écurie, fit Dos y dos. Cela vous coûtera...

Laurence lui déposa dans la main, une par une, les pièces qu'elle avait préparées, jusqu'à ce qu'il referme le poing.

Le soir, le patron conduisit ces dames à l'écurie, leur indiqua la couche qu'il leur avait prévue et les deux chevaux de Créan. Elles se couchèrent dans une position qui leur permettrait de garder un œil sur la porte à demi ouverte de l'écurie, vers le ciel clair de la nuit. Chacune s'était enveloppée dans sa propre couverture. Il ne restait plus grand-chose de leur ancienne familiarité.

— M'as-tu traînée ici pour pouvoir rencontrer Créan ? grogna Laurence.

La Louve ravala une réponse cinglante.

— T'es-tu déjà demandé, Laure-Rouge, répondit-elle après s'être maîtrisée, comment tu comptes t'approcher de Charles d'Hardouin ? Sais-tu seulement où il séjourne ?

— Et tu penses que Créan le sait ?

— Cela, peut-être pas. Mais même s'il évite de croiser le chemin de son géniteur, ou justement pour cette raison, il se tient constamment au courant de ses changements de cachette et de ses mascarades. Or le Chevalier dispose d'un réseau qui lui permet d'enregistrer chaque mouvement de l'ennemi, et même, parfois, de le prévoir. Il connaît certainement chaque lieu où séjourne la face de cheval. Je ne vois pas à qui d'autre nous pourrions nous adresser.

— Tu as raison, murmura Laurence, et elle roula suffisamment près de son amie pour caresser d'un geste gauche, signe d'une tendresse retrouvée, le corps de la Louve.

Elles s'étaient endormies toutes deux depuis longtemps lorsque Créan se pencha sur elles en émettant un léger sifflement. « Il porte toujours mes brassards », constata Laurence avec satisfaction.

— Comme deux marmottes, se moqua le jeune chevalier en les voyant bondir sur leurs jambes. Mais vous avez oublié de siffler !

— Où trouverons-nous le Chevalier ? demanda Laurence sans détour.

— Sa dignité, le prieur de Saint-Félix ? Ou plus exactement : de Saint-Nom-Nois-Félix ?

— Jamais entendu ce nom-là, fit Loba en secouant la tête.

— Personne n'a jamais entendu parler de ce monastère, jusqu'à ce que le pieux Valdemar prenne pitié de ce tas de pierres et fasse de ces ruines ravagées d'abord un ermitage, puis un modeste lieu d'accueil pour les moines. L'ancien comte du Limbourg s'est voué à la conversion des âmes égarées, au lieu de les guérir de leurs erreurs par le feu et l'épée.

La voix de Créan, derrière sa moquerie apparente, révélait une sorte de respect pour l'audace et l'imagination du Chevalier.

— Il ne pouvait pas trouver un nom plus discret pour son monastère ? regretta la Louve.

— Vous vouliez peut-être qu'il l'appelle Prieuré du Mont-Sion ? répondit Créan en ricanant. Loué soit Ton nom sur cette terre, pour que nous soyons convertis et heureux !

— Une conversion ! Génial ! Le Mont-Sion devient le Saint-Nom-Nois... et cela a encore un sens, constata Laurence.

— Simple et naïve satisfaction de son besoin de jouer avec le feu, corrigea Créan.

— C'est bien à vous de lui faire la leçon ! l'interrompit Loba en riant. Je ne veux pas connaître la signification profonde du nom de « Créan ».

— C'est Laure-Rouge qui m'a donné ce nom. Et il me plaît.

— Eh bien, où se trouve le siège du prieuré secret ?

— Quelque part entre Pamiers et Mirepoix. Je n'en sais pas plus. Demandez simplement Saint-Félix.

— Demain ! décida Laurence. Ça ne doit pas être si difficile que cela.

Créan se coucha entre les deux femmes, ce qui causa d'abord un peu de désordre, parce qu'il ne parvenait pas à déterminer vers laquelle il devait se tourner. Pour trouver tout de même un peu de sommeil, elles le prirent toutes deux dans leurs bras, et si fermement qu'il lui fut impossible de bouger.

Lorsque Laurence se réveilla, le lendemain matin, le jeune chevalier était déjà par monts et par vaux, et Loba se lavait dans l'abreuvoir. Dehors, devant l'écurie, l'attendaient nonchalamment trois lascars que Laurence aurait préféré ne pas rencontrer dans l'obscurité.

— De vrais gibiers de potence, chuchota-t-elle à son amie, tout en vérifiant discrètement si elle portait encore son sac plein d'or.

— Le Dos y dos se porte garant de ses hommes, répliqua Loba pour dissiper ces objections.

Laurence sortit et les salua.

— Comment vous appelle-t-on, messieurs ?

— Comme il vous plaira, Laure-Rouge, nous porterons le nom que vous nous donnerez comme de vrais Gascons.

— Dans ce cas, vous porterez désormais les noms de Patac, Chasclat et Hissado ! annonça Loba aux trois hommes, qui ne purent réprimer un sourire.

Ils montèrent sur leurs chevaux ; ils avaient renvoyé les mulets à Roquefixade avec le vieux palefrenier. Les trois gaillards marchaient à l'avant.

— Comment as-tu baptisé nos anges étrangleurs ? demanda aussitôt Laurence à Loba.

— Coup de pied, Ventre fendu et Coup de poignard !

Les trois Gascons

Saint-Félix, le monastère du prieur Valdemarius, un homme d'une grande piété et très aimé, était connu de la plupart des habitants au-delà du massif du Plantaurel. À peine avaient-ils traversé les flots rapides de L'Hers Vif que chacun leur indiqua le chemin de bon cœur. Seulement la direction n'était jamais la même.

Le soir était déjà tombé, l'angélus sonnait paisiblement dans la vallée lorsqu'ils atteignirent enfin le monastère. Les trois Gascons ayant découvert une auberge de l'autre côté de la colline où se dressait la petite église et les cabanes qui l'entouraient, Laurence les y envoya. Elle ne voulait pas se montrer inutilement en compagnie de ces tueurs, surtout pas devant le Chevalier. Celui-ci la laissa d'abord attendre : il disait les vêpres avec ses frères. Après le magnificat, les moines quittèrent la chapelle, et les deux femmes furent autorisées à entrer. Le prieur portait à merveille l'habit noir des camaldules. Il rayonnait de douceur et de dignité.

— Loué soit Notre-Seigneur ! s'exclama-t-il en les voyant entrer toutes les deux.

Il leur fit signe de s'agenouiller, tandis qu'il continuait à lire son bréviaire. Mais Laurence ne parvint pas à se retenir :

— Qui donc, par les trois diables, vous a appris à vous comporter comme un prêtre, et même comme un abbé ? Une profession ordinaire, marchand de drap ou fourreur, n'aurait-elle pas aussi bien fait l'affaire ?

— *Ad primum et non ultimum*, dit le prieur avec componction, n'oubliez pas quelle haute personnalité j'avais l'honneur de servir.

Laurence se rappela que, jusqu'au déclenchement de la guerre, le Chevalier avait assuré la chancellerie de son demi-frère Guido, de son état évêque contestable d'Assise. À cette époque, le prieur s'appelait John Turnbull.

— *Ad secundum*, et sur ce plan j'accepte volontiers de mettre le diable dans l'affaire, le froc d'un prêtre de l'Église catholique se prête mieux que toute peau d'agneau blanche à déguiser le loup.

— Et si l'évêque local, ou un homme de l'entourage de Montfort, se souciait de votre monastère d'origine ou du lieu de votre ordination ? demanda Loba. S'ils allaient jusqu'à faire une enquête ?

Le prieur sourit finement.

— Une fois sa quarantaine accomplie, le comte Valdemar s'est séparé de messire Simon, les larmes aux yeux, parce qu'il avait prêté serment de consacrer désormais son existence à Notre Seigneur Jésus-Christ. J'ai fait savoir à mon ami Bouchard de Marly, même s'il n'a pas voulu y croire, que je reviendrais tout de même pour mettre en œuvre ici ma nouvelle vocation, sur ce sol profané par les hérétiques, et qu'il fallait désormais labourer avec le soc de la vraie foi. Il n'avait qu'à me donner un morceau de terrain aride : avec l'aide de la Vierge Marie, je le ferais fleurir et prospérer.

— Et bien entendu, vous n'avez jamais quitté l'Occitanie ? demanda Laurence. Ma mère vous a rencontré près de Muret, au sud de Toulouse.

— C'était l'été dernier. J'étais déjà sur le chemin d'Assise. Je caressais l'idée de me faire admettre dans la communauté de François, puis de me faire envoyer comme missionnaire dans le Languedoc. Mais lorsque j'ai vu cette terrible pauvreté, la vie misérable des frères mineurs, j'ai décidé de changer de méthode.

Laurence le regarda d'en bas, toujours agenouillée. Le Chevalier qu'elle avait connu, sans cesse en mouvement, était un homme sec et musclé ; le prieur, lui, commençait à prendre un peu de ventre.

— Je n'avais pas prévenu mon évêque, Guido II, car je devais craindre qu'il ne tente de me retenir — et il est difficile de refuser quelque chose à Son Éminence, vous êtes bien placée pour le savoir ! Mais je connaissais bien les lieux, à Assise, le passage secret menant de l'*Assunta* au palais épiscopal m'était après tout familier. Je n'ai pas eu de mal non plus à retrouver sa salle de travail, et mes outils se trouvaient encore à leur place. Du papier à lettre et un sceau ont suffi pour me procurer la dignité sacerdotale et deux lettres de recommandation des monastères voisins de saint Benoît. J'avais déjà eu à imiter la signature des deux abbés pour des affaires de latifundia ou de dîme. Ensuite, Valdemar du Limbourg, seigneur venu des régions allemandes du Rhin, s'est lui-même envoyé en mission auprès des hérétiques. Charge à lui de rejoindre le pays d'origine du bon comte Simon de Montfort, et la ville d'Albi, qui a donné son nom à cette croisade !

Laurence le regarda, profondément déçue. « Comme il est devenu imbu de sa personne, mon vieux héros résistant ! » se dit-elle.

— En chemin, j'ai rassemblé quelques moines, va-nu-pieds et crève-la-faim qui m'ont suivi de bon cœur, et je me suis de nouveau présenté chez mon admirateur, Bouchard de Marly. Celui-ci avait déjà pris possession de ce joli petit coin de terrain, mais les bâtiments étaient en ruine. Par le biais du vénérable chapelain et chroniqueur de la cour...

— Pierre des Vaux-de-Cernay ! s'exclama Laurence. Je me suis écorché les doigts à force d'écrire pour celui-là.

— Moi, cela ne m'a coûté qu'une signature, reprit le Chevalier avec plaisir. Il m'a présenté mon évêque, celui de Pamiers, qui s'est grandement réjoui et m'a confié Saint-Félix avec tous les droits et devoirs afférents. Il a volontiers confirmé ma nomination au titre de prieur, car je lui ai promis de prendre tous les frais à ma charge. Et puis j'apportais de Rome un crucifix béni par le pape.

— Et d'où tirez-vous tout cet argent ? osa demander Laurence, incrédule. Vous n'en êtes tout de même pas à lancer des embuscades avec vos frères de foi ?

— De l'autre côté de cette colline, où pousse du reste la

vigne d'un remarquable nectar, se trouve une auberge. C'est mon autre jambe d'appui, munie d'éperons et de bonnes...

— Et une galerie souterraine y mène depuis cette petite église ?

— Ce genre de choses n'est pas rare dans les régions dotées d'une vieille tradition viticole. Ne vous faites donc pas de soucis pour ma vigueur, Laurence. Mais dites-moi à présent ce que nous devons entreprendre ensemble ?

Il fit le signe de la croix sur la tête des deux jeunes femmes agenouillées, et leur indiqua qu'elles pouvaient se lever.

— Vous n'avez certainement pas entrepris ce périlleux voyage pour rendre hommage à un vieil admirateur, et ami de votre mère ?

— Dans vos lettres, Jean du Chesne, vous vouliez mettre le monde à mes pieds. Mais je ne vous demande que la tête de Charles d'Hardouin !

Ce pieux désir ne sembla pas étonner le prieur. Il contenta de balancer la tête, songeur.

— Le Cheval me rend volontiers visite, aussi souvent qu'il le peut. Charles-sans-selle est tombé en disgrâce auprès de Montfort, depuis qu'il a causé à L'Hersmort des dommages que l'ordre des templiers s'est fait rembourser sur la caisse de guerre. Ce malheureux traîne donc depuis à Pamiers. *De même sans cervelle !* dit-on là-bas.

— Ce malheureux ? s'indigna Laurence. Il a tranché le cou à mon père sans la moindre raison.

— C'est bien ce que je dis ! répondit le Chevalier. Totalement écervelé ! Pas de torture, pas de dénonciation, aucune utilité...

— Il suffit ! répliqua Laurence. Votre dignité de prêtre vous permet sans doute de vous placer dans l'état d'esprit des criminels qui vous confessent leurs plaisirs secrets. Moi, je suis une victime et je réclame vengeance !

Le prieur la regarda, l'air maussade.

— C'est bien ce que je pensais. Je vais vous loger cette nuit à l'auberge : vous vous trouvez ici dans un monastère stricte- ment masculin. Demain, avant midi, je saurai ce que je peux faire pour vous. Mais je vous le dis tout de suite : je ne veux pas de crime de sang sur le sol de Saint-Félix.

Laurence quitta sans un mot la chapelle. Seule Loba se donna l'air aimable.

— Ce n'est pas nécessaire, dit-elle en voyant le prieur appeler un valet. Nous retrouverons notre chemin toute seule.

Le jour suivant commençait déjà à éclairer le pays lorsque l'on frappa à la porte de leur chambre. Loba s'était levée en un éclair pour vérifier la fermeture du verrou.

— C'est moi, Patac ! chuchota une voix. Nous devrions partir ! Des hommes à cheval s'approchent des deux côtés.

Laurence bondit sur ses jambes.

— Préparez les chevaux ! cria-t-elle en jetant un regard par la fenêtre.

Chasclat et Hissado étaient déjà en selle. Comme la cour était pleine de ballots de paille, les deux jeunes femmes sautèrent directement du premier étage.

— Où allons-nous ? demanda Loba, dès qu'elles furent à cheval.

— Nous prenons le seul chemin qu'ils nous aient laissé ouvert, répondit Chasclat à voix basse. Suivez-moi !

La petite troupe disparut ainsi rapidement dans la forêt voisine. Le sentier était tellement étroit qu'ils ne pouvaient y chevaucher qu'en file indienne. Patac formait l'arrière-garde. Chasclat, lui, allait loin devant, pour pouvoir déceler à temps des ennemis qui viendraient à leur rencontre.

Laurence se tourna vers la Louve, qui trottait derrière elle.

— S'ils sont déjà sur nos talons, dit-elle à voix basse, c'est peut-être grâce au Chevalier, qu'est-ce que tu en dis ?

— Jamais ! s'exclama Loba en s'efforçant de contenir sinon son indignation, du moins sa voix. Il ne ferait jamais une chose pareille.

— Dans ce cas, il ne reste que les Quatre Camins...

— Dos y dos ? (Cette idée parut hérisser les cheveux de la Louve. Mais Laurence savait ce qu'elle disait.)

— Comme son nom l'indique : il ouvre la main des deux côtés.

— Je te prie de garder pour toi ce genre de soupçons ! feula la Louve à voix basse.

Le sentier qu'avaient pris leurs protecteurs allait vers le sud, droit vers les arêtes montagneuses du Plantaurel, d'où elles étaient venues. Elles évitaient les vallées. Le chemin qui traversait les bois montait et descendait. À la première cuvette protégée, Chasclat fit arrêter ses camarades et les deux femmes.

— Vous faites avec vos sabots le bruit d'un troupeau de buffles qui charge ! On doit nous entendre venir à trois lieues !

— Alors quoi, des pantoufles ? demanda le plus gentil des trois, le rondouillard Patac.

— Quand on pose des questions bêtes, on y répond tout seul, Patac ! lui répondit Hissado en lui laissant le travail.

Les deux compagnons du gros homme surveillèrent les accès tandis que Laurence et Loba aidaient Patac à mener sa besogne à bien. Patac soulevait chaque sabot des chevaux, pendant que les deux amies les enveloppaient dans tous les sacs de lin et toutes les couvertures qu'elles avaient pu trouver. Les chevaux se laissèrent faire.

Puis ils repartirent, en reprenant le même ordre de marche. Hormis le léger crissement des pierres sur le sentier caillouteux, on n'entendait plus rien désormais. On en vit rapidement l'intérêt.

D'un seul coup, Chasclat leva la main. Ils s'arrêtèrent tous et se laissèrent glisser de leur selle. Puis ils poussèrent prudemment les chevaux dans les fourrés, au bord de la falaise. En dessous, dans la vallée, le sentier traversait les prairies et suivait le cours d'un ruisseau. Sur le pré vert se dressait une tente blanche ; et à côté de l'entrée flottait la bannière de Charles d'Hardouin.

— Il est donc venu !

Loba dut se retenir pour ne pas célébrer son triomphe en criant de joie. Laurence, elle, avait l'air sombre.

Sur le sentier, une demi-douzaine d'hommes en armes avaient dressé un barrage. Autant de cavaliers revenaient manifestement d'une patrouille, tout comme les fantassins en pourpoint orné de galon d'or et de la croix rouge en forme d'ancre, les couleurs de la maison d'Hardouin. Un chevalier sortit de la tente. Elle ne put en distinguer le visage, plongé dans l'ombre que projetait son heaume à la visière relevée.

— C'est lui ! fit la Louve, sûre de son affaire.

Laurence était moins convaincue.

— Dans ce cas, le Cheval a pris un sacré ventre !

— Les soucis ! commenta Loba.

— Un ventre à bière ! murmura Patac avec mépris.

Son regard glissa vers Hissado, un épouvantail maigre, en

comparaison. Il s'était laissé glisser au sol comme un serpent, et colla son oreille aux pierres.

— Des chevaliers se dirigent vers nous ! chuchota-t-il en se relevant. Dans les buissons, vite !

— En arrière ! ordonna Chasclat, qui exerçait le commandement. J'ai vu une grotte au-dessus de nous, au dernier virage !

Ils prirent leurs bêtes par la bride et montèrent dans les rochers à l'endroit indiqué. Une grotte s'ouvrit derrière un épais rideau de lierre. À peine avaient-ils atteint leur cachette qu'ils entendirent en dessous d'eux les sabots annoncés. Quelqu'un s'exclama d'une voix forte, sans doute en direction de la vallée et du barrage :

— Il n'y a personne ici !

— *Lui*, c'était Charles-sans-selle, chuchota Laurence, excitée. Je connais sa voix.

On entendit distinctement les cavaliers s'éloigner.

— Il faut attendre, décida Chasclat, jusqu'à ce qu'ils se soient calmés et qu'ils aient filé pour de bon.

— Ça peut durer une éternité, protesta la petite Louve. Et notre proie va nous échapper !

Les trois hommes se regardèrent. Ils n'avaient pas l'air d'apprécier ce genre de contradiction.

— Vous, en tout cas, vous n'allez pas durer bien longtemps, Loba, lui répondit Patac, si vous ne ramassez pas la prochaine fois ce que sème votre cheval au milieu du chemin.

Il déplia son foulard et le tendit à la dame en s'inclinant. Le crottin frais était encore fumant.

Ils attendirent que l'obscurité tombe. Puis Hissado et Chasclat décidèrent de tenter une sortie exploratoire. Ils laissèrent les chevaux et les femmes à Patac. Le gros homme s'installa devant la grotte.

La Louve sortit soudain des profondeurs de ses habits une petite boîte d'argent que Laurence avait remarquée sur l'autel du Chevalier. Loba l'ouvrit et en fit sentir le contenu à son amie. Laurence ne put attribuer une origine précise à cette odeur. Elle lui rappelait vaguement le bazar de Constantinople.

— L'herbe des Assassins ! lui expliqua Loba, l'air mystérieux, en faisant mine de ranger aussitôt son précieux larcin.

— À quoi cela sert-il ? demanda Laurence, curieuse.

— Elle te rend invincible.

— Faut-il avaler cette pâte ? Ou bien la mâcher ?

— Les deux sont possibles. Mais le plus bel effet intervient lorsqu'on la consume sur une petite braise, en inspirant profondément la fumée.

— As-tu une pierre et du saindoux ? demanda Laurence.

Loba hocha la tête, l'air grave.

— Mais nous devons être seules, objecta-t-elle. Nos gardes du corps n'admettraient pas que nous allumions un feu de camp ici.

Hissado revint chercher les deux dames. Chasclat les attendait déjà. Il les ramena au même endroit dans les falaises depuis lesquelles ils avaient vu la tente dans la prairie. Elle n'avait pas bougé, mais ses portes de tissu étaient fermées. Huit chevaux étaient attachés à proximité. Les cavaliers qui les montaient semblaient dormir autour de la tente, enveloppés dans des couvertures, pour protéger le repos de leur maître.

— Cela pourrait être un piège, murmura Laurence.

— Je vois deux possibilités, chuchota Chasclat. Ou bien vous voulez disparaître à tout jamais. Dans ce cas, mieux vaut les laisser dormir.

Laurence secoua énergiquement la tête.

— Ou bien nous les endormons définitivement. Mais dans ce cas, mieux vaudrait nous volatiliser ensuite ! Vous avez le choix.

La Louve laissa la décision à Laurence.

— Charles d'Hardouin doit mourir ! conclut celle-ci.

Chasclat hocha la tête.

— Gravez dans votre cerveau le chemin que Hissado va vous montrer. Dans l'obscurité, votre descente pourrait provoquer des chutes de pierre. Lorsque la lune sera descendue derrière les arbres, la hulotte appellera trois fois. Alors seulement, vous vous dirigerez vers la tente. Nous vous aurons laissé le dormeur, si vous le désirez.

— Mais certainement ! répondit Loba.

Elles se firent montrer par l'homme à l'oreille fine l'endroit où elles devraient attendre le signal. Entre les rochers de la falaise, il paraissait aussi à l'abri de la lumière : aucune lueur ne pouvait s'en échapper. Loba s'agenouilla et sortit ses ustensiles.

Une fois, deux fois, trois fois, l'oiseau de nuit invisible émit son piaillement sinistre. Laurence l'écouta comme à travers un mur de brouillard, elle ne se sentait pas concernée. Si Loba ne s'était pas trouvée à côté d'elle, elle ne se serait pas déplacée. Mais la Louve la poussa du coude :

— Allez, Laure-Rouge, c'est à nous !

Laurence tenta de se relever. Ses jambes n'étaient même pas lourdes comme du plomb, elle n'avait pas cette sensation que l'on éprouve lorsqu'on a bu trop de piras : il lui semblait ne plus avoir de jambes du tout. Loba prit par la main son amie enivrée, qui dévalait la pente en glissant et en sautant comme un mouflon sur la falaise rocheuse.

Enfin, elles tombèrent toutes deux au pied de la falaise, dans les bras de Patac qui faisait le guet. La répugnance que lui inspira ce contact dégrisa suffisamment Laurence pour qu'elle se rappelle enfin la mission qu'elle s'était fixée à elle-même. Le feu de camp des gardiens ne faisait plus que vaciller faiblement. Elle vit la tente devant elle, à portée de main. Il lui sembla qu'elle pouvait voir à travers la toile de la tente, dont les couleurs argentées brillaient à la lueur de la lune, et der-rière, éclairé par une petite lampe à huile, le Cheval qui se tor-dait sur son lit, inquiet et agité.

Laurence s'arracha à ce tableau.

— Qui donne le signal de l'attaque ? demanda-t-elle à Patac.

L'homme agita la main.

— Lorsque la chouette hululera deux fois, expliqua-t-il doucement en s'adressant plutôt à Loba, les Gascons seront seuls à attaquer. Vous, vous ne bougez pas, vous vous tenez prêtes à intervenir. (Il remarqua la lueur dans les yeux de Lau-rence.) C'est seulement au dernier cri de la chouette, un cri unique, que vous vous glisserez devant l'entrée de la tente, que vous l'ouvrirez et que vous vous précipiterez sur les occupants. Ne traînez pas ! ajouta-t-il avant de disparaître.

Laurence constata que le cimeterre de Loba brillait déjà dans la pénombre.

— Charles m'appartient ! rappela-t-elle encore une fois à son amie, en tirant sa dague.

Elle vérifia prudemment l'affûtage de la lame avec la pointe de son pouce et se coupa, sans ressentir de douleur. Elle lécha la goutte de sang, en ressentant une excitation qu'elle avait rarement éprouvée.

Loba perdit son calme.

— Laisse-moi ouvrir l'entrée, proposa-t-elle à Laurence. Pendant ce temps-là, ferme les yeux, pour ne pas te précipiter dans la pénombre, les yeux encore éblouis par l'éclat de la toile. Frappe immédiatement sur le lit, que l'homme soit dénudé ou sous une couverture, éveillé ou endormi. (Elle nota avec effroi l'expression vitreuse des yeux de son amie.) Toute hésitation...

— Je sais ce que j'ai à faire, petite Louve ! fit Laurence.

La chouette hulula deux fois, deux longs cris sombres. À la lumière de la lune, elles virent les figures noires des Gascons tourner comme des chauves-souris autour de la tente et se baisser vers les dormeurs. Tout alla aussi vite que le battement d'aile à peine perceptible des vampires. On entendit presque aussitôt le nouveau cri du rapace, une fois, court et strident. Laurence courut en avant, mais Loba fut plus agile encore. Elle avait déjà ouvert la toile de la tente d'une entaille nette et rapide, de haut en bas, lorsque Laurence arriva en trébuchant. Loba souleva la toile déchirée, si bien que son amie put aussitôt pénétrer à l'intérieur, couteau de chasse au poing.

La lumière de la lune, qui tomba tout d'un coup dans la tente, rendit superflue la lueur de la petite lampe à huile suspendue dans le campement. La silhouette qui était couchée avait remonté son drap blanc sur sa tête. Lorsque ses bras tentèrent de s'en dégager, Laurence frappa — non pas à l'aveuglette, mais droit au cœur. Elle n'attendit pas le résultat, ni la tache sombre qui se propageait rapidement, ni le gémissement, ni l'amollissement des membres. Elle sortit le fer de la chair tendre et le replongea aussitôt, plus haut cette fois — elle cherchait le cou, elle voulait que cessent les mouvements de cette tête. La résistance à laquelle se heurta la lame lui paraissait trop faible, trop molle. Elle corrigea son coup et sentit la pointe s'enfoncer dans du cartilage. Elle renforça sa pression — un dernier tressaillement, et le battement des jambes s'acheva.

À ce moment seulement, lorsqu'elle voulut ramener l'arme, la nausée s'empara d'elle si violemment qu'elle en aurait relâché le pommeau. Alors, Loba la rejoignit, une torche allumée à la main, et arracha le drap qui recouvrait encore le visage du mort. Ce n'était pas Charles d'Hardouin, mais le visage farineux et mou d'Adrien d'Arpajon. Le bourreau de son père ! Ses yeux grands ouverts étaient dirigés vers Laurence, et exprimaient encore la haine. Et à côté de lui, presque écrasé sous son corps flasque, quelque chose bougeait. Laurence cria, prise de panique : la tête d'un garçon aux boucles blondes émergea. Mais le gamin n'osait pas se redresser, il observait, ahuri, le gros cou transpercé à côté de lui. Son propre sang coulait par saccades de son artère blessée et se mêlait à celui de son amant assassiné.

— Mais qu'est-ce que tu fais là ? lui cria Laurence.

Prise d'une fureur absurde, elle l'attrapa par les cheveux et tira sa tête, comme si un regard sévère sur le jeune visage pouvait refermer la blessure.

C'est Loba qui saisit l'occasion et, d'un geste rapide de son cimeterre, lui trancha définitivement la gorge.

La Louve fit sortir de la tente son amie couverte de sang. Elle était sortie de sa léthargie. Elle se sentait brisée et laminée, mais son regard était perdu dans le vide. Elle était devenue une meurtrière. Cela ne dérangeait pas Loba, pas plus que de ne même pas avoir réglé son compte à celui qu'elles recherchaient. Chasclat sonna le départ, Hissado et Patac étaient déjà partis chercher les chevaux. Les gardiens morts étaient couchés par paires à droite, à gauche et à l'arrière de la tente, paisiblement, proprement. Les Gascons n'avaient pas laissé la moindre trace de sang.

La tromperie de l'amie

Laurence de Belgrave
À Roxalba de Cab d'Aret

Roquefixade, en juillet Anno Domini 1212.

Quelques éléments de réflexion pour ma petite Louve, si la pression de l'action incessante lui en laisse le loisir et l'humeur.

Ce n'est pas l'enchaînement des événements qui nous chasse, ni celui de leurs implications, de leurs confusions et de leur changement brutal. Nous nous chargeons nous-mêmes de nous pas-

ser l'anneau de fer au cou, nous nous y blessons et le tirons sauvagement jusqu'à ce que l'étranglement qui commence nous laisse discerner, trop tard, que nous sommes enchaînés et qu'il n'existe plus d'échappatoire. Je n'incrimine nullement ainsi mon initiation au meurtre, que tu as remarquablement encouragée. Tuer n'est rien de plus que la perte manifeste de l'innocence ; et elle, nous l'avons déjà tous perdue depuis la nuit des temps.

Les notions humaines de justice et d'injustice sont indifférentes à la divinité — elles lui sont sans doute aussi étrangères. Ce que nous nous faisons les uns aux autres sur cette terre est notre affaire à nous seuls, et elle ne se présente pas bien. Le fait d'avoir tué le bourreau de mon père ne m'emplit ni de satisfaction, ni de remords. Le déroulement des faits me paraît cependant, après-coup, assez infamant — et indigne de notre amitié.

Lorsque j'ai remis à nos trois Gascons le solde de leurs services, j'ai dû reconnaître qu'ils m'avaient trompé. Au moment où la chouette hulula trois fois, les six gardiens avaient été étranglés depuis longtemps, et d'Arpajon avait déjà été attaché à son lit avec son mignon. J'ai abattu des prisonniers. C'est peut-être devenu une habitude sous El Bruto, mais c'est indigne d'une Belgrave, je le dois à la mémoire de mon père.

Si Dos y dos n'a pas joué double jeu, si le Chevalier n'est pas un traître non plus, il ne reste en fait qu'une seule personne qui ait connu notre trajet à l'avance. C'est toi qui as tout préparé en toute conscience, y compris l'effet dévastateur de l'herbe des Assassins, parce que tu voulais avant tout me voir dénoncée comme faidite dans tout le pays, proscrite et traquée comme tu l'es toi-même ! Des désespérées comme toi ne provoquent que des destins paraissant plus tragiques, plus lamentables, plus tristes, plus grotesques encore que le leur.

Ou bien vouliez-vous que Laure-Rouge soit votre porte-drapeau ? Un drapeau rouge sang qui bat devant l'insurrection du pays tout entier contre les oppresseurs ? Grâce à ma naïveté (ou ce qu'il m'en reste), j'ai certes perdu mes sens un certain temps, mais pas la raison pour autant. La guerre de la resistenza que vous menez, toi et tes amis, peut certes connaître un « succès » à court terme — ici un château reconquis, là quelques morts parmi les hommes venus du nord. Mais vos âmes, qui n'ont jamais été si « pures » que cela, en deviendront aussi sales que celle d'El Bruto. Dès lors, quelle différence cela fait-il de savoir qui règne sur ce pays ? Les vrais purs, les cathares, n'ont cessé *de vous montrer la voie. Le saut dans le feu a sauvé leur âme immortelle, leur a ouvert la porte du paradis !*

Au cours de la période qu'il m'a été donné de passer en Occitanie — l'époque la plus importante de ma jeunesse —, je n'ai pas atteint ce degré de perfection, soit parce que je ne m'y suis jamais véritablement efforcée, soit parce que je suis au bout du compte un être faible, et sans doute superficiel, par-dessus le marché. Les plaisirs de l'aventure m'ont toujours plus excitée que l'ascèse et les modes de contemplation profonds ou transcendants de notre pérégrination en ce monde.

Mon temps dans cette région est donc terminé. Si cette attitude arrogante te permet de te séparer plus facilement de moi, tammiel, tant mieux, comme on dit. Si tu devais m'en vouloir pour cela, tampis pel bous — tant pis pour toi !

Je reviens du paradis avec cette sagesse : « Si le paradis est songe, tout réveil est mensonge ! »

Lorsque tu liras ces lignes, mon petit loup, je serai déjà par monts et par vaux. Ne tente pas de me retenir. J'ai aussi payé les trois Gascons pour qu'ils m'accompagnent en toute sûreté à Marseille. Je vais partir en pèlerinage pour Rome et — espérons-le — je m'y rendrai digne de prendre la succession de ma mère comme Mater superior. Je vous adresse tous mes vœux. Que vive la liberté de l'Occitanie ! Je veux prier pour son bonheur. Je t'embrasse, Loba, prends garde à toi.

Laure-Rouge

Dans le maelström de la Croisade des Enfants

Chasclat, Patac et Hissado prirent le chemin de Montpellier. Un quatrième s'était joint à eux, un lascar tout blême qu'ils appelaient *Rou Ross*, ce qui, dans leur langage, désignait un gaillard vulgaire et madré. Laurence prit cela comme une taquinerie : en temps normal, elle aurait évité toute allusion à sa chevelure rouge. Mais qu'y avait-il de normal dans sa situation ?

Laurence avait retrouvé les trois Gascons aux Quatre Camins. Ils étaient passés devant Béziers et Narbonne en décrivant un large cercle, et avaient ainsi franchi sans être inquiétés la zone dominée par El Bruto — car Montpellier appartenait encore de droit au roi d'Aragon. Ils venaient de franchir la longue arête montagneuse de la Gardiole et devaient choisir : soit se tourner sur la ville, à leur gauche, soit continuer tout droit devant eux. C'est alors qu'un cavalier accourut derrière eux. Il s'efforçait d'arracher ses dernières forces à son cheval, ce qui n'était pas si simple : il tenait devant lui, sur sa selle, deux petites filles qui, bien qu'elles fussent attachées avec une unique ceinture, le gênaient tout de même beaucoup. À côté de lui, au bout d'une longe, courait un cheval de rechange, sellé et harnaché.

Même si Créan passait pour un cavalier remarquable, cette chevauchée l'avait totalement épuisé. Il défit la ceinture, laissant les deux petites filles atterrir sans douceur de part et d'autre de sa monture.

Laurence avait aussitôt mis pied à terre. Elle prit le cheval de Créan par les rênes et le tira sur le côté.

— Vous ne comptez tout de même pas m'accrocher ces gamines au cou ?

— Et vous, Laure-Rouge, vous ne croyez tout de même pas que j'ai parcouru tout ce trajet en galopant derrière vous pour le seul plaisir de vous souhaiter un bon voyage ? demanda le jeune chevalier, avec un rire qui se mêlait à son halètement. Vous allez les emmener à Rome, car elles vous protégeront pendant votre trajet.

— Comment connaissez-vous donc notre chemin ? Par Dos y dos ?

La voix de Créan baissa jusqu'au chuchotement.

— Le patron des Quatre Camins est mort. Crucifié ! Ils l'ont cloué à sa porte pour entente avec l'ennemi. Ensuite, ils ont incendié la taverne.

Laurence se tut, consternée. Mais elle entreprit encore une dernière tentative, avec un regard de regret sur les deux créatures toujours assises au sol. L'aînée s'agenouilla, plongée dans ses prières. La cadette était couchée sur le dos et regardait, indécise, les trois cavaliers.

— Mais elles ne savent même pas monter à cheval ! objecta-t-elle.

— Vous leur louerez une litière à Montpellier, et vous vous ferez passer pour leur jeune mère...

— Merci beaucoup, Créan, feula-t-elle. Je ne détiens pas non plus l'immaculée conception.

— Soit, compte tenu de votre jeunesse, je veux bien vous éviter la maternité. (Il changea de ton et devint subitement sérieux.) Mais pas le rôle d'accompagnatrice. (Il sortit un document de sa bâtière.) Walburga, comtesse du Limbourg, nièce du prieur de Saint-Félix, voyage...

— Très séduisant ! l'interrompit Laurence en repoussant brutalement le rouleau scellé qu'il lui tendait. C'est une bonne chose que le Chevalier reconnaisse la différence de générations qui nous sépare. Mais pas au prix d'un prénom aussi épouvantablement teutonique.

— C'était une sainte, objecta encore Créan. Et puis vous n'avez pas le choix, madame la comtesse, si vous voulez quitter ce pays en vie.

Il lui tendit le rouleau. Comme Laurence hésitait encore, il fit venir l'aînée des deux petites filles et lui remit le document en main. L'enfant embrassa le sceau, l'air recueilli, et tendit le document à sa petite sœur, qui le glissa dans son pourpoint.

Créan changea de cheval et repartit au galop par la route d'où il était venu, sans adresser le moindre regard aux trois Gascons.

Ils quittèrent la ville de Montpellier. Laurence avait loué une vaste litière et deux bêtes entre lesquelles on pouvait transporter le châssis, plus suspendu que posé. Les deux chevaux de trait portaient leur fardeau au pas, même lorsque Laurence, pour les décharger, fut revenue sur sa propre monture.

Ce nouveau rythme et l'ensemble des circonstances du voyage paraissaient mettre les trois Gascons mal à l'aise. Ils rentrèrent d'abord les têtes. Puis Chasclat ralentit le pas jusqu'à ce que sa commanditaire l'ait rejoint.

— Notre accord, commença-t-il d'une voix ferme, était de vous escorter jusqu'à Marseille et d'y demeurer avec vous jusqu'à ce que vous embarquiez sur un navire pour Ostia. Mais à présent, avec les deux petites...

— Que demandez-vous ? répondit brusquement Laurence. Plus d'argent ? Quel prix fixerez-vous pour ces deux petits anges ?

— Petits anges ? l'interrompit Hissado, qui les avait rejoints à son tour. Il ne s'agit pas d'argent ! Elles puent !

— Elles puent les emmerdements ! tenta d'expliquer Chasclat à Laurence, ébahie.

Il ne put fournir de commentaires supplémentaires : un groupe de moines mendiants qui campaient au bord du chemin se leva subitement et leur barra le passage.

Les Gascons s'apprêtaient à frapper du plat de l'épée sur ces chauves-souris brunes. Laurence le leur interdit. Elle prit sa bourse pleine de petite monnaie pour les disperser. Mais aucun des porteurs de bure ne prit garde à ses aumônes. Ils se dirigèrent vers la litière, ouvrirent brusquement le rideau et regardèrent les deux petites filles assises face à face dans le châssis vacillant.

Leur vue fit taire les moines. L'air heureux, ils libérèrent aussitôt la voie aux chevaux de trait, ramassèrent tout de même dans la poussière les pièces semées par Laurence et s'inclinèrent avec respect devant la litière qui passait et devant ses gardiens. Puis ils sautèrent loin du sentier et disparurent dans les buissons. Laurence les suivit du regard, sans un mot.

— Le terme « d'ange » n'est pas si mal choisi ! reprit Chasclat. Seulement ceux-là n'étaient pas des franciscains. Ils n'acceptent jamais de pièces en aumône. Sous peine d'une rigoureuse punition de leur Ordre.

— Qui étaient-ils, dans ce cas-là ? demanda Laurence, toujours incrédule.

— Il vaudrait mieux, Laurence, fit Hissado entre ses dents, que nous sachions qui sont ces deux petites femmes d'apparence tellement inoffensive.

— Et ce que contient le parchemin scellé, ajouta Chasclat. D'ailleurs, à qui est-il adressé ?

Laurence fit arrêter le convoi, confia son cheval à Patac qui fermait la marche, et monta dans la litière. L'aînée avait replongé dans les prières. Cela ne l'empêchait pas d'observer la visiteuse avec une curiosité non dissimulée ; la plus jeune, en revanche, ne prêta pas la moindre attention à Laurence. On ne distinguait chez les deux enfants aucun signe d'émotion ou de crainte.

— Vous nous conduisez donc chez le Saint-Père, dit la fillette brune âgée de douze ans, quatorze au maximum, sur un ton qui laissait penser qu'elle était le royaume de douleur incarnée, et que la souffrance était son bonheur suprême.

— Comment vous appelez-vous, au juste ? demanda Laurence, décidée à élucider ce mystère. Donnez-moi donc cette lettre ! demanda-t-elle à la cadette.

Mais celle-ci se contenta de la regarder de ses yeux bleu-gris, comme si elle allait transpercer la femme qui l'interrogeait.

— Vous pouvez m'appeler Asmodis, répondit enfin l'aînée. Ma sœur a été baptisée sous le nom de Gezirah.

Celle-ci avait fini par sortir le rouleau de parchemin froissé.

— Tu veux savoir ce qu'il y a dedans ?

Ce n'était même pas une question, et encore moins une proposition.

— Gezirah peut lire à travers les portes fermées, annonça Asmodis. Elle sait toujours à l'avance ce que...

— Ce qui m'intéresse avant tout, l'interrompit Laurence d'une voix sèche, c'est d'où vous venez et pourquoi je dois vous...

Elle ravala le reste de sa phrase. Après tout, ces deux gamines n'avaient pas choisi de venir l'importuner.

— Nous venions de chez grand-mère, expliqua gentiment Asmodis. C'est alors qu'est arrivé le chevalier Raoul...

— Il s'appelle Créan, maintenant, corrigea Gezirah.

— ... et qu'il nous a demandé si nous voulions voir le Saint-Père en face à face...

— Mais nous ne le verrons pas ! constata la cadette sans même une ombre de colère.

— Et qu'a dit votre grand-mère ? insista Laurence en s'adressant à Asmodis, qui était sa source la plus prolixe.

— Rien, répondit Gezirah à sa place. Nous ne lui avons pas demandé.

— Quoi ? laissa échapper Laurence. Vous vous êtes échappées de chez vous... ?

— Nous voulons lancer une urgente mise en garde au Saint-Père, répliqua Asmodis sur un ton qui frôlait l'exaltation. Il doit enfin entreprendre quelque chose pour délivrer des païens la Jérusalem céleste, sans cela...

— Ce n'est pas nous qui voulons, corrigea Gezirah, c'est

toi qui ne rêves que d'accomplir cet acte glorieux, parce que tu veux te faire bien voir de Marie.

Les mots de la petite — Gezirah avait tout au plus sept ou huit ans — firent monter les larmes aux yeux d'Asmodis. De ses petits doigts, elle désigna sa sœur :

— C'est *elle* qui est convenue de notre voyage secret avec le Chevalier. C'est elle aussi qui a tout préparé. Elle toute seule, dans le dos de...

— Parce que tu pissais de peur, répondit Gezirah, impassible. Tu veux Notre Seigneur Jésus comme époux, mais il ne vient pas à toi, c'est donc à moi de faire en sorte que...

Gezirah mit un terme soudain à sa plainte, devint livide et ferma les yeux.

— Qu'est-ce qui lui arrive ? demanda Laurence avec inquiétude.

— Une de ses visions ! se hâta de répondre Asmodis. Ne la dérangez pas, je vous prie ! Elle voit quelque chose que nous ne voyons pas. Et pourtant, c'est toujours vrai.

Laurence, elle, interprétait surtout cette scène comme un évanouissement dû au manque de sang dans le cerveau. Elle fit venir Patac, et se fit apporter un petit mouchoir imprégné d'eau fraîche.

— Où sommes-nous à présent ? demanda-t-elle.

— Nous nous approchons de la Camargue, et nous devrions chercher un abri.

Laurence l'approuva d'un hochement de tête ; Gezirah rouvrait à présent ses yeux bleu-gris. Laurence profita de l'occasion, elle rafraîchit encore le front pâle de l'enfant.

— Alors, que dit la lettre au pape ? voulut-elle enfin savoir.

Mais l'enfant ne répondit pas.

— J'ai vu la mer, énonça-t-elle, d'une voix presque monocorde. Un large fleuve d'enfants, rien que des enfants ! Ils s'écoulaient dans les rues, ils chantaient avec ferveur « Réjouistoi, Jérusalem, jubile, fille de Sion », un essaim de sauterelles, un tapis vivant de chenilles qui avançaient à grands pas, et tous en direction de la mer.

— Oui ! insista Laurence. Continue !

— Nous, notre litière, nous nagions dans cette bouillie composée de milliers d'enfants. Nous étions au milieu, emportées... Gezirah, Asmodis...

— Et moi ? demanda Laurence, abasourdie. J'y étais aussi ?

— Au début, oui. Votre tête apparaissait sans arrêt derrière Asmodis, vous vouliez la retenir...

— Et ensuite ?

— À un moment, vous avez disparu. Maintenant, je le sais : vous avez subi un naufrage !

— Me suis-je noyée ? interrogea Laurence, consternée.

— Non, répondit Gezirah. Vous vous êtes sauvée. Vous, mais personne d'autre.

— Tu as fait un mauvais rêve, Gezirah, conclut Laurence, plus pour se rassurer que pour consoler la petite fille, qui n'en avait pas besoin.

La gamine lui lança un regard de ses yeux gris-bleu, que la colère faisait virer au noir. La litière s'arrêta. Une petite cloche sonna l'angélus. C'était une auberge monacale.

Le lendemain matin, de nombreux moines se pressèrent de nouveau autour de la litière où s'étaient installées les jeunes filles. Il s'agissait cette fois de bénédictins bienveillants, joues rouges et bedon saillant. Les hôtes avaient eux aussi bien profité du vin du monastère. Laurence avait dîné avec les trois Gascons et abondamment arrosé son repas. Elle voulait effacer de son esprit les images que Gezirah y avait insufflées.

— Avez-vous pu apprendre ce que sont ces enfants et cette lettre ? lui demanda Chasclat prudemment, en voyant le front soucieux de sa maîtresse.

— Ces deux égarées s'appellent Asmodis et Gezirah, ne connaissent ni leur père, ni leur mère ; elles vivaient paisiblement auprès de leur grand-mère, apparemment épargnées par les horreurs de la guerre...

— Dans ce cas, pourquoi sont-elles parties ? objecta Patac.

— Un chevalier est venu...

— Créan de Bourivan, compléta Chasclat, nous l'avions rencontré aux Quatre Camins.

Laurence se mordit les lèvres, et passa sous silence les événements qu'on lui avait rapportés. La nouvelle de la fin brutale de Dos y dos les aurait peut-être incités à abandonner leur service et à revenir aussitôt sur leurs pas.

— Oui, dit-elle, songeuse. Il a appâté ces fillettes avec une invitation auprès du pape, à Rome.

— C'est ce qui figure sur la lettre ? demanda Hissado, soupçonneux.

— Il s'agit d'une lettre de recommandation, répondit Laurence, qui n'avait pourtant pas encore lu cette missive.

— Ça ressemble plutôt à un enlèvement, constata Chasclat.

— C'est bien ce que je dis, cette affaire-là pue, commenta Hissado, furieux. Si ça se trouve, cela fait longtemps que leur grand-mère les fait rechercher !

— Absurde, fit Laurence pour l'apaiser. Jusqu'ici, je pensais que trois Gascons n'avaient peur de rien, pas même du diable, tenta-t-elle de plaisanter. Mais si vous voulez renoncer à me servir, je continuerai ce voyage toute seule.

— Chasclat, Hissado et Patac ne redoutent ni la camarde, ni le Malin ! Tout au plus votre mauvaise humeur, Laure-Rouge ! s'exclama Chasclat.

Ils levèrent leurs verres et burent à sa santé.

Ils quittèrent donc bientôt l'auberge du monastère. Patac, qui chevauchait au côté de Laurence, derrière la litière, tenta de lui expliquer l'étrange intérêt que portaient les moines au voyage des deux fillettes. Les bénédictins, connus pour leur cupidité, n'avaient pourtant rien demandé pour le gîte et le couvert de leurs hôtes, pas plus que pour la nourriture abondante servie à leurs montures ; ils avaient même chargé la litière avec des provisions pour au moins deux jours, et un petit fût de bon vin.

— Ils relèvent de l'abbaye de Saint-Gilles, expliqua le Gascon rondelet. Or il s'agit du berceau des comtes de Toulouse. Ici, tout le monde est du côté de l'Église. Mais si quelqu'un prend le parti de messire Raymond, traqué par Montfort...

— Cela signifierait donc, dit Laurence, effrayée, que ces deux petites filles appartiennent à la famille du comte...

— Absurde, la tranquillisa Patac. Pourquoi Raymond enverrait-il la chair de sa chair dans la gueule ensanglantée de son pire ennemi, l'antéchrist Innocent ?

Ils approchaient de la ville d'Arles. Asmodis se pencha hors de la litière et, tout excitée, fit un signe à Laurence.

— Elle est tellement étrange ! chuchota-t-elle en désignant

sa sœur, qui se tortillait sur le sol de la litière et poussait d'épouvantables gémissements, les yeux fermés. Viens, entre ! demanda Asmodis, effarée.

Laurence s'y installa au moment où ils atteignaient le grand pont qui franchissait le Rhône. Dès que Laurence eut prit place dans la litière, la petite fille blonde se calma, ouvrit les yeux et sourit comme un angelot.

— Reste calme, Gezirah ! tenta de dire sa sœur aînée. Tu vois, cette dame nous conduit à Rome, au trône du Saint-Père, qui y règne entouré de ses légions célestes.

— Asmodis, es-tu sourde ? répondit vivement Gezirah, toujours couchée. Tu ne les entends donc pas ? Ils viennent ! Ils viennent par milliers !

Laurence regardait fixement la rue, par l'ouverture de la litière. Ils étaient sans doute déjà arrivés au milieu de la ville : à leur droite et à leur gauche s'élevaient de somptueuses maisons de pierre à plusieurs étages, avec des balcons sur lesquels se pressaient les gens. Marchands et clients s'étaient alignés devant les stands du marché et regardaient tous dans leur direction. Patac ouvrit la porte de la litière.

— Nous ne passerons pas, lança-t-il, soucieux, à sa maîtresse, en désignant le chemin devant eux.

Laurence se retourna et souleva le rideau. Au carrefour, devant eux, affluaient des centaines d'enfants. Ils chantaient, ils couinaient, ils priaient à voix haute et criaient sans arrêt « Hierosolyma ! Hierosolyma ! » et d'autres mots incompréhensibles. Ils couraient, vacillaient, titubaient, bondissaient — tous allaient vers le sud, droit vers la mer. C'étaient des milliers d'enfants qui tiraient, poussaient et se pressaient ; lorsque l'un d'eux tombait, il devait se relever au plus vite pour n'être pas piétiné par les autres. Beaucoup ne tenaient plus debout : ceux-là restaient couchés, épuisés, affamés, sur le bord de la route. Laurence ordonna à Patac de faire faire demi-tour à la litière : car les deux Gascons qui tentaient d'ouvrir une voie étaient déjà coincés dans la foule. Mais lorsque le gros homme fut parvenu à faire tourner les mulets par la longe, Laurence constata que le chemin du retour était lui aussi barré. Des enfants arrivaient de partout. Ils ne regardaient même pas la litière, obsédés qu'ils étaient par un unique objectif qu'il leur fallait atteindre à tout prix.

Stella maris, sucurre cadenti,
surger qui curat, populo...

C'était une mer de têtes, filles et garçons mêlés, un bouillonnement, un tourbillon qui emporta la litière. Laurence se rappela
l'image que Gezirah leur avait décrite, comme agitée par un rêve
fébrile. Cette incroyable vision de terreur était donc devenue réalité. Elle regarda ces deux sœurs tellement dissemblables.
Tu quae genuisti, Natura mirante,
tuum sanctum Genitorem.

Asmodis observait la scène avec effroi, et priait en gei-
gnant pour son salut. Mais la petite Gezirah s'étirait par terre
comme un chat, et ses yeux rayonnaient de triomphe.
Alma redemptoris mater,
quae pervica caeli porta manes.

Enthousiaste, elle tambourinait sur le sol de la litière et
battait la mesure de l'hymne marial que mille jeunes voix
aiguës entonnaient à l'extérieur, stridentes et dissonantes. Des
angelots ? se demanda Laurence, qui se rappelait les paroles
des Gascons. L'enfer s'était ouvert ! *Peccatorum miserere.*
Comme une île dans la mer en ébullition, ils aperçurent
les arènes romaines, où ils pourraient trouver refuge. Hissado
et Chasclat s'étaient frayés un chemin vers la litière, et ouvrirent à coups de pied une voie vers les arènes. Mais même là,
ils ne trouvèrent pas d'échappatoire : les enfants s'étaient intro-
duits depuis longtemps dans cette oasis protégée et y marchaient en cercle, sans répit, en priant et en chantant, tandis
qu'à l'ombre des arcades et des escaliers effondrés, ceux qui
savaient qu'ils n'iraient pas plus loin se couchaient. Entraînée
dans ce flot tournoyant, Laurence se sentait comme dans le
ventre d'un derviche. Elle fut prise de vertige. Asmodis
s'agrippa anxieusement à Laurence. Mais Gezirah sembla ne
pas être dérangée du tout par ce tourbillon. Elle jouissait de
son extase comme une bacchante du vin lourd.
— Tu voulais savoir ce qu'il y avait d'écrit dans cette
lettre ?
Elle tendit en riant le rouleau de parchemin scellé à Laurence. Mais lorsque celle-ci voulut le prendre, la fillette,
taquine, le lui refusa et glissa sur le sol jusqu'à la porte ouverte.

Le document lui échappa des mains et tomba de la litière, sous les sabots des mulets.

Laurence savait bien que ce cher ange blond avait provoqué l'incident pour déclencher sa colère. Elle bondit comme l'éclair vers la porte arrière de la litière et sauta, téméraire, entre les croupes des animaux énervés. Il ne lui fut pas simple de récupérer le rouleau de parchemin : l'attelage était agité, et, à chaque fois que Laurence tendait la main entre les pattes des chevaux, le rouleau recevait un coup de sabot et s'éloignait hors de sa portée.

Les trois Gascons firent d'abord comme s'ils n'avaient pas remarqué l'incident et les efforts désespérés de leur maîtresse. Finalement, Patac attrapa les mulets par les brides et arrêta un instant leur carrousel. Laurence sortit le rouleau chiffonné de la poussière. Elle tenta de déchiffrer le sceau tandis qu'elle grimpait sur le marchepied de la litière...

Les deux fillettes avaient disparu ! Elles avaient choisi de s'enfuir par la fenêtre avant. Laurence se redressa, furieuse, et regarda la mer de têtes qui se balançait autour d'elle. Il ne lui fallut pas longtemps pour découvrir la chevelure blonde de Gezirah, qui se frayait un chemin à travers la foule. Sans le moindre regard pour les trois Gascons qui la dévisageaient sans savoir que faire, elle se jeta dans le flot, folle de rage, et rama dans la direction où elle avait aperçu la fillette qu'elle recherchait.

Elle n'arrêtait plus d'apercevoir des cheveux blonds. Mais à chaque fois, lorsqu'elle les avait rejoints, elle constatait qu'ils dissimulaient d'autres visages, étrangers et hostiles.

Puis Laurence crut entrevoir au moins Asmodis, qui paraissait elle aussi poursuivre la fugitive. Mais sa tête disparut de nouveau dans ce maelström humain qui avait depuis longtemps entraîné Laurence hors de l'arène, l'avait aspirée, emportée dans l'armée des enfants. Beaucoup portaient des croix attachées sur la poitrine, et un mot, un seul, retentissait régulièrement au-dessus de ce flot gigantesque : « Jérusalem ! Jérusalem ! » Parfois, les enfants rajoutaient aussi : « Jérusalem ! Fille de Sion ! Réjouis-toi, oh, réjouis-toi ! »

Des chevaux caparaçonnés se frayèrent alors un chemin dans la foule, et Laurence se sentit hissée hors des flots. Des templiers ! Il ne lui fut même pas nécessaire de lever les yeux vers leurs visages barbus pour savoir que c'était Gavin qui l'avait fait prendre en tenaille par ses hommes, comme on fait sortir un veau du troupeau pour le marquer au fer rouge.

— Aidez-moi plutôt à retrouver deux petites filles ! lui lança Laurence, furieuse, au lieu de le saluer. Ou alors laissez-moi...

Le jeune templier eut au moins la courtoisie de mettre pied à terre. Ses sergents, eux, considéraient leur butin d'en haut, comme s'ils avaient pris dans leurs filets un étrange animal.

— Soyez heureuse d'en être débarrassée, Laure-Rouge, dit Gavin à voix basse.

— Vous n'allez tout de même pas décider aussi de mes humeurs, Gavin. Ces enfants m'ont été confiés. Je les conduirai à bon port !

— À moins que vous ne vous conduisiez vous-même à la potence ! (Le templier baissa encore la voix.) Vous n'avez pas vos esprits, Laurence. Les Français vous recherchent comme une faidite redoutée ; aux yeux de l'Église, vous êtes mûre pour le bûcher. Et vous ajoutez à tout cela un enlèvement d'enfants !

— Comment cela ? s'indigna Laurence. Créan n'aurait jamais...

— Si, l'interrompit sèchement le templier. Il appartient à la Confrérie noire, qui s'oppose à la Confrérie blanche de l'évêque Foulques. Ils s'appellent aussi les « Serviteurs de la Rose », ou encore, si je ne m'abuse, « le Prieuré de Sion ». En tout cas, c'est le parti qui soutient sans condition le comte Raymond de Toulouse.

— Mais qu'est-ce qu'Asmodis et Gezirah ont à voir avec tout cela... ?

— Des bâtardes ! répondit Gavin d'une voix sans appel.

Laurence brandit le rouleau de parchemin chiffonné et piétiné. Le templier tendit la main, impérieux, et elle le lui remit.

— Toutes deux filles naturelles du comte, par mariage morganatique. C'est aussi la raison pour laquelle on veut les emmener à Rome, auprès du pape. Pour qu'il lève l'excommunication sur Raymond et qu'il fasse revenir en sifflant son légat assoiffé de sang.

— Ces vampires devenus fous veulent remettre Toulouse à Montfort ! lui confirma Laurence.

Le templier observa un bref instant le rouleau, notamment son sceau encore intact. Puis il le rangea. Laurence voulut protester :

— Le pape ferait bien...

Gavin ne lui adressa qu'un regard de compassion.

— Pour empêcher que Sa Sainteté Innocent fasse ce genre de bien, la couronne, les évêques, certains milieux au sein de la curie, mais aussi et sûrement Montfort, ont *tout* fait pour que le pape ne soit pas induit en tentation, c'est-à-dire pour qu'il ne sache rien de ces malheureux petits otages. Pas le moindre mot. Raymond, du reste, ne sait strictement rien non plus de cette manœuvre aussi déplacée que désespérée de ses partisans.

— Dans ce cas, je dois trouver ces enfants au plus vite, et les mettre en garde !

— Laurence de Belgrave, répliqua le templier d'une voix sévère, il vous arrive parfois de parler vous-même comme une enfant ! C'est précisément en échappant à votre bienveillance que ces deux petites sauveront peut-être leur jeune vie. Oubliez-les, et ne pensez plus qu'à préserver la vôtre, ce qui est une mission éminemment urgente !

Il remonta à cheval, la mine soucieuse, avant de s'adresser de nouveau à Laurence :

— Vous vous imaginez peut-être que votre voyage est passé inaperçu ? Les sbires sont sur vos talons. (Il lui tendit la main, et son attitude paraissait ne pas admettre d'objection.) Montez donc, je vais commencer par vous faire sortir d'ici. Vous ne pourrez vous sentir en sécurité que lorsque vous aurez atteint la frontière du royaume allemand d'Arelat.

Laurence ne prit pas la main qu'il lui tendait.

— Arles, déjà, appartient tout aussi peu à la France que Marseille. Ici, le pouvoir d'El Bruto a une fin !

— Laurence, l'implora Gavin, furieux, ne me forcez pas à employer la violence face à tant de bêtise.

Il se pencha pour l'attraper, mais elle esquiva la prise, se baissa et disparut entre les chevaux. Elle se jeta dans la foule des enfants. Ils étaient encore des centaines, même si les rangs des retardataires commençaient à se clairsemer.

Gavin secoua la tête et retint ses hommes d'aller la rechercher.

— Laure-Rouge, marmonna-t-il, excédé. Tant qu'elle aura sa chevelure rousse sur le crâne, elle se croira obligée de n'en faire qu'à sa tête. *Che Diaus la bensigna !* ajouta-t-il à voix haute, en donnant le signal du départ.

Laurence resta cachée un moment. Mais en constatant qu'on ne la poursuivait plus, elle se remit à la recherche d'Asmodis et Gezirah. Les craintes du templier lui paraissaient très exagérées. Il n'y avait bien sûr plus la moindre trace des deux fillettes, Gavin l'avait retenue trop longtemps pour cela. Les enfants qui marchaient à côté d'elle lui apprirent qu'ils avaient choisi Marseille comme objectif, parce que la mer s'y ouvrirait devant eux et qu'ils pourraient tous marcher à gué jusqu'à Jérusalem. Laurence se dit qu'il serait certainement plus confortable et plus rapide de faire le voyage en litière. Elle pourrait peut-être rattraper ses deux fugitives, ou du moins les reprendre avec elle à Marseille. Elle revint donc à l'arène, où elle espérait retrouver ses Gascons et la litière. Celle-ci l'attendait toujours à sa place, en plein soleil. Les Gascons, qui s'étaient manifestement réfugiés à l'ombre ou dans l'auberge la plus proche, n'auraient pas eu une mauvaise idée en songeant à ses pauvres mulets assoiffés.

Épuisée, Laurence rejoignit son attelage en cherchant des yeux Chasclat, Hissado et Patac. Elle monta sur le marchepied et ouvrit le rideau.

— Bienvenue, Laurence de Belgrave, dit Roald of Wendower.

Le ton n'était guère amical. Cela tenait peut-être aussi au fait que l'Inquisiteur était resté longtemps à chauffer en plein soleil. Il était trempé de sueur.

Laurence frissonna. Elle regarda lentement derrière elle. Pas la moindre trace des trois Gascons. De l'ombre des arcades, tout autour d'elle, sortirent des soldats français, reconnaissables à leur oriflamme, à leur lys d'or sur leurs pourpoints bleus. La moitié d'entre eux étaient pourvus d'arbalètes armées.

Roald of Wendower s'essuya la sueur du visage. Ses yeux brillaient fébrilement de désir, scs lèvres charnues tremblaient d'une lascivité mal contenue.

— Vous m'avez fait attendre longtemps, Laure-Rouge.

Cela ressemblait moins à un reproche qu'à l'exclamation d'un homme atteignant enfin l'objectif qu'il poursuivait avec acharnement.

Laurence se laissa tomber sur la banquette et ferma les yeux.

Noun touca ! Diablou langeirouso

Laurence se tenait dans le cercle inondé de soleil des arènes d'Arles. Elle dut rester des heures durant dans la lumière aveuglante et la fournaise de l'été provençal, attachée par les mains et par les pieds. Elle parvenait tout au plus à accomplir quelques petits gestes. Elle vit l'Inquisiteur en nage faire découper sa litière en planches ; selon ses indications précises, on s'en servit pour assembler une caisse de transport qui devait servir à la fois d'instrument de torture et de cage d'exposition. On tailla un plancher qui permettait tout juste à l'hérétique d'étendre les jambes si elle redressait le buste. Là où elle devrait nécessairement poser les fesses, on disposa à un pied du plancher deux bûches d'épicéa grossièrement découpées et hérissées de moignons de branches pointus. Ils lui permettraient de changer légèrement de position lorsque son arrière-train lui serait trop douloureux.

Mais le pire était encore à venir pour Laurence : juste en dessous d'elle, on scia un trou grand comme la paume d'une main. Elle ne serait donc même pas autorisée à quitter son réduit pour accomplir ses besoins naturels, et devrait s'en acquitter au vu et à l'amusement de tous.

Peu après, on la fit monter dans la caisse, pour l'essayer. Ses bourreaux refermèrent le couvercle sur elle ; lui aussi avait une ouverture, mais plus large : le crâne devait pouvoir y entrer sans difficulté. Il fallait sans doute que sa chevelure rousse dépasse bien de ce cachot mobile, et aussi souvent que possible. Laurence constata qu'elle pouvait certes rentrer la tête, mais que, lorsqu'elle le faisait, elle était forcée de se recroqueviller à l'intérieur de sa prison de bois — une position que l'on ne pouvait pas tenir longtemps.

À ce moment, Laurence ne savait pas encore où ses tortionnaires comptaient l'emmener. Ce serait sans doute un long voyage : dans le cas contraire, d'aussi longs préparatifs n'auraient eu aucun sens.

Une fois de plus, ce fut Gavin Montbard de Béthune qui, faute de pouvoir (ou de vouloir) la sauver, l'informa au moins du but de son voyage. Il revint dans l'arène avec ses chevaliers, sans doute après avoir entendu, dans les rues d'Arles, qu'on y préparait une femelle rousse pour son dernier voyage. Cette crapule n'adressa cependant pas le moindre regard à son amie, ou du moins à la tête qui dépassait de la caisse. Il félicita au contraire Roald of Wendower pour son « œuvre divine », la capture de la fameuse Laure-Rouge.

— L'autodafé de l'hérétique, annonça fièrement l'Inquisiteur, aura lieu au pied des murs de Toulouse, pour que l'odeur de sa chevelure rousse en feu et de sa chair calcinée monte bien au nez du comte.

Le jeune chevalier parut trouver cette idée-là aussi excellente.

— Voilà une agréable pensée, lança-t-il au zélateur de l'Église. Mais vous devriez prendre garde à une chose, pour votre propre bien, Roald of Wendower : vous ne vous y trouverez pas en des terres que votre dévoué Simon de Montfort peut considérer comme les siennes, mais sur un morceau de terrain que se disputent le roi de France et celui des Allemands. (Il laissa ses propos porter leur effet.) Le roi Philippe Auguste, reprit-il, verrait d'un très mauvais œil qu'un légat pontifical de votre rang, Roald of Wendower, aille brigander sur son territoire, comme si Sa Majesté elle-même était trop faible pour assurer l'ordre qui convient à Dieu. Mieux, comme si le roi de France n'était pas maître de la situation en Provence !

La portée de son acte ne sautait manifestement pas aux yeux de l'Inquisiteur :

— Mais je ne compte ni ôter la captive au bras séculier, ni la faire sortir du domaine de souveraineté française ! L'Église a le droit de...

— Vous avez déjà commis votre acte, au vu de tous, Roald. Vous ne pouvez sauver votre cou qu'en allant déposer au plus vite, et en expiant, l'objet de votre abus de pouvoir aux pieds du roi en personne. Et en vous excusant pour votre zèle excessif.

— Montfort, fidèle représentant de Sa Majesté, ne représente-t-il pas la plus haute juridiction ? demanda Roald, qui parlait déjà moins fort.

— Pas ici ! Ici, c'est le profès royal qui exerce sa fonction. Et il n'aime pas que l'on marche sur ses plates-bandes. Du reste, aux yeux de la France, ajouta Gavin en désignant Laurence du pouce, cette femme est avant tout coupable de haute trahison. C'est une *faidite*. En quoi sa persécution et sa condamnation regardent-elle l'*Ecclesia romana* ?

— Vous pensez donc que je devrais... (L'Inquisiteur s'était ratatiné.) Où pourrais-je trouver aussi vite le roi Philippe ? Et qui me gardera du profès ?

Gavin sourit, l'air entendu. Il appréciait de voir Roald se tortiller comme un ver.

— Le bourreau d'Arles ne devrait pas tarder à accourir avec sa hache et sa corde. Vous ne pourrez lui échapper que si vous disparaissez d'ici au plus vite et vous rendez à Vaucouleurs. Notre roi y rencontre le jeune Frédéric, cet Hohenstaufen que l'on vient tout juste de couronner.

La nouvelle fit battre le cœur de Laurence. Il bondissait même de joie — elle savait pourtant qu'elle ne devait pas nourrir de trop grands espoirs.

Les sbires de l'Inquisiteur refermèrent rapidement la caisse sur la délinquante. Laurence, de fort bonne humeur, passa la tête par le trou du couvercle. Le cortège quitta Arles et remonta le Rhône vers le nord, au trot soutenu.

Ils franchirent la place de grève de cette ville inhospitalière. Laurence aperçut la potence au-dessus d'elle. Chasclat, Hissado et Patac, le rondouillard, s'y balançaient, le cou en biais. Leurs jambes s'agitaient au vent léger de l'été comme s'ils étaient encore capables de partir en courant. L'hérétique n'en laissa rien paraître mais, dans l'ombre de sa caisse, elle joignit les mains et remercia le Seigneur de l'avoir préservée du bourreau. Puis elle pria pour l'âme des trois Gascons.

Ils marchèrent ainsi pendant plusieurs jours. Wendower, constatant avec regret que l'attention de la population diminuait, décida d'envoyer un héraut proclamer sur les places de marché quelle épouvantable pécheresse allait entrer dans leur ville : elle avait attenté à la foi chrétienne et à la sainte Église, c'était une dangereuse traîtresse, et le tout-puissant Inquisiteur l'acheminait vers la France et vers son roi. « Recevez-la comme il se doit ! Montrez à cette infâme ce que des bourgeois respectueux du droit et de Dieu, des sujets fidèles à leur roi, pensent d'une pareille créature du diable ! Ne vous gênez pas ! » Sur la caisse, ils avaient écrit en lettres terrifiantes, en guise de mise en garde : NOUN TOUCA ! DIABLOU LANGEIROUSO !

Cela ne manqua pas son effet, on s'en doute. Désormais, une populace excitée attendit la « dangereuse diablesse » dans les moindres hameaux, à tous les carrefours, et surtout devant chaque église. On lui lança d'abord ici et là des entrailles puantes offertes au peuple par de pieux charcutiers. Mais elle reçut ensuite des balles entières de fumier dégoulinant, cadeaux de paysans. Et l'on finit par lancer vers la caisse des projectiles plus durs, des ossements et des pierres. Laurence tentait de se protéger en rentrant la tête, mais cela ne convenait pas du tout aux soldats. Avec un balai de fagots qu'ils passaient par l'orifice inférieur de la caisse, ils piquaient les parties molles de celle qu'on appelait désormais la « Cathare » jusqu'à ce que son crâne ressorte par le haut en criant. Et les abats recommençaient aussitôt à voler, tripes encore chaudes, entrailles de poisson visqueuses, déchets de tannerie et rats morts lui claquaient au visage. Jusqu'à ce qu'une pierre l'atteigne à la tête. Alors, enfin, elle se retrouva au calme.

Le nœud coulant

Laurence ignorait combien de temps elle avait ensuite passé sur une barge, sous surveillance médicale, comme on le lui a raconté par la suite. Elle-même ne se souvenait plus de rien. Elle s'était réveillée péniblement et lentement, sans doute après une longue période d'inconscience, dans cette pièce où elle se trouvait encore. C'était sans aucun doute une cellule, la lourde porte était verrouillée de l'extérieur, et la fenêtre par laquelle Laurence apercevait une terre inconnue, verte et légèrement vallonnée, était fermée par un grillage. Mais sa pièce était propre, on l'avait lavée, même si elle continuait à se réveiller en sursaut pour se gratter entre les jambes ou sur le ventre. Sa tête était recouverte d'un bandage. Elle lui causait encore des douleurs, par moments seulement, mais elles étaient si violentes qu'elle en aurait hurlé.

Deux fois par jour, la prisonnière recevait un repas chaud. Elle pouvait faire ses besoins dans une alcôve, se laver à l'eau fraîche dans une autre. Sa couche était dure, et, comme les nuits refroidissaient peu à peu, on lui donna même une couverture. Elle se trouvait sans doute dans un monastère : c'étaient des moines qui alimentaient Laurence, sans un mot, par une trappe de la porte. Parfois, elle entendait une clochette tintinnabuler, et tentait de déterminer à quelle prière elle appelait. « Je n'ai pas encore retrouvé mes repères temporels », constata Laurence.

Tout ce qu'elle savait de sa situation actuelle et des événements qui avaient précédé son entrée dans les lieux, elle le devait à un vieil ami de son père, messire Rambaud de Robricourt, le seigneur de la gigantesque forêt d'Othe, près de Vaucouleurs. Il tenait à la disposition du roi son château de chasse, à proximité du monastère. Jadis, le bon Rambaud avait demandé sa main. Laurence l'avait surnommé « l'Otarie », à cause de sa tête ronde et de ses moustaches.

Il avait entendu circuler les rumeurs confuses sur la capture de celle qu'on appelait désormais la « Cathare » et sur son acheminement auprès du roi. Gavin s'en était chargé. Rambaud s'était aussitôt mis en route pour arracher sa proie à l'Inquisiteur. Mais lorsqu'il rejoignit son convoi, le malheur avait déjà eu lieu. Laurence était à l'agonie, et Roald of Wendower commençait à avoir peur. Rambaud pensait que le moine s'apprêtait à jeter son ballot malodorant dans le fleuve — c'était la Saône, peu avant Dijon — avant d'aller chercher un air moins dangereux pour lui. En tout cas, le connétable de Bourgogne intervint et fit arrêter à la fois l'Inquisiteur et l'accusée. Les blessures à la tête de la « Cathare » furent traitées et soignées par le célèbre chirurgien juif du duc, jusqu'à ce qu'elle soit de nouveau transportable et en état de suivre son procès. C'était l'usage : on commençait par rendre la santé au condamné afin qu'il puisse pleinement jouir de son exécution.

L'histoire de Roald of Wendower était, depuis, devenue une affaire politique du plus haut niveau, d'abord en raison de la gravité des actes qu'on lui reprochait d'avoir commis en Languedoc, mais aussi pour l'abus de pouvoir auquel s'était livré le légat. Malgré ses protestations virulentes, Roald of Wendower était toujours aux arrêts de rigueur, dans le même couvent que son hérétique. Il n'avait sans doute rien à craindre, et c'était une différence considérable dans le sort des deux interpellés. Il était une simple carte dans la main du roi, qui la jouerait à un moment ou à un autre dans la partie qu'il livrait contre Rome.

Le bon Rambaud avait fait en sorte que sa protégée soit

logée à l'écart de tous. Laurence craignait d'être abattue avant même l'arrivée du roi Philippe : du poison dans son repas, une regrettable chute au moment où elle se rendrait à sa cuvette, un étouffement tragique sous l'oreiller de sa couche, ou un médicament erroné sous le bandage qu'elle portait encore sur la tête. À chaque fois qu'elle entendait des pas dans la nuit, ou qu'une poutre craquait, Laurence était prise d'une peur panique : ils arrivaient ! Ce n'étaient pourtant que des souris qui couinaient et couraient au-dessus d'elle, ou la garde qui faisait sa ronde. Mais lorsque le silence total se faisait, c'était encore pis. Ça y est, ils ont étranglé le garde, se disait-elle alors...

Lorsque l'aube pointait, lorsque la brume automnale passait à travers les barreaux, lorsque les bruits étaient coupés de toute réalité, la malheureuse retenait son souffle et maudissait son cœur battant, qui pouvait la trahir. Elle voulait s'adresser à sa mère, mais l'image de Titus lui apparaissait et lui conseillait méchamment, en de telles heures, d'aller chercher la consolation dans les Psaumes, le refuge dans la prière à la Vierge. Elle parlait à voix haute avec sa mère :

— Je dois te l'avouer, vénérée *Mater superior*, aucun appel aux saints, aucune imploration à Marie, aucun mot d'intercession ne me vient aux lèvres. La sueur froide de l'angoisse, le tremblement de tout mon corps sont les seuls à m'accompagner au matin d'un nouveau jour. Alors, que le soleil perce, qu'une pluie s'abatte en faisant gicler l'eau par ma fenêtre, et j'avance en titubant jusqu'aux barreaux, je presse mon visage contre le métal froid, je remercie Dieu pour Sa lumière, Ses doigts qui me réchauffent, Ses baisers humides, et je lèche les gouttes d'eau l'une après l'autre. Alors, je peux prier et chanter Ses louanges. Il m'a fait redécouvrir son amour.

On perçut distinctement un son de cor. Lorsqu'elle entendit ensuite le roulement des caisses claires et le bruit de la fanfare, Laurence n'eut plus aucun doute : le roi était arrivé. Malheureusement, sa fenêtre ne donnait pas sur la forêt, où le donjon du château de chasse dépassait de la cime des arbres comme l'affût d'un chasseur à la lisière du bois. Cette image, la prisonnière ne l'avait jamais vue. C'est le maître des lieux qui la lui avait dépeinte. Laurence dut attendre longtemps avant que le seigneur de Vaucouleurs vienne de nouveau lui rendre visite dans sa cellule. Rambaud la pria de l'excuser : ses devoirs d'hôte l'avaient longtemps retenu. Il lui raconta en toute hâte :

— Sa Majesté Philippe Auguste a envoyé son fils, le prince héritier Louis, huitième de ce nom dans la succession des Capet.

Laurence était incapable de dire s'il s'agissait d'une bonne ou d'une mauvaise nouvelle. Elle s'était attendue à la venue du roi en personne.

— Et que pensez-vous de son caractère, cher Rambaud ? Est-il jeune, blond et stupide ?

Le seigneur de Robricourt rit alors à s'en secouer les moustaches.

— À quoi voulez-vous que ressemble un homme qui, toute sa vie durant, doit attendre le trône que son père ne se décide pas à abandonner ? Messire Philippe paraît vouloir survivre à son successeur. Quant à la beauté, elle n'a jamais été l'apanage des Capet. Avec l'âge, Louis est devenu amer, il est encore plus bilieux. Et en plus, il n'est pas en bonne santé. Mais il n'est pas idiot.

— Dommage, soupira Laurence.

— Certes, approuva Rambaud. D'autant plus qu'il est venu avec son épouse, la très pieuse Blanche de Castille, et qu'elle n'a pas froid aux yeux !

— Et quand Frédéric arrivera-t-il ?

Tous les espoirs de Laurence se focalisaient sur la personne du roi.

— Nul ne le sait encore. Mais il viendra, dit Rambaud en tentant d'encourager sa protégée. Jusque-là, nous devons tenir bon !

Laurence savait ce qu'il voulait dire : elle devait prendre garde à ne pas perdre la tête, au sens propre du terme.

— Le prince Louis ne devrait pas trouver la moindre raison de gracier une *faidite*, constata-t-elle, apparemment impassible.

— Ne dites pas cela, Laurence ! l'implora le brave Rambaud avec un tremblement de moustaches. On m'a déjà annoncé une missive du pape, une requête en grâce de Sa Sainteté, que l'on doit me remettre en main propre : dans le cas contraire, je crains que Sa Majesté ne le reçoive jamais.

— Les mouchards de mon ardent admirateur Roald of Wendower s'en chargeraient avec plaisir, eux qui veulent me voir brûler.

— Dans l'entourage de dame Blanche se trouve une jeune dame de cour, Claire de Saint-Clair, répondit Rambaud avec énergie, en baissant la voix. C'est elle qui remettra la requête entre les mains du prince, sans passer par sa maîtresse.

Rambaud sentait bien que le cynisme de Laurence n'était qu'une façade. Elle demeura sceptique :

— Comment se fait-il que le pape intervienne en ma faveur ? Et pourquoi est-ce vous qu'on a choisi pour acheminer sa demande ? Qui vous a du reste informé du contenu de cette lettre pontificale ? Est-ce l'archange saint Michel qui vous est apparu ? Ou bien Sa Sainteté elle-même, en rêve ?

La description que Robricourt, à demi embarrassé, à demi indigné, donna alors du messager, tenait moins de l'ange que de Créan. L'homme portait des épaulières et des protections aux coudes que Laurence n'eut pas de mal à reconnaître comme ses chères ailettes et brassards. En l'espèce, on pouvait supposer que le fils avait fait siens les talents de faussaire de son père. Pour un homme aussi doué que le Chevalier, imiter la signature du pape Innocent III n'était qu'un petit pas sur cette grande marelle que les enfants de Provence appelaient le *camapno*.

Laurence garda sa supposition pour elle. Savoir qu'il s'agissait d'un faux aurait encore déstabilisé Rambaud. Elle le remercia donc pour son inlassable bienveillance, et il lui promit de tout essayer pour obtenir, l'après-midi même, une audition de l'accusée par le prince.

La soirée était déjà bien avancée lorsque Rambaud se représenta dans la cellule. Le prince Louis s'était refusé ne fût-ce qu'à regarder Laurence. En revanche, on avait reçu Roald of Wendower, qui avait pu préparer le terrain à une condamnation à mort.

Le légat, rayonnant de joie, était pressé de régler définitivement cette histoire. C'est alors qu'intervint dame Blanche : elle avait, affirma-t-elle, reçu du pape une missive où Sa Sainteté plaidait avec force la cause de cette Laurence de Belgrave. Et elle ajouta, avec suffisamment d'habileté pour que nul ne sache si c'était le pape qui l'exigeait, ou si une grâce correspondait à son propre vœu : « Il faut au contraire soumettre à un examen très attentif les accusations de ceux qui la persécutent, et punir leurs manquements. »

— J'ai grande hâte à voir de mes propres yeux cette lettre de mon maître le pape ! éclata alors Roald of Wendower, en ajoutant, non sans arrogance : Même si cela doit être la dernière chose qu'il leur soit donné de voir !

Il se rengorgea comme un crapaud-buffle... et se ratatina un instant plus tard, lorsqu'on annonça l'entrée de maître Thédise, arrivé de Rome.

Le maître se présenta dans toutes les formes comme le nouveau nonce apostolique. Il avait beaucoup de points, de la plus haute importance, à évoquer avec la couronne de France. Mais comme il venait d'être témoin de la sortie de monsignore Roald of Wendower, il pouvait laisser la primauté à l'inessentiel.

— Impossible ! Quelle que soit la lettre dont parle monsignore Wendower, elle est dépassée, de la même manière que la légation de mon frère *in Christo* s'est éteinte depuis des semaines. À moi aussi, la chancellerie pontificale a remis une lettre sur cette affaire, et elle est certainement plus récente ! Je vous prie de vérifier vous-même le sceau et la signature.

Le maître sortit le rouleau de parchemin de son sac de voyage, et le tendit au prince héritier. Blanche n'y tenait plus.

— Ces querelles indignes entre prêtres ! s'exclama-t-elle. Voilà ce qui nuit tant au prestige de l'Église !

Et elle ordonna à sa dame, Claire de Saint-Clair, d'aller chercher immédiatement le texte pontifical dans sa chambre à coucher. Claire s'y rendit sur-le-champ. Mais Roald of Wendower ne s'avouait pas encore battu :

— Je dis seulement, et je le parierai volontiers sur la prunelle de mes yeux, que l'une de ces deux lettres est forcément un faux.

Le prince prit alors la parole, pour la première fois :

— C'est désormais à vous d'apporter la preuve de la vérité. Car avec votre affirmation, vous avez offensé mon épouse autant que le représentant légitime du Saint-Siège.

— Légitime ? se moqua Wendower. Si mon engagement est déjà tellement élevé, alors que celui de mon calomniateur vaut un zéro arabe, je mets aussi en doute sa légitimation. Je défie cet *impostor* de se soumettre au jugement de Dieu !

— Vous allez roussir vos pieds mal lavés ! lança le maître, qui sortait de ses gonds.

— Comme il s'agit dans les deux cas de prêtres de l'Église, intervint le prince avec un certain agacement, et que nous pouvons donc considérer que vous approuvez tous deux la pratique de l'autodafé, je propose que celui dont la faute sera avérée se livre aux flammes par tout son corps, de la tête aux pieds. C'est une solution qui plaira aussi à Dieu, notre Seigneur à tous.

Sur ces mots, le silence s'imposa enfin. Sans un mot, Louis rendit à maître Thédise, sans les avoir lus, les rouleaux de parchemin scellés. C'est alors que la dame de cour, Claire de Saint-Clair, arriva en courant et annonça, bouleversée, que la lettre avait disparu.

— Ne l'avais-je pas dit ! triompha aussitôt Roald of Wendower. Il a éliminé la vraie lettre ! lança-t-il en désignant le maître du bout du doigt.

— Mais c'est monstrueux ! protesta l'accusé. Cette sangsue m'accuse en outre, à présent, de m'être introduit secrètement dans la chambre à coucher de l'épouse du futur roi !

— Voleur ! Faussaire ! cracha Wendower.

Le prince se mit à rire, d'abord avec embarras, puis à gorge déployée, en constatant que la situation de son épouse devenait très gênante. Cela l'amusait beaucoup.

— Pour les punir, il faudrait les brûler tous les deux, nus, attachés dos à dos, proposa-t-il à son entourage.

Cela donna à ses hommes une bonne occasion de rire : depuis quelques minutes, ils s'étaient contentés de gloussements contenus. C'est alors qu'intervint Reinhald de Senlis, l'évêque de Toul, qui s'était rendu spécialement à Vaucouleurs pour saluer le futur souverain français.

— Si vous me le permettez, Votre Majesté, je voudrais rétablir la dignité de cette assemblée. Je connais maître Thédise pour l'avoir rencontré à Rome, et sa légitimation ne fait aucun doute. Je connais aussi monsignore Roald, qui a pu penser en toute bonne foi qu'il était encore en charge de la légation concernant la persécution des hérétiques dans le Languedoc. Il ne fait aucun doute que son ardeur à servir la bonne cause de la France et de l'Église l'a incité à commettre quelques excès.

L'évêque tendit la main pour récupérer le rouleau de parchemin, et maître Thédise le lui laissa avec un sourire reconnaissant.

— Si vous permettez, Votre Majesté, que je brise ce sceau en votre nom... (il observa la cire rouge, passa son doigt dessus et hocha la tête, satisfait)... je vais le faire. Car personne ne doit non plus oser douter de son authenticité. Ce qui révèle à tous la sainteté de l'expéditeur de cette missive.

Le prince Louis lui accorda cet honneur.

— Vous pouvez aussi le lire à voix haute, ajouta-t-il. Ici, de toute façon, tout le monde en sait plus que moi.

L'évêque parcourut la lettre et dit :

— Je ne le ferai pas. Car son contenu deviendrait alors pour vous un impérieux commandement.

— Vous êtes un homme intelligent, messire Reinhald, félicita le prince avant de prendre le rouleau sans y jeter un regard et de quitter l'assemblée.

— Je crois, conclut Rambaud, que le prince de France ne sait pas lire.

— Et ensuite, il a vraiment refusé de signer le verdict ?

Ce point intéressait beaucoup plus Laurence.

— Lorsque je suis parti, il n'était même pas rédigé, la tranquillisa Rambaud. Avant que je ne fasse ramener Wendower dans ses appartements, on en a ôté tout ce qui permettait d'écrire. Vous pouvez donc dormir tranquille cette nuit, Laurence.

Elle voulut serrer son ami dans ses bras. Mais il était déjà au seuil de la porte.

Bien entendu, Laurence ne dormit pas bien au cours de cette nuit. Des rêves terribles l'agitaient, lorsqu'elle parvenait à sombrer dans le sommeil. Le récit de Rambaud n'avait rien pour lui inspirer l'espoir, et encore moins la confiance. Elle resta éveillée dans son lit jusqu'aux premières heures du matin. Puis elle se leva sans plaisir. Elle attendit toute la journée, mais Rambaud ne se montra pas. Plus les heures passaient, plus la panique s'emparait d'elle. Lorsque le soir tomba, Laurence était proche du désespoir. Elle voulait enfin savoir ce qui s'était passé. L'incertitude paralysante paraissait encore pire à la prisonnière que l'annonce d'un verdict, aussi dur fût-il. Elle se mit à tambouriner contre la paroi en pierre de sa cellule monacale, et secoua les barreaux de sa fenêtre.

Lorsque les moines voulurent lui faire passer son dîner par la trappe, elle le repoussa brutalement. Peu après, le châtelain se fit ouvrir la porte. Rambaud fut étonné de voir sa protégée dans un tel état d'excitation.

— Cette journée était consacrée à d'autres questions, ma chère, l'informa-t-il, peut-être sans prendre assez de précautions.

— Est-ce que je ne mérite même plus, lui cria-t-elle, d'en être informée avant la tombée du jour ? Quant à vos « ma chère », vous pouvez vous en passer, si le mépris dont vous faites preuve à mon égard correspond à vos sentiments véritables.

Rambaud de Robricourt tressaillit comme s'il avait reçu un coup de fouet.

— Il m'a semblé plus important pour votre destin, fit-il en jouant la contrition, de rester au plus près de l'action, pour tout avoir sous mon contrôle et pouvoir intervenir dans le cas où le pire...

— Le pire, c'est l'attente, l'interrompit Laurence d'une voix un peu plus conciliante. Elle me rend folle... et injuste ! Excusez-moi, cher Rambaud.

— La journée n'a pas si mal commencé, raconta celui-ci avec un sourire. Roald of Wendower avait manifestement trouvé une possibilité d'accéder malgré tout à l'encre et au papier. Il a dû écrire toute la nuit, car il s'est présenté ce matin avec un acte d'accusation interminable. Mais on nc l'a pas laissé accéder auprès du prince héritier, au motif que la France n'avait aucun besoin de ses élucubrations. Pour cette journée, Sa Majesté Royale, le prince Louis Capet, ne voulait voir que maître Thédise, avec lequel il devait étudier des questions de plus grande importance, à l'approche de la rencontre avec le roi Frédéric d'Allemagne.

— Je sais bien, admit Laurence, que je suis juste un grain de sable dans la machinerie des grands astres.

— Faisons en sorte que vous ne deveniez pas un grain d'orge pris entre deux meules, répondit Rambaud avec un rire contenu.

Laurence, elle, n'avait pas envie de rire.

— Le premier assure au moins la friction, et par conséquent l'attention, aussi faible soit-elle. Le deuxième est broyé en farine. Que va-t-il m'arriver à présent ?

— J'ignore si votre cas a été un objet de discussion entre le prince et l'envoyé du pape. Mais maître Thédise s'entretient actuellement en tête à tête avec Roald of Wendower, dans ses appartements.

Laurence lança à son ami un regard incendiaire :

— Et c'est cela que vous appelez contrôler la situation ? Vos murs n'ont-ils donc pas d'oreilles ? Les deux sbires du pape délibèrent sur ma perte. Mais vous, vous restez planté devant moi et vous...

— Je ne suis pas planté, lui répondit Rambaud avec une fermeté inattendue. J'œuvre à votre service, précieuse Laurence, et ce du matin jusqu'au soir ! Permettez-moi de me retirer. Et faites-moi le plaisir d'avaler votre repas. Demain, vous aurez peut-être déjà besoin de vos forces.

Il frappa à la porte. On le fit sortir de la cellule.

Le dernier repas, se dit Laurence. Cela lui gâcha l'appétit, et elle reprit aussitôt ses va-et-vient dans la cellule. Elle décida de courir jusqu'à ce qu'elle soit suffisamment fatiguée pour s'endormir aussitôt. Elle y parvint et passa une nuit sans rêve. D'ailleurs, elle n'aurait pu imaginer, même en songe, la conversation entre les deux légats.

— Votre protecteur, le diacre général Rainer di Capoccio, vous adresse ses salutations, Roald, et attend de vous que vous accomplissiez sans délai ni objection la mission que je vais vous présenter...

— Avant de continuer, cher maître, l'interrompit Wendower, toujours énervé, mais cette fois sur ses gardes, soyez assez aimable pour m'apporter la preuve de votre légitimation. C'est la coutume dans les Services secrets, vous le savez certainement si vous...

Roald of Wendower se tut, soudainement heureux de ne pas avoir exprimé concrètement ses soupçons. Car maître Thédise avait sorti du pli de sa toge un disque d'argent ciselé. Il était grand comme une pièce de monnaie, ressemblait plutôt à une amulette, mais ses rebords étaient découpés irrégulièrement sur tout leur pourtour : la « clef du paradis » !

Wendower était devenu blanc comme de la craie. Il pensait aux mots qu'il avait prononcés la veille devant le porteur de cet objet. Il se leva, mieux : il bondit de sa chaise, ce qu'il n'avait pas jugé utile de faire jusqu'alors. Il sortit en tremblant son propre disque. Un étranger aurait pu croire qu'ils étaient identiques. Mais l'œil exercé de Roald avait immédiatement compris qu'il avait devant lui l'un des plus proches conseillers de l'Éminence grise. Une obéissance absolue était de rigueur, même au prix de sa vie ! Roald ne tomba pas à genoux et ne demanda pas grâce :

— Commandez à votre serviteur, se contenta-t-il de bredouiller en offrant son siège à son interlocuteur.

— Écoutez-moi bien, Roald, fit celui-ci en secouant

imperceptiblement la tête. Demain matin, vous ne vous conten-
terez pas de retirer votre accusation. Si c'est nécessaire, vous
vous dédirez d'un bout à l'autre. Il ne faut surtout pas qu'une
condamnation soit prononcée contre Laurence de Belgrave. Et
si vous ne pouvez l'éviter, ce sera à vous d'empêcher l'exécution
du verdict. Cette dame appartient à Rome !

— Sainte Vierge ! bêla le moine. Moi qui ai donné par écrit
au prince tous les arguments, bons et mauvais.

— Alors, demain, vous vous ferez l'*advocatus satanis* et
vous argumenterez d'une manière encore plus fourbe et rouée
que le rédacteur. (Maître Thédise eut un sourire diabolique.)
Quel défi grandiose pour un esprit formé par les Services
secrets ! Je vous envie !

— C'est cela, moquez-vous de moi ! fit Roald en se recro-
quevillant. Je n'ai rien mérité d'autre. On ne claque pas toutes
les portes, on ne les enfonce pas au bélier sans se garder au
moins une petite issue dérobée.

— Cela s'appelle une issue de secours, l'informa le maître.
C'est elle que vous utiliserez pour faire sortir la future abbesse.
Si on lui touchait ne serait-ce qu'un cheveu, je n'aimerais pas
être dans votre peau. On vous la retirerait vif, très lentement.

— Tout me convient, marmonna Roald, soumis. Sauf
d'être renvoyé de mon service dans l'infamie et la colère.

— Alors montrez ce dont vous êtes capable. Pour ce qui
concerne vos incapacités, vous nous avez donné suffisamment
d'exemples !

Roald of Wendower s'effondra pour de bon, et se laissa
tomber à genoux. Cela n'émut pas le maître un seul instant.

— Je partirai demain matin. Faites appel à l'évêque de
Toul. (Il était déjà au seuil de la porte.) *Videant consules !*
lança-t-il sèchement au moment de son départ.

Roald of Wendower n'eut pas un sommeil agité au cours
de cette nuit : il ne dormit pas du tout.

Le lendemain matin, il se leva de très bonne heure et courut au château pour être le premier à demander audience au
prince héritier, fermement décidé à ne pas se laisser éconduire.
Il dut attendre dans l'antichambre, pour constater que l'on
accordait un traitement privilégié à un prêtre ordinaire. Pierre
des Vaux-de-Cernay était le chapelain personnel et un familier

du comte Simon de Montfort. Jusqu'ici, il avait toujours salué avec dévotion ce puissant agent de la curie ayant rang de légat pontifical. À présent, ce cureton faisait comme s'il n'avait même pas remarqué la présence de Roald of Wendower.

Le prince Louis, qui avait appris à apprécier les sages conseils de Reinhald de Senlis, expliqua à l'évêque de Toul la modification imprévue de l'ordre du jour :

— Aussi égoïste et cruel que soit Montfort, c'est en tant que Notre vassal qu'il accomplit ses conquêtes. Au service et dans l'intérêt de la France.

Le prince attendait une franche approbation. Mais Reinhald osa reprendre l'un de ses mots :

— Intérêt ? répéta l'évêque.

Le prince Louis lui lança un regard d'abord interrogateur, puis impérieux.

— La cruauté de Montfort est le fruit d'un profond mépris de l'être humain. L'une comme l'autre engendrent la haine et la résistance. Comment la France pourra-t-elle gouverner d'une main bienfaisante les terres qu'elle aura conquises, conformément à la *gesta Dei per Francos*, si elle n'est pas aimée du peuple ? C'est un bien mauvais service que vous rend Montfort.

Le prince héritier parut d'abord ahuri qu'on lui réponde. Mais il écouta bientôt attentivement les arguments de l'évêque. Puis il sourit, l'air malicieux :

— Vous commettez une erreur de raisonnement, monseigneur Reinhald, parce que vous n'avez pas analysé les prémisses essentielles : la conquête est en soi une chose cruelle qui suscite la résistance. Sans cela, il s'agirait d'une annexion pacifique, voire volontaire. Mais rien n'est donné dans ce monde. Quant à l'amour du peuple : l'amour vient avec le mariage, comme on dit.

L'évêque s'abstint de répondre, et le prince héritier ordonna qu'on fasse entrer le comte de Montfort.

— Le nom de Laurence de Belgrave vous dit-il quelque chose ? demanda le prince à brûle-pourpoint.

Le prêtre sursauta et fit comme s'il devait aller fouiller sa mémoire d'érudit.

— Cette jeune dame a rédigé sous mon contrôle le journal de guerre de messire Simon, dont vous détenez une copie. Ensuite, elle est passée à l'ennemi.

— Qui pourrait lui en vouloir, chuchota le prince. Elle a été prise alors qu'elle tentait d'acheminer clandestinement à Rome deux bâtardes du comte de Toulouse. Elles devaient être confiées au pape comme otages, en échange de la survie et de l'intégrité de Raymond.

— Il s'agit effectivement d'un acte hostile contre les intérêts français ! lança le chapelain. Nous sommes parvenus à empêcher l'exécution de ce plan perfide ! Le légat Roald of Wendower, qui nous est dévoué, est parvenu à arrêter les fugitifs et à s'emparer hâtivement de cette *faidite*...

— Je vois que vous êtes bien informé. Nous, roi de France, Nous n'avons pas même été averti de cet épisode.

— C'est la raison pour laquelle...

— Nous n'avions pas l'intention de vous questionner *après coup* sur ce point ! fit le prince, en lui coupant sèchement la parole. À Notre connaissance, le comte légitime de Toulouse a parfaitement le droit d'envoyer à Rome ses filles naturelles, quel qu'en soit le nombre, surtout si le pape lui-même le désire ainsi et a demandé à son légat Roald of Wendower de s'abstenir de toute action hostile contre Notre cher cousin Raymond. Voyez-vous les choses sous ce jour, vous aussi, Pierre ?

Le chapelain en resta d'abord bouche bée. Son cerveau bouillonnait.

— Le légat nous a bernés, résuma-t-il finalement. Nous, messire Simon et ses hommes, ne savions rien de ce commandement du Saint-Père. Le comte n'aurait jamais toléré, autrement...

— Il faut donc acquitter Laurence de Belgrave de l'accusation d'enlèvement d'enfants et de haute trahison qui pèse sur elle ?

Vaux-de-Cernay toussota.

— Dans ce cas spécifique, certainement, mais...

— Il n'y a pas de mais ! Nous souhaitons que vous exposiez cette conception à votre légat « dévoué », Roald of Wendower, en personne et sous nos yeux !

Pierre des Vaux-de-Cernay était tétanisé. Il allait donc devoir livrer Roald of Wendower à la lame du couteau ! Il réfléchissait encore convulsivement lorsque le prince ordonna de faire entrer le légat. Celui-ci entra aussitôt, prêt à se jeter dans la première brèche venue. Mais le prince Louis commença par s'adresser à Pierre, le petit chapelain :

— Des plaintes sont parvenues jusqu'à nous. Le glorieux ordre des templiers accuse votre seigneur, Simon, d'avoir brutalement endommagé leur château de L'Hersmort.

Vaux-de-Cernay ne réfléchit pas longtemps et réagit aussitôt.

— La question de sa propriété était d'emblée une source de discussion. Son précédent occupant, Sicard de Payra, craignait à juste titre que ses sympathies déclarées pour les hérétiques ne nous conduisent à l'exproprier. Il a donc rapidement cédé le castel au seigneur Lionel de Belgrave, mais celui-ci était incontestablement un vassal du comte de Montfort. Son don à l'Ordre n'avait donc aucune valeur. Si des dommages matériels ont été provoqués, ce fut contre *notre* propriété, que des usufruitiers illégitimes se refusaient à nous rendre.

— La garnison a été assassinée !

Le prince tirait sur la ligne, voyant déjà le poisson frétiller à l'hameçon.

— Le digne baron Adrien d'Arpajon a été assassiné, répliqua le chapelain, en s'enfonçant un peu plus sur le crochet.

Un signe impérieux du prince fit taire le prêtre. Louis s'adressa alors à Roald of Wendower.

— Nous considérons, messire le légat, que vous avez le même point de vue sur ce qui s'est passé autour et dans L'Hersmort, puisque nous trouvons au centre de l'affaire cette Laurence que vous avez traquée et accusée, fille du vassal récalcitrant Lionel de Belgrave ?

Roald of Wendower s'inclina.

— Je n'étais pas présent, mais je connais bien tous les faits en rapport avec cette affaire. Permettez-moi de remonter dans le temps. Le comte Simon avait tout à fait reconnu le droit des templiers à la possession de L'Hersmort : il leur a même présenté ses excuses pour l'attaque de ses seigneurs, et a proposé à l'Ordre un dédommagement.

— Pour garantir la paix, intervint le chapelain, agacé. Leurs exigences étaient démesurément exagérées, impudentes !

Il s'arrêta net : le silence subit et le regard du prince ne promettaient rien de bon.

Roald attendit que le silence glacial ait de nouveau laissé place aux chuchotements et aux murmures habituels.

— Le lieu a été attaqué par des moyens proprement belliqueux, raison pour laquelle les habitants ont résisté, en défenseurs légitimes. Messire Lionel de Belgrave est tombé aux mains des assiégeants. Messire Adrien l'a décapité sous les yeux de sa fille. Tous les autres habitants du château, y compris Sicard de Payra, ont été tués. Seule Laurence a pu se sauver. Elle a pris la piste du meurtrier, l'a suivi et l'a tué.

— Tiens, intéressant ! nota le prince. Une femme active aux multiples visages. (Son regard se posa sur Roald, plus longtemps que celui-ci ne l'aurait souhaité. Mais il y fit face.) Dans votre rapport, vous présentez cette dame comme une hérétique.

— Nous n'en avons pas la preuve ! l'interrompit Vaux-de-Cernay avec virulence, et sans qu'on lui ait rien demandé. Ses actes la désignent *sine dubio* comme une faidite !

— Laurence est une grande pécheresse, affirma le légat. Elle dépasse la « grande putain de Babylone » par le poids de ses manquements devant le Seigneur et à l'égard de la Sainte Église. Je vais conduire à Rome cette sœur du Diable. Elle y répondra de ses actes devant le tribunal suprême de l'*Ecclesia catholica*, et expiera !

La voix de Roald avait enflé, ses yeux brillaient.

Le prince le ramena sur le sol de Vaucouleurs.

— Laurence de Belgrave est notre sujet. La couronne de France est tout à fait en mesure d'assurer un procès.

Il balaya ses deux interlocuteurs d'un sourire dédaigneux et les congédia.

— Ensuite, Son Altesse royale s'est adressée à moi, conclut Rambaud : « Nous voulons à présent Nous faire une idée de cette personne, cher Robricourt ! Amenez-la-Nous demain ! » a-t-il ordonné.

Laurence considéra son ami, pensive.

— Avez-vous remarqué que, d'un seul coup, personne ne réclame plus ma condamnation ? Ou du moins n'exige plus un verdict et une exécution immédiate ?

— Ils sont seulement en désaccord sur la procédure à suivre, et sur le premier chef d'accusation à retenir contre vous, répondit le châtelain pour tempérer le soulagement de Laurence. Qu'est-il passé par la tête de Wendower ?

— Il m'aime, répondit Laurence, tourmentée. Il veut me maintenir en vie jusqu'à ce que je...

— Il aurait pu y réfléchir avant ! murmura l'homme au visage d'otarie.

Mais Laurence secoua sa crinière, écœurée.

— Je ne compte pas plus lui céder aujourd'hui qu'hier ! Bonne nuit, mon bon ami !

Entre l'échafaud et l'autodafé

L'aube pointait déjà à l'extérieur lorsque Laurence fut arrachée à son sommeil. Les moines lui apportèrent un paquet contenant des vêtements et un billet du châtelain. Rambaud la priait de l'excuser : il n'avait pu le lui apporter en personne. Le prince avait décidé, sur un coup de tête, de partir à la chasse, et il n'avait d'autre choix que de l'accompagner. Les vêtements, précisait-il, avaient appartenu à son épouse défunte. Avec la mince silhouette de Laurence, ils lui iraient certainement comme s'ils avaient été taillés pour elle. Ce qui lui importait surtout, c'était qu'une personne que l'on présentait aussi bien comme la pire des hérétiques que comme une *faidite* meurtrière donne une impression aussi modeste, nécessiteuse et aussi pieuse que possible. Le jugement que dame Blanche porterait sur elle jouerait notamment un rôle déterminant. Laurence devrait donc se présenter la tête chastement couverte, dans une tenue qui permette à cette grande dame de s'engager pour elle. Son vieil ami dévoué était persuadé qu'elle le comprendrait.

Ainsi déguisée en brave mère de famille, Laure-Rouge dut passer encore bien des heures assise dans sa cellule. Lorsque le prince héritier, au petit matin, revint enfin au château de chasse de messire de Robricourt, au son de cors qui annonçaient une bonne chasse dans la forêt d'Othe, il commença par s'allonger pour se reposer. Il était déjà tard lorsqu'on laissa entrer non pas Laurence, mais, à sa demande insistante, le confident de Montfort. Pierre des Vaux-de-Cernay avait demandé un entretien en tête à tête. Le prince Louis était fermement décidé à le lui refuser :

— Précieux chapelain, Nous ne souhaitons pas que quiconque puisse penser que vos enchantements aient pu Nous influencer. Nous ne voulons pas non plus que l'on puisse affirmer, après coup, que Nous avons exercé sur vous la moindre pression.

Le chapelain s'inclina.

— Votre Royale Majesté est le maître des oreilles, tant qu'Elle sait fermer les bouches.

Le prince de France n'appréciait guère ce genre d'allusions désobligeantes.

— Nous demanderons à l'évêque de Toul de nous prêter son ouïe et de ne pas empêcher sa bouche de nous donner un bon conseil.

Messire Reinhald de Senlis hocha la tête, et le prince reprit :

— Compte tenu du fait que Nous attendons pour cette nuit l'arrivée du jeune roi des Allemands en ces lieux, Nous souhaitons être débarrassé de la pénible affaire de cette Laurence de Belgrave. Nous cédons donc à la demande de Sa Sainteté — il n'y avait sans doute rien d'autre dans la missive pontificale ? demanda-t-il incidemment à l'évêque, qui hocha de nouveau la tête, manifestement satisfait de la tournure que prenaient les événements —, et Nous livrons ainsi la personne en question *stande pede* à Rome, sous bonne escorte.

Le chapelain n'était pas du tout d'accord.

— J'ai une requête à vous présenter, Majesté ! laissa-t-il échapper, les dents serrées.

Il lança en outre à l'évêque, ce témoin indésirable, un regard de colère censé l'inciter à quitter les lieux de son propre chef, ce qu'il ne fit naturellement pas. Agacé, le chapelain reprit :

— Je dois, si vous me le permettez, vous demander de ne pas donner suite à cette exigence du Saint-Siège.

Le prince héritier l'observa, étonné par tant d'audace. Mais comme il avait cru s'exprimer sans ambiguïté, il laissa d'abord cet indocile poursuivre son discours. Il était tout de même curieux de voir où celui-ci voulait en venir. Vaux-de-Cernay ne laissa pas passer l'occasion.

— Dieu sait qu'il ne s'agit pas de Laurence de Belgrave, croyez-moi. Il s'agit de montrer les dents au pape.

— Je vous demande pardon ? laissa échapper messire Reinhald de Senlis, mais le prince héritier le calma d'un sourire qui signifiait : « Écoutons donc ce qu'il a à nous raconter ! »

Le petit chapelain se sentit pousser des ailes :

— La France se doit de désobéir ! Au lieu de docilité à l'égard du Saint-Siège, la situation exige une prise de parti sans ambiguïté de la Couronne contre Raymond de Toulouse et pour Simon de Montfort, votre vassal.

— Comment cela ? l'interrompit le prince héritier. Outre une réponse brutale à Sa Sainteté, vous nous demandez de protéger l'usurpateur contre les droits innés du comte de Toulouse ? (Il s'adressa à l'évêque de Toul.) Quelle serait la situation de la maison des Capet dans l'ensemble de l'Occident chrétien si nous... (Le prince était tellement indigné qu'il en avait le souffle court, et sa veine de colère enflait sur la tempe.) C'est une bonne chose que Nous vous entendions ! Nous comprenons à présent pourquoi vous vouliez Nous parler en particulier ! On devrait, pour reprendre vos propres mots, vous pendre par les oreilles et bâillonner cette bouche qui sème l'infamie !

Le chapelain savait qu'il n'avait plus rien à perdre. Il se cabra et tint bon :

— Ce n'est pas l'infamie et la honte que vous avez à craindre, mais le respect que vous devez vous assurer. Cela signifie répandre la peur ! *Oderint dum metuant !*

Le prince tomba tout d'un coup dans un silence menaçant. Il observa le chapelain excité à la manière d'un serpent sûr de pouvoir avaler sa proie.

— Messire Pierre, pour quelle raison croyez-vous que la Couronne ait besoin de vos conseils ? Vous plaidez pour Montfort, qui ne nous a rien demandé lorsqu'il s'est engagé dans cette entreprise indigne, et qui se trouve aujourd'hui dans les pires difficultés ! Messire le pape, en revanche, agit d'une manière parfaitement correcte lorsqu'il soutient notre cousin Raymond.

— Si le comte lui envoie son propre sang en otage, intervint messire Reinhald, retenir plus longtemps l'accompagnatrice de ces enfants n'est certainement pas dans l'intérêt de la France.

— Et si le *Pontifex maximus* veut la traiter comme une hérétique, ajouta le prince Louis, c'est l'affaire de l'Église, et, tout au plus, celle de Laurence de Belgrave !

Mais cela ne suffit pas à faire taire le seigneur des Vaux-de-Cernay. Il savait que son discours lui avait déjà coûté sa tête, ou du moins tout son crédit, et qu'il lui fallait plaider sa cause jusqu'au bout.

— Si vous cédez ici, dans cette affaire en soi dépourvue d'importance, on vous en fera grief comme d'une preuve de faiblesse. Le pape se fait atteler devant un char de combat dont les axes sont constitués par Toulouse et Aragon. Si ce véhicule parvient à avancer vers le sud, vous, futur roi de France, pourrez bientôt oublier toute influence, et même tout pouvoir, en Occitanie et dans le Languedoc ! Alors, vous aurez perdu d'un seul coup tout ce que Simon de Montfort, votre fidèle vassal, y aura conquis à votre profit, par quelques moyens que ce soit — et avant tout l'accès à la Méditerranée !

Le prince héritier tentait, en battant des mains, de faire taire cet agitateur éloquent. Mais le petit chapelain agitait lui aussi les bras devant le visage du prince décontenancé, pour lui rappeler la situation géographique.

— Le royaume d'Aragon jouxte immédiatement le futur empire du Hohenstaufen. À qui est marié votre ami Frédéric ? À Constance d'Aragon ! C'est la grandeur de la France qui est en jeu, son avenir ! Et vous hésitez à servir au pape la tête d'une misérable femme sur un plateau ? Ce sera la seule manière de faire comprendre à Innocent, le tuteur très bienveillant du jeune souverain allemand, qu'il est allé trop loin et qu'il est en train de faire passer Paris dans le camp de ses ennemis.

Épuisé, Pierre des Vaux-de-Cernay plia le genou devant le prince et pencha humblement la tête, comme pour prier.

— C'est à Dieu de dire si vous me pardonnerez ou non, Votre Majesté. Mais le destin de la France est entre vos mains !

Le prince était devenu livide Le raisonnement avait quelque chose d'imparable. Ce qui était en jeu, c'était bien la couronne qu'il comptait poser sur sa tête, un jour aussi proche que possible. La *gesta Dei per Francos* ne devait rien au hasard, il fallait la reconquérir chaque fois de nouveau. Un roi des Francs devait se montrer digne de ce privilège accordé par Dieu. Même si des têtes devaient tomber pour cela.

— Repartez en homme libre, Pierre des Vaux-de-Cernay, murmura le prince, d'une voix posée. Mais sortez de ma vue.

Lorsque le chapelain se fut retiré, le roi ordonna aux gardes de lui amener Laurence de Belgrave.

— Qu'en dites-vous, messire Reinhald ? demanda-t-il, presque timidement, à l'évêque de Toul.

Celui-ci, jusque-là, s'était péniblement contenu. Il laissa alors éclater sa colère.

— Si vous vous faites le saint patron de Simon de Montfort, le pape ne vous bénira pas, mais vous excommuniera ! (Il ne laissa pas ce mauvais mot résonner longtemps dans la salle.) La détresse où se trouve ce pillard meurtrier, que vous auriez dû faire pendre depuis longtemps, a poussé son fidèle confesseur à cette démarche scandaleuse : vous dépeindre la chimère d'une conjuration mondiale contre la France. À aucun moment, l'empereur allemand, suzerain de la province, ne vous a refusé l'accès à Marseille.

Le roi d'Aragon, qui est toujours le souverain du Languedoc, n'a jamais tendu la main vers Toulouse. Seules les menées cupides et les efforts désespérés de Montfort sèment le désordre dans la structure du pouvoir de cette région.

— Mais il en résulte aussi une chance unique pour Paris.

À peine le prince avait-il formulé cette pensée séduisante qu'il la regrettait déjà. Messire Reinhald le dévisagea et se signa, indigné. Il se retira derrière le siège où le prince plongeait la tête entre ses mains et méditait. La salle s'emplit des dames et des seigneurs de la cour.

Les gardes firent entrer Laurence. Rambaud l'accompagnait. Il franchit la barrière de la porte où se tenait encore Roald of Wendower, auquel on avait refusé le passage. Lorsque Laurence marcha à sa hauteur, il lui sourit et lui lança à voix basse : « Tête haute, Laurence ! » sans préciser la signification de son message.

Laurence ressentit comme oppressant le silence attentif qui s'était entre-temps déposé sur l'assistance. Le prince héritier était le seul à disposer d'un siège à dossier haut. Il évita le regard de la jeune femme, ce qu'elle prit aussi pour un mauvais signe. Elle se serait volontiers assise, elle aussi, elle sentait la faiblesse la gagner. Mais elle devait se tenir debout face au tribunal. C'était une question de dignité.

— Laurence de Belgrave ! fit le prince Louis d'une voix forte. Vous avez fait passer, de votre propre main, un baron de France de vie à trépas. Ignorez-vous que l'exercice de la vengeance par le sang est puni, dans notre royaume, par la peine capitale ? Que la répression d'actes criminels revient au profès de la Couronne, et à lui seul ?

Comme elle n'y avait jamais réfléchi, Laurence prit son temps, avant de répondre d'une voix ferme, mais dénuée de la moindre nuance rebelle :

— J'ai vengé mon père.

Un murmure approbateur lui indiqua que beaucoup, ici, la comprenaient. Elle ajouta donc :

— Lionel de Belgrave était prisonnier lorsque ce lâche, Adrien d'Arpajon, l'a abattu.

Le prince n'aimait pas la manière dont Laurence mettait la cour dans son camp.

— Et vous, Laurence, avez-vous vaincu et tué le chevalier au terme d'un duel loyal ?

Laurence sentit le sol se dérober sous ses pieds. Elle ne

pouvait dire que la vérité, même si personne ne lui accordait de crédit.

— Hélas, le criminel était déjà exécuté avant que je ne puisse m'emparer de lui. Il ne m'est resté qu'à lui donner le coup de grâce.

L'évêque de Toul intervint :

— Ne ressentez-vous pas de compassion ?

— Non, répondit Laurence. On ne pouvait plus rien faire pour lui... D'ailleurs, de toute façon, je ne l'aurais pas aidé !

— C'est donc votre main qui a donné la mort à cet homme sans défense, constata le prince avant de marquer une longue pause. Laurence de Belgrave ! dit-il ensuite d'une voix froide. Vous encourez la peine de mort. Seule la mémoire de votre père, un chevalier sans reproche, Nous incite, Nous, Louis VIII de France, à vous accorder la faveur de l'échafaud. Acceptez-vous le jugement ?

Laurence sentit à côté d'elle une créature lumineuse qui lui ressemblait. C'est celle-ci qui se chargea de la réponse.

— Si vous, Louis, prince de France, voulez avoir ma tête, je ne vois plus aucune raison de me la casser pour savoir si sa perte me convient ou non.

Elle n'avait certes pas déclenché les rires, mais on perçut çà et là des gloussements. Quelques femmes sanglotaient.

Le prince tenait désormais à se débarrasser aussi vite que possible de cette femme insolente et encombrante.

— Vous serez conduite demain matin au bourreau, décida-t-il pour finir, en faisant signe aux gardes.

Mais Laurence ne bougea pas de sa place.

— Tout condamné à mort a droit à un dernier vœu, dit-elle d'un ton léger. Voulez-vous me l'accorder ?

Le prince pouvait difficilement le lui refuser devant cette foule.

— Si cela est en mon pouvoir, dit-il d'une voix tourmentée, il vous sera accordé.

La cour, tendue, regardait attentivement la jeune femme qui négociait avec tant de sang-froid les conditions de sa propre mort.

— Cette nuit, le roi allemand arrivera ici. Je souhaite voir le jeune Hohenstaufen, face à face, avant de mourir. Demain matin, lorsque je serai conduite à l'échafaud, je veux que l'on me fasse passer devant Frédéric.

Cette demande venue du fond du cœur émut aussi les courtisans les plus endurcis ; les dames et les jeunes suivantes de la reine pleuraient. La requête n'agaça que le prince.

— Il n'est pas en mon pouvoir de..., commença-t-il.

Mais la reine l'interrompit.

— Je tiendrai ma parole auprès de notre hôte, dit-elle de cette voix pondérée qui la caractérisait, et Louis s'inclina.

— Si vous maintenez votre vœu, fit-il d'une voix sèche à la condamnée, je vous retire la faveur que je vous ai accordée. Ce Hohenstaufen que vous voulez importuner passe pour un implacable persécuteur d'hérétiques. Il est donc normal que ce soit *lui* qui décide s'il veut vous voir brûler, ou raccourcie d'une tête ! Vous soumettrez-vous à son jugement ?

— Cela me convient, s'exclama Laurence, assez fort pour que chacun puisse l'entendre. Puis elle sortit de la pièce.

Peu après, le prince se retira à son tour afin de se préparer à l'arrivée de son invité. L'évêque de Toul l'accompagna jusqu'à ses appartements.

— Il ne me semble pas judicieux, Votre Altesse Royale, lui suggéra celui-ci, de révéler prématurément au Hohenstaufen pourquoi il lui faudra, demain matin, se présenter ici, devant le portail, à votre côté. Cela pourrait lui déplaire...

— ... comme à vous, Éminence ? Vous ne pouvez pourtant pas vous plaindre, messire Reinhald, dit Louis d'une voix mutine. Quoi qu'il arrive, ce sera avec l'accord de la dame à laquelle vous tenez tant.

— Je vous ai prévenu, Votre Altesse ! répliqua l'évêque. Il ne vous appartient pas de remplacer le désir du Saint-Père par la libre décision d'une femme, pour autant qu'il s'agisse de cela *de jure*. À aucun moment, on n'a demandé l'avis de l'Église

— Je risque donc l'excommunication ? plaisanta le prince.

— Le purgatoire ! répondit l'évêque en souriant.

Mais l'ecclésiastique jugea qu'il ne fallait pas prendre trop au sérieux ce genre de discussions. Cela faisait monter la tension. Et puis, vu depuis Toul, Paris était beaucoup plus proche que Rome.

C'est seulement lorsque Laurence, soutenue par Rambaud, eut de nouveau atteint sa cellule, qu'elle s'effondra sous la tension du jeu dangereux qu'elle avait mené en solitaire. Ses genoux tremblaient, il lui fallut s'asseoir. Messire de Robricourt n'avait pas compris sa manœuvre :

— Maintenant, notre éternel prince héritier frotte ses mains ridées, fit Rambaud, furieux de son impuissance. Et il s'attend à pouvoir offrir à son cher invité le joyeux spectacle d'un autodafé !

— Vous avez suffisamment de bois ici, à Vaucouleurs, dit Laurence, qui avait à présent besoin d'être toute seule. Je vous verrai demain matin, reprit-elle d'un ton léger. Si vous me faites l'honneur de m'accompagner à mon rendez-vous avec le bourreau.

Elle se contenta de serrer fugitivement Rambaud dans ses bras et le poussa vers la porte. À l'extérieur, on entendit résonner des fanfares.

— Je dois me hâter, conclut le châtelain, consterné. Il me faut aller accueillir le jeune roi.

— Ne dites pas un mot de ce qui l'attend demain matin, lui demanda Laurence en le raccompagnant à la porte. Je ne veux pas connaître sa réaction à l'avance, et je ne veux pas que d'autres la connaissent. Ne serait-ce que pour leur éviter de nouvelles bêtises.

De tous les participants à cet épisode, les seuls qui dormirent bien, en cette nuit de Vaucouleurs, furent sans doute le roi allemand, épuisé par son périple, et Laurence.

Au matin, elle se réveilla de bonne heure, bien avant qu'on ne lui apporte un petit déjeuner copieux. Elle avait commandé des œufs de poisson gras et chauds, et une bonne quantité du remarquable vin rouge du domaine d'Othe, qui inspirait au châtelain une fierté légitime. Pour ce qui concernait sa garde-robe, Laurence regretta de devoir choisir de nouveau parmi les vêtements de la défunte madame de Robricourt.

À sa grande surprise, la condamnée reçut une visite dans sa cellule. Claire de Saint-Clair, la suivante de la reine, apporta à Laurence une tenue gris graphite en pure soie naturelle qui semblait avoir été taillée sur mesure pour elle. Le tissu souple mettait en valeur la couleur de ses cheveux, et c'était l'essentiel aux yeux de Laurence : faire en sorte que sa crinière rouge soit immédiatement reconnaissable ! Elle passa, comme unique bijou, une chaîne de perles.

Claire de Saint-Clair, une solide beauté venue du Nord, les yeux bleus comme la mer froide sur la côte, des cils blond clair comme le sable de la plage, était à peine plus âgée qu'elle. Aussi chaleureuse fût-elle, elle savait conserver une grande dignité. Elles se donnèrent l'accolade et se sourirent. En d'autres circonstances, le regard qu'elles s'adressèrent en se séparant aurait pu être une promesse pour l'avenir.

Rambaud de Robricourt apparut. La fatigue et le chagrin avaient bordé ses yeux de rouge ; on aurait dit que ce n'était pas Laurence, mais lui-même qui devait à présent entreprendre cette dernière marche.

— On m'a forcé à édifier, à côté de l'échafaud, un bûcher surmonté d'un poteau, se plaignit-il, car le prince veut faire exécuter sur-le-champ le verdict qu'aura prononcé le Hohenstaufen. Il espère secrètement un autodafé.

— S'il se trompe, mon cher Rambaud, vous pourrez toujours brûler le bois dans la cheminée, le consola Laurence. Frédéric sait-il que je suis ici ?

— Je crains que non. Hier, il est directement allé se reposer. Ces messieurs veulent partir à la chasse dans la matinée.

— Mais je verrai le Hohenstaufen avant ? demanda Laurence d'une voix saccadée.

L'angoisse qui montait brutalement lui noua presque la gorge.

— Mais certainement ! la tranquillisa le maître du château. La cour s'est déjà installée des deux côtés du perron pour jouir de la meilleure vue possible lorsqu'on vous amènera.

— Ce ne sera pas en calèche fermée ?

— Certainement pas. La charrette de Toul est arrivée en même temps que le bourreau. Chacun doit pouvoir vous voir.

— Dans ce cas, allons-y, dit Laurence en lui tendant le bras.

La charrette à deux roues était surélevée pour que tous puissent voir la condamnée, mais que la populace ne puisse pas l'approcher de trop près. Laurence monta par une échelle dans ce véhicule grossièrement charpenté, les assistants du bourreau l'y aidèrent. Elle remit à chacun une pièce d'or, comme il seyait à une dame de rang. Les moines qui l'avaient soignée et gardée pendant si longtemps prirent place juste derrière elle — silencieux, plongés dans leurs prières, la tête basse.

Le petit cortège roula lentement dans la forêt ; le châtelain marchait à côté des chevaux. Cela tranquillisa Laurence. Elle n'aurait pas aimé le savoir à côté d'elle en cet instant. Après un dernier virage, elle aperçut le château de chasse. Laurence n'avait d'yeux ni pour le bûcher dressé à l'arrière-plan, ni pour l'estrade couverte d'un drap noir, ni pour le bourreau en culottes rouges, le torse nu, la tête recouverte d'une capuche rouge. Dans une main la hache, dans l'autre une torche enflammée, il barrait symboliquement le chemin à la condamnée jusqu'à ce que l'on ait décidé quelle mort elle devait subir.

Le regard de Laurence resta rivé sur la foule, devant le château. Elle chercha la silhouette des deux rois, l'apparition de celui qui, seul, comptait à ses yeux. Les marches étaient encore vides, son cœur se mit à battre la chamade, de plus en plus furieusement au fur et à mesure que son véhicule approchait du pied du perron. Elle se força à regarder droit devant elle, elle ne voulait pas montrer avec quelle hâte elle attendait cette rencontre. Elle courba légèrement la tête. Cela lui permit de garder discrètement un œil sur l'escalier. Elle entendit alors les fanfares. Les tambours roulèrent, et, par le portail, apparut Federico !

Le gamin de Castellammare était devenu un homme superbe. Une chevelure blond roux somptueuse encadrait aussi son visage légèrement teinté de rouge, qui portait désormais la barbe. Elle, elle l'aurait aussitôt reconnu ! Le roi descendit quelques marches de l'escalier, à l'instant précis où s'arrêtait le véhicule transportant Laurence. Rambaud, avec son sens marqué du cérémonial, avait pris les rênes en main, par précaution.

Laurence, pour produire le plus grand effet possible, leva lentement sa tête baissée et lança à Frédéric un regard rayonnant. Celui-ci sourit, confus, il ne savait plus dans quelle partie de ses souvenirs se cachait cette femme, oui, il l'avait sans doute déjà... Il hocha la tête dans sa direction, comme pour lui donner du courage, et voulut se tourner vers Louis, qui se tenait derrière lui, sans doute pour lui demander s'ils allaient enfin partir pour cette chasse. Alors, le prince de France lui expliqua d'une voix méprisante :

— Laurence de Belgrave attend de votre bouche...

Il n'alla pas plus loin.

— Laurence ? demanda Federico à la femme qui, sur sa

charrette, était proche de l'évanouissement. Laurence de Belgrave, celle à qui je dois une île ?

Il fit un pas vers elle. Le prince héritier le suivit, ahuri. Une rumeur d'approbation parcourut le peuple. Frédéric se tourna vers son hôte :

— Elle m'a sauvé la vie, il y a des années !

— Dans ce cas, accordez-lui la faveur de l'épée. Car les flammes purificatrices attendent cette hérétique avérée.

Le Hohenstaufen, un peu myope, remarqua seulement à cet instant le décor que l'on avait installé à l'arrière-plan, et le bourreau qui attendait.

— Sa faute ne peut être si lourde, dit-il d'une voix forte, qu'elle force un roi à oublier sa gratitude, lança-t-il au prince. Si Laurence de Belgrave devait être convaincue d'hérésie, il faudrait la placer dans un couvent où on lui inculquerait la juste foi. (Il se retourna encore une fois vers elle.) Chacun peut fauter, chacun doit expier. J'espère faire de nouveau votre rencontre comme pécheresse repentie et bonne chrétienne ! Portez-vous bien !

Il se détourna de la rouquine dans sa charrette, et un reproche perça dans sa voix impérieuse :

— *Mon cher cousin*, vous m'aviez promis une bonne traque au renard !

Derrière lui, la charrette repartit. Frédéric n'accorda plus un regard à celle qu'il avait graciée. Il ne vit donc pas Laurence sécher une larme et lui adresser un au revoir discret.

Rambaud fit en sorte que la charrette fasse aussitôt demi-tour, accorda au bourreau une solde princière pour sa vaine apparition et reconduisit Laurence dans sa cellule. Sur le chemin, ils entendirent les cors de la chasse qui débutait, et l'aboiement des chiens.

— Vous êtes véritablement une pécheresse endurcie, Laurence, commenta le châtelain en l'aidant à descendre de l'échelle. Vous ne jouez pas seulement avec votre vie, mais aussi avec le cœur des gens qui vous ont pris d'affection. J'espère que le silence et la rigueur d'un couvent vous débarrasseront aussi de cette manie.

Laurence lui sourit.

— Vous avez raison, mon cher Rambaud. Un peu de tranquillité pourrait me faire du bien.

9. LA DERNIÈRE LEVÉE

Dans la forêt de la Patronne

*M*a chère mère...

Laurence n'était pas allée au-delà de ces premiers mots. Elle avait voulu écrire cette lettre pour annoncer à Livia qu'elle vivait, qu'elle avait survécu de manière totalement inattendue. Mais les doutes ne tardèrent pas à l'assaillir : cela avait-il un sens d'annoncer, à celle qui l'attendait à Rome depuis des lunes, ce qui était arrivé à sa fille ? Elle l'avait surmonté, le reste ne comptait pas. Na'Livia n'avait qu'à savoir que Laurence avait, jusqu'à nouvel ordre, échappé à la camarde. Roald of Wendower, ou un autre membre des Services secrets, avait de toute façon certainement informé depuis longtemps la *Mater superior* du couvent « L'Immacolata del Bosco » de ce « sauvetage » miraculeux. Et il avait dû le faire à la manière de la curie : l'index levé, ou assorti d'une menace sans voile, avec mépris ou une secrète admiration.

Tout cela paraissait bien peu de chose à la principale concernée, à l'aune de ce cheveu de Dieu auquel avait été suspendue sa vie — et qui avait tenu bon. Laurence trouvait donc normal d'expier pour l'existence qu'elle avait menée jusqu'ici. S'il n'y avait eu cette effroyable puanteur, qui l'entourait en permanence comme un nuage humide, épais et vénéneux, s'il n'y avait pas eu ces mouches à merde chatoyantes, les rats qui bondissaient de toute part sans autre but que de s'occuper de leurs victimes sans défense...

Laurence marchait dans l'allée centrale de la cabane de

bois, au milieu de la forêt. C'était une construction grossière, en rondins, sur des fondations de pierre. Les gens étaient couchés à droite et à gauche dans leurs réduits, des mains se tendaient vers elle comme pour l'attraper. Des gens ? Des mains ? Ce n'étaient souvent que des pinces suppurantes, ou de simples moignons, qui ne saignaient pratiquement pas, mais où ne se formaient ni croûtes, ni cicatrices. Des membres en putréfaction, à peine recouverts de chiffons, et d'où suintait ce liquide à l'odeur ignoble. Laurence regarda vers l'extérieur, espérant l'arrivée de nouveaux venus, moins dans l'espoir de pouvoir apporter encore son aide que d'échapper à la vue de ces blessures qu'elle connaissait déjà trop bien.

Elle ne pouvait d'ailleurs apporter aucune aide, tout juste amoindrir les souffrances. Nul ne pouvait aider ceux qu'avait atteints la lèpre. Personne n'était arrivé pendant la nuit, constata-t-elle à l'issue de son inspection matinale. En revanche, deux des paillasses s'étaient vidées. Laurence tenta de se rappeler les visages de leurs occupants. Des visages ? Si, c'étaient des visages, surtout lorsque les yeux n'étaient pas encore perdus, et même si les nez et les lèvres avaient été rongés depuis longtemps — non pas par les rats, qui ne s'en prenaient qu'aux moignons de jambes, car tant que les mutilés étaient encore capables de tenir un gourdin, ils se défendaient. Certains de ces infirmes attachaient même leur bâton à ce qu'il leur restait de bras.

À l'extrémité du couloir, elle passa devant le chaudron suspendu où une épaisse décoction d'herbes médicinales avait bouillonné pendant toute la nuit ; elle ne se refroidissait qu'au matin, lorsque le feu s'éteignait. Elle plongea la main dans cette bouillie. Elle ne devait pas être trop chaude, mais seule Laurence pouvait en juger : un lépreux ne ressentait plus de douleur, du moins aux membres atteints par la maladie. Laurence prit l'une des cruches qui se tenaient autour du feu, déposa plusieurs cuillerées de ce brouet aux herbes dans un récipient, et commença son travail matinal : changement des bandages, lavage des plaies, puis onction avec cette pâte qu'ils aimaient tous, persuadés qu'ils étaient de ses vertus curatives. Ils en voulaient tous autant que possible. Laurence l'étalait en souriant. Elle avait un mot aimable pour chacun, savait les réconforter en affirmant que leurs plaies avaient bien meilleure mine ce matin-là, même si, de toute évidence, c'était le contraire qui était vrai. Le plus épouvantable, avec ce fléau qu'était la lèpre, c'était que le cerveau n'était à aucun moment hébété par une somnolence miséricordieuse : le malade assistait en toute conscience à la mort progressive de son corps, la chute de ses membres pourris, un osselet après l'autre.

Lorsque Laurence avait soigné le dernier de ses protégés, elle sortait et marchait en plein air sur le chemin creux. Jadis, elle avait salué l'odeur de la forêt comme une naufragée apercevant la rive salvatrice. Désormais, elle n'accordait plus un regard aux sapins élevés, elle ne faisait que songer aux tâches qu'elle aurait encore à accomplir dans sa journée, aux réserves de bandages, à la collecte et au séchage des herbes, au lavage des draps, à l'aération des coussins. Autant de choses qu'elle n'avait pas à accomplir elle-même, mais qu'il lui revenait de superviser. D'un pas souple, elle entra dans l'édifice principal, bâti en pierre, fit une génuflexion devant la porte ouverte de la chapelle et se rendit dans la cuisine pour s'assurer que le déjeuner de « sa » maison serait prêt à temps.

Oignies n'était pas un cloître, même si les gens le considéraient comme tel. Ce hameau, situé dans les profondeurs de la forêt de Sedan, s'était constitué autour d'une chapelle. Si Marie, la fondatrice de ce refuge pour les exclus, avait choisi ce lieu, ce n'était pas pour son caractère sacré, et moins encore parce qu'elle y espérait des miracles, mais parce qu'y jaillissait une source qui assurait de l'eau propre en abondance.

Marie ne se faisait appeler ni « ma mère », ni « ma sœur » : Laurence l'avait constaté dès son arrivée, au plus froid de l'hiver. Il lui fallut attendre des semaines avant de faire la connaissance de la « Patronne » comme pour lui montrer que l'on ne mettait personne en valeur ici, ni la femme qui portait le mouvement, ni la jeune pécheresse. Laurence dut s'initier elle-même aux rudes besognes qu'elle devait accomplir. Nul ne lui donnait d'ordres, mais aucune des femmes ne lui apportait aide, ou conseils. Laurence avait même l'impression de n'être pas particulièrement bienvenue. Elle se jetait avec d'autant plus de force dans ce travail que le labeur, et non les pieuses prières, était la seule chose qui comptait à Oignies. C'était d'ailleurs l'unique information que lui ait chuchotée l'une de ces femmes, le plus souvent assez âgées, lorsque Laurence, dans sa confusion, était allée chercher refuge dans la chapelle.

Elle accomplit ainsi les travaux les plus vils, l'évacuation des excréments, la coupe et le transport du bois de chauffe et de la paille qui servait de litière, même lorsque le froid était glacial et la neige profonde. Elle avait les doigts et les pieds en sang, mais elle ne se plaignait jamais. Elle s'éreintait jusqu'au soir tombé, et elle était la première à se lever le matin, bien avant le soleil. Pourtant, elle avait toujours l'impression d'être observée avec attention, non pas par les vieilles femmes suspicieuses, mais par deux yeux qu'elle avait de plus en plus hâte de voir en face.

C'est au bout d'un mois seulement, un matin, que Marie vint la voir, alors que Laurence frappait de toutes ses forces avec sa hache sur une souche d'arbre qui lui résistait et la mettait en rage.

— Voilà le chemin qui ne mène nulle part, Laurence, dit cette jolie femme, bien plus jeune que ne l'aurait imaginé la rouquine. La seule chose que tu vas obtenir, c'est que la hache se brise entre tes mains.

Laurence ne se laissa pas impressionner et continua à frapper sur la racine jusqu'à ce que le manche éclate dans sa main, laissant le fer planté dans le bois.

Marie sourit.

— Tu apprendras à utiliser ta force à bon escient, pour ne pas détruire, mais pour soigner.

— Personne ne peut aider les exclus, ils sont stigmatisés par la mort, protesta Laurence, prise d'un profond désarroi.

— Nous sommes tous marqués par la mort, lui répondit Marie. L'aide que nous leur apportons consiste à leur faciliter la mort, à leur faire comprendre qu'ils ne sont pas des exclus.

— Mais les soigner ? demanda Laurence, impatiente de connaître la réponse.

— Tu oublies leurs âmes, Laurence. (De sa fine main, Marie attrapa le fer coincé de la hache et le sortit du bois, d'un seul coup.) Pour eux, la guérison de l'âme est plus importante que la disparition de leur visage ou de leurs membres. Eux, ils savent parfaitement qu'ils vont les perdre. C'est la raison pour laquelle il est totalement absurde de vouloir couper du bois de racine, alors que la forêt est encore pleine de troncs qui ne demandent qu'à fournir du bois de chauffe. Car en soignant les agonisants et les moribonds, nous purifions aussi notre âme.

Laurence réfléchit tout en chargeant sur son épaule le bois de chauffe qu'elle avait pu récolter.

— Voulez-vous dire, Marie, répondit-elle en prenant son courage à deux mains, que je dois moins me soucier de ceux dont l'état approche déjà celui de cette souche inutile, que de ceux dont on peut encore entretenir l'espoir ? (Sa vieille agressivité lui revenait.) Pourtant, ils finiront tous dans les flammes...

Les yeux gris de Marie se portèrent sur elle, sans colère, plutôt amusés, comme si elle se réjouissait de la résistance de sa cadette.

— Personne n'a jamais fait ses vœux à Oignies. Si tu veux te charger du palais des « Anges », c'est-à-dire de la cabane qu'aucun des habitants ne quitte jamais plus sur ses deux jambes, je te la confierai.

Laurence s'était contentée de hocher la tête, courroucée. Et c'est ainsi qu'elle s'était retrouvée auprès des « Anges ».

Oignies se situait près des Ardennes. Les soins apportés aux grands malades par des femmes dévouées étaient une tradition dans cette contrée, qu'elles soient de la noblesse ou issues de riches maisons bourgeoises, veuves ou jeunes vierges inspirées par l'altruisme. l'Église surveillait bien sûr de près ce genre d'institutions qui pouvaient facilement devenir des nids de l'hérésie si l'on n'y assurait pas suffisamment la discipline religieuse.

C'est pour cette raison que l'on y avait aussi envoyé un jeune vicaire, Jacques de Vitry, qui disait la messe et confessait ces dames. On avait pris un petit risque : Jacques tomba aussitôt follement amoureux de Marie. Mais il sut contenir décemment ce sentiment en notant chaque pas, chaque mot de son adorée. Par ailleurs, Jacques de Vitry était un fervent défenseur des théories de François d'Assise, dans la lointaine Italie, qui paraissait vénérer la pauvreté comme une reine, ou du moins comme la Sainte Vierge. Et cela le rapprochait déjà beaucoup de l'hérésie.

Dans cet amour pour les plus pauvres d'entre les pauvres — ce qu'étaient sans aucun doute les lépreux — s'accomplissait en tout cas l'union secrète entre le religieux et l'admirable Marie. À aucun moment Laurence ne put constater que ce lien dépassait ce cadre. La « Patronne » avait déjà été mariée dans sa prime jeunesse, à un homme qui avait suffisamment compris sa véritable vocation pour la laisser s'y consacrer. Elle lui en était reconnaissante ; elle l'aimait peut-être même pour ce renoncement.

Marie était donc apparemment à l'abri des tentations que pouvait représenter un jeune prêtre fervent. Laurence, elle, ne le trouvait pas particulièrement séduisant. Jacques était un grand échalas, les oreilles en forme de voiles ; il avait cependant d'admirables yeux rêveurs, et des lèvres tendres adoucissaient une tête bien trop grande. Elle n'avait jamais eu de longue conversation avec le prêtre : elle se consacrait entièrement à son travail.

Le printemps avait illuminé le pays. Le soleil était plus chaud, les mouches devenaient de plus en plus insupportables. Laurence avait suspendu au-dessus des lits des bandes de mousseline, mais ses « anges » ne tardèrent pas à suffoquer comme des poissons sur la terre ferme. Elle dut enlever le tissu fin, comme au cœur de l'hiver, lorsqu'elle avait voulu recouvrir les fenêtres de couvertures et de tapis pour empêcher le froid d'entrer : les « archanges » s'étaient alors révoltés. Elle avait tenté de leur expliquer que plus d'un était déjà mort de froid, alors que la puanteur n'avait encore tué personne. Mais cela n'avait servi à rien.

Les « archanges » étaient les plus anciens d'entre eux, ceux qui avaient cicatrisé, qui vivaient familièrement depuis leur enfance avec la maladie et faisaient à son propos de grasses plaisanteries — lorsqu'ils croyaient que Laurence ne les entendait pas. Pour le reste, ils l'aidaient, veillaient à ce que le feu ne s'éteigne pas, apportaient de l'eau sous le joug et touillaient la bouillie aux herbes. Ils savaient tout sur la lèpre : l'aloès aidait la cicatrisation, la prêle, la renouée et un peu de galéopsis soulageaient les poumons. Contre la salive ensanglantée, on utilisait de la véronique, de la bugrane et de la prêle des champs, pour les inflammations un mélange, à parts égales, de racines d'angélique et d'acore ; ils connaissaient toutes les herbes et partaient volontiers les couper dans la forêt, pendant les nuits de pleine lune et celles de la Saint-Jean. Ils savaient pourtant fort bien qu'aucune de ces médecines, que ce soit en onguent ou en bouillon, ne pourrait les guérir. Cela avait même fini par les faire rire. Ils pariaient sur le prochain qui sortirait les pieds devant — ou ce qu'il en restait.

Depuis quelque temps, Laurence assurait aussi la surveillance d'une deuxième cabane, celle des nouveaux, souvent amenés ici par leur propre famille ou chassés de leur village sur une simple présomption. Mais ces soupçons se vérifiaient souvent. Le test était d'une extrême simplicité : sur la peau se formaient des taches blanches aux franges rouges. Si l'on y enfonçait un bâtonnet de bois sans causer de douleur au malade, le verdict était prononcé. Faire accepter leur nouvelle vie aux condamnés était difficile. Il fallait souvent du temps jusqu'à ce que le refus et le désespoir se soient suffisamment atténués pour pouvoir regrouper ceux que l'on appelait les « vierges » avec les légions célestes installées depuis longtemps. Car les « anges » ne supportaient pas d'entendre ces lamentations.

Laurence lavait, soignait, changeait les bandages, frottait, caressait, réconfortait, trouvait pour chacun un mot gentil. Elle n'avait pas à se forcer pour cela. Le sentiment de bonheur qui la prenait en se réveillant le matin, la possibilité de caresser son propre corps de ses propres doigts, de se jeter au visage de l'eau puisée dans la paume de sa main après l'avoir longuement observé dans le miroir, puis de marcher de ses propres pieds sur le sol de la forêt : tout cela était tellement puissant, elle en éprouvait une telle reconnaissance envers son Créateur qu'elle avait hâte de prononcer quelque belle parole. Et les malades lui faisaient sentir quelle importance ces mots avaient pour eux. C'était la prière de Laurence ; elle l'avait dit à Marie, qui, de joie, avait serré la jeune femme dans ses bras.

Laurence était depuis longtemps devenue sa collaboratrice préférée. Les autres femmes la jalousaient. « Elle veut devenir l'abbesse », disait-on dans son dos. Laurence faisait comme si elle ne les entendait pas. Elle espérait seulement que ces bavardages n'arrivaient pas aux oreilles de Marie. Elle accomplissait son travail et ne se demandait que rarement comment et pourquoi elle était venue. Elle était forcée de sourire — comme tout cela lui paraissait grotesque aujourd'hui ! Les disputes portant sur le lieu où elle serait cloîtrée après sa grâce avaient été aussi virulentes que celles qui avaient accompagné sa condamnation. Roald of Wendower avait plaidé pour le couvent Notre-Dame-de-Prouilles, pensant sans doute que, avec l'aide des dominicains de Fanjeaux, tout proches, il pourrait exercer un plus grand pouvoir sur elle et l'envoyer enfin à Rome pour se débarrasser de sa mission. Mais Rambaud, vigilant, avait aussitôt éventé ce projet : il n'aurait plus manqué que cela ! Jeter dans la gueule des sbires de Montfort celle qu'il avait eu tant de mal à sauver !

La reine avait ensuite proposé timidement le vénérable couvent de Fontevrault, sans doute parce que les ossements de sa fameuse aïeule Aliénor y reposaient, comme ceux de son oncle préféré, Richard Cœur de Lion. Mais même si elle avait pu s'exalter, dans son enfance, pour ce magnifique héros, Laurence ne tenait guère à le rejoindre dans sa crypte. Elle fut donc heureuse lorsque Claire de Saint-Clair put obtenir de sa maîtresse que Laurence ne soit pas cloîtrée, mais envoyée dans un lieu où elle pourrait expier activement. Oignies était l'endroit idéal — il était en outre coupé de son environnement précédent, fait d'hérétiques aveuglés ou de prêtres animés par l'esprit de vengeance. Nul n'y vit la moindre objection. Les hommes de Rambaud assurèrent le transport. Il avait garanti sur sa tête au prince héritier non seulement qu'elle arriverait dans la forêt de Sedan, mais qu'elle y serait aussi placée sous bonne garde.

Bien plus tard, seulement, Laurence avait appris que Claire de Saint-Clair et Marie, la Patronne d'Oignies, étaient de proches amies d'enfance. À bien y réfléchir, c'étaient peut-être même deux sœurs, tant elles se ressemblaient par leur caractère, tant leurs pensées étaient hardies et leur allure énergique. Mais Claire de Saint-Clair, aussi robuste fût-elle en apparence, était plus subtile dans ses méthodes. C'était aussi la plus silencieuse et la plus renfermée. La Patronne, quoique de frêle stature, se distinguait par une étonnante verdeur de propos, une cordialité brutale et une gaieté souvent affichée.

Un jour, Laurence fut dérangée pendant une séance de chant avec ses « anges ». Au « purgatoire », on venait de livrer un nouveau qui désirait la voir, elle, Laurence de Belgrave.

— Un croisé venu de Terre sainte, lui confia la servante qui était venue la chercher. Un jeune seigneur en bien piteux état !

Le premier nom à traverser l'esprit de Laurence comme un éclair douloureux fut celui de Gavin. Mais ce n'était pas possible ! Elle fouilla dans sa mémoire : qui donc connaissait-elle, qui fût parti pour la Syrie ? Laurence entra dans le « purgatoire », où le bruit augmenta aussitôt : ceux qui ne s'étaient pas encore accommodés de leur sort se disputaient constamment et réclamaient son arbitrage. D'autres mains se tendaient vers elle pour capter son attention et montrer leurs plaies. Mais Laurence traversa les rangées comme un champ de blé, suivant la servante qui la guida droit vers la couche du nouveau venu.

Laurence sursauta, non pas parce que cette silhouette lui était inconnue, mais parce qu'elle était confrontée pour la première fois au stade diabolique de la maladie, la phase dévorante. Le visage, le cou, les bras étaient couverts d'écailles — c'était un *lézard* qui la dévisageait ! Le plus étrange était qu'elle ne trouvait même pas laide ou effrayante la créature à peau de serpent qui lui faisait face — elle lui paraissait juste déconcertante.

— Laurence, laissa échapper la bouche sans lèvres, c'est moi, Olivier.

Lorsque la créature comprit qu'elle plongeait la jeune fille dans la confusion, la bouche ajouta laborieusement :

— Olivier de Fontenay.

— Fontenay...

Ce mot raviva un souvenir de Laurence. C'est là que s'était déroulé le tournoi auquel elle avait assisté, jeune fille, avec son père. Elle revoyait à présent le fils de leur hôte, d'une beauté sans égale, l'air sérieux, monacal, décidé à aller servir dans un ordre de chevalerie de la Terre sainte et à ne pas se laisser prendre par les attraits de Constantinople. Elle le revit alors clairement, le jeune Olivier, un homme paisible qui s'était aussi refusé à participer aux plaisirs d'une joute, bien qu'il passât pour un combattant remarquable. Laurence, à l'époque, ne s'était guère intéressée à ce jeune homme austère et s'était laissé séduire par les yeux verts de René de Châtillon. Et pourtant, elle n'avait pas oublié Olivier ! Cela l'émut, et elle dut faire un effort pour retrouver le rôle de l'infirmière secourable.

Ses yeux glissèrent sur son patient. Étrangement, les mains d'Olivier étaient encore à peu près intactes, même si les ongles avaient disparu et s'il y manquait quelques phalanges. Mais le spectacle autour de son cou était épouvantable. De gros chancres donnaient l'impression que la tête sortait directement des épaules. Ils enflaient partout, même sur les côtés où se trouvaient jadis les oreilles. Plus rien ne rappelait le nez : il ne restait que deux trous d'où coulait sans cesse un liquide muqueux. La bouche et les yeux étaient dissimulés derrière des lambeaux écailleux, mais paraissaient encore répondre à la volonté de l'homme.

— Ressentez-vous des douleurs ? demanda Laurence.

Elle avait pris la main tendue, mais Olivier ne réagit pas. Elle se pencha alors vers le crâne déformé et cria en direction du chancre qui remplaçait l'oreille :

— M'entendez-vous ? Olivier ?

Ses lèvres étaient presque en contact avec la peau écailleuse lorsqu'elle entendit la réponse, comme crachée entre les restes de lèvres :

— Faites-vous un cornet si vous voulez me parler.

Laurence joignit les mains en pavillon.

— Où avez-vous mal ?

La paupière écailleuse se souleva lentement sur l'œil. Laurence eut l'impression qu'Olivier voulait se moquer d'elle.

— Nulle part ! Et de plus en plus ! lâcha la bouche tordue en un sourire. Seulement, je n'entends pas bien avec mes oreilles mal lavées. Et personne ne me mouche !

Laurence ne s'offusqua pas du ton du chevalier. Elle se redressa.

— Je vais me renseigner pour savoir comment on peut vous aider, Olivier, dit-elle en se tournant pour repartir.

Mais il ne lui lâcha pas la main. Elle sentit la poigne de fer qu'Olivier avait encore dans ce qu'il lui restait de doigts.

— Tuez-moi, Laurence, fit-il en haletant et en laissant voir l'intérieur de sa gorge, une caverne purulente et édentée d'où s'échappait une puanteur bestiale. Donnez-moi la mort, Laurence ! C'est pour cela que je suis venu.

Elle ôta sa main de son poignet et hocha la tête pour le tranquilliser — elle ne pouvait rien faire d'autre. Comment aurait-elle pu rejeter pareille imploration ? Elle courut hors de la cabane. Elle devait parler à Marie, elle, et elle seule, pourrait lui conseiller ce qu'il fallait faire avec un être qui s'était traîné jusqu'ici pour lui demander de lui donner la mort.

Jacques de Vitry était assis sur les marches, devant la chapelle. La porte était verrouillée. Il écoutait, ravi, la voix féminine qui, à l'intérieur, louait sur les plus hautes notes Dieu le Père, Son Fils et la Sainte Trinité.

— Je dois parler à la Patronne, expliqua Laurence après avoir attendu un petit moment. C'est une question de vie ou de mort.

Jacques de Vitry accueillit en souriant la hâte de la jeune femme, qui avait éveillé son intérêt parce que Marie l'aimait plus que toutes les autres.

— De quoi est-il donc question sur cette terre, sinon de vie ou de mort, et si vous ne voulez pas songer au salut de votre âme ?

— Il ne s'agit pas de moi, répondit vivement Laurence. Et je ne veux en parler qu'avec Marie.

Le prêtre continua à lui sourire :

— Marie est en train de parler à Dieu. Voulez-vous la troubler ?

Laurence percevait très bien les cris aigus qu'elle poussait ; ce n'étaient pas des plaintes, plutôt des cris d'oiseau qui chercheraient à se faire entendre, et basculaient ensuite de nouveau dans les tons gutturaux de la conciliation, de la tolérance, de la docilité.

— Écoutez-la donc, l'invita Jacques. Elle vous donne toutes les réponses à vos questions, car il s'agit de la vie et de la mort, ajouta-t-il au moment où la voix se brisait comme un fin récipient de verre. Puis le silence fut total.

— Est-elle malade ? demanda Laurence, effrayée.

L'idée que Marie puisse la quitter l'atteignit comme un coup de hache. Elle tituba et alla s'asseoir sur un banc, en face de lui.

— Elle sera bientôt auprès de notre Père, confirma le prêtre.

Mais comme pour le démentir, la voix se réveilla dans la chapelle, comme celle d'une alouette. Marie ne se laisserait pas mourir !

Les yeux de Laurence s'emplirent de larmes.

— Que puis-je faire pour elle ? demanda-t-elle, désespérée, prête à n'importe quel sacrifice qu'on exigerait d'elle.

— Accomplissez votre travail, Laurence, comme Marie vous l'a enseigné.

Laurence ne pouvait que lui donner raison. Mais que devait-elle faire dans le cas d'Olivier ?

— Lorsque quelqu'un souhaite la mort ? demanda-t-elle timidement en regardant le petit gardien, devant la porte de l'église où se trouvait peut-être la réponse.

— Alors c'est à Dieu, notre Seigneur, de décider s'il lui donne la vie — la vie éternelle !

— Et s'il souffre, s'il souffre épouvantablement ?

— Pensez à l'exemple de Jésus, Laurence, lui répondit le prêtre. Votre mission n'est certainement pas d'anticiper la décision du Tout-Puissant. D'ailleurs, vous ne le pouvez pas.

Dans la chapelle, Marie chantait d'une voix puissante. D'où tenait-elle donc cette force ?

— Et si la croix est trop éloignée de vous, Laurence, poursuivit Jacques avec bienveillance (il connaissait le passé cathare de celle qui l'interrogeait), prenez Marie pour modèle. Elle combattra jusqu'à son dernier souffle, et tombera pourtant avec joie dans les bras du Sauveur auquel elle s'est vouée.

Laurence vit dans les yeux du prêtre une lueur de tristesse.

Elle se leva, elle l'aurait presque serré ce religieux dans ses bras.

— Oui, *elle* sera heureuse, fit-elle pour tenter de consoler Jacques. Mais nous devons être forts dans notre souffrance !

Laurence partit en courant. Elle avait honte. Comment avait-elle pu ne pas voir que Marie elle-même était tellement malade ! Elle passa à la cuisine et emprunta un entonnoir dont on se servait pour transvaser l'huile de cuisine. Ainsi armée, elle rentra dans le « purgatoire ».

Olivier paraissait dormir. Mais au moment précis où Laurence s'apprêtait à repartir en catimini, il ouvrit lentement les yeux. Elle s'installa à côté de lui et tint l'embouchure de l'entonnoir à proximité de son ouïe boursouflée.

— Dieu vous aidera ! bredouilla-t-elle à l'intérieur.

— Plus fort ! dit-il.

— Dieu vous donnera sa paix ! cria-t-elle.

— Il le fait depuis longtemps ! répondit Olivier en haletant. Pendant cinq ans, j'ai cherché la mort au combat comme chevalier de l'Ordre de Lazare, toujours victorieux, propageant toujours la terreur. Je n'ai jamais rencontré personne qui puisse me vaincre. Mes membres se recouvraient de peau cornue et le sang du dragon les rendait invincibles, mais son haleine enflammée me dévorait de l'intérieur !

Le chevalier avait de plus en plus de mal à parler. Ses mots lui sortaient de la bouche en râles et en quintes de toux, comme s'il voulait extraire la vie de son corps en parlant.

— Notre château était devant les portes de Saint-Jean-d'Acre. Nous n'étions plus autorisés à entrer dans la ville, mais nous détenions une partie des murailles, que nous devions défendre, nous, chevaliers de Saint-Lazare, si l'ennemi attaquait.

Sa toux s'amplifia.

— Épargnez-vous ! hurla Laurence dans l'entonnoir.

Elle vit que les malades qui pouvaient encore ramper s'étaient traînés jusqu'à eux, entouraient la paillasse du chevalier et écoutaient son récit. Le silence s'était fait dans le « purgatoire ».

— Reposez-vous ! lui conseilla Laurence.

— À quoi bon ? fit Olivier avec un sourire méprisant. Personne ne vint, les incroyants nous craignaient comme la peste. Comme la lèpre ! Chaque jour, je sortais à cheval dans le désert, espérant rencontrer enfin le cavalier dont le cimeterre étincelant se montrerait plus tranchant que mon épée. J'ai chevauché pendant des heures... dans le sable... derrière chaque dune... (La voix d'Olivier devenait plus ténue, il parlait désormais plus lentement, il gardait les yeux fermés.)... Je le cherchais... La lumière du soleil m'aveuglait, le sable me tombait dans les yeux... Il me cherchait... (Sa voix n'était plus qu'un souffle.) Je le cherche...

Le silence dans la salle était tellement tendu qu'on percevait à peine un souffle.

— Je vois le soleil, chuchota le chevalier en suffoquant. Sa lumière souffle vers moi... Une tempête de sable, un nuage de poussière, des éclairs en jaillissent... Il vient ! Il vient !

Le chevalier parut vouloir se cabrer. Laurence sentit les muscles de sa nuque se tendre. Soudain, la voix se fit toute claire :

— Il ne porte pas de turban ! cria-t-il, avant de lancer, d'une voix plus forte à chaque mot, et pour finir triomphale : Mais c'est lui ! C'est lui ! C'est...

La tête d'Olivier retomba de côté, comme frappée par l'éclair, dans la main de Laurence. Un filet de sang coula par sa narine. Il soupira profondément, un tressaillement parcourut son corps. Olivier de Fontenay, chevalier de l'ordre de saint Lazare, avait trouvé son maître.

— *Pax animae suae*, fit la voix du prêtre.

Nul ne l'avait vu entrer en compagnie de Marie. Comme elle paraît fragile, songea Laurence en levant les yeux vers elle. Mais c'est Marie qui, pour la consoler, lui caressa les cheveux avant de tirer le drap sur le visage immobile de l'homme-lézard.

La lumière du soleil se fit plus forte. Laurence cherchait désormais la proximité de Marie à chaque fois que le lui permettait son travail — ou l'état de sa charmante Patronne, qui ne cessait de se dégrader. La maladie la dévorait de l'intérieur, mais Marie ne montrait pas le moindre effroi à se sentir ainsi dépérir. Marie d'Oignies aspirait à mourir, elle avait prédit sa fin au jour près, et tous ceux qui la connaissaient savaient qu'elle s'y tiendrait.

Elle passait le plus clair de son temps dans la petite chapelle où elle avait ses « rencontres secrètes avec la mère de Dieu », comme le disait fièrement le prêtre. Laurence devait attendre longtemps avant de pouvoir lui rendre visite à son chevet, près du lit qu'elle avait fait dresser dans l'église.

— Il y a encore beaucoup de vie en toi, Laurence, dit doucement Marie ce jour-là, en souriant. Tu devrais quitter Oignies avant que mon âme heureuse ne se sépare de cette pauvre enveloppe mortelle.

— Je ne songe pas à vous quitter, surtout au moment de votre détresse ! protesta Laurence. Je n'abandonnerai pas non plus les malades...

— Chut ! fit Marie en lui posant un doigt sur les lèvres. Tu vas me rendre un grand service, remplir une mission difficile et qui ne va pas sans danger, une mission que tu es la seule ici à pouvoir accomplir.

— Vous voulez seulement..., se rebella Laurence.

Mais elle ne pouvait s'imposer face à Marie.

— À proximité d'Alet, dans le Razès, en haut d'une colline, se trouve une église consacrée à saint Jean-Baptiste. Sur un autel latéral s'y trouve une Vierge noire envers laquelle j'ai une grande obligation. (D'un geste énergique, elle ôta de son doigt son unique anneau d'argent.) Comme je ne peux plus accomplir ce pèlerinage, apporte-lui, je te prie, cette bague que je lui ai promise et qu'elle attend.

Marie, épuisée, s'était laissée tomber sur le bord du lit. Elle tira Laurence vers elle et lui chuchota :

— Prends garde à ce que personne ne se trouve dans l'église en même temps que toi. Ensuite, soulève...

Laurence ne put comprendre le reste de la phrase. Elle n'osa pas non plus lui demander de répéter, car Jacques de Vitry venait d'entrer dans la pièce. Laurence recoucha précautionneusement sur ses oreillers le corps si léger qu'elle tenait dans ses bras.

— Il vaudrait mieux vous retirer à présent, Laurence, lui annonça le petit prêtre.. Nous avons une visite épiscopale. Un *monsignore* animé par des ambitions inquisitoriales, un zélateur comme on en trouve si souvent chez les renégats. Celui-là était auparavant troubadour à Marseille...

— Foulques de Toulouse ! laissa échapper Laurence, avec une once de frayeur.

Son vieil adversaire retournerait le ciel et l'enfer pour s'emparer d'elle, grâce royale ou non.

— Est-il déjà arrivé ? demanda-t-elle, apeurée.

Jacques de Vitry hocha la tête.

— Il va venir dire la messe ici, d'un instant à l'autre. Prenez congé de Marie, l'exhorta-t-il. Tant qu'elle vit, nul ici ne touchera le moindre de vos cheveux.

Laurence se pencha vers la femme alitée. Marie garda les yeux fermés.

— Exauce mon dernier vœu, Laurence, fit-elle dans un souffle, et Laurence l'embrassa sur le front.

— Je vous représenterai dignement et j'adresserai vos salutations, chuchota-t-elle.

Puis elle rentra en courant, tête baissée, vers le « purgatoire ».

Elle accomplit son travail comme dans un songe. L'annonce de ce voyage au cœur du Languedoc lui rappela de vieux souvenirs, comme des blessures mal guéries. Quel rapport pouvait-il bien exister entre la catholique Marie d'Oignies, auprès de laquelle des évêques se rendaient en pèlerinage et à qui les légats pontificaux venaient demander conseil, et la Vierge noire hérétique d'Alet, dont chacun savait qu'elle était Marie de Magdala, c'est-à-dire Madeleine, l'amante pécheresse du Seigneur ? Et pour quelle raison la Patronne mourante l'envoyait-elle, elle, la pécheresse Laurence de Belgrave, sur les lieux mêmes de sa tentation ? Dieu voulait-il la mettre à l'épreuve par le biais de Marie, son instrument ? Ou bien Marie était-elle une adepte secrète de la grande hérésie ?

Laurence observa l'anneau à la dérobée. Elle ne l'avait pas passé au doigt, ne serait-ce que pour éviter d'éveiller les jalousies, mais le tenait caché dans sa poche. Extérieurement, il était lisse, quoique ondulé et d'une épaisseur variable, comme si l'orfèvre n'avait rien connu à son métier. Mais à l'intérieur, on distinguait très bien un serpent — depuis la tête charmante jusqu'à la queue, qu'il se mordait lui-même. Laurence avait déjà vu ce serpent un jour, mais chez qui ? Elle ne se le rappela pas, mais l'image ne lui sortait plus de l'esprit. Elle sentit que seule sa visite à Alet lui permettrait de comprendre.

Laurence dormit au « paradis », protégée par ses « archanges ». Elle s'y sentait en sécurité. On entendit dire, depuis le bâtiment principal, que Marie avait fait dresser en toute hâte un autel à côté de son lit d'agonie, et que l'évêque devait le consacrer. Pendant la messe, un orage s'assembla au-dessus d'eux, et la Patronne vit apparaître un pigeon blanc qui se posa dessus et portait le Saint des Saints dans son bec. L'évêque, disait-on, était tombé à genoux, comme frappé par l'éclair, tandis que Marie était éclairée par une lueur brillante. Elle n'absorbait plus aucune nourriture, désormais, mais demandait de plus en plus souvent les saints sacrements. C'en fut trop pour Foulques de Toulouse. Il prétendit que le devoir le rappelait dans son évêché.

Jacques de Vitry vint voir Laurence au « paradis » : elle ne voulait pas quitter Oignies. Le petit prêtre changea donc de tactique en mettant sa protégée dans la confidence, afin que la dernière volonté de la Patronne soit exaucée. C'est sous l'identité d'une intouchable, c'est-à-dire d'une lépreuse de la pire espèce, celle des contagieux, que Laurence allait devoir voyager à la suite de l'évêque, vers le sud, au moins jusqu'à Albi. De là, elle aurait moins de mal à se frayer un chemin jusqu'à son objectif que s'il lui fallait parcourir ce long voyage laborieux seule et livrée à elle-même. L'évêque Foulques lui laisserait aussi une partie de ses hommes en escorte.

— Comment cela ? dit Laurence, indignée. Vous en avez déjà décidé par-dessus ma tête ?

— L'évêque de Toulouse s'est plié au vœu de Marie, répondit Jacques de Vitry, et ne craint rien tant que la lèpre. Comptez-vous, Laurence, vous opposer à l'ardente demande d'une sainte ? N'avez-vous donc pas entendu parler de la blanche colombe ? Vous êtes l'élue !

Laurence, abasourdie, raccompagna Jacques de Vitry devant le « paradis ».

— Ce pèlerinage à la Vierge noire d'Alet..., commença-t-elle en hésitant. Pourquoi a-t-on justement consacré un sanctuaire à Madeleine, la pécheresse ?

Jacques de Vitry regarda autour de lui.

— Aucun inquisiteur à la ronde ? fit-il, une lueur malicieuse dans les yeux. Bien ! Marie de Magdala, lui confia-t-il, en chuchotant tout de même, issue de la noble lignée de Benjamin, était l'épouse du Messie. Après son « départ », elle est partie avec les enfants...

— Comment cela, Jésus avait...

— Chut ! (Le petit prêtre lui serra le bras pour qu'elle se taise.) Les rabbins ont toujours des enfants !

C'était une constatation objective.

— Joseph d'Arimathie a mis en sécurité les descendants de Jésus, de la lignée royale de David. Il les a acheminés à Marseille et, de là, en Occitanie.

— Et c'est la raison pour laquelle le culte de Madeleine est tellement répandu ? demanda Laurence, toujours incrédule.

— Dites seulement : « la Vierge noire ».

Laurence le dévisagea. Elle était tellement abasourdie qu'elle ne parvenait pas à se moquer, comme d'habitude.

— Cela pourrait vous valoir les flammes !

Ce n'était pas censé être une menace. Pourtant, Jacques de Vitry répondit d'un air grave :

— Si nécessaire, nous dirons que c'est la jeune hérétique qui a propagé cette légende !

Il sentit qu'il était allé trop loin. Il éclata de rire comme un gamin facétieux.

— Ne jouez pas avec le feu, Laurence ! Surtout pas avec celui du bûcher.

Et c'est ainsi que les « archanges » lui bâtirent une litière dotée d'une fenêtre étroitement grillagée, qui laissait passer l'air, mais pas le regard, pourvue d'une trappe pour les repas, d'un hamac pour dormir et d'une chaise percée dans le coin. C'était un foyer gentiment aménagé sur un espace très réduit, rien à voir avec la caisse dans laquelle Roald of Wendower l'avait transportée vers le nord.

Les « Archanges » hissèrent le bâtis sur une charrette et ne se laissèrent pas priver du plaisir d'envelopper Laurence de bandages et de voiles jusqu'au bout du nez. Puis ils soulevèrent la civière sur laquelle ils l'avaient déposée, la conduisirent jusqu'à la charrette aux lépreux et enfermèrent la silhouette momifiée dans la litière. Le cortège se mit en route. Foulques avait insisté pour que la lépreuse suive à bonne distance, en queue de convoi. Il n'entendit et ne vit donc pas les malades se presser pour lancer à Laurence un dernier adieu.

Jacques de Vitry s'approcha de la fenêtre grillagée.

— Marie vous remercie et vous bénit, Laurence, dit-il, la gorge serrée, en lui adressant un signe de croix.

Puis la charrette bringuebalante disparut à son tour dans la forêt de Sedan.

La charrette de l'évêque

L'évêque Foulques fit courir le bruit qu'il laisserait le « fardeau » voyager avec lui jusqu'à Albi, sur la route qui passait par Paris. Le religieux se savait tellement détesté qu'il donnait toujours de fausses postes. C'était devenu une seconde nature. Naturellement, il évita le dangereux pavé de la capitale et se dirigea droit vers le sud pour retrouver à Châlon la voie maritime. Une barge qu'il avait louée devait l'embarquer avec sa plus proche escorte et redescendre le Rhône avec lui. La charrette de la lépreuse ne serait certainement pas du même voyage. Pour elle et pour les soldats superflus, on affréterait spécialement une autre barge sans quille.

Laurence en conclut qu'à Oignies, on n'avait pas voulu laisser partir Son Éminence la bourse vide. Cette séparation pendant le parcours en bateau lui convenait parfaitement : elle pourrait enfin se faire apporter de l'eau pour se laver, ce dont elle avait un urgent besoin. À Dijon, l'évêque local lui avait fait demander si, pour la brève durée de son séjour, il devrait la faire héberger auprès de son homologue bourguignon, dans l'hôpital des moribonds de la ville. Laurence avait refusé avec effroi. Elle n'aspirait qu'à une chose, répondit-elle : atteindre aussi vite que possible le but de son pèlerinage.

Le voyage sur le fleuve, qui avait déjà débuté, fut beaucoup plus agréable, parce qu'une petite brise légère rendait toujours la canicule plus supportable. Laurence n'avalait que le minimum vital. La ceinture de chanvre que Marie lui avait offerte et qui tenait à présent sa robe de bure était déjà plus détendue autour de ses hanches.

Elle connaissait déjà le parcours sur le fleuve, pour l'avoir fait dans l'autre sens, à l'intérieur de sa caisse. Cette fois-ci, ils descendaient rapidement au fil du courant, et Laurence appréciait ce voyage. Elle se balançait dans son hamac lorsqu'elle ne collait pas son nez contre le grillage pour admirer les paysages, les villes et les châteaux qui défilaient devant elle. Ils passèrent ainsi devant Lyon, la riche, et Avignon, la bien gardée, jusqu'à ce qu'ils finissent par débarquer à Beaucaire — face à l'hostile

Tarascon, afin d'accomplir, *via* Nîmes et Montpellier, le reste du trajet dans le Languedoc. Elle n'eut donc pas à subir des retrouvailles avec les arènes d'Arles.

Laurence songea aux nombreux enfants qu'elle y avait laissés, et notamment aux filles putatives du comte de Toulouse, Asmodis et Gezirah, les petites bâtardes. Qu'avaient-elles bien pu devenir ? On avait entendu parler de l'étrange croisade des enfants jusque dans la forêt d'Oignies. La plupart des petits guerriers avaient couru rejoindre les Allemands à Cologne. Un gamin répondant au nom de Nikolaus y avait tenu devant l'autel des Trois Rois Mages le même prêche que ce Stéphane, à Saint-Denis. Celui-ci avait effectivement attendu à Marseille, avec ses adeptes, que la mer s'ouvre comme elle l'avait fait jadis pour Moïse et le peuple d'Israël. Deux braves marchands, disait-on, avaient finalement eu pitié de ces pieux enfants et les avaient embarqués, pour l'amour de Dieu, sur leurs navires à destination de la Terre sainte. Ensuite, personne n'avait plus entendu parler d'eux.

Laurence brûlait désormais de se séparer de Foulques. Car plus ils s'enfonçaient dans les terres contrôlées par Montfort, plus sa situation devenait périlleuse. Si l'on découvrait son identité ici, dans le Sud, elle était perdue. Mais si elle demandait trop tôt à se séparer du groupe, l'évêque concevrait forcément des soupçons, même si elle pouvait estimer que l'homme de Dieu était tout disposé à se séparer aussi vite que possible de ce fardeau accepté à contrecœur. Elle décida donc de rester dans le convoi jusqu'à Carcassonne.

Pendant la longue route qui menait à Béziers, elle se demanda si l'on n'avait pas attelé la charrette à un couple d'escargots. Laurence commençait à transpirer atrocement sous ses bandages, le soleil cuisait sa litière qui lui faisait de plus en plus l'effet d'une cage aux fauves. Elle gardait le visage collé au grillage, espérant voir enfin les tours du Trencavel se dessiner à l'horizon. La route était mauvaise : pour des raisons que l'évêque garda pour lui, il préféra faire un détour par des voies secondaires lorsqu'ils furent arrivés à hauteur de Narbonne. Laurence souffrait. Si sa litière n'avait pas autant balancé, elle se serait agenouillée pour prier. Mais sa pieuse intention fut apparemment très vite récompensée.

Un groupe de cavaliers chevauchait à leur rencontre. Aux bannières et aux tuniques des soldats qui les accompagnaient, on distinguait qu'ils escortaient un grand seigneur — d'assez haut niveau en tout cas pour que l'évêque se place sur le côté avec respect, et y demeure. Laurence n'en vit pas plus. Mais cela suffit pour lui retourner l'estomac, notamment lorsqu'elle vit les religieux la montrer du doigt et se déplacer vers la cage en se disputant vivement. C'est donc qu'on l'avait trahie, et qu'elle allait être remise à l'Inquisiteur.

Son sort fut débattu à l'ombre de sa litière, là où aucune fenêtre n'avait été percée. Laurence crut reconnaître la voix de l'autre homme, mais elle n'osa pas y croire — la chose aurait été trop invraisemblable. Lorsqu'elle l'entendit beugler qu'il revenait tout juste de Rome et que le Saint-Père l'avait explicitement et *privatim* informé de sa vision des choses, Laurence sut qu'elle était de nouveau tombée entre les mains de Roald of Wendower, le dangereux légat du pape. Était-ce pour son bien ou pour sa perte ? Elle allait bientôt le savoir. Laurence colla l'oreille contre la paroi de planches.

— Nous, évêques du Languedoc et de Provence, raisonnait Foulques, nous avons pour notre part explicitement mis en garde Sa Sainteté Innocent III. Nous lui avons même écrit qu'il ne devait pas se laisser persuader que l'hérésie serait éliminée sur ces terres, et qu'il ne devait pas se laisser convaincre par les discours « privés » selon lesquels il était inutile de produire d'autres efforts !

— J'ai su ce que vous et vos frères avaient concocté au concile d'Orange : « Sous le règne du comte Raymond, Toulouse demeurera à jamais un foyer de l'infection hérétique, sans autre précédent que Sodome et Gomorrhe. Le comte doit donc être chassé et proscrit avant que... »

— Exactement ! renchérit l'évêque Foulques. Il faut le cautériser au fer rouge, comme une plaie suintante, avant qu'il n'aille se cacher sous le manteau du très catholique roi d'Aragon. Car il en ressortira pour inoculer son venin à la manière d'un scorpion, semant le désordre et la pestilence. Le pape le comprend bien, tout de même !

— Et c'est la raison pour laquelle ce brigand de Montfort doit se parer, après tout le reste, de la couronne du comté de Toulouse ? demanda le légat, moqueur.

Laurence eut l'impression que ce n'était pas une année, mais un jour qui s'était écoulé depuis qu'elle s'était retirée dans la forêt d'Oignies et avait été épargnée par ce genre de querelles.

— Cela seulement nous garantit l'écrasement de l'hérésie, à nous comme à l'*Ecclesia romana*, répondit Foulques, venimeux. Il faut écraser la tête du serpent, dût-on pour cela détruire un titre de comte héréditaire.

— Sans avoir demandé conseil aux évêques du Languedoc et de Provence, répliqua le légat avec un malin plaisir, le Saint-Père a pris la décision de lancer un appel à la croisade, pour la reconquête de Jérusalem. Raymond prendra ainsi la croix et expiera pour les fautes qu'il a commises jusqu'ici. Même un Pedro d'Aragon ne pourra résister à cet appel !

— Sainte naïveté ! (Foulques tenta de rire, mais s'étrangla de fureur.) Pour que l'hérésie retrouve des forces ici, comme le ver dans le lard, et lève de nouveau, insolente, sa tête de méduse, pendant...

— Pendant une croisade, l'interrompit le légat, règne une interdiction absolue de querelle. Cela vaut aussi et tout particulièrement pour les velléités de votre cher Simon. Mais on ne peut l'appliquer à la lutte contre l'hérésie. Personne ne vous empêche, vous, évêques, d'organiser *in absentia* du comte l'œuvre de conversion qui plaît à Dieu, et de la parfaire glorieusement.

— Nous autres, bergers, nous sommes ici réduits à la mendicité, chassés, sinon abattus, et nos agnelets avec nous, lorsqu'ils ne se rallient pas à l'hérésie par légions entières. Sainte Marie, secourez-nous !

Laurence fut tout de même effrayée en voyant tout d'un coup le visage de Roald of Wendower de l'autre côté du grillage. Le légat s'efforçait de voir à l'intérieur de sa caisse, comme s'il devait s'assurer qu'il avait ramené la bonne proie dans son filet. Il ne montra pas s'il l'avait reconnue. Il se contenta de grimacer avec répugnance.

— C'est effroyable ! dit-il à l'évêque en fronçant le nez. Lorsqu'un homme comme vous, Foulques de Toulouse, accomplit des œuvres d'amour chrétien pour son prochain et prend autant pitié des plus pauvres des pauvres, il peut aussi s'attendre au soutien de la population. Dans le cas contraire, il peut être certain de connaître les délices d'une mort en martyr. Les hérétiques aussi ont un cœur !

— C'est le diable qui le tient dans ses serres.

— C'est extrêmement regrettable, répondit Wendower d'un ton léger. Mais cela ne change en rien la ligne claire et sans équivoque du Saint-Siège : cette fois, l'éponge occitane qui, depuis quatre ans, a aspiré les meilleurs éléments de la chevalerie française, restera à sec. *Nihil obstet !* Plus de gaspillage, plus de dispersion des forces : nous en avons un besoin urgent et elles feraient ensuite défaut au grand projet de croisade du Saint-Père contre les musulmans. Qu'il couronne la glorieuse œuvre accomplie par Innocent III ! *Nihil obsta !*

— Nous verrons bien, *Monsignore*, répondit l'évêque avec retenue. Laissez-moi à présent reprendre ma route, car je ne veux pas vous retenir plus longtemps.

Le légat libéra la voie pour que le cortège de l'évêque puisse passer. Mais il ne put s'empêcher d'avoir le dernier mot :

— Je vous aurai prévenu, Foulques ! lança-t-il avant de repartir au trot, avec sa troupe, dans l'autre direction.

Laurence le suivit des yeux par sa petite fenêtre jusqu'à ce qu'il disparaisse au tournant suivant. Elle était amèrement déçue : elle avait secrètement espéré que Wendower l'emmènerait sous un prétexte quelconque. À présent, le risque d'être découverte pesait de nouveau sur sa caisse puante. Foulques avait seulement attendu d'être débarrassé de ce Romain importun.

Un cavalier de la garde épiscopale approcha d'un bond et informa les soldats escortant la charrette qu'un chemin partait d'ici, avant même Carcassonne, qui menait sur la route de Limoux, puis d'Alet. Lui, évêque de Toulouse, ne voulait pas s'opposer au vœu de la malade. Son Éminence lui donna la bénédiction de Dieu, lui souhaita de faire un bon voyage et de guérir aux thermes avec l'aide de la Sainte Vierge...

Laurence aurait embrassé les bottes du cavalier. Mais celui-ci repartit au galop. La charrette tourna sur un chemin encore plus caillouteux. Laurence vit l'évêque faire le signe de croix derrière elle, et lança, de la main, un baiser à l'homme qui s'éloignait.

Entre les soldats chargés de la protéger, le véhicule emportant la « malade » traversa des bourgs comme Cazilhac ou Cavanac — à elles seules, ces sonorités lui faisaient battre le cœur. Elle était revenue dans le pays qu'elle aimait plus que tout. Il en allait tout autrement pour son escorte. Plus ils avançaient vers le sud, plus les hommes de l'évêque devenaient nerveux. Ils avaient resserré les rangs et Laurence n'entendait plus les plaisanteries grossières qu'ils échangeaient d'ordinaire. Ils avaient peur.

Laurence appela le jeune lieutenant et lui ordonna d'une voix coassante de se rapprocher du but par des chemins de traverse. Cela convenait encore moins à ce blanc-bec, d'autant plus qu'il ne connaissait absolument pas la région — à la différence de Laurence, qui reconnaissait de mieux en mieux le terrain. C'est elle qui s'imposa.

Ils atteignirent Sanctus Hilarius, quelques cabanes regroupées autour d'une église monacale ; mais les moines avaient quitté les lieux depuis très longtemps. Le sinistre désert montagneux entama si profondément l'humeur de certains soldats qu'ils désertèrent les uns après les autres, comme l'avoua finalement le lieutenant à Laurence. Cela lui convenait tout à fait, du moment que les palefreniers ne l'abandonnaient pas au milieu de ce paysage sinistre. Le jeune lieutenant avait au moins assez d'entendement pour dénoncer le comportement des déserteurs comme une marque de stupidité : seule une troupe d'hommes en armes suffisamment nombreuse avait une chance de réchapper à une marche dans cette région hostile.

Ils approchaient de l'étape suivante : l'ermitage de saint Polycarpe. Ce nid d'aigle paraissait mort et déserté ; on entendait seulement des chants religieux dans l'église. Le lieutenant fit mettre pied à terre. Il commença par frapper doucement à la porte de la maison de Dieu, puis tambourina du poing, furieux, contre les battants verrouillés. Alors apparurent, par la gauche et par la droite, des cavaliers armés, lance à l'horizontale, épée au clair. Ils n'approchaient pas, mais formaient un mur silencieux, un demi-cercle qui menaçait de se refermer. Compte tenu de la menace, les soldats de l'évêque n'osèrent pas remonter en selle : ils coururent à pied dans la seule direction qui leur restait, c'est-à-dire par le chemin d'où ils étaient venus. Les valets, eux aussi, laissèrent la charrette sur place et prirent leurs jambes à leur cou. Seul le jeune lieutenant, furieux, remonta à cheval pour poursuivre les fuyards. Une flèche l'atteignit dans le dos, juste devant Laurence, qui observait la scène à l'abri de sa fenêtre grillagée. Il tomba de son cheval, qui fut aussitôt capturé tandis que l'un des cavaliers enfonçait sa lance dans la nuque de l'homme couché au sol.

Laurence n'en éprouva aucune satisfaction, mais ne ressentit aucune crainte non plus. Elle ne fut même pas étonnée lorsque le chef des cavaliers, d'une taille particulièrement menue, souleva sa visière. C'était Loba. La Louve s'était approchée de la fenêtre de la charrette et s'exclama en riant :

— Wendower avait donc raison ! Une fausse lépreuse ! Tu peux te montrer, maintenant, Laure-Rouge !

Elle secoua la porte, en vain : le réduit ne s'ouvrait que de l'intérieur. Laurence ne savait pas si elle devait se réjouir : elle aurait préféré d'autres retrouvailles avec son amie que cette « libération » inutilement sanglante.

Loba devait avoir lu la désapprobation sur son visage lorsqu'elles se tombèrent dans les bras.

— Nous avons besoin de chaque cheval, dit-elle avec un regard compatissant sur le mort. J'emmène ces hommes chez mon cher frère, c'est la dernière levée des Cab d'Aret pour la grande bataille, celle qui décidera de tout entre nous, le sud libre, et les envahisseurs venus de Paris.

Laurence vit l'un de ses hommes déployer fièrement la bannière rouge rayée d'or. Elle était donc tombée les deux pieds dans le pétrin, que la farine lui plaise ou non !

— J'ai un vœu à accomplir, expliqua-t-elle cependant, fermement décidée à ne pas se laisser détourner de son but, dont elle était si proche. Commencez par m'accompagner à Alet !

Loba éclata de rire.

— Effectivement, tu as bien besoin d'un bain. Mais avec l'allure que tu as, on ne te laissera même pas approcher des thermes. Et nous ne pouvons pas non plus te laisser de cheval.

Laurence regarda son ventre et ses jambes. Ses bandages s'étaient transformés en haillons répugnants, qui paraissaient désormais souillés de vrai sang et de vrai pus.

— Viens avec nous, Laure-Rouge ! l'invita la Louve. La Vierge noire peut attendre jusqu'à ce que nous ayons remporté la victoire sur Montfort !

Laurence n'avait pas d'autre choix. Elle implora brièvement Marie d'Oignies, mais un instant seulement, déroula ses bandages et disparut dans la plus proche fontaine. Pendant ce temps-là, l'escorte de Loba avait ôté au jeune lieutenant son pourpoint et ses chausses, ses bottes et son baudrier de cuir — tout cela paraissait fait sur mesure pour Laurence, que le fait de porter les vêtements du mort écœurait bien plus que ses lambeaux immondes. Elle avait honte, et ce n'était certainement pas un bon présage. Elle aurait dû s'en tenir à son serment — mais il était trop tard, à présent.

— Où rencontreras-tu ton frère ? demanda Laurence à la Louve qui chevauchait à côté d'elle, tout heureuse dans sa parure de fer.

L'idée de revoir sous peu le hardi Peire-Roger lui donnait, étrangement, une certaine assurance.

— À Saint-Félix, le couvent de notre ami, le prieur Valdemar. Tu pourras aussi y rester et attendre l'issue de la bataille.

— Tu penses peut-être que je suis trop ramollie pour vous assister ? Dois-je me tourner les pouces auprès du chevalier tandis que mes amis se battent contre les meurtriers de mon père ?

— Comme tu veux, dit Loba.

Laurence ne savait pas si son intervention gênait son amie, ou si elle estimait vraiment que la situation était trop dangereuse. Il était plus vraisemblable qu'elle cherchât à provoquer l'engagement inconditionnel de Laurence pour la cause du Sud. Mais sa mauvaise conscience la tourmenterait, quoi qu'elle décide de faire ou de ne pas faire à présent. Elle fit tourner sur son doigt l'anneau de Marie et se tut.

Les chevaliers des monts Tabor, conduits par deux femmes aussi dissemblables que possible, avançaient vers leur objectif par des chemins de traverse. La Normande, mince et de haute stature, et la Méridionale, petite mais bien proportionnée, évitèrent toutes les routes connues. Même les chemins qui coupaient à travers les champs s'étaient depuis longtemps transformés en voies de passage pour les armées, et l'accident pouvait survenir avant que l'on ait pu demander si l'on se trouvait face à des ennemis ou à des amis. Les mcules du dieu de la guerre tournaient inlassablement. Le Languedoc, de part en part, le Razès, le Roussillon, toute l'Occitanie étaient en insurrection. Ils voyaient partout la fumée noire des villages en flammes, les arbres se transformaient en sarments lourds de grappes de pendus. Mais souvent, on s'était contenté d'abattre sur place les habitants et les fugitifs, femmes et enfants, en abandonnant les cadavres sur le bas-côté.

Laurence chevauchait à travers le pays comme une somnambule. Son esprit était pourtant parfaitement éveillé. Elle avait de nouveau une arme à la main. Elle se rappela les mots de son père sur « celui qui prend l'épée ». La Bible avait raison. C'était comme une sorcellerie ! Les choses allaient si vite, désormais, que nul ne savait plus quel parti il convenait de prendre.

Le roi d'Aragon, dont le catholicisme ne faisait aucun doute, avait choisi de se battre aux côtés du comte de Toulouse, accusé d'hérésie cathare, et contre Montfort, cet homme haï qui misait sur l'aide du clergé français et espérait même celle du roi de France. Cette alliance nouvelle les déchirait tous entre la fidélité à leur parti et les devoirs imposés par leur foi. D'anciennes querelles féodales se ravivaient comme des cicatrices mal refermées, on réglait des comptes, mais on faisait de nouvelles dettes, dans le seul but de conquérir quelques biens supplémentaires.

— Nul ne pense donc à une réconciliation ? demanda Laurence, d'une voix assez basse pour que personne ne l'entende, Loba mise à part. Il n'y aura jamais de paix ici ?

Loba secoua ses boucles brunes. Pour la Louve, les coupables étaient toujours les autres, et singulièrement les bandes de mercenaires de plus en plus nombreux que l'on recrutait de part et d'autre et qui venaient souvent de pays très éloignés — Allemands et Basques, Frisons et Burgondes, sans même parler des Catalans voisins et des Gascons. Ils donnaient à toutes les actions de guerre une brutalité inouïe.

— Œil pour œil, dent pour dent ! En cela, personne ne se distingue, ni amis, ni ennemis.

— Ces termes n'ont de toute façon plus aucun sens, l'approuva Laurence. Un serment de vengeance a plus de valeur qu'un vœu ou une parole d'honneur. Personne ne veut plus d'otages, d'accords ou de rançons.

— La destruction est annoncée, nul ne peut plus espérer la grâce.

Loba en était arrivée à cette conclusion. Elle pouvait vivre avec et, si c'était nécessaire, elle pourrait aussi mourir avec. C'était une décision sans équivoque.

Laurence de Belgrave, qui avait encore tenté, au début, de cacher ses cheveux roux sous le casque du lieutenant, les laissa alors flotter au vent et sourit à son amie.

L'hérétique et Roxalba de Cab d'Aret, la Louve affamée de Las Tours, précédaient leur petite armée, répandant la terreur partout où elles passaient. Elles voulaient rallier aussi vite que possible l'armée du Sud, sans être inquiétées par les troupes du Nord qui arrivaient elles aussi de toutes parts. Elles se dissimulaient la nuit dans les forêts et marchaient sur les sentiers de montagnes du Plantaurel, jusqu'à ce qu'elles finissent par apercevoir en dessous d'elles Saint-Félix, une oasis tranquille dans un désert de désordre et de poussière tournoyante. Le monastère du prieur s'étendait paisiblement dans la vallée, à la lumière du soleil déclinant.

L'étrange prieur

Dans le souvenir de Laurence, les murs n'étaient pas aussi élevés à sa première visite — ils s'étiraient désormais vers le haut des collines et englobaient aussi la petite chapelle qui, elle en était certaine, était encore dégagée à l'époque. À présent se dressait à côté d'elle une tour de défense qui l'écrasait presque ; et la porte, avec les deux fossés qui l'entouraient, avait depuis été encadrée de deux blocs de pierre de défense. Des hommes en armes apparurent sur les créneaux et crièrent aux arrivants qu'ils devraient faire le tour de la colline et prendre leurs quartiers dans les bâtiments d'hébergement. Seule Laurence de Belgrave était autorisée à s'approcher de la porte : le prieur désirait la voir.

— Que le Chevalier n'aille pas s'imaginer qu'il pourra nous séparer ! s'exclama la rouquine, indignée.

Mais Loba la calma :

— Accepte cette offre, il n'est jamais mauvais de savoir ce qu'a à dire cet aventurier. Les informations sont plus nombreuses à converger vers le Chevalier que vers la totalité d'entre nous. Le prieur sait donc certainement déjà ce que l'on prépare dans les deux camps.

Laurence finit par accepter. La porte des messagers s'ouvrit dans le portail, celle que l'on pouvait passer après avoir mis pied à terre. Elle savait que le Chevalier disposait d'une galerie souterraine menant des vignobles jusqu'à l'auberge du monastère. Elle pourrait donc toujours entrer en contact avec Loba si cet homme devait effectivement présenter un danger.

Un moine de haute stature reçut Laurence. Elle vit aussitôt qu'il portait une cuirasse de fer sous sa bure. Il lui ordonna de le suivre, ils montèrent les marches vers la chapelle à côté de laquelle se dressait le puissant donjon. Sur sa plate-forme recouverte d'un toit, le prieur Valdemar, *alias* Chevalier du Mont-Sion, attendait son invitée. Dans le socle de la tour, profondément enfoncé dans le roc, se dissimulait certainement une source, près de l'accès aux galeries secrètes, songea Laurence tout en montant l'escalier en colimaçon intégré aux épaisses murailles.

Le Chevalier se tenait à la rambarde et regardait au loin, songeur, dans la direction où se trouvait forcément Toulouse. Comme il ne se retournait pas et ne lui adressait pas la parole, la jeune femme rousse s'installa à côté de lui et laissa elle aussi son regard balayer l'horizon.

— La faidite a sauvé le jeune Hohenstaufen des griffes du prince héritier vieillissant, finit par dire le Chevalier d'un air maussade. Même l'Éminence grise tient sa main protectrice au-dessus de vous, Laurence. Ce superbe pays aspire lui aussi à vivre dans la liberté, éclata-t-il. La liberté lui avait été promise ! Les dernières bulles en date du *Pontifex maximus* prennent une position exactement inverse, elles contredisent de manière éclatante toutes ses déclarations précédentes, elles les réfutent avec une impudence que seul peut se permettre Innocent !

— Quel est le motif de tant de haine ? s'indigna aussi Laurence. De toute la souffrance qui va désormais s'abattre sur nous ?

Le Chevalier répondit avec gratitude à cette question naïve.

— Il s'est trompé, on l'a peut-être abusé. Et il réagit à présent en homme déçu.

— Un homme aussi intelligent ne sent-il donc pas qu'il est entouré de félons ? Ils ont présenté une réalité tronquée au Saint-Père. Ce sont eux qui l'ont poussé à agir ainsi. Je parie que Capoccio se trouve derrière tout cela !

— Vous pouvez bien désigner l'Éminence grise par son nom..., la rabroua le Chevalier. Mais c'est en secret que la curie romaine exerce son véritable sacerdoce. Même le souverain pontife gigote au bout de ses fils...

— ... Alors qu'il se considérait jusqu'ici comme le plus grand roi de cette terre !

— Jusqu'ici, Innocent a tout fait pour protéger le comte de Toulouse, pour le maintenir à flot, comme s'il était un souverain. Et maintenant, il le laisse tomber comme...

— ...un pion que l'on sacrifie pour protéger le roi, compléta Laurence. Il mise tout, désormais, sur la victoire de cette croisade qu'il avait justement condamnée auparavant.

— Regardez les choses du point de vue de ceux qui tirent les fils : il était grand temps ! L'attitude de ce pape obstiné avait dissuadé nombre de seigneurs qui, jusqu'ici, avaient coutume d'effectuer leur quarantaine annuelle dans le Sud ensoleillé — ils ont pris des engagements ailleurs. Simon de Montfort, qui n'était lui aussi qu'une marionnette, se trouvait dans une situation désespérée !

— Grâce à Dieu ! laissa échapper Laurence, ce qui lui valut un regard réprobateur.

— Dois-je jouer l'avocat du diable parce que vous ne comprenez pas, Laurence ? Parce que vous et vos amis ne voulez pas voir que, aux yeux de Rome, il n'existe qu'un seul Dieu, le catholique ?

Laurence se tut, plus par dépit que par compréhension.

— Simon de Montfort, qui est sans aucun doute le serviteur de ce Dieu, avait donc espéré le soutien de Louis VIII, votre prince héritier...

— Celui de la France !

Le Chevalier ne releva pas cette objection.

— Celui-ci avait déjà accepté, à l'insu de son père. Mais on l'a sifflé et ramené au pied comme un chien de berger. Car le roi Philippe Auguste ne tenait pas du tout à être impliqué dans cette misérable querelle : lui-même caressait l'idée d'une invasion de l'Angleterre.

— J'aurais préféré cela, dit Laurence avec un soupir.

— Descendons, fit le Chevalier. Il fait froid ici. Vous passerez cette nuit dans la tour, pour votre sécurité et pour la mienne. Ensuite, nous vous chercherons des quartiers appropriés.

Le Chevalier la précéda. Un autre escalier, en bois, s'enfonçait à l'intérieur du puissant bâtiment, contre le mur, jusqu'à l'étage intermédiaire le plus élevé. Quantité de galeries et de

balustrades le desservaient, mais toutes menaient sans doute
aux innombrables meurtrières et mâchicoulis. Les pièces, ici,
paraissaient petites ; il est vrai qu'elles avaient été conçues
pour des temps de détresse. Depuis Oignies, Laurence était
habituée aux cellules étroites des cloîtres. Mais elle n'accepterait pas qu'on cherche à limiter sa liberté de choix.

— Ensuite, répondit-elle à cette offre qu'elle n'avait pas
souhaitée, je reprendrai ma route avec mes amis, pour participer à la grande bataille où se décidera l'avenir de l'Occitanie.

— Très louable, se moqua le Chevalier. Seulement,
comme je viens d'essayer de vous le faire comprendre, ce n'est
pas ici que son sort se jouera, mais quelque part entre les chancelleries de Paris et de Rome.

— C'est précisément contre cela que nous nous battons !
éclata une fois encore Laurence.

Le Chevalier ne se laissa pas troubler et se tut. Il avait
perdu l'habitude de brandir ses opinions comme une bannière.
Ce n'était pas qu'il en changeât souvent, mais il savait que les
professions de foi, aussi élégantes soient-elles, n'apportent pas
grand-chose. Les modèles du prieur Valdemar de Saint-Félix
étaient les Services secrets de la curie, l'Éminence grise à leur
tête, non pas pour l'ardeur de leur croyance mais pour leur
efficacité. Sur le fond, il était beaucoup plus proche de Laurence et de ses amis qu'il ne voulait le leur faire savoir.

Deux moines avaient préparé un sobre repas constitué de
fromage, d'une cruche de délicieux piras et de noix séchées.
Tandis qu'ils lui préparaient sa couche dans la chambre, Laurence s'installa à table avec le Chevalier.

— J'estime pour ma part, ma chère, que vous devez vous
aussi savoir à quel jeu l'on joue, connaître le nom de ceux qui
lancent les dés et que vous souhaitez rencontrer sur le champ
de bataille. (Laurence se contenta de hocher la tête, elle avait
la bouche trop remplie pour répondre.) Le roi de France a subitement dressé l'oreille lorsque Rome a changé de ton. Il a
compris en un éclair (le chevalier illustra son propos en décou-
pant une pomme d'un seul coup de couteau) la chance unique
que lui offrait un vassal aussi insignifiant que ce Montfort, là-
bas, au sud : la possibilité d'arracher une fois pour toutes à
l'influence de l'Aragon le comté de Toulouse, le Roussillon, le

Languedoc, une bonne partie de la Provence. C'est à Simon de Montfort que l'on attribuerait les lauriers ensanglantés. Quant à la couronne des Capet, immaculée et rayonnante, il lui reviendrait le mérite incontesté d'avoir incorporé ces provinces à la France, à un moment ou un autre, après avoir obtenu l'accord de cet imbécile de Montfort, ou l'avoir éliminé d'une manière ou d'une autre. (Le Chevalier leva son verre en direction de son invitée.) Comprenez-moi bien, Laurence, je vous prie, fit-il en se resservant. Je suis le seul à être en mesure de me mettre dans la peau de l'adversaire.

— Tant que l'alternance des masques ne corrompt pas l'âme...

Le Chevalier écarta cette objection en souriant.

— Si je m'imagine coiffé de la couronne de Philippe, je ne cours guère ce risque : « Que ce fou, ce parvenu de Simon de Leicester tire lui-même, à main nue, les fers incandescents de la fournaise de l'histoire ! Une fois refroidi, même un aussi vil métal pourra être forgé pour former les plus beaux pays de la couronne de France ! »

— Et don Pedro d'Aragon ? demanda Laurence, qui s'agrippait à cet ultime espoir.

— Il ne peut plus revenir en arrière, répondit le Chevalier avant d'avaler une grande gorgée de vin. Et Pedro ne le veut pas non plus ! Compte tenu de la faiblesse de Montfort, il tient ici une occasion idéale de consolider et de compléter l'extension de son royaume au-delà des Pyrénées. Car, jusqu'ici, le libre comté de Toulouse n'en fait nullement partie.

— Mais les Catalans sont à tout point de vue plus proches des gens d'ici que les Français du nord. Et le roi d'Aragon serait bien mieux accueilli par les Occitans.

— Personne ne leur pose la question. D'ailleurs, ce sont des idéalistes.

— Je le serais aussi, à leur place, s'insurgea Laurence. Chacun devrait être libre...

— Ha, ha ! Une autre idéaliste ! répliqua le Chevalier en riant.

Le piras faisait déjà effet. Il se leva en vacillant.

— Allez donc vous endormir avec ce beau rêve, Laure-Rouge. Nous verrons la suite demain.

Il se dirigea vers l'escalier qui menait au bas de la tour.

— Je voudrais encore vous offrir une consolation pour la

nuit : les forces de Simon ne suffisent pas, loin s'en faut, pour attaquer Toulouse.

Il descendit l'escalier de bois. Laurence se retrouva seule dans la tour. Elle n'éteignit pas la bougie. Elle regarda la flamme jusqu'à ce que le sommeil s'empare enfin d'elle.

Le petit matin vit l'arrivée de Peire-Roger de Cab d'Aret, qui se présenta, à la surprise de tous, en compagnie de son ancien compagnon de combat Xacbert de Barbeira, revenu d'Aragon avec le roi Pedro. Le Chevalier ne tenait pas à héberger pendant une longue durée cette bande d'hommes en armes. D'ailleurs, les logis du monastère étaient loin d'offrir suffisamment de place et de paille. Il demanda donc aux gens de Loba de sortir de leurs couvertures et de laisser leurs paillasses encore chaudes aux nouveaux venus, pour qu'ils puissent au moins se reposer un peu. En contrepartie, le prieur Valdemar leur fit servir par les moines un puissant *prandium* composé de pain au raisin sorti du four et cuit à la graisse de porc, d'une bonne quantité de miel et de fromage de brebis fais et crémeux, auxquels on ajouta pour chacun un œuf et une *trip*, une petite saucisse dure.

Le prieur avait fait venir auprès de lui les deux chefs et Loba. Il avait aussi fait réveiller Laurence. Il savait avec quelle impatience ils attendaient tous leurs retrouvailles avec la fille de Lionel et de Livia — et il ne voulait pas apparaître comme l'homme qui l'aurait empêchée de repartir avec ses amis. Mais ces messieurs avaient d'autre soucis, dont ils firent part immédiatement au chevalier. Celui-ci, en retour, les informa des derniers développements.

— Le prince héritier de France a reçu carte blanche de son père. L'entreprise dirigée contre les Plantagenêt d'Angleterre n'a certes pas été annulée, mais du moins ajournée, si bien que l'armée tout juste levée est disponible pour une nouvelle « croisade contre le comte hérétique ».

— Les vieux combattants qui ont fait leurs preuves aux côtés de Simon, Alain du Roucy et Florent de Ville, ravagent déjà les environs de Toulouse, tandis que lui-même a dressé ses quartiers dans le village bien fortifié de Muret, au sud de la ville.

— Ils n'ont épargné que le château de Pujol, mais l'ont pourvu d'une forte garnison, espérant ainsi laisser ouvert le libre accès à Carcassonne.

— Montfort s'est rendu encore une fois sur « ses terres » du Languedoc, et a prié dans toutes les églises qu'il rencontrait, avec une ferveur particulière lorsque les évêques lui promettaient leur assistance armée.

— Conformément à son vœu, son aîné a été rapidement adoubé à Casteldaunary.

— Simon a fait venir auprès de lui son frère Guy, qui opérait dans le Comminges : il ne veut pas courir le risque de le voir lui couper la route.

— Pendant ce temps-là, le roi Pedro voyage à travers la Provence et, à la place de son ancien vassal, le comte Raymond, fait jurer à tous fidélité et obéissance.

— Notre roi décrit un vaste cercle pour rentrer chez lui au-dessus du Comminges, et fonce sur Muret.

C'est Peire-Roger qui coupa alors la parole à Xacbert, avec une émotion non dissimulée :

— Le comte de Toulouse a utilisé la brève absence de Montfort et conquis en un tournemain le château de Pujol. Bien que la garnison se soit rendue, il a fait passer toute la garde au fil de l'épée, dont trois nobles normands, de très proches amis de Montfort !

— Montfort écume, mais ne peut que jurer vengeance de loin, et sans pouvoir rien faire.

— Je ne veux rien avoir à faire avec ce genre d'esprit chevaleresque !

Laurence était entrée dans le réfectoire sans que personne ne la remarque, et avait au moins entendu les dernières phrases. Elle ne s'assit pas.

— Vous pouvez partir sans moi à la bataille, dont les perdants sont déjà désignés : le noble esprit du sud libre !

— C'est pourtant pour lui, Laurence, que nous, tes amis, donnons notre sang ! lui rétorqua Loba, furieuse.

— Il sera versé en vain ! répondit-elle. Il n'y aura plus jamais d'Occitanie libre. Les seuls à avoir raison sont les purs, qui se refusent à prendre les armes. Pour eux, et pour eux seuls, le paradis est certain. Tous les autres, amis ou ennemis, souillent leur « bonne cause » d'une manière...

— Nous n'allons pas laisser la nonne que vous êtes devenue, Laurence de Belgrave, nous apprendre notre métier ! lui répondit son vieil ami Xacbert.

Et Peire-Roger enfonça le même clou :

— Vous n'êtes pas née ici. Je ne veux pas vous reprocher d'avoir un père normand. Vous avez raison de vous retirer d'un combat qui n'est pas le vôtre. Mais quitte à baisser les armes, vous devriez aussi baisser la voix !

Laurence s'inclina devant l'assistance, blanche comme la craie, et s'adressa au Chevalier :

— C'est à vous de témoigner pour mon cœur, dont tous, dans cette pièce, savent pour qui il bat.

Elle se tourna d'un seul coup. Elle ne voulait montrer à personne les larmes de rage et de tristesse qui lui montaient aux yeux. Et elle quitta la salle.

Pour éviter un silence gêné, voire l'expression des bouffées de haine, le Chevalier reprit :

— Gardez-vous de Baudouin, le frère du comte de Toulouse, qui l'a renié et est passé au camp de l'ennemi !

— Montfort s'est même réconcilié avec son oncle, l'ancien abbé Arnaud de l'Amaury, qui s'est hissé contre sa volonté à la fonction d'archevêque de Narbonne, et tente d'en devenir le duc.

— Il ne peut refuser un rôle dominant dans la croisade à celui qui est redevenu le légat du pape.

Peire-Roger n'était plus qu'amertume.

— Simon dépouille même sa fidèle épouse, la respectable Alix de Montmorency, de sa garde du corps personnelle, et la convoque avec tous ses chevaliers de Fanjeaux à Carcassonne, où il rassemble son armée autour de lui.

Un messager empoussiéré demanda Xacbert de Barbeira. Tous comprirent les quelques mots qu'il prononça en dialecte catalan :

— Un message du roi d'Aragon ! Il est déjà arrivé à Muret et fait le siège de la ville. Il demande qu'on le rallie au plus vite. Ce matin, mardi, le 10 septembre de l'an 1213, Simon de Montfort a lui aussi mis son armée en marche depuis Carcassonne.

— Réveillez les dormeurs ! ordonna Peire-Roger aux moines qui l'entouraient.

Ils s'étaient pressés derrière le messager, dans le réfectoire, et attendaient un mot de leur prieur. Mais le Chevalier se taisait. On voyait distinctement qu'un bon nombre d'entre eux portaient sous leur bure des cottes de mailles et des armes. On lisait sur leur visage leur envie d'en découdre.

Xacbert de Barbeira avait pour sa part deviné l'incertitude

sur les traits de cet homme étrange aux visages innombrables. Mais il ne voulait pas presser le Chevalier, et encore moins mettre le prieur en difficulté devant ses subalternes !

— Nous partons ! annonça-t-il d'une voix aimable. Soyez remercié pour votre hospitalité.

Il se retourna pour partir. Loba et son frère avaient déjà quitté la pièce.

Le prieur le retint.

— Je ne peux vider Saint-Félix de tous ses hommes, dit-il à Xacbert devant les moines qui attendaient toujours. Mais c'est à *vous* de choisir parmi ceux qui sont disposés à vous accompagner. Je vous laisse la moitié de ces moines.

Cette fois, ce fut le Chevalier qui quitta le réfectoire d'un pas rapide. Il passa par les galeries pour rejoindre l'auberge, de l'autre côté de la colline, et fit distribuer les armes entreposées dans des cachettes creusées dans la roche, des provisions en abondance et, avec l'accord des chefs, plusieurs outres du meilleur vin. Les chevaux furent abreuvés encore une fois. Puis ils montèrent tous en selle, et le long cortège se mit en marche. Ses « moines » fermaient le convoi : ils avaient ôté leurs bures et portaient tous, désormais, la croix toulousaine aux pattes en forme de clef, rouge sang sur le surcot noir qui recouvrait leur armure. Ils paraissaient beaucoup plus disciplinés que les faidits qui les précédaient : c'étaient de dignes chevaliers d'un ordre d'élite. Ils baissèrent leurs lances en silence en passant devant leur prieur, alignés deux par deux.

Peire-Roger avait pris la tête du cortège. Sa sœur Roxalba se laissa rattraper par l'arrière-garde, que commandait Xacbert de Barbeira. Elle retenait encore son cheval, qui dansait sur place, lorsque le dernier homme fut passé devant elle. Elle leva les deux mains pour saluer. Laurence avait rejoint le prieur, elle agita longuement le bras en suivant la Louve des yeux, jusqu'à ce que son amie ait disparu au galop allongé, derrière les collines.

Armageddon

Accompagné par son fils, son frère, son oncle et les plus fidèles de ses guerriers, tels Alain du Roucy, Florent de Ville, Bouchard de Marly, qui savent tous qu'ils vaincront ou périront avec lui, Simon de Montfort atteint vers le soir Saverdun, à la moitié du parcours qui mène à Muret. Simon veut poursuivre sa marche pendant la nuit, craignant que la garnison, dans le lieu tenu par Charles d'Hardouin où se trouvent son quartier général et, surtout, sa caisse de guerre, puisse s'avérer trop faible si l'ennemi lançait toutes ses forces dans un assaut.

Arnaud de l'Amaury, le légat, a forcé tous les évêques et abbés des environs à se rallier à la croisade, Foulques mis à part : les événements précipités ont retenu l'évêque de Toulouse à Muret, car les Toulousains lui refusent le retour dans sa ville. Les seigneurs religieux qui constituent l'épine dorsale de la croisade envisagent une marche nocturne. Les troupes doivent se présenter de bonne heure devant Muret et le prendre d'assaut, de préférence aux environs de midi. Simon cède à leur demande et prie longuement, implorant encore une fois la bénédiction et l'assistance de la Vierge à sa cause.

Pedro II d'Aragon ne fait pas usage de la possibilité qui se présente, et même s'impose à lui pendant toute la journée. Muret tomberait pourtant dans ses mains comme un fruit mûr, d'autant plus que la milice toulousaine, la première à s'être présentée sur le champ de bataille, a déjà envahi les faubourgs sans se heurter à une résistance notable. Le monarque en explique aussi le motif à ses alliés, les comtes de Foix et de Comminges. Si l'on ravit ce lieu à Simon, il ne se lancera sans doute pas dans la bataille. En revanche, la plaine de Muret est parfaitement adaptée si l'on veut faire jouer sa propre supériorité dans un combat de cavalerie. Le comte de Foix et celui du Comminges suivent donc l'exemple du roi et dressent leur campement à portée de vue de la petite ville. Tous deux, avec leurs armées puissantes et de nombreux cavaliers, renforcent la levée des Toulousains et des Catalans. Le comte Raymond soutient la sienne avec des palissades et un beffroi. Cela lui vaut la moquerie ouverte du roi. Celui-ci se prépare à une victoire rapide : il lancera sa cavalerie, qui dispersera l'adversaire en un éclair.

Deus nostra spes et fortitudo
Auxilium in tribulationibus eo validum

À l'aube du 11 septembre, un mercredi, Simon de Montfort, comte de Leicester, vice-comte de Carcassonne et de Béziers, fait son testament et confesse ses péchés. La séance aurait pu durer longtemps, mais la plupart de ses crimes ne lui pèsent nullement sur la conscience.

Ideo non timebimus cum fuerit translata terra
Et concussi montes in corde maris

Puis il assiste à la messe, au cours de laquelle les évêques excommunient une fois de plus les comtes de Toulouse, Foix et Comminges, avec leurs descendants ainsi que, bien entendu, tous les faidits et quiconque défend ces hérétiques — ils ne citent pas nommément le roi d'Aragon. Puis l'armée des croisés se met en marche.

Sonantibus et intumescentibus gurgitibus eius
Et agitatis montibus in potentia eius

Aussi grande que soit l'impatience de Simon à l'idée d'entrer dans Muret, il lui faut cependant attendre jusqu'au soir : les évêques ne cessent d'envoyer des légats au roi pour négocier et attendent patiemment une réponse sans bouger d'un pas. Mais Pedro d'Aragon se refuse même à les recevoir.

Sous les yeux de son armée arrivée sur place, il fait entrer la croisade dans le bourg de Muret, sans rencontrer d'obstacle. On voit à cette occasion ce que les évêques craignaient depuis longtemps : l'alliance occitane a une supériorité numérique écrasante sur l'armée de Simon. Cela n'empêche pas quelques chevaliers normands d'exiger bruyamment le combat immédiat, avec des exclamations comme « Vengeance pour Pujol ! » et « Mort au traître d'Aragon ! ». Simon a bien du mal à tranquilliser ses amis surexcités, Alain et Florent à leur tête, en leur faisant apporter un tonneau de vin.

Pendant ce temps-là, après la tombée du soir, l'évêque Foulques fait une dernière tentative pour dissuader le roi de se dresser contre son *Ecclesia catholica*. Pedro d'Aragon lui fait répondre « qu'il ne voit aucune raison de s'engager dans de pesantes négociations à cause de la demi-douzaine de canailles que des évêques infidèles ont levés contre lui ».

Une nuit de tension et d'inquiétude se coucha sur Muret. L'unité ne régnait dans aucun des deux camps. Simon devait faire l'intermédiaire entre ses chevaliers excités et ses évêques qui cherchaient une issue à tout prix, même celui du reniement. Quant aux alliés qui s'étaient rassemblés sous la bannière du roi d'Aragon, ils s'efforçaient bien plus de se séparer les uns des autres que de trouver un terrain d'accord.

Entre-temps, Xacbert de Barbeira et Peire-Roger de Cab d'Aret étaient eux aussi arrivés dans le camp avec leurs francs-tireurs. C'est Loba qui, dans la tente de son parent, le comte de Foix, fit l'audacieuse proposition d'attacher définitivement et par tous les moyens don Pedro à la cause commune. On connaissait, dit-elle, le penchant irrépressible du Catalan pour le beau sexe.

— N'avez-vous donc pas suffisamment de filles excitantes, de sœurs complaisantes et d'épouses expérimentées ici, autour de vous ? lança-t-elle, provocatrice, aux hommes assemblés. Donnez au bouc l'occasion de cueillir les fleurs de votre jardin. Cela le retiendra plus efficacement que n'importe quel serment.

Les seigneurs n'en crurent d'abord pas leurs oreilles. Mais les femmes répondirent que la fierté virile n'était vraiment pas de mise à présent — ils pourraient la mettre à l'épreuve le lendemain, au grand jour, avec leur lance et leur épée !

Loba s'était proposée de remplir la première ce service d'amour. Mais lorsqu'elle arriva devant la tente du roi, ses deux cousines, Pilar de Pamiers et Jacy de Mirepoix, se disputaient déjà la préséance et étaient à deux doigts de se crêper le chignon. Le jeune monarque, que cette scène avait ravi, les fit entrer toutes deux sous sa tente.

La Louve était satisfaite du résultat. Elle n'espérait de toute façon pas grand-chose d'une coucherie rapide avec le roi. Les amants dont tout le monde vante les attributs virils n'ont le plus souvent, on le sait, pas grand-chose dans le pantalon. D'ailleurs, la relève était déjà assurée, un regard à la ronde le lui prouva : la file des femmes du pays qui avaient répondu à l'appel du devoir, et on y trouvait aussi des dames d'âge mur, dépassait de loin ce qu'un homme, fût-il un roi, était capable d'assumer en une nuit.

— Pourquoi es-tu si modeste, Loba ? chuchota une voix à côté d'elle. La petite louve n'a pas le pelage qui la démange ?

La silhouette ramena en arrière la capuche qui lui dissimulait le visage, et les cheveux roux se mirent à briller sur les épaules, à la lumière des torches.

— Laurence ! s'exclama Loba, folle de joie, en serrant dans ses bras son amie qui lui avait tant manqué. Je savais que tu viendrais !

— Mais pas pour vendre ma peau sur ton marché aux amours ! répondit Laurence. Personne ne me touche la laine, pas même un roi !

— Tu n'es tout de même pas encore *virgo intacta ?* demanda Loba, incrédule.

— Oh, si, et avec le plus grand plaisir ! répondit Laurence en secouant sa crinière d'un air de défi. Notamment lorsque je dois voir et entendre ce que l'on fait subir aux femmes, dit-elle en se tournant vers la tente du roi

— Ne cherche pas à me faire croire que ces chèvres en chaleur sont des martyres ! répliqua Loba. Et maintenant, viens. De toute façon, on s'occupe bien assez des plaisirs charnels de la couronne d'Aragon.

Elle emmena son amie avec elle dans le camp des Toulousains. Elle n'y connaissait personne, et Raymond y faisait régner la discipline. En chemin, elles rencontrèrent, à la lumière des feux de camp et des torches, la maigre silhouette du Chevalier du Mont-Sion qui allait de tente en tente et saluait les seigneurs de sa connaissance.

— Avec l'expérience qu'il a accumulée, confia Laurence à la Louve, il est extrêmement soucieux à l'idée que nous sous-estimions grossièrement le danger que représente Montfort. Un solitaire poussé dans ses retranchements est capable d'affronter une meute nombreuse, et se défend dangereusement lorsqu'il sent le souffle de la mort.

— Ton Chevalier aurait dû rester tapi dans son monastère ! fit Loba, énervée. Pourquoi est-il, pourquoi êtes-vous venus ? Pour répandre ici la mélancolie !

Laurence tempéra l'agressivité de Loba en la tirant vers elle.

— À peine aviez-vous quitté Saint-Félix, le Chevalier a admis que ce qui allait se passer ici déciderait aussi de *son* existence future. Il a donc réuni les frères qui restaient encore sur les lieux et leur a donné le choix : s'en aller ou le suivre avec leurs armes. Avant notre départ, il a mis de sa main le feu au couvent. Le fruit de plusieurs mois de travail exténuant est parti en fumée dans notre dos.

— Et pourquoi conspire-t-il à présent, pourquoi sape-t-il notre ardeur au combat ?

— Le Chevalier est venu pour se battre, répondit Laurence. Ce qui le tracasse, c'est l'absence de toute stratégie parmi les alliés, sans même parler d'un commandement unique. Le roi pense mener cette bataille comme il fait l'amour — il n'y a pas de stratégie à attendre de sa part. Contre pareil ennemi, il s'agit d'une négligence coupable ! Je connais Montfort. Malgré tout ce que l'on peut dire contre lui, il tient ses hommes !

— Moi qui croyais que tu avais passé la dernière année derrière les murs d'un monastère ! Nous sommes des combattants suffisamment courageux pour affronter le bourreau du Languedoc et lui faire remonter la peau sur les oreilles.

Laurence cherchait un lieu où elle pourrait se coucher pour la nuit. La tente du chevalier était vide, ses moines-soldats étaient allongés par terre, tout autour, enveloppés dans des couvertures. Elle trouva une cruche de vin à côté de son lit de camp. Laurence se servit, le piras rouge lui fit du bien, courut comme du feu dans ses membres. Au bout de quelques verres, elle se sentit de plus en plus lourde. C'était l'une de ces douces nuits que réserve le mois de septembre. Laurence voulut attendre le retour du Chevalier pour savoir où en étaient les négociations secrètes. Elle n'était pas seulement exténuée, elle ne parvenait pas non plus à déterminer si elle avait eu raison de répondre à l'appel de son cœur plutôt qu'à la voix de la raison. Et celle-ci était certainement celle de la Patronne, d'autant plus que Marie avait sans aucun doute rejoint les Anges, à l'heure qu'il était.

Le sommeil la libéra de ces doutes pour le reste de la nuit.

Mais le sommeil l'empêcha de vivre le matin décisif. Les efforts nocturnes du Chevalier portèrent leurs fruits. Lorsque les alliés se furent retrouvés dans la tente du roi d'Aragon pour évoquer la situation, messire Raymond se fit le porte-parole d'une grande partie de la noblesse occitane. Le roi Pedro semblait avoir passé une nuit blanche, et devenait de plus en plus irascible. Le comte de Toulouse proposa raisonnablement d'attendre l'attaque de l'ennemi derrière des palissades, murs mortels de lances plantées dans le sol, de décimer la cavalerie ennemie par un tir intensif des arbalètes et des catapultes, puis de les refouler par une contre-attaque derrière les murs de Muret, où la faim et la soif forceraient rapidement les assiégés à baisser les armes. Ses espions lui avaient tous rapporté qu'aucune provision n'avait été stockée dans le camp ennemi.

Le roi avait écouté cet exposé en bâillant et sans l'interrompre. Il prit ensuite la parole :

— Le seul à avoir protégé sa partie de campement avec des fossés et des murs est le hardi comte Raymond de Toulouse. Nous autres, nous devons sans doute tendre notre poitrine vers l'ennemi qui accourra à cheval. S'il le faut, nous préférons le faire sur notre monture, et l'épée à la main plutôt qu'avec un arc et des flèches !

Il avait ainsi mis de son côté les rieurs de Catalogne, de l'Aragon et de Gascogne.

— Nous sommes aujourd'hui le jeudi 12 septembre. Demain, nous ne voulons plus rien avoir à faire avec la guerre, pas même avec un siège, dût-il nous apporter honneur et prestige chevaleresque.

Et une fois encore, ses hommes l'acclamèrent, tandis que ceux de Foix et de Comminges baissaient la tête, furieux de s'être laissés convaincre par l'éloquent chevalier de présenter cette proposition.

— Que ceux qui ne craignent ni Montfort, ni ses porteurs de robes pourpres brandissant leur goupillon chevauchent avec nous vers la bataille, tête haute et cœur vaillant !

Le comte de Toulouse ne put tolérer tant de moqueries.

— Fort bien ! grogna messire Raymond. À la nuit tombée, nous verrons bien qui sera le dernier à quitter ce lieu de pèlerinage !

Domine Deus, Agnus Dei, Filius Patris
Qui tollis peccata mundi, miserere nobis.

Une tout autre ambiance régnait chez les Français. Dès le petit matin, ils se rendirent tous à la messe, encore désarmés, car le légat interdisait tout cliquetis des armes dans l'église — d'autant plus que les évêques, Foulques à leur tête, nourrissaient toujours l'espoir d'une solution pacifique.

Qui tollis peccata mundi, suscipe deprecationem nostram
Qui sedes ad dexteram Patris, miserere nobis.

Simon utilisa ensuite le temps qu'il leur restait pour informer ses chefs de guerre de la stratégie qu'il comptait mettre en œuvre. C'était un plan passablement désespéré, face à la supériorité écrasante de l'ennemi.

— Nous devons chercher à l'emporter en bataille chevaleresque, à terrain découvert. Si nous attaquons leur camp, nous nous saignerons. Fonçons donc sur leurs tentes dans le seul but de les attirer à l'extérieur. Si nous n'y parvenons pas, nous nous replions aussitôt.

— Dans ce cas, nous pouvons prendre la fuite tout de suite ! s'exclama Charles d'Hardouin, indigné.

— Exact ! Mais cette fois-ci, ne laissez pas votre selle sur le terrain si vous êtes le premier à en décamper, se moqua Bouchard de Marly.

— Mes seigneurs ! intervint Montfort, gardez vos piques pour l'adversaire !

Deux chevaliers seulement restèrent totalement à l'écart de la dispute : Alain du Roucy et Florent de Ville. Les deux amis inséparables avaient juré dans la nuit, sur leur amour, qu'ils captureraient le roi d'Aragon, le tueraient, ou se feraient eux-mêmes abattre. Simon les regarda tous deux en souriant, il ne savait pas pourquoi, mais cela lui donnait confiance, et, pour la première fois au cours de ces journées, ses amis purent remarquer un souffle de confiance joyeuse sur les traits burinés du guerrier.

Ultime tentative, désespérée et presque puérile de bloquer la roue de l'histoire, les évêques avaient décidé de tous se rendre pieds nus dans le campement du roi d'Aragon, en procession, pour l'implorer de ne pas lever son épée contre la foi, l'Église, les saints sacrements. Mais à peine ouvrit-on l'une des portes de la ville pour leur permettre de sortir que des milices toulousaines rôdant dans la région tentèrent d'y pénétrer. C'en fut trop pour Simon de Montfort.

— *Basta de palabras !* hurla-t-il aux évêques aux pieds nus. Ne voyez-vous donc pas que nous n'obtiendrons rien ici ? Mes seigneurs et moi-même avons assez patienté, plus que suffisamment ! Maintenant, laissez-nous enfin aller au combat !

Comme pour souligner ses mots, les Toulousains, de l'extérieur, utilisèrent leurs catapultes pour projeter sur les prélats des pierres, des ossements et des immondices puants. Simon donna alors l'ordre libérateur de monter en selle.

Les chevaliers coururent passer leurs armures dans leurs quartiers. On forma trois blocs. Il confia à Charles d'Hardouin le commandement du premier, qui n'était pas le meilleur. Il plaça le deuxième sous les ordres de Bouchard de Marly et se chargea lui-même du troisième, la réserve.

Au même instant, Foulques, l'évêque de Toulouse, fit une entrée en grande pompe, totalement déplacée. Il apparut en grande tenue, avec sa mitre, sa crosse et la relique précieuse qu'il portait avec lui, un éclat de la « vraie croix ».

Les chevaliers remirent pied à terre pour pouvoir embrasser le reliquaire à genoux. L'évêque du Comminges le lui arracha alors des mains, brandit le précieux morceau de bois pour que chacun puisse le voir et bénit les combattants. Arnaud de l'Amaury, le légat, accorda d'une voix forte le salut de l'âme à tous ceux qui vaincraient ou mourraient au cours de cette bataille. Dans le chœur, les prélats confirmèrent cette promesse, et messire Simon s'exclama : « Dieu soit avec nous ! À présent, anéantissons l'ennemi ! »

Pour échapper aux projectiles des Toulousains qui attendaient déjà devant la porte principale avec leurs machines de jet, les trois sections quittèrent Muret par la porte de l'Est et passèrent par le pont de Saint-Sernin. Puis, les deux blocs avancés se placèrent en ordre de bataille et se mirent au trot, droit sur le campement adverse.

On y avait observé attentivement les mouvements de l'ennemi. Dès que le premier chevalier eut franchi le pont, les Occitans et les Catalans se ruèrent hors des allées de leur ville de tentes et se mirent en ordre de bataille. Parler « d'ordre » était cependant très excessif, et l'on ne pouvait pas plus prononcer le mot de tactique. Même à ce moment, le roi Pedro ne donna aucune instruction. Il avait fallu l'aider à monter à cheval, tant il avait les reins fatigués. Il laissa carte blanche à ses barons. De toute façon, la fière chevalerie du Poitou et d'Azincourt n'aurait pas accepté de recevoir des ordres. Le roi échangea même avec l'un de ses seigneurs ses « couleurs », son bouclier, son heaume et son manteau, mais aussi son cheval caparaçonné, afin de pouvoir se battre sans être reconnu et avec bien plus de plaisir, en simple chevalier débarrassé du fardeau de la Couronne.

La première section à se mettre en marche est celle du comte de Foix : Roger-Ramon et Roger-Bernard, le père et le fils. Tous deux brûlent de venger la défaite infamante de Castelnaudary, subie deux ans plus tôt, jour pour jour. Xacbert de Barbeira et Peire-Roger de Cab d'Aret se sont joints à eux. La sœur de Peire-Roger, Loba, a tenu à les accompagner comme écuyer.

— Après notre cher Las Tours, mon frère, nous n'avons plus rien à perdre avec Montfort, mais tout à gagner.

— Au moins notre paradis ! plaisante Xacbert, dont la Louve a partagé la couche.

Ils chevauchent en première ligne. Cela leur sauve la vie. Car à peine ont-ils tous deux baissé leur lance, à peine l'écuyer a-t-il levé la bannière usagée aux couleurs du Trencavel, à peine se sont-ils mis au trot, puis au galop allongé, qu'ils se heurtent déjà au bloc dirigé par Charles.

Loba, pourtant censée rester en arrière, a filé avant les autres. Elle parvient à éviter agilement la lance de Sans-selle et lui tire la langue, ce qui le trouble à un point tel que Xacbert n'a aucune peine à le faire tomber de cheval. Les deux Occitans se font un passage à coups de lance dans le tas humain qui avance aveuglément. Ils ont à peine le temps de sortir leur épée : déjà, ils ont franchi la première vague.

La deuxième, menée par Bouchard de Marly et dans laquelle avancent Alain du Roucy et Florent de Ville, s'engouffre dans les failles déjà considérables laissées par l'armée du comte de Foix. Il ne reste plus que des groupes frappant aveuglément autour d'eux et d'où dépassent les bannières des différents seigneurs, les pieux d'argent sur champ d'or aux hermines du dernier Trencavel — et c'est ce nom qui, comme un cri de guerre, s'échappe des lèvres déformées par la rage ; mais il est étouffé par les hennissements et le piétinement des chevaux, le cliquetis des lames qui s'entre-choquent, le craquement des boucliers qui se rencontrent, l'écla-tement des lances, le tintement des armures. Avec les fantassins, ce sont quelque quarante mille hommes qui s'affrontent.

Lorsque le roi Pedro comprend dans quelle situation délicate se trouvent ses amis, il accourt avec ses chevaliers pour leur por-ter secours. La mêlée en devient encore plus opaque. Impossible de distinguer ami et ennemi, si ce n'est en constatant que l'autre, aussi ensanglanté que vous, vous assène un coup d'épée ou vous tourne le dos. Armageddon ondule comme des algues dans le res-sac, bientôt toutes les lances sont brisées, tous les javelots lancés, seuls comptent désormais l'épée, la masse et le fléau, pour la lutte à courte distance, au corps à corps.

L'heure est venue pour les deux chevaliers français, Alain du Roucy et Florent de Ville, de lancer leur ambitieux projet. Ils sont sûrs que le roi se trouve là où flotte la bannière rayée de rouge d'Aragon. Ils ne se contentent pas de répondre aux coups qu'ils reçoivent de droite et de gauche : ils se fraient obstinément un chemin vers le point où le roi Pedro se bat vaillamment. Alain du Roucy saute littéralement sur le cheva-lier qu'ornent les armes royales et le frappe si violemment que le Catalan tombe à la renverse. Florent se met alors à crier :

— Ce n'est certainement pas le roi ! Le roi est un meilleur combattant !

Don Pedro lui lance :

— Le roi ? Il est ici !

Et il lui assène un coup si fort sur la tête que le sang lui jaillit du nez. Cela plonge Alain dans une telle rage qu'il se lance sur le roi en brandissant son épée, oubliant toute prudence. Son fer glisse sur la bavière, sous la visière de Pedro, et lui plonge dans le cou. Le roi Pedro II d'Aragon tombe de cheval, mort.

Si Bouchard de Marly, perspicace, n'avait pas fait accourir quelques chevaliers au secours des deux hommes, la garde du roi les aurait taillés en pièces ; mais les Français, bien qu'inférieurs en nombre, parviennent à abattre les soldats effarés : les Catalans n'ont pas encore pris conscience de leur malheur qu'ils tombent déjà sous les coups, autour du corps de leur roi — il est trop tard.

Pendant ce temps-là, la bataille fait encore rage. Bouchard de Marly, entouré d'une nombreuse escorte, voit soudain — comme sur une île dans la mer tempétueuse — apparaître face à lui Peire-Roger et son écuyer qui tente de hisser à cheval Xacbert, blessé. On se connaît et l'on s'estime, mais l'heure n'est pas aux vieilles amitiés, messire de Las Tours le comprend bien, lui aussi.

— Salut à toi, Bouchard ! s'exclame Peire-Roger en lâchant Xacbert, et il lève son bouclier.

Alors, comme porté par le vent sur le champ de blé qui ondule, on entend un cri à peine perceptible, « *Rey es mart !* », plainte et joie mêlées, « *Le roi est mort !* » Alors, Bouchard retient les siens, qui avaient déjà brandi leurs épées, et lance à Xacbert, qui se relève difficilement :

— Voyez, vous sauvez votre vie ! La bataille est gagnée !

Les chevaliers français suivent leur chef, libérant un étroit passage pour les hommes qui se retirent.

Au milieu de cette scène, messire Simon décide que ses deux sections envoyées en avant se sont si profondément enfoncées dans la masse de l'ennemi qu'il doit les appuyer. Il dispose les chevaliers qui lui restent en cercle autour de l'ennemi, et attaque celui-ci sur le flanc, avec toute son énergie. Cette charge inattendue déséquilibre totalement les alliés, déjà choqués et déstabilisés par la mort du roi. Les Catalans, ces têtes brûlées, sont les premiers à déguerpir, suivis par ce qui reste de la fière armée du comte de Foix. Ceux de Comminges commencent par résister à Montfort, et celui-ci manque être leur victime. Le redoutable seigneur de la guerre est déjà tombé au sol, mais ils n'insistent pas, car le cri est parvenu jusqu'à eux : « *Rey es mart ! Rey es mart !* »

Cela remet le blessé sur ses jambes. Il a peine à y croire. Cela signifie la victoire, le comté de Toulouse ! La bataille s'arrête, les adversaires jusqu'alors égaux en force se séparent en fugitifs et poursuivants, en gibier craignant pour sa peau et en chiens de chasse assoiffés de vengeance. Le seigneur Raymond de Toulouse, qui vient seulement d'arriver avec sa cavalerie, est aussitôt emporté par la vague des fugitifs.

Ce fut aussi l'instant où Laurence apparut sur le champ de bataille. C'était très intentionnellement que le Chevalier ne l'avait pas réveillée. Le vin avait produit son effet. Lorsqu'elle se réveilla, la tête lourde, le sol tremblait déjà sous le galop de plus de quatre mille chevaux qui trépignaient ou galopaient. Le vacarme infernal, mêlé aux cris d'assaut ou d'angoisse, de menace, de douleur ou d'agonie, l'avait arrachée au sommeil. Elle ne prit même pas le temps de mettre son armure, passa simplement son heaume, saisit l'une des bannières portant la croix de Toulouse, rouge sur fond noir, et chercha un cheval. Comme une possédée, elle courut derrière la troupe des chevaliers que le comte de Toulouse emmenait au combat, et fut bientôt au cœur de la mêlée, là où tous se pressaient et se frappaient les uns les autres, là où les casques tintaient, où les lames grinçaient lorsque l'acier et le fer-blanc entraient en contact, là où giclait le sang, où les blessés geignaient et gémissaient.

Laurence, depuis Oignies, était habituée à voir la mort sous sa forme la plus cruelle. Mais là-bas, c'était Dieu qui imposait ces souffrances atroces, ce n'étaient pas des hommes qui se les infligeaient les uns aux autres. Elle galopa dans les rues qui se formaient entre les batailles, passa devant les amas de combattants massacrés. Nul ne se souciait de cette silhouette de jeune femme, coquelicot perdu dans un champ où tout avait été rasé, piétiné, écrasé par la Faucheuse. Pourtant, quelqu'un finit par lui attraper la bride. Laurence, à son grand étonnement, reconnut Charles d'Hardouin. Il la tira jusqu'à une clairière où, encore à demi coincé sous son cheval mort, reposait un chevalier dont le sang coulait sur la cuirasse par la visière fermée.

— Regardez donc quel rossignol occitan m'a volé dans les

pattes, lança Charles à ceux qui l'entouraient, avec un rire teinté de hennissement.

— Je suppose qu'il s'agit d'un émissaire de messire Raymond, et qu'elle vient nous demander de nous rendre ! s'exclama Florent de Ville en désignant la bannière que Laurence agrippait toujours fermement.

Alain du Roucy la lui arracha des mains tandis que d'autres poussaient brutalement Laurence, si bien qu'elle atterrit directement dans les bras de Charles-sans-selle.

— Le premier coup revient toujours au seigneur victorieux, exigea du Roucy !

De grosses mains s'emparèrent de Laurence, saisirent sa tunique et, comme sa ceinture ne s'ouvrait pas assez vite, un poignard lui découpa les chausses. Elle se retrouva nue jusqu'à la taille. C'est Laurence qui ôta elle-même sa chemise, laissant sa chevelure rousse tomber sur ses épaules laiteuses.

— Ha ! s'exclama Florent de Ville, le beau jeune homme qu'elle avait tant admiré, jadis. Mademoiselle Laurence porte aussi ses couleurs sur son mont de Vénus ! Allons, allons, messire Charles, la rose veut être cueillie !

Quatre hommes couchèrent Laurence de dos sur le cheval mort, deux s'assirent sur ses bras, deux autres lui écartèrent les jambes. Elle ne se défendit pas. Elle n'avait pas à attendre de grâce, tout juste un coup de couteau à travers la gorge lorsque ce serait fini.

Messire Charles laissa tomber ses pantalons et s'empêtra dedans. Tout en s'efforçant de ne pas se moquer du répugnant personnage, pour ne pas exciter encore plus sa colère, Laurence observait le concombre courbé que messire Charles sortit de ses sous-vêtements trempés de sueur, sous les encouragements de ses amis. Le légume se mit à briller, hideux, les veines bleues en ressortirent et la chose échappa au regard de la jeune femme couchée.

Laurence sentit alors que son arrogance, dont elle avait cru pouvoir se faire une rapide protection, se dissipait comme paille au vent. Elle parvint tout de même à rire, ce qui déstabilisa encore plus d'Hardouin. Puis elle sentit le gourdin se chercher un chemin entre ses lèvres et se presser dans son vagin. Elle ne se serait pas imaginé que cette pénétration pouvait être aussi ignoble. Une femme, ravalée au rang de morceau de viande ! Et cette femme, c'était elle, Laurence de Belgrave !

Messire Charles commença à donner des coups de bélier

devant l'assistance qui hurlait de rire et imitait les hennissements. Laurence respirait lourdement. La foule se mit à crier « Hue ! » et « Hoïe ! », et le concombre ne tarda pas à cracher son lait blanc. Messire Charles, haletant et gémissant, vacilla et tomba sur Laurence de tout son long. Son souffle fétide l'atteignit au visage. Puis on le souleva et on l'emmena comme un sac.

Mais un deuxième chevalier devait venir prendre son dû. On continua donc à tenir les bras de la femme. On lança des vivats à Charles et on se soûlait autour de Laurence. Du sperme lui coulait sur la cuisse.

— Eh bien, valeureux Florent, lança Alain du Roucy, impitoyable, à son compagnon, vous allez à présent pouvoir apprécier le parfum d'un bouton à peine éclos, qui sent tellement plus frais que la gueule de poisson d'une vraie femme !

Ses compagnons braillaient de joie, seul le visage d'ange de son amant resta immobile. Mais le beau Florent de Ville avait sans doute compris qu'il ne pourrait pas échapper à cette épreuve.

— Certainement pas dans le jus de Charles-sans-selle ! lança-t-il pour tenter de gagner du temps.

Alain éclata de rire, mais se montra inexorable.

— Laver ! cria-t-il. Mais comme Laurence n'avait pas l'air de se sentir concernée, il la souleva par les cheveux, et lui cria :

— Il faut pisser, ma biche !

Elle tenta d'y parvenir, en produisant un tel effort que les larmes lui vinrent aux yeux. Elle réussit finalement à émettre un filet tiède, et Roucy la relâcha.

Mais Laurent n'était pas satisfait.

— Je ne vais tout de même pas placer mon membre soigné dans cette grotte de nymphe que vous venez de décrire et où elle vient de... (Il s'ébroua pour lutter contre la nausée.) N'importe quel anus me serait moins désagréable !

L'un des hommes aperçut une outre de vin en cuir de chèvre à côté d'un moine guerrier abattu. Il la déboucha et en prit une bonne gorgée avant d'en enfoncer l'extrémité entre les jambes de la malheureuse, et d'appuyer de toutes ses forces sur l'outre rebondie.

Laurence n'aurait jamais cru que le sombre piras du prieur puisse brûler aussi fort. Elle cria et ondula son bassin martyrisé, mais sans pouvoir échapper aux poings qui tenaient ses cuisses écartées ni se débarrasser des fesses qui écrasaient ses bras tendus.

Lorsqu'elle se fut vidée comme un fût sans sa bonde, messire Florent se prépara à passer à l'action. Ce qu'il sortit lentement de ses chausses fit frissonner Laurence. Elle ne l'avait pas regardé de près, pendant la chasse à la laie. Mais cette fois-ci, elle n'avait pas le choix. Ce n'était pas un membre viril normal, c'était un cobra qui gigotait devant elle. Comment ce serpent monstrueux pourrait-il trouver place dans sa petite caverne ?

Le silence s'imposa alors dans l'assistance. Personne — hormis Alain, qui en était très fier — n'avait jamais vu grandir un membre pareil. Il se dressait à présent comme la verge d'un satyre romain. Florent renonça à utiliser sa main pour se guider, il laissa son serpent aveugle tâtonner lentement dans le jardin crépu, puis repousser les lèvres encore mouillées de vin et disparaître peu à peu dans la profondeur du vagin. Laurence sentit qu'elle retenait son souffle malgré elle, tandis que ce reptile se transformait en pointe incandescente et la perçait, quelque chose en elle se déchirait — *a diaus*, virginité !

C'est au moment où elle se dit que l'animal allait à présent lui traverser les intestins et le ventre, qu'elle allait mourir exsangue, au moment où la peur la rendit raide comme une planche qu'il s'arrêta, se cabra, se retira et replongea en avant. Alors seulement, Laurence sentit les hanches dures entre ses jambes tendues ; elle les aurait volontiers attrapées et aurait caressé cet homme, juste pour éviter qu'il ne s'enfonce mortellement dans son ventre. Mais elle était incapable de produire le moindre mouvement. La peur la paralysait, non pas celle de la mort — celle-là, Laurence l'espérait, car cette effroyable torture ne voulait pas s'achever. Florent de Ville n'avait aucun désir pour elle, il apportait au contraire à son amant une preuve d'amour. Le rôle de Laurence était aussi négligeable que celui du cheval mort sur lequel elle se tordait, ou que le cavalier écrasé en dessous.

— Il suffit ! annonça alors Florent à l'assemblée. Je ne vais tout de même pas faire gicler ma semence dans le con d'une femme ! Et d'une hérétique, par-dessus le marché !

L'ange retira rapidement son dard enflammé, se fit tendre une outre de vin et lava amoureusement son membre avant de le ranger dans ses hauts-de-chausses. Il prit ensuite une grande gorgée de vin qu'il fit rouler avec jouissance dans sa bouche, et la cracha au visage de Laurence.

Ce geste libéra les brailleurs, et Alain s'exclama :
— Pourquoi n'as-tu donc pas transpercé cette truie ?

Florent de Ville eut un sourire perfide :

— Pour que vous, valeureux Alain du Roucy, puissiez vous aussi prendre un bain bien mérité dans ce cloaque !

Les beuglements n'avaient plus de limites. Roucy n'aurait eu aucun scrupule à décevoir les brailleurs, mais il comprit qu'il ne pouvait refuser cette revanche à son amant. Alain se tourna, l'air agacé.

— Retournez-moi ça ! ordonna-t-il aux brutes qui accomplissaient encore leur service sur le *corpus delicii*, et qui renversèrent Laurence sur le ventre.

Celle-ci devina qu'autre chose l'attendait, plus abominable encore. Elle avait profité de ce mouvement pour rapprocher les mains, elle parvenait presque à les joindre. Elle voulait toucher l'anneau de Marie et tenter de prier. Laurence sentit la tendresse du métal autour de son doigt et essaya d'oublier le reste de son corps.

L'un des hommes voulut se montrer prévenant envers son seigneur : il prit une lance brisée et l'enfonça au creux des genoux de Laurence pour qu'elle s'agenouille. Les hommes soulevèrent ensuite le morceau de bois sous ses cuisses jusqu'à ce que son postérieur soit pointé vers le ciel. Des mains lui écartèrent brutalement les fesses et un bâton brûlant s'enfonça brutalement dans son anus. Laurence hurla de douleur, des larmes lui jaillirent des yeux. C'était l'enfer, on la déchirait, elle sentait le sang couler sur ses jambes ; elle crut qu'elle allait éclater. Elle gémit pour demander grâce, mais son corps n'avait plus aucune valeur, il ne s'agissait pas de plaisir, plus même d'humiliation ou de vengeance. Alain voulait la détruire. Laurence n'était plus maîtresse de ses cordes vocales, de ses sphincters, de sa peau, de ses tendons. La douleur l'emplissait, tellement monstrueuse qu'elle souhaita mourir, pour la première fois, sur-le-champ. Elle hurlait comme si on l'empalait, l'homme s'agitait furieusement et ses compagnons braillaient de plus en plus fort, jusqu'à ce qu'il sorte d'elle comme une souris morte du trou et donne à Laurence un coup de pied aux fesses. Elle ne l'entendit pas grogner : « Messieurs, elle est à vous ! » Les deux amants repartirent vers leurs chevaux, bras dessus, bras dessous.

Ce qui se passa ensuite, elle le perçut dans un état second, entre l'inconscience et le bourdonnement de son cerveau. Laurence était incapable de situer dans son corps les douleurs qui la perçaient et la déchiraient. Le premier la prit encore comme elle était couchée, si ce n'est que personne ne lui pressait plus le bois de la lance sur le creux des genoux. Même ses jambes avaient cessé de tenir droit. Lorsqu'il se déversa en elle, il lui déchira les hanches avec ses ongles.

Puis on la jeta de nouveau sur le dos, toujours courbée sur le cadavre du cheval, le chevalier mort entre les pieds. Le suivant s'acharna sur ses seins, les gratta, les mordit. Celui d'après ne put que lui vomir sur le ventre — car tous les hommes étaient ivres à présent. Beaucoup s'étaient soulagés eux-mêmes en assistant aux prestations de leurs deux chefs, et ne pouvaient plus qu'ouvrir la bouche. Le dernier était tellement excité qu'il éjacula puissamment dès qu'il se fut installé entre les cuisses souillées de Laurence.

Charles d'Hardouin, qui sortait tout juste de son ivresse, le poussa de côté et se jeta sur Laurence.

— Tu n'as connu aucun homme avant moi ? (Il lui ceinturait le cou, des deux mains.) Admets que j'ai été le premier homme de ta vie, espèce de putain !

Il tentait de l'étrangler. Cela n'aurait pas dérangé Laurence.

— Tuez-moi ! réussit-elle à articuler, et sa vue s'assombrissait déjà lorsque Charles lui tomba de nouveau sur le visage : il avait reçu un coup du plat de l'épée sur la tête.

Une voix autoritaire demanda :

— Qu'est-ce qui se passe, ici ?

C'était Bouchard de Marly, avec quelques sergents qui avaient apporté une civière.

— Un peu plus de respect, messieurs, devant le roi défunt !

Ils se reboutonnèrent tous à la hâte. L'un d'eux lança en vitesse un manteau sur la femme nue, après que l'on eut écarté pour la deuxième fois Charles-sans-selle, inanimé, comme un sac de pommes de terre.

— De l'eau ! ordonna Bouchard lorsqu'il eut reconnu Laurence à ses cheveux roux. Il ne me déplairait pas de vous livrer tous au bourreau ! s'exclama-t-il. Pour profanation de cadavre et lèse-majesté !

Ils se hâtèrent d'aller décrocher sur un cheval une outre dont ils déversèrent le contenu sur la tête de Laurence. Elle ouvrit les yeux, confuse, et aperçut les yeux vitreux de Pedro d'Aragon. Bouchard lui avait ôté son casque après qu'on eut dégagé sa jambe coincée sous le cheval. Le roi mort avait donc assisté à tout ce que l'on avait fait subir à Laurence. Elle souhaita mourir sur place, tout de suite. Il n'avait qu'une blessure au cou, sous le menton, d'où suintait encore un peu de sang lorsqu'ils le soulevèrent, le nettoyèrent et le couchèrent sur la civière.

— Je ne veux pas me rappeler vos visages ! lança Bouchard à ceux qui l'entouraient encore. Sortez de ma vue !

Les hommes ravalèrent leur réponse et rejoignirent leurs chevaux en courant. Bouchard ordonna de préparer un brancard de fortune avec deux lances et d'y coucher la femme, dont la nudité était toujours recouverte par le manteau du roi. Ainsi Laurence de Belgrave fut-elle transportée sur le champ de bataille de Muret, devant des heaumes éclatés, des crânes fendus, des membres coupés — ici, une main qui serrait encore une épée, là un bras entier. Les lances étaient restées plantées dans les corps, leur imprimaient parfois d'étranges positions qui les empêchaient de s'effondrer sur la terre imprégnée de sang, mais le plus épouvantable, pour Laurence, c'étaient ces yeux immobiles qui la regardaient, méchants, accusateurs, ou simplement étonnés.

C'était l'œuvre des hommes de pouvoir. Même morts, on leur rendait encore hommage. Mais une femme n'était qu'un morceau de viande, un *pez' de fica*. Les hommes pouvaient la battre comme un chiffon sale, lui faire subir des traitements qu'on n'aurait pas infligés à du bétail, l'empaler sur leurs lances, la faire cuire dans son propre jus, la déchirer de leurs dents et jeter les os aux chiens. Contre cela, une femme ne pouvait pas se défendre, elle ne pouvait même pas s'enfuir : c'était eux qui avaient les chevaux, qui tenaient les épées, qui possédaient les châteaux, le toit au-dessus de la tête et les bahuts pleins d'argent sous les fesses.

Au milieu du champ de bataille, Bouchard dirigea son cheval à côté de Laurence.

— Je dois rapporter le roi mort à mon seigneur, Simon, pour que celui-ci puisse le remettre dignement aux Aragonais. Je ne pense pas que vous soyez la bienvenue. Ma proposition est la suivante : je vous laisse ici, avec un gentil cheval, entre les morts, pourvue de provisions et d'eau. Lorsque la nuit tombera, vous pourrez chercher votre salut en fuyant en direction de Foix.

— Merci, Bouchard, fit-elle d'une voix terne, et l'on déposa son brancard contre un arbre.

À côté se trouvait une cabane de berger. On y attacha le cheval et l'on y déposa de quoi manger et de quoi boire. Ils lui ôtèrent

son manteau, mais lui laissèrent un tapis de selle pour cacher sa
nudité. Puis ils partirent avec le roi défunt, lançant de longues
ombres au soleil de la fin d'après-midi.

Laurence resta couchée jusqu'à ce que le soir tombe. Elle
écoutait le souffle agité du champ de bataille, où les hommes
continuaient à tressaillir, à râler et à geindre dans leur agonie.
Parfois, on entendait l'imploration d'une voix étouffée, *Aqua !*
qui la touchait au cœur, la seule partie de son corps qui puisse
encore ressentir quelque chose, éprouver de la compassion
pour ces hommes qui mouraient à petit feu. Elle vivait ! Et
elle survivrait dans ce monde d'hommes ! La mort prenait les
meilleurs, elle en avait désormais suffisamment fait l'expérience. Contre ces porcs, se dit Laurence, il n'y avait qu'un seul
moyen : parvenir soi-même au pouvoir, disposer de tout ce qui
leur donne leur puissance. *Pecunia olet, sed mundum reget !* Le
seul trésor qu'elle possédât n'était certainement ni son malheureux sexe, ni ses fesses déchirées, mais sa tête, l'esprit qui
bouillait sous ses cheveux roux. Il lui fallait se procurer d'une
autre manière des murailles solides et des bras armés sur lesquels elle pourrait commander. Ce fut l'instant où Laurence
décida de ne pas se laisser sombrer. Le combat venait juste de
commencer ! Laurence savait que les détrousseurs de cadavres
professionnels ne tarderaient plus à venir, suivis par les
pauvres des bourgades voisines. Piller les champs de bataille
était chose courante, même si ceux qui étaient pris sur le fait
ne tardaient pas à pendre au bout d'une branche. Lorsque les
maraudeurs rencontraient une personne vivante, ils lui donnaient donc le coup de grâce, ne serait-ce que pour ne pas avoir
de témoins. Elle devrait donc se défendre contre eux sans être
considérée comme l'une des leurs, jusqu'à ce que quelqu'un
vienne la chercher.

Laurence était certaine que soit Loba et ses amis, soit le
prieur et ses moines partiraient à sa recherche, pour autant
qu'ils auraient eux-mêmes survécu à la bataille. Mais de cela,
elle était à peu près certaine. Ni la Louve, ni le Chevalier
n'étaient du genre à se faire tuer au champ d'honneur. Il n'y
avait qu'elle pour s'exposer volontairement à un péril aussi stupide ! Elle regarda autour d'elle. Elle se serait volontiers emparée, à présent, de l'une des épées ou du moins d'une dague

que l'on voyait partout autour d'elle, ensanglantées ou encore plantées dans les corps tièdes. Il n'était pas question de marcher. Laurence serra les dents et tenta de ramper. Mais dès le premier mouvement qu'elle tenta d'arracher à son corps, elle s'effondra en gémissant. Elle tira difficilement le tapis de selle sur son corps, et attendit, recroquevillée, la suite des événements.

10. LA VIERGE NOIRE

Et in Arcadia... Ego

Laurence fut incapable, par la suite, de dire quand la fièvre l'avait prise. Elle soufflait sur elle comme un gigantesque rideau auquel elle tentait de s'agripper. Mais ses mains écorchées ne parvenaient pas à la retenir. Elle s'effondrait, tombait de plus en plus bas, de plus en plus vite, les flammes dardaient autour d'elle, la fournaise piquait son corps de mille pointes, on la jetait sur une grille incandescente, des couteaux enflammés la découpaient, détachaient des os sa chair martyrisée, déchiquetaient ses tendons, arrachaient ses entrailles. Laurence regardait entre ses seins déchirés la courbure de son ventre, enflé par les quantités monstrueuses de liquide sombre et amer qu'un miséricordieux lui avait fait boire à l'entonnoir par coupes entières — cette même main qui soutenait aussi sa tête, mais uniquement pour qu'elle puisse boire encore. Et ses cuisses étaient de nouveau exposées, elles béaient, donnant vue sur des silhouettes sans visage qui hantaient son bas-ventre inerte. Laurence n'entendit que des bribes de mots, elle s'imagina qu'elle percevait la voix de Loba, mais aussi, à l'arrière-plan, celle d'un vieil homme — ou bien était-ce une femme ? — qui vérifiait avec une minutie scientifique des dénominations latines. Cela devait être le diable en personne, car rien ne le faisait sortir de sa tranquillité stoïque. Il paraissait parfaitement sûr de lui.

— Arnica ! ordonna la créature ensanglantée dont la voix ressemblait à celle de Loba. L'aiguille de la Vierge !

— *Tamus communis*, couina en réponse le méchant homme qui jouait le rôle de médecin.

— Du carbol ! Et un peu d'armoise avec cela.

— Attention ! Mêlé à l'*artemisia vulgaris*, l'*asarum* peut provoquer des inflammations de l'utérus.

— Souci inutile ! *L'osterluzci* purifiera !

L'enfer s'était de nouveau emparé d'elle.

— *Aristolochia clematitis* a un effet inhibiteur ! Donnez-le-lui en suppositoires.

Ou bien était-elle au ciel ? Laurence crut avoir vu la tête blonde et bouclée d'un ange qui apparaissait entre ses cuisses écartées, en souriant, sans curiosité ni dégoût. Mais cela aussi n'était sans doute que des reflets du paradis perdu.

— Maintenant, faites-lui boire la décoction de petite centaurée.

— *Centaurium erythraea* renforce l'estomac et fait baisser la fièvre brûlante.

On versa un nouveau flot de bouillon tiède et fétide dans le gosier de Laurence. Alors vint la douleur. Comme un nuage d'orage noir, elle s'abattit sur son corps et dissipa tout ce qu'elle entendait et toutes les ombres qui l'entouraient. Des éclairs en jaillirent comme des étoiles — c'étaient des myriades d'épines qui s'aggloméraient sur son ventre comme une unique vague. Laurence perdit connaissance, le nuage l'emporta, c'était sûrement la mort.

La lumière blanche l'inonda, elle ne fit plus qu'un avec Lui. Dans sa clarté, Laurence volait vers Alazais, elle n'aspirait à rien d'autre, mais sa bien-aimée ne se montrait pas. C'est Marie d'Oignies qui apparut à sa place avec un doux sourire, sans lui faire le moindre reproche. Mais lorsqu'elle voulut se jeter aux pieds de la créature lumineuse pour les serrer et la prier de l'excuser pour tout le mal qu'avait provoqué son arrogance, ses bras tombèrent dans le vide. Laurence crut apercevoir Esclarmonde, au loin, mais la lumière éclatante l'aveugla. Elle ne s'était pas montrée digne du Graal ! Soudain, elle se retrouva devant sa mère, ce qui ne l'étonna pas le moins du monde : la punition de Dieu est toujours juste !

— Tu as survécu, Laurence, entendit-elle au-dessus de sa tête...

Deux des rares moines guerriers qui étaient restés autour du Chevalier l'avaient trouvée le soir même. Ils mirent Laurence en sécurité et informèrent Loba. La petite Louve ne se contenta pas de soigner les mauvaises blessures de celle qu'on avait tant maltraitée. Elle s'occupa aussi des conséquences des crimes masculins sur la nature féminine, et lui évita de mettre au monde une vie indésirable.

Pendant tout ce temps passé à Roquefixade, Loba fut accompagnée par une créature blonde nommée Loisys de Castelbac. Cette douce créature l'aidait à préparer les compresses rafraîchissante, les infusions et la bouillie que Laurence devait avaler. Elle tenait les mains de la jeune fiévreuse et écoutait tout ce qu'elle bredouillait lorsque son esprit s'égarait, ou ce qu'elle criait lorsque la rage s'emparait d'elle. Elle se contentait de sourire tranquillement devant cette fureur, sans jamais avoir peur, sans même être effrayée, comme si elle connaissait depuis longtemps toutes les terreurs du monde, et en était devenue une petite sage. Laurence ne lui donnait pas plus de douze ans, treize au grand maximum.

Ensuite, lorsqu'elle eut suffisamment retrouvé sa santé pour que l'on puisse songer à un voyage, et que Loba eut prévenu l'ex-légat pontifical Roald of Wendower, la Louve lui demanda d'emmener la jeune Loisys avec elle. Il n'y avait rien que Laurence eût fait avec plus de plaisir. Mais même en cet instant, la belle enfant ne montra pas la moindre émotion : ni joie, ni réticence. Elle souriait toujours à la convalescente, comme si la perspective d'un aussi long voyage à l'étranger était la chose la plus naturelle sur cette terre.

Roald of Wendower arriva. Jadis, il avait attendu Laurence à Alet, parfaitement informé de son voyage — sans doute Rome avait-il aussi ses mouchards à Oignies. Peut-être le pèlerinage à la Vierge noire avait-il même déjà été convenu avec Jacques de Vitry, car Laurence, la « Cathare », avait tout de même été condamnée par le bras séculier, à la demande de l'Église — même si sa peine avait été commuée en un service au couvent sans limitation de durée.

Compte tenu du prix qu'avait payé Laurence pour son initiative, Roald lui épargna le moindre reproche. Ses yeux de chien exprimaient certes un profond chagrin, mais attendaient aussi d'apprendre tous les détails des événements de la bouche même de la victime, comme s'il lui fallait ronger son os jusqu'au bout. Laurence se refusa à penser qu'il aurait rejoint la meute des hommes s'il avait été là. Non, il aurait vraisemblablement préféré avoir pour lui tout seul le *pez' de fica* qu'elle portait entre les jambes.

Pour l'instant, Roald of Wendower n'exerçait plus les fonctions de légat. Mais il était resté un agent de haut niveau à la curie. Les Services secrets lui avaient procuré pour son voyage une calèche extrêmement confortable, vaste, molletonnée et même pourvue de couchettes, d'oreillers et de couvertures, comme s'ils voulaient faire oublier à la jeune femme qu'ils traquaient le mal qu'ils lui avaient fait subir dans le passé. Mais si tout cela avait lieu « au nom de l'Église une et unique », Laurence ne doutait pas un instant que la plupart de ces poursuites étaient nées de la sourde volonté de Roald of Wendower, qui voulait en faire sa propriété personnelle. Elle en parla, inquiète, avec le Chevalier, qui s'était lui aussi présenté pour lui faire ses adieux.

Il tranquillisa la jeune femme, qui recommençait déjà à trembler.

— Les instructions données depuis Rome par l'Éminence grise sont parfaitement claires. Jamais un homme comme Roald ne se permettra, en chemin, de vous importuner par des gestes ou même des regards déplacés.

Mû par un souci sincère ou par son propre goût du sarcasme, le Chevalier ajouta tout de même :

— Cela étant dit, je ne mettrais quand même pas ma main au feu que ce lynx des Services secrets a aussi enterré ses ambitions pour le futur.

Laurence fit savoir à « Monseigneur le légat » qu'elle était désormais disposée à accepter son invitation, s'il lui permettait auparavant d'exaucer son vœu et d'aller rendre à la Vierge noire d'Alet la visite promise. Roald of Wendower accepta — Loba devait le savoir à l'avance, car elle s'était rendue avant eux sur les lieux pour y accueillir la calèche.

Depuis Roquefixade, le crochet par Alet ne représentait même pas un grand détour. La route que Laurence aurait aimé prendre passait au pied de Montségur. La vue édifiante vers le château du Graal, dont la magie vous saisissait quelle que soit la saison, serait ainsi restée gravée dans son cœur, souvenir inextinguible de ce pays dont rien ne disait qu'elle le reverrait un jour. Mais l'idée d'offrir ce plaisir au représentant visqueux de l'*Ecclesia catholica* incita l'hérétique réveillée à oublier ce désir. Elle le devait à la mémoire de la grande Esclarmonde, la gardienne de Montségur. Le Languedoc, le précieux logis du Graal, avait été suffisamment entaché par l'Église romaine hostile, se dit Laurence, qui se considérait désormais comme l'héritière, la dernière cathare. Un héritage à bon marché, dut-elle s'avouer avec honte : aucune servitude, aucun sacrifice ne s'y attachait plus désormais ! Il restait seulement à espérer que les puissances des ténèbres ne pouvaient effectivement rien, au bout du compte, contre la pureté absolue !

Laurence ressentit la consolation du Paraclet. Hors d'atteinte pour les légions du démiurge, le Graal brillait dans son éclat éternel. C'était l'image qu'elle faisait apparaître dans son esprit. Et c'était celle-là qu'elle voulait emporter avec elle ! Laurence était désormais sûre d'elle-même. Le cortège se mit enfin en route.

Ils prirent donc le chemin le plus court pour Alet. Laurence savait que ses eaux thermales se trouvaient quelque part dans les montagnes du Razès, mais elle n'en connaissait pas l'emplacement exact. Roald of Wendower, en revanche, avait déjà fait ce trajet pour la retrouver. Ses gémissements parvenaient de la tête du cortège jusqu'à Laurence, dont la calèche à quatre roues fermait le convoi. Les chemins étaient souvent en terre non consolidée, et leur état se dégrada bientôt à tel point que Laurence préféra quitter son véhicule confortable : elle y était plus durement secouée que n'aurait pu le faire le dos nu de l'âne le plus entêté.

Mais ce changement de mode de transport l'exposa à une conversation avec l'homme d'Église, qui montait lui aussi un âne. À sa dernière visite, déjà, Wendower s'était renseigné sur l'origine et le passé de ces bains perdus dans les rochers, déjà particulièrement appréciés du temps des Romains. Laurence ne montra ni pour les thermes, ni pour les sources chaudes qui les alimentaient, l'intérêt espéré par Roald ; si bien que son accompagnateur, prévenant, se mit à lui parler de la situation du pays après la bataille de Muret.

— La paix va désormais enfin s'installer en Languedoc, suggéra-t-il prudemment.

Laurence lui lança juste un rapide regard.

— Même si l'Église entend par là la paix d'un cimetière, ses serviteurs zélés, comme vous-même, Roald of Wendower, ne pourront pas encore, loin s'en faut, courber la tête n'importe où pour faire leur prière. La résistance contre la funeste alliance de Rome et de Paris n'est pas encore morte !

Cela fit sortir de sa réserve l'agent de la curie.

— Vous n'allez tout de même pas tenter de me faire passer les derniers faidits dispersés dans les montagnes pour les têtes menaçantes du serpent, et affirmer qu'ils constituent une véritable menace pour Montfort, après sa victoire ?

— Auquel vous donnez à présent le statut d'un saint : saint Simon, le tueur de dragon ! se moqua Laurence. Il reste tout de même encore Toulouse, la ville sur lequel ce molosse sanguinaire va se briser les dents.

— Ne sous-estimez pas les mâchoires du vieil homme ! Une fois qu'il aura aboyé après le comte, celui-ci ne gardera pas bien longtemps sa cabane d'hérétique. Les Toulousains, eux aussi, aspirent à la paix. Et ils se moquent bien de savoir quel seigneur la leur garantira !

— Avec la bénédiction de Dieu et de l'Église, on transformera Montfort et ses babines retroussées en un brave chien de berger ? C'est ce que vous voulez dire ? Ha ! s'exclama Laurence en donnant à l'âne du prêtre un coup de cravache. L'animal fit un bond qui manqua désarçonner Wendower.

Par la suite, l'homme d'Église qui menait ce pèlerinage à Alet reprit la tête du convoi. Roald of Wendower, que ses études et son éducation monacales n'avaient jamais vraiment informé sur les faces apocryphes de l'histoire de l'Église, notamment pour ce qui concernait les premières années du christianisme, et que ses *professores* et *doctores* érudits de Saint-Trinian avaient toujours mis en garde contre des lieux comme celui-ci, devait à présent y mener cette hérétique aux cheveux rouges pour qu'elle exauce son vœu. Un vœu qu'il ne connaissait même pas, il en prit conscience à cet instant, et cela accrut encore sa mauvaise humeur. Comme il s'agissait en toute certitude de choses dont un fidèle serviteur de l'*Ecclesia romana* devait se tenir éloigné, cette visite imminente à la Vierge noire commençait à préoccuper beaucoup Roald of Wendower.

Il avait bien sûr entendu parler de l'existence d'une très vieille communauté juive dans le sud de la France, dont l'origine remontait loin dans les légendes de l'Ancien Testament, mais dont un nombre suffisant de documents attestait qu'elle avait précédé l'apparition du Messie. C'était la raison pour laquelle les grands mystères cultivés par certains cercles, comme ce « Prieuré de Sion », étaient tellement grotesques : ils faisaient comme s'il avait fallu attendre la fuite des descendants de Jésus-Christ pour qu'apparaisse ici le sang bleu, le sang royal « de la lignée de David » ! À moins qu'il n'y eût tout de même quelque chose de vrai dans cette histoire ? Pourquoi les juifs n'avaient-ils pas pu vivre ici sans de tels sacrements ? La réalité n'était-elle pas qu'avec l'arrivée de Jésus à Marseille, accompagné par sa mère cette personne douteuse venue du village de Magdala, s'était formée l'idée du sang royal par droit divin, la naissance de la « noblesse » européenne ? Qui était cette Marie de Magdala, qu'il avait appris à appeler « Madeleine, la pécheresse » ? Si c'était la même que le Seigneur avait épousée à Cana, là où Marie, la mère du fiancé, avait fait beaucoup de bruit à cause du vin perdu, elle provenait alors de la lignée de Benjamin et pouvait tout à fait être sinon noire, du moins de peau sombre. Joseph d'Arimathie, qui, en accord avec Ponce Pilate, avait permis que la famille du Christ quitte le pays, témoignait du fait qu'elle était la mère de ces enfants. Il était donc bien plus plausible que cette Vierge noire vénérée un peu partout ne soit pas une version à peau sombre de la mère de Dieu, mais cette femme qui avait le droit de laver et d'oindre les pieds du Seigneur, « celle qui était le plus proche de son cœur ».

Pareilles connaissances ne revenaient bien sûr qu'à des personnes endurcies, d'autant plus que l'Église ne savait pas quoi faire de cette femme supplémentaire, qui n'appartenait peut-être même pas à la race blanche, et elle l'avait chassée du Nouveau Testament en la présentant comme une putain. La couverture de ce livre-là devait rester fermée !

Cette décision ayant été prise, Wendower laissa l'âne de Laurence rattraper le sien.

— Ne vous imaginez pas que l'on va célébrer ici un culte secret de la pécheresse et servante de l'amour, grogna-t-il, uniquement parce qu'il lui a été permis, un jour, de laver les pieds du Seigneur !

— Pour ce qui concerne la putasserie, vous vous y connaissez certainement mieux que moi, répliqua sèchement Laurence avant de se détourner.

Ils approchaient d'Alet. Laurence pria Roald of Wendower, « Monseigneur le légat », de bien vouloir la précéder dans les lieux. Elle voulait simplement s'en débarrasser, ne serait-ce que pour laisser la première impression de ce passé pétrifié se graver en elle. Laurence vérifia qu'elle portait bien l'anneau d'argent à la main. Alet n'était qu'un amoncellement de ruines recouvertes de lierre, de colonnes de marbre renversées, de voûtes et d'arcades effondrées. Quelques bergers, tout au plus, devaient fréquenter ce lieu mystique. Les sources chaudes s'étaient taries depuis longtemps. Des lézards peuplaient les bassins de porphyre rouge, des touffes de thym et des bosquets de romarin répandaient leur puissant parfum entre les oliviers noueux et les châtaigniers sauvages. Les cigales crissaient à la chaleur de midi.

L'église de la Vierge noire se dressait à l'extérieur, dans une cuvette naturelle, au milieu d'un paysage boisé et vallonné. Après avoir franchi un bosquet de lauriers, le visiteur entrait dans l'enceinte taillée dans la pierre d'un ancien temple, dont seuls témoignaient encore des moignons de piliers et quelques consoles, dans la paroi rocheuse moussue. Une partie considérable du sanctuaire se trouvait sans doute à l'intérieur de la roche. Des deux côtés, on y avait sculpté des portails. Celui de droite était orné d'une croix cloutée rudimentaire en relief, symbole de la sainte Jérusalem.

Laurence se laissa glisser du dos de son âne. Un sarcophage entièrement recouvert de buissons-ardents, de l'autre côté, l'intéressa beaucoup. Au-dessus, des lettres gravées, presque entièrement effacées par les intempéries : ET IN ARCADIA... EGO. Elle ne put en déchiffrer plus.

Le secret de l'anneau

Devant la façade du parvis du temple d'Alet se dressait un gigantesque chêne dont le feuillage dispensait une ombre profonde. Laurence y fit attendre Roald of Wendower, ses valets et la demi-douzaine d'hommes armés qui les escortaient. Elle entra seule dans le sanctuaire, par une porte ornée d'une croix.

Laurence fut aussitôt saisie par une humidité digne d'une

crypte. La lumière ne tombait que parcimonieusement, du haut du plafond, par les orifices ovales creusés dans les voûtes. Des lianes en descendaient, mais aucun rayon de soleil ne s'aventurait dans la chambre rocheuse. Laurence avançait prudemment dans la galerie — le sol boueux n'inspirait guère confiance — lorsqu'elle entendit des pas derrière elle. Un vieux prêtre se dirigea vers elle ; il semblait préparé à cette rencontre : après un regard rapide à la bague qu'elle portait au doigt, il passa devant elle sans dire un mot et se dirigea vers une porte de planches. Il la referma, toujours en silence, l'air presque récalcitrant, et guida la visiteuse dans un escalier raide qui les mena dans la crypte de l'église rocheuse.

Là encore, l'obscurité n'était pas totale. La clarté du jour pénétrait, diffuse, par des puits invisibles, plongeant la salle dans une étrange lumière crépusculaire. Les lieux avaient jadis servi de baptistère. Laurence se tenait sur le rebord boudiné d'un bassin vide en porphyre rouge, de ceux que l'on utilisait jadis pour baptiser les adultes. Si l'on voulait, se dit-elle, il ferait penser, avec sa forme circulaire, à un gigantesque calice enfoncé dans le sol. La statue de la Vierge se tenait, voilée, dans une niche au-dessus. Une cape tissée de fils d'argent et ornée de pierres précieuses voilait sa tête et descendait jusqu'à ses pieds, en faisant des plis.

Alors seulement, le vieux prêtre accepta d'adresser la parole, ou plus exactement à lui faire écouter ses récriminations.

— Vous ne vous doutez pas à quel point je suis lasse, gente dame, fit-il en soupirant, de voir à chaque fois des gens venir, comme vous, se présenter comme la servante de Madeleine, lui soulever son manteau, et d'espérer que le miracle se produira et que je pourrai enfin me reposer.

Il tira alors sur des cordes courant sur le plafond, qui soulevèrent le voile lentement et par à-coups.

— Mais à chaque fois, reprit-il, c'est peine perdue. La maîtresse de Magdala sait faire son choix, et je ne serai pas libéré avant qu'elle ne trouve une digne femme pour me succéder.

Tout en parlant, il continuait à tirer sur les cordes teintes de noir, à peine visibles, dégageant de mieux en mieux le manteau sombre, comme le rideau d'une scène de théâtre. La Vierge apparut. Elle était noire, effectivement, sa tête était celle d'une Maure, les cheveux noirs et crépus, une bouche pleine et très charnue ; ses yeux avaient un éclat blanc et très païen. Cette statue grandeur nature avait été taillée dans le bois, les feuilles d'or s'étaient détachées ici et là, le rouge des lèvres avait pâli. Pourtant, Laurence eut l'impression qu'elle débordait de vie. La position de ses bras ne rappelait en rien l'humilité d'une Vierge blanche. Une main désignait le mystère de son bas-ventre, comme si elle le couvrait pudiquement. L'autre montrait ses seins, dont le peintre n'avait pas cherché à masquer la nudité.

Mais plus que l'étude du corps sensuel de cette divinité païenne, c'était la personne de ce vieux prêtre qui la préoccupait. « Je suis lasse », avait-il dit. Et sa voix ressemblait aussi à celle d'une vieille femme. Laurence comprit d'un seul coup. C'était celle de la prêtresse auprès de qui Esclarmonde avait mené Laurence, pendant la nuit de Fontenay, pour entendre d'une bouche autorisée ce qu'il fallait penser de cette rouquine obstinée qui voulait à toute force devenir chevalier du Graal. Il s'agissait d'une seule et même personne, aucun doute n'était permis sur ce point. Laurence se rappela précisément cette voix, lorsque la prêtresse, impatiente, désigna la main dressée de Madeleine, puis décocha un regard impérieux à l'anneau qui se trouvait au doigt de Laurence.

— Donne-lui ! coassa-t-elle. Et il te sera donné !

Laurence approcha de la niche. La vieille fit sortir avec application de la pierre un escabeau en bois que la visiteuse n'avait même pas deviné. La prêtresse la laissa seule, et Laurence posa son pied sur la première marche. Puis, songeuse, elle ôta l'anneau de son doigt.

Était-ce déjà la fin de la quête du Graal ? Ou bien se trouvait-elle seulement au début de ce chemin qui devait être l'objectif ? Laurence crut soudain se rappeler en détail le sens de la prophétie : « Si toi, Laurence, tu veux appartenir à la chevalerie, et si tu n'acquiers pas la dignité du Graal, tu échoueras pitoyablement. »

Et Dieu savait que cela s'était avéré ! Aucune faute n'était permise à une femme, et encore moins un faux pas. L'esprit noble et chevalier des guerriers, que l'on avait tant chanté, était en vérité fait de batailles et de sang épais, de fausse fierté et d'honneur mensonger, il naissait des pénis enflés, des panses débordantes, des saucisses et des obscénités. C'était une bande de charcutiers, une harde de porcs ! Le comprendre était certainement vital pour Laurence ; mais sa fierté l'empêchait encore d'accepter sa défaite présumée. Et elle n'était nullement disposée à en tirer les conclusions. Il aurait pourtant suffi de dresser le bilan du chemin qu'elle avait parcouru.

Presque tous ceux dont Laurence savait qu'ils l'aimaient, ou pour lesquels elle avait un sentiment qu'elle tenait pour de l'amour, étaient morts : Alazaïs, Esclarmonde, Marie, son père Lionel, le bon Sicard, Micha, le « Minotaure de Crète », et Aimery de Montréal. Qui lui était-il resté ? Elle pouvait les compter sur une main, et elle devait même y inclure Roald of Wendower si elle voulait mettre un nom sur chaque doigt : sa mère, Livia, Loba, le Chevalier et... ah, oui, Gavin !

Laurence, timidement, fit un pas supplémentaire sur l'escabeau. Si elle en croyait la prédiction de la nuit de Fontenay, elle aussi devrait encore avoir la possibilité de devenir une « gardienne du Graal » — à moins qu'elle n'ait mal compris, ce jour-là ? Et puis elle avait entendu une obscure prophétie, qui concernait sans doute sa vieillesse : elle pourrait un jour être appelée à devenir la « gardienne des enfants du Graal ».

Laurence se tranquillisa en se disant que la vieille prêtresse écarterait forcément le sort peu enviable de l'abbesse, celui qui l'attendait à Rome. Et pourtant, elle restait aux aguets : le sort pourrait bien lui avoir de nouveau posé un piège, où elle ne tomberait pas cette fois-ci par curiosité, mais par excès de sentiment du devoir. Toute son expérience lui permettait de penser que la remise de l'anneau à la Vierge noire avait aussi un rapport avec ce sacerdoce exercé ici par une femme, en cachette, et certainement à l'insu de cette *Ecclesia catholica* tellement patriarcale.

Celle qu'avait initié Magdala, « l'autre » Marie, ne passait-elle pas pour la clef de la découverte secrète et immédiate de Jésus-Christ, le Paraclet ? L'anneau pouvait symboliser cette union intime, et Laurence courait le danger de tomber amoureuse du Christ, ou même de se soumettre irrévocablement à son rigoureux service. Devrait-elle alors demeurer dans ces murs obscurs et dans la solitude des montagnes ? Elle songeait à tout cela tout en montant pas à pas les marches qui s'élevaient vers la niche.

Ce que la visiteuse n'avait pas pu voir d'en bas, notamment parce qu'une partie du lourd tissu du manteau n'était pas attachée au mantelet en tissu précieux qui planait à présent en haut de la voûte, et demeurait drapée autour du socle de la statue, c'était un gigantesque pied de bronze qui dépassait de l'arrière de la niche.

On y trouvait, moulée dans le même métal, une coupe elle aussi scellée dans le sol, dans lequel reposait une sphère de pierre, comme une perle noire dans une huître ouverte.

Laurence n'accorda guère d'attention à la coupe. En revanche, elle observa longuement et attentivement ce pied qui dépassait bizarrement du mur, comme tendu vers elle. D'abord, elle n'osa pas s'en approcher ; puis elle le toucha en frissonnant. Mais rien ne se passa ! Elle tenta de le tourner, de tirer dessus, elle le secoua même, ; mais rien ne bougea. Déçue, elle leva les yeux vers le visage de cette femme noire dont les grands yeux n'étaient pas dirigés vers Laurence, mais rivés, en louchant presque, sur le doigt levé devant sa poitrine. Alors seulement, Laurence remarqua les tétons érigés, et ce doigt impudique qui, légèrement courbé, attendait qu'on lui passe le petit anneau. D'un geste rapide, elle fit glisser l'anneau d'argent sur la pointe du doigt de bois, et le vit descendre de lui-même sur ce membre osseux, phalange après phalange. Au moment où il rejoignit sa place définitive, le bras descendit, d'abord lentement, puis de plus en plus vite, pointa brièvement vers Laurence, qui eut un mouvement de recul, et s'abattit ensuite d'un seul coup vers le bas. Avec un tintement métallique, l'anneau sauta dans la coupe et tomba autour de la bille ; il s'arrêta là, à demi dissimulé sous la petite sphère.

Laurence était trop confuse pour tenter de l'attraper aussitôt. Il allait lui falloir beaucoup de doigté, à présent, pour reprendre l'anneau dans la fente qui séparait la bille et le fond de la coupe. Lorsqu'elle essaya de le prendre, il disparut entièrement sous la boule. Laurence comprit alors que la bille ne touchait pas le sol du récipient, mais paraissait voler à l'intérieur. Elle attrapa la bille ; l'anneau tomba alors, avec un cliquetis sec et étrange, dans l'ouverture qui se trouvait en dessous. La bille, trônant, comme empalée, sur une pointe d'acier, se laissa déplacer, ouvrant la vue sur un orifice noir. Les parois latérales de l'étroit tuyau étaient hérissées de piques, semblables à un hérisson qui se serait retourné sur lui-même, comme un gant. Le petit anneau d'argent était resté accroché à l'une de ces pointes et paraissait se moquer de la maladroite.

Laurence se pencha alors sur l'ouverture et tenta de s'emparer de nouveau de l'anneau sans toucher les épines pointues. Elle se concentra, le souffle lourd, mais la bague lui échappa de nouveau et tomba deux pointes plus loin, tandis que Laurence se piquait les doigts. C'est en voyant couler les gouttes de sang qu'elle prit conscience, trop tard, des parfums aigres-doux qui lui montaient au nez depuis le début. Laurence fut prise de vertige. Elle tenta de se relever en s'appuyant au pied de bronze, qui s'enfonça un peu plus. Elle ne remarqua pas qu'au même instant le bras baissé de la statue se levait de nouveau vers le haut. Laurence demeura assise devant le pied géant, et observa fixement la coupe. La bille était revenue à sa place, en équilibre. Mais l'anneau avait disparu dans les profondeurs !

Tel devait être le chemin épineux sur lequel la Vierge noire mettait ses servantes à l'épreuve. Laurence, elle, ne l'avait pas franchi, elle avait hésité trop longtemps, elle n'avait pas su s'en emparer de tout son cœur, inconditionnellement. Elle ne voulait pas, de toute façon, devenir prêtresse de ce culte païen, celui de Madeleine, symbole de l'éternel féminin auquel Laurence était étrangère, sous toutes ses formes, depuis la Vierge sous le signe de Mercure jusqu'à la Grande Mère terrestre, depuis la déesse qui nageait dans le croissant de lune jusqu'à Lilith, la magicienne. Elle tenta d'établir un lien entre chacune de ces figures et les femmes qui avaient influencé sa vie, depuis sa mère jusqu'à sa marraine, depuis son amante transfigurée jusqu'à la silencieuse patronne, mais elle n'y parvint pas.

Son esprit s'embrumait, sa tête paraissait lourde comme du plomb. Laurence observa paisiblement la goutte de sang qui tombait de son doigt sur le petit orteil du pied de bronze et se perdait ensuite dans le tissu. Sa trace rouge lui apparut soudain comme une révélation, symbole de tout le sang versé dans ce monde. Elle pensa à son père et à son cou ensanglanté, elle pensa à sa propre conception et à sa mise au monde, au corps ouvert de sa mère. Laurence ne s'était jamais imaginé Livia en couches, ni elle-même, Laurence, en petite larve sanguinolente. Laurence tenta d'écarter cette image, mais elle ne cessait de revenir, semblable à une colombe importune qui lui tournait autour en battant des ailes. Elle vit sa mère qui mourait, l'oiseau qui tentait de percer les yeux encore ouverts, non, c'était après l'anneau qu'il en avait, l'anneau que portait à la main la *Mater superior*, fidèle épouse du Christ. Jamais ! Une flèche perça le blanc plumage, et son vol s'acheva brutalement. La tête de Laurence avait atterri sans douceur sur le cou-de-pied en bronze. Son crâne en résonnait encore. Elle regarda le doigt dressé de la Vierge noire : l'anneau d'argent s'y trouvait de nouveau ! Mais le doigt paraissait se courber, comme une boucle se refermant sur lui-même.

Laurence se releva, hébétée, et regarda autour d'elle à la dérobée. Comme une voleuse intrépide, elle arracha l'anneau du doigt de la Vierge. Son butin bien serré dans le poing, elle recula, le souffle court. Le manteau noir s'abaissa lentement. Laurence savait que seule la prêtresse pouvait actionner le mécanisme. C'était un signal destiné à la visiteuse : il était temps de s'éloigner. Le lourd tissu se déposa de nouveau sur le pied et la coupe.

Laurence descendit de l'escabeau. Elle s'apprêtait à lancer un dernier regard sur la Vierge noire, dont elle avait tout de même espéré qu'elle changerait son existence, lorsqu'elle entendit un craquement et un crissement : elle vit alors la statue de Madeleine se détourner d'elle, vers le mur, derrière le rideau orné de joyaux et tissé de fils d'argent.

Laurence pouvait considérer ce mouvement comme un rejet. Mais elle préféra ne pas y voir un dernier indice : elle n'avait plus besoin de bons conseils, elle voulait et devait décider seule, à présent. Elle avait eu suffisamment de temps et d'occasions pour évaluer et pour choisir. À présent, elle voyait enfin le chemin devant elle, celui de la découverte de soi et de la liberté, y compris celle de choisir ! Loin de toutes les suggestions, de toutes les influences, de toutes les contraintes.

D'un geste énergique, elle repassa l'anneau à son doigt, marcha vers la grosse porte par laquelle elle était entrée dans la crypte, et pressa énergiquement sur le verrou. Mais rien ne bougeait. Avant qu'elle ne puisse secouer la serrure, elle sentit derrière elle un souffle de vent froid. Une porte s'était ouverte dans le mur, de l'autre côté. La prêtresse s'y tenait et s'y inclinait légèrement, comme pour l'inviter à la suivre. Laurence crut déceler sur le visage de la vieille femme non pas la déception, mais l'approbation et même le respect. En tout cas, la vieille constata, d'un rapide regard, que l'anneau se trouvait au doigt de Laurence. La jeune femme répondit à cette invitation muette.

La salle qui se trouvait derrière la porte était plongée dans une obscurité totale ; Laurence put tout juste percevoir, derrière un grillage aux mailles étroites, la lumière d'innombrables bougies de cire. La prêtresse lui demanda de prendre place sur l'unique siège, un trône de pierre installé au milieu de la pièce. Puis la vieille femme disparut. Laurence entendit alors au-dessus d'elle ou à côté d'elle, provenant sans doute de l'autre côté du grillage, la voix du Chevalier. Elle la reconnut aussitôt, malgré l'immense tristesse que l'on y devinait.

— La terre est desséchée, dit-il. (On dirait que cela vient d'une crypte, se dit Laurence. Pourtant, le Chevalier se tenait certainement juste à côté d'elle.) Les branches, les feuilles et les fleurs sont mortes, mais le tronc n'est pas tombé d'où elles avaient jailli. En bas, loin dans le sol, sommeillent des racines bien protégées.

Laurence s'amusa des métaphores du chevalier : Jean du Chesne aurait vraiment fait un bon prêtre.

— La glorieuse maison des Montferrat, margraves de l'Empire allemand, reprit le chevalier, reconnaissant les liens du sang, mais aussi sa témérité et sa fidélité dans l'assistance, a décidé, considérant que son frère aîné Guido avait choisi le service de Dieu, de conférer selon les circonstances et sous certaines conditions à l'unique fille de Livia di Septimsoliis-Frangipane, Laurence de Belgrave, le titre de marquise de Montferrat, et l'apanage d'une comtesse de Kastéllion, en Crète.

L'orateur reprit son souffle, mais ne s'offrit pas de pause.

— Gavin Montbard de Béthune, poursuivit-il au grand étonnement de Laurence, vous n'avez pas besoin que l'on élève votre sang, mais que l'on vous explique votre véritable origine, et avec elle votre signification et le destin qui doit être le vôtre.

Gavin était donc ici, lui aussi, quelque part à côté d'elle ?

— La toute jeune Contade de Béthune avait suivi son fiancé, fort jeune lui aussi, Régis de Montbard, à la fameuse croisade lancée par l'empereur Barberousse et par le Cœur de Lion contre le sultan Saladin. Lorsque Contade le rejoignit enfin, Régis venait tout juste de subir, lors des combats autour de Saint-Jean-d'Acre, une effroyable blessure qui le priva de sa virilité. Pour éviter toute peine à sa jeune épouse, il la renvoya en France par le premier navire. Contade débarqua alors à Béziers et tomba entre les mains du vieux Trencavel Roger-Taillefer. Ce libertin notoire se moqua de son sort et viola celle qui était venue chercher refuge. Dans son désespoir, Contade s'adressa à Esclarmonde, comtesse de Foix, étroitement liée, par sa mère, à la maison des Trencavel. Pour de multiples raisons, dans lesquelles la compassion pour la victime ne jouait sans doute pas le moindre rôle (sans doute voulait-on surtout épargner Herzeloïde, la malheureuse épouse de cette brute), on déploya des moyens considérables pour assassiner l'estropié avant qu'il ne quitte la Terre sainte. Car les Trencavel pouvaient s'attendre à ce que ce fils de comtes bourguignons, désormais aussi privé de son honneur, fasse un scandale considérable autour de cette affaire. Les Montbard avaient contribué à fonder l'ordre des templiers. André de Montbard avait été leur quatrième grand maître, et il était l'oncle de Bernard de Clairvaux. Mais même les Assassins auxquels on avait confié la charge de commettre le meurtre refusèrent de donner le coup de grâce à ce jeune homme que tous regretteraient. Entre-temps, la comtesse Esclarmonde de Foix avait de toute façon changé d'avis. Elle se débrouilla finalement pour que l'on garde le petit frère de « Perceval », Ramon-Roger, mais en le dissimulant totalement, bien loin de Béziers ou de Carcassonne. Pendant toute sa brève existence, le Trencavel ne sut rien de lui.

Laurence se rappela avec effroi la scène qui avait précédé la capitulation de Carcassonne, lorsqu'on avait envoyé un jeune templier inconnu pour assurer le sauf-conduit au Trencavel et l'attirer ainsi dans un piège mortel : sans le savoir, ni même le vouloir, c'était donc son demi-frère aîné que Gavin avait livré à la mort. Quelle perfidie du destin !

— Entre-temps, Régis de Montbard fut soigné par des médecins juifs et arabes, si bien que l'on put envisager une traversée en bateau. Des voix célestes lui conseillèrent de considérer tout ce qui s'était passé comme un signe de Dieu et une grâce de Marie : lui, qui n'avait plus de bourses, avait pourtant reçu un fils. Vous devinez qui était le jeune *studiosus* âgé d'à peine vingt ans que l'on envoya alors en Terre sainte pour y prendre Régis et le convaincre, pendant la traversée, de l'avantage que présentait cette paternité miraculeuse. Régis arriva en Occitanie. Esclarmonde s'occupa de son mariage, surveilla l'accouchement et fit baptiser l'enfant, qui reçut le nom de Gavin Montbard de Béthune. Tous les frais furent assumés par le Trencavel, intimidé, qui fit en outre don du cloître de Sérignan, tandis qu'Esclarmonde devenait la marraine de l'enfant. La grande Esclarmonde, reprit le Chevalier invisible, a jusqu'ici dirigé vos chemins. C'est elle qui vous a menés en ces terres. L'Occitanie est en détresse, le trône des Trencavel sur le Languedoc est orphelin, pis encore : il a été usurpé par des mains insolentes et tachées de sang. La question est la suivante : voulez-vous, Gavin Montbard de Béthune, et vous, Laurence de Belgrave, vous fier encore à la direction de la sage Esclarmonde ? Êtes-vous disposés à reprendre l'héritage des Trencavel, comportant aussi les donations des comtes de Montferrat, qui constituaient la dot de l'épouse, et les fiefs qui vous reviennent, ceux de la comtesse de Foix et de Mirepoix ?

La voix du Chevalier se brisa sous l'émotion, qu'il avait toujours su contenir jusque-là. C'était aussi son destin qui se jouait à présent, non pas celui de l'aventurier et de l'intrigant, mais celui de l'auteur du « Grand Projet ».

— Je vous prie maintenant d'entrer dans la salle qui vous attend.

Une paroi de bois s'écarta à côté de la grille, et Laurence découvrit l'intérieur d'une tout autre église. C'était une gigantesque salle ronde, surmontée d'une unique coupole aplatie reposant sur une couronne de piliers innombrables. Était-ce cela, la mystérieuse église du Graal, profondément enfouie dans la terre ? Était-ce ce que l'on appelait le « Trakt » ?

Le cercle magique attira Laurence comme une force invisible, elle se leva et franchit le passage, qui se referma aussitôt derrière elle. Des centaines de bougies brillaient à droite et à gauche du bloc de pierre nu, haut de deux pieds tout au plus, qui servait sans doute d'autel. Derrière, dévoilée, dans une niche, se dressait la Vierge noire. Laurence aperçut Gavin, agenouillé sur la pierre de l'autel. La place à côté de lui était encore libre, et Laurence ne put faire autrement que de s'y placer. Le regard que lui lança le templier la tranquillisa. C'était ce regard juvénile et familier qui lui rappelait, depuis leur enfance, l'amitié qui les unissait.

Rien en Gavin ne laissait transparaître des sentiments que lui avaient inspirés les révélations du Chevalier. Plus encore que Laurence, elles avaient pourtant dû le plonger dans une grande confusion. Mais Gavin se contenta de sourire, et cela donna de l'assurance à Laurence. Elle s'était attendue à ce que le Chevalier passât à présent devant elle ; mais il la fit attendre, sans doute pour lui laisser le temps de mettre de l'ordre dans ses pensées. Laurence observait attentivement cette statue qu'elle connaissait bien. L'unique différence lui parut être le fait qu'auparavant, dans la grotte du baptême, les doigts de la Vierge noire étaient courbés devant ses seins, comme si elle voulait se pincer les tétons. Et vers la fin, l'annulaire était même parvenu à les toucher. Laurence se félicita d'avoir été si rapide : avec cette position de la main, elle aurait été incapable de reprendre l'anneau. Mais à présent, Madeleine tenait la main à plat, chaste et gracieuse, à bonne distance de son propre corps, protégeant avec dignité ses seins toujours nus des regards indiscrets.

Qu'allait-il donc arriver désormais à Laurence et à Gavin ? L'allocution du Chevalier s'était achevée comme la lie amère d'une bière. Est-ce qu'ils s'imaginaient... ?

La vieille prêtresse était sortie sans bruit de l'aura formée par les bougies, derrière l'autel bas. Elle portait à présent la tenue de fête blanche d'une parfaite. Laurence regarda attentivement pour s'assurer que le Chevalier ne se dissimulait pas à présent sous ce costume ; mais c'était bien la femme qui, jadis, à la demande d'Esclarmonde, avait lu les Lévites.

— *Che Diaus vos bensigna !* dit la vieille d'une voix couinante, les yeux tournés, presque implorants, vers la jeune femme assise à ses pieds.

Ils levèrent tous deux les yeux, emplis d'espoir. Laurence, perplexe, fit tourner à son doigt son anneau d'argent, le legs de Marie d'Oignies. Elle observa Gavin. Mais celui-ci penchait de nouveau la tête, et gardait les yeux fermés.

— Es-tu prêt, Gavin Trencavel, vicomte de Carcassonne et de Béziers, à nouer les liens du mariage avec Laurence de Belgrave, afin de reconquérir le pouvoir qui revient à ta glorieuse lignée ?

Gavin ne bougea pas ; la prêtresse se tourna ainsi vers Laurence :

— Es-tu prête, Laurence, marquise de Montferrat et comtesse de Kastéllion, à nouer les liens du mariage avec Gavin Montbard de Béthune pour assurer le prolongement dynastique de la glorieuse lignée des Trencavel de Carcassonne ?

Laurence ne détournait pas ses yeux de la prêtresse. Elle la regarda, impitoyable, et la força à prononcer jusqu'au bout la formule nuptiale.

— Vous me répondez donc « oui » tous les deux.

Gavin paraissait avoir achevé sa prière muette. Il se leva en mesurant ses gestes et tendit à Laurence son puissant bras droit. Elle se sentit tirée vers le haut ; mais il la libéra ensuite. Ils se faisaient face et se regardaient, les yeux dans les yeux. Pendant un long moment, chacun lutta contre soi-même. Puis Gavin ouvrit l'autre main, et Laurence y vit briller le petit anneau qu'elle lui avait confié jadis, afin qu'il l'enlève de Ferouche. Il l'avait donc conservé pendant tout ce temps.

La tentation était immense, le démiurge en personne n'aurait pu lui donner une forme plus perfide. L'or et l'argent, tous les joyaux du monde n'auraient pu la plonger dans une aussi grande contradiction des sentiments. Reprendre l'héritage de

Trencavel, succéder au noble « Perceval » ! La plus haute couronne de la chevalerie !

Lentement, Laurence fit glisser sur sa phalange l'anneau d'argent orné du serpent qui se mordait la queue. Elle se rappela alors qu'Alazaïs avait porté le même, l'héritage de la grande Esclarmonde. Elle faillit perdre l'équilibre, mais elle se retint à temps.

— Tu es mon chevalier pour l'éternité, dit Laurence, et moi ta dame.

Elle marcha vers l'autel et entraîna le templier avec elle, sans lui donner la main. La prêtresse fit un pas en arrière, effarée. Laurence se dressa vers la Vierge et lui passa l'anneau sur le doigt dressé ; Gavin imita Laurence. Mais son petit anneau glissa avec un tintement argenté sur le doigt de la Vierge noire avant de se poser sur la bague de Laurence.

— *Che Diaus vos bensigna*, dit Gavin avec son calme habituel. Nous appartenons à des ordres différents, et nous respectons pourtant le même esprit de l'amour suprême. Cela nous unira à tout jamais.

Il lui offrit galamment le bras. Un portail s'ouvrit, laissant la lumière inonder l'escalier. Ils montèrent les marches ensemble. Des fleurs volèrent dans leur direction, et des grains de riz dur crépitèrent contre la pierre.

— Ils sont bougrement sûrs de leur affaire, ici ! plaisanta Laurence en lui pinçant le bras.

— Lorsque nous serons arrivés en haut, tu pourrais encore m'embrasser pour me dire au revoir, proposa gaiement Gavin. Ça les mettrait dans un état impossible.

— D'accord, décida Laurence. Nous nous embrassons comme deux amoureux, nous les laissons tous crier de joie. Et ensuite, chacun d'entre nous va son chemin.

— Et qui remontera les mâchoires décrochées ?

Gavin éclata de son rire juvénile. Ils passèrent le dernier seuil avant la sortie, et restèrent comme pétrifiés. Laurence ne fut pas étonnée de voir Loba et les enfants, Loisys et son propre fils, Titus, qui jetaient des fleurs et du riz, enthousiastes : elle avait escompté la présence de la Louve. Mais elle ne s'était pas attendue à ce qu'elle soit en compagnie de l'infant de Foix, Ramon-Drut, escorté de quelques chevaliers en tenue de fête. Ils avaient mis pied à terre et regardaient, captivés, le couple surgi des profondeurs du sanctuaire. Étaient-ils venus leur faire allégeance ?

Roald of Wendower accueillait avec une étonnante magnanimité cette pratique païenne. « Messire le légat », dans son confortable carrosse de voyage orné, pour l'heure, de guirlandes de
fleurs qui en faisaient une calèche de mariage, avait rejoint le Chevalier. Gavin haussa un sourcil en voyant son mentor en pareille
compagnie. Laurence se dit que Roald, l'ancien légat, était sans
doute moins un représentant de l'*Ecclesia romana* qu'un agent des
Services secrets : on savait que ces hommes-là suivaient leurs
propres chemins et réservaient toujours leur lot d'imprévus.

Mais la véritable surprise vint d'un tout autre côté. Laurence et Gavin s'apprêtaient tout juste, comme convenu, à
accomplir la cruelle « séparation des jeunes mariés » lorsqu'apparut sur le chemin qui descendait le coteau, à cheval et en
armure, Charles d'Hardouin, qui riait avec mépris.

— Quel heureux hasard ! lança-t-il bruyamment. Quel beau
filet grouillant de célèbres hérétiques, et pris sur le fait, qui plus
est ! Chacun aura sa branche sur le chêne sacré !

Il désigna en tendant le bras l'arbre noueux dont les
branches se déployaient au-dessus de l'entrée du temple.

— Commençons donc par le « Chevalier » : il aura tout
loisir, en se balançant, de se demander sous quel nom il est
pendu au bout de sa corde. Il sera suivi dans la mort par la
faidite Roxalba de Cab d'Aret, qui a mérité mille fois son surnom de Louve, puis par cet imbécile de Ramon-Drut, auquel
seule son illustre naissance garantira le plaisir de sentir, une
fois dans sa vie, la pesanteur de ses fesses.

Au-dessus et autour de Charles se dressèrent deux douzaines d'archers qui dirigeaient leurs flèches vers l'assemblée,
coincée dans cette cuvette rocheuse.

— Ce sera ensuite le tour de ce faux prêtre qui trahit son
Église. Et de préférence en même temps que la jeune épouse.
(Il désigna, impitoyable, Titus et Loisys du bout de son doigt.)
« Laissez venir à moi les petits enfants ! » Ensuite, choisirons-
nous ce jeune homme à la croix pattée sur la poitrine, un véritable templier ? On ôtera avec beaucoup de précautions le cheval sous ses fesses, qu'il puisse avoir le temps de jouir de la
pendaison de son épouse.

Au même instant, Laurence vit un mur de cavaliers français
s'élever en silence dans le bosquet de lauriers, l'unique accès au
fond du temple. Ils devaient être cinquante ; devant eux avançaient trois bourreaux portant la capuche fendue aux yeux, une

corde dans les mains. Le piège était parfait. Mais ils vendraient leur peau aussi cher que possible. Laurence sourit à Gavin, qui n'avait même pas son épée à la ceinture : elle était accrochée à son cheval. Il serait un homme mort avant même de l'avoir atteinte.

Dans le silence paralysant, Loba cria soudain :

— *Viva la muerte,* Trencavel !

Alors, l'écho retentit depuis les collines : « Trencavel ! » hurlèrent en même temps des centaines de gorges, et de partout autour d'eux, des collines et des forêts, surgirent les paysans et les bergers. « Trencavel ! Trencavel ! » mugissaient-ils en agitant leurs faux et leurs fléaux, en brandissant leurs fourches à trois dents, leurs chausse-trapes et les pointes d'acier des lances à sanglier ; de larges faucilles affûtées brillaient dans le soleil du soir. « *Viva el Trencavel !* »

Au-dessus de Charles-sans-selle, les pierres se mirent à voler, une averse déclenchée par les bergers qui descendaient le coteau avec leurs chiens, se laissaient glisser sur les fesses vers le bas du vallon.

« *Viva la muerte !* » Le cheval de Charles d'Hardouin eut peur, ou fut atteint par un caillou — en tout cas, l'animal se cabra et jeta son cavalier au sol. Charles alla s'écraser aux pieds de l'assemblée, dans le fracas de sa pesante armure. Il y resta couché, immobile.

Roald of Wendower approcha et observa les yeux vitreux.

— Sans-selle s'est sans doute brisé le cou ? demanda-t-il au Chevalier, qui hocha la tête.

Le prêtre se signa et se détourna aussitôt. L'infant de Foix referma la visière de Charles d'Hardouin du bout de sa botte, sans même se baisser.

L'accès au temple était de nouveau libre. La fière cavalerie française avait fait volte-face dans un même mouvement, et était allée chercher le salut dans la fuite. Ceux qui étaient sortis de leur phalange armée, ceux qu'une fourche ou un jet de pierre avaient fait tomber de cheval pendaient depuis longtemps dans les lauriers, le long de la route d'Alet. Les cordes des trois bourreaux n'avaient pas suffi — mais eux non plus n'eurent pas le loisir de regretter cette improvisation et ce manque de professionnalisme. Les arbalétriers avaient réussi à faire quelques victimes parmi les paysans et les bergers en décochant la première salve, mais ils le payèrent fort cher. On leur refusa la corde, et ils furent cloués aux troncs d'arbres avec les flèches qui leur restaient.

Tout cela se déroula cependant loin du temple, où seul le cadavre de Charles d'Hardouin, qui reposait paisiblement au soleil, témoignait encore de ce contretemps inutile. Il était allongé en-dessous de l'inscription ET IN ARCADIA... EGO, ce que Laurence jugea très malvenu. Elle aurait souhaité une fin plus douloureuse à l'assassin de son père. Mais après tout, il était mort comme il avait vécu. La justice de Dieu n'était pas celle des hommes.

Une foule animée entourait, pleine d'espoir, l'église de la Vierge noire. Le Chevalier se vit contraint d'adresser un mot à la foule qui accourait, désormais renforcée par des femmes et des enfants.

— Que la paix ne soit pas avec vous, prononça-t-il d'une voix haute et distincte, tant que l'Occitanie n'aura pas reconquis sa liberté ! La superbe Toulouse est encore nôtre, le Montségur se dresse toujours dans tout son éclat. Mort à ses ennemis, que vive...

Ses derniers mots furent recouverts par les appels furieux : « *Viva Occitania libre !* » La foule avait compris qu'il n'y avait rien d'autre à célébrer. On emporta les morts et l'on repartit. Ils vivraient et mourraient avec ce cri aux lèvres, se dit le Chevalier, apaisé. Ils ne connaîtraient pas d'autre destin.

Laurence fut la première à se reprendre. Elle laissa Gavin sur place et se dirigea vers Loba et l'infant.

— Je dois parcourir mon chemin toute seule, dit-elle à son amie pour anticiper toute espèce de reproche ou d'objection.

Loba la serra dans ses bras sans mot dire. Elle savait qu'elle la reverrait. Son au revoir n'avait pas besoin de paroles.

Les deux enfants assistèrent, touchés, à ces adieux qu'ils s'étaient sans doute imaginés autrement. La Louve leur avait sans doute laissé entrevoir la possibilité de se rendre avec la dame dans la lointaine Rome. Mais de cela non plus, Laurence ne voulait plus rien savoir à présent. Elle devait être libre, résolument et sans la moindre restriction, débarrassée de tout le fardeau de son passé.

Elle voulut aussi le faire savoir clairement à Roald of Wendower :

— Par les trois démons de l'enfer : cette fois, ne me suivez pas !

Il tressaillit comme sous un coup de fouet avant que son visage ne grimace de douleur. Il suivit avec des yeux de chien humide les derniers instants qu'il lui serait donné de passer en présence de son adorée.

Laurence décida de ne pas reprendre la route d'Alet : elle ne voulait plus voir de cadavres suspendus aux arbres.

Le Chevalier se dirigea vers elle. Il n'avait pas perdu le trait d'ironie autour de sa bouche.

— Précieuse Laurence, décidément, le Renard aura toujours su surprendre le vieux lièvre que je suis. C'est la raison pour laquelle je suis tellement sûr que ce n'est pas la dernière fois que nous nous voyons. Car quel que soit le chemin que vous prendrez, il sera lui aussi plein d'imprévus.

Laurence le serra lui aussi dans ses bras. Son regard tomba sur Gavin, qui se tenait près de son cheval et se préparait au voyage. Comptait-il la quitter sans lui faire ses adieux ? Elle courut le rejoindre.

— Gavin, s'exclama-t-elle, tu voulais m'embrasser !

Le templier toisa, songeur, sa mince silhouette.

— Ce n'est plus nécessaire. C'est la mort qui a embrassé les autres, et tu es revenue à la vie.

Laurence baissa les bras qu'elle avait déjà levés.

— Quel dommage, dit-elle. Ton Ordre t'a récupéré tellement vite que tu...

Il lui posa un doigt sur les lèvres. Cela peut aussi passer pour un baiser, se dit-elle, obstinée.

— La liberté, Laurence, dit-il avec componction, est toujours la liberté pour les autres, jamais pour soi-même. (Il posa la main sur son bras, apaisant, comme il l'avait toujours fait lorsqu'il voulait lui faire prendre le mors aux dents.) C'est une belle et gratifiante expérience. Il te reste à la faire.

Elle se pencha en un éclair et lui embrassa la main avant qu'il n'ait pu la ramener à lui.

— *Che Diaus vos bensigna*, Gavin ! dit-elle d'une voix basse et rauque, avant de partir en courant.

Loba et son escorte s'étaient déjà éloignées. Ils lui avaient laissé un cheval de combat harnaché de cuir précieux ; une armure brillante était accrochée au bouton de selle. Mais Laurence ne passa même pas le heaume. Elle sauta en selle et éperonna son cheval. Ainsi Laure-Rouge, la « Cathare », disparut-elle du pays qu'elle avait plus aimé que tout ce qu'elle avait vu au monde. Sa chevelure rousse brilla encore une fois au rayon du soleil.

Che Diaus vos bensigna !

MAPPA MUNDI

LA SITUATION RELIGIEUSE ET POLITIQUE AU DÉBUT DU XIIIᵉ SIÈCLE

L'Europe se trouve à l'ère des croisades (1096-1291), lancées et menées, pour l'essentiel, par la France. L'Allemagne, le « Saint Empire romain », est paralysée par les confrontations permanentes entre l'empereur et le pape. Au début de cette époque, le royaume des Francs gouverné par les Capétiens est pourtant loin d'avoir atteint les dimensions qui sont aujourd'hui les siennes. En réalité, il est seulement composé de l'Île-de-France, de la Champagne et de quelques comtés, comme les Flandres, Blois et la Picardie. La Lorraine et la Basse Bourgogne, « l'Arelat » et presque toute la Provence appartiennent à l'Empire germanique. La Normandie, la Bretagne et tout l'ouest (Aquitaine) sont aux mains des Anglais. Au sud-ouest, ce sont les comtes libres de Toulouse qui règnent sur l'Occitanie, puissants comme des rois malgré la modestie de leur titre. Le Languedoc, c'est-à-dire les seigneuries de Carcassonne et de Foix ainsi que le Roussillon, sont soumis au roi d'Aragon, leur souverain. Ils portent également le titre de « comtés » ou de « vicomtés », mais cela remonte à la tradition des aïeux goths de leurs seigneurs — une tradition qui leur inspire une certaine fierté. Leur souverain, au-delà des Pyrénées, les laisse gouverner comme des princes indépendants. En outre, les Occitans sont plus familiers des Catalans par leur naturel, et plus proches de leur langue que des Français du nord avec leur « langue d'oïl ».

Paris est donc coupé de l'accès à la Méditerranée. Le roi de France ne peut pas s'attaquer aux Allemands — du moins pour l'instant ; il ne lui reste donc qu'une solution : s'en prendre à Toulouse. Mais le simple motif nécessaire, de coutume, au déclenchement d'une bataille ordinaire, ne suffit pas ici. On ne peut envisager une telle intervention dans le système féodal existant qu'avec l'appui complet de l'autorité pontificale et le soutien sans réserve de l'Église. Or il se trouve que le pape va lui aussi avoir besoin de l'aide du roi de France.

Au début du XIIIᵉ siècle, les formes d'émergence sécularisées de l'Église romaine catholique répandent de plus en plus la mauvaise humeur. La gnostique et d'autres influences spirituelles en provenance de l'Orient, le retour à un christianisme primitif, qui s'infiltrent en Occident par les Balkans (bogomiles), la Lombardie (patarins) et connaissent leur plus grand développement dans le sud de la France, avec les cathares. L'apparition simultanée des vaudois, les Pauvres de Lyon, renforce cette impression.

« L'hérésie » ne cesse de se propager. En Occitanie et dans le Languedoc, elle a trouvé un terrain particulièrement fertile — des contrées florissantes où les pratiques du druidisme celtique étaient encore vivantes, et qui, avec le passage des Goths, celui des Arabes qui empruntèrent les Pyrénées, et avec la présence d'une forte diaspora juive et ses légendes préchrétiennes, étaient exposées à des influences diverses et nombreuses.

Contrairement au reste de l'Occident, qui imposa avec rigueur la « nouvelle doctrine » de Jésus de Nazareth, importée de Rome, on était fier de son passé et de sa propre culture en Occitanie, et l'on faisait preuve de tolérance envers toutes les nouveautés. Le christianisme de l'*Ecclesia catholica* n'était pas l'unique foi salutaire, la croyance obligatoire, mais une possibilité parmi d'autres de communiquer avec Dieu. Mouvement populaire de réaction à Rome, une sorte d'Église des cathares s'y était constituée, la « Gleyiza », qui avait établi ses propres évêques. Ses prêtres, les « parfaits » ou « bons hommes », ne se soumettaient à aucune hiérarchie et n'avaient besoin d'aucune prébende. Les croyants subvenaient volontiers à leurs besoins. Lorsque l'Église des papes romains dégénéra, sombra dans un marécage moral tout en présentant une face triomphale au reste du monde, ils furent de plus en plus nombreux à s'en détourner. Des évêchés entiers, clergé compris, se rallièrent à la doctrine des cathares. Les « purs » faisaient grande impression par leur simplicité (« Jésus marchait pieds nus ») et leur refus du monde profane.

À cela s'ajouta, peu après la fondation du « royaume de Jérusalem », l'influence de l'Orient — avec son art, sa science et son mode de vie, qui provoquèrent la première floraison des « troubadours » et ouvrit un tout nouveau type de relation amoureuse libre, tandis que tout autour, le catholicisme sombre, bigot et rigide du Moyen Âge réprimait férocement de telles idées. Les seigneurs du pays, la noblesse, une bourgeoisie riche et arrogante, la chevalerie, et tout particulièrement les dames y prirent une part active (mythe du Graal, Perceval) ou toléraient au moins ce style de vie du « gai savoir » qui ne se soumettait qu'aux « leys d'amors », les lois de l'amour.

Après de vaines tentatives de mission, l'Église officielle romaine eut recours à la violence et organisa une croisade (1209-1213). La population d'Occitanie et du Languedoc la vécut comme une « croisade contre le Graal ». Ses exécutants la baptisèrent pour leur part « guerre des Albigeois ».

L'idée que l'on pouvait mener librement une existence profondément religieuse sans passer par une Église officielle figée dans les cérémoniels et les problèmes matériels, était de toute façon dans l'air. En 1207, à Assise, un fils de bourgeois bientôt connu sous le prénom de François, qui n'est ni prêtre, ni moine, rassemble autour de lui une fraternité. Ils se donnent le nom de « frères mineurs » et se vouent à la pauvreté totale et au service des pauvres : ce sont les franciscains, qui constitueront plus tard un ordre religieux, contre la volonté de leur créateur. Seules quelques particularités distinguent ces moines mendiants de ceux que l'on poursuit comme hérétiques.

Au cours des mêmes années, un religieux espagnol d'origine noble, Domingo Guzman de Calaruega, reconnaît lui aussi la nécessité d'affronter les cathares du sud de la France en prônant la simplicité, si l'on veut réussir la « conversion » des hérétiques. Les dominicains, eux aussi, se présentent désormais comme des moines mendiants. Mais ils ont une organisation rigoureuse et se mettent à la disposition de l'Église papale, persécuteur zélé de toute pensée hérétique.

Après la mort de Dominique (1221), rapidement béatifié, les dominicains sont officiellement chargés de l'inquisition en 1231. Parmi leurs premières victimes, outre les hérétiques, on trouvait les franciscains qui, après la mort de François (1226, canonisé en 1228), voulurent perpétuer sa théorie. Du temps du grand pape Innocent III, ces deux nouveaux ordres semèrent le trouble dans la vie soigneusement réglée des monastères ; les bénédictins sont encore l'ordre le plus nombreux et le plus riche. Les cisterciens (notamment ceux du fameux Bernard de Clairvaux) sont ceux qui ont le mieux imprimé leur marque à la politique de l'Église.

Les croisades ont déjà atteint leur apogée ; depuis sa reconquête par les musulmans (1187), Jérusalem est perdue pour la chrétienté. Une nouvelle croisade, la quatrième, lancée par le pape Innocent III, est déviée par les Vénitiens contre Byzance, l'empire grec orthodoxe. En 1204 ont lieu la conquête et le pillage de Constantinople et la proclamation d'un empire « latin », c'est-à-dire catholique romain. Depuis le schisme (1054, rupture entre les Églises orientale et occidentale), l'indépendance du patriarche de Constantinople était une épine dans le pied des papes romains, et l'attitude des empereurs de Byzance paraissait suspecte aux croisés. Le puissant empire romain oriental est fragmenté en petits États dont les princes (francs, dans la plupart des cas) se combattent les uns les autres au lieu d'imposer leur objectif présumé, la propagation de l'*Ecclesia catholica* et de ses prêtres. Byzance, rempart contre l'islam qui arrivait par l'Asie Mineure, va ainsi tomber ; mais sa destruction est aussi le catalyseur de tous les autres processus intellectuels déclenchés par l'Orient. Pourtant, l'Église catholique romaine ne parvient pas à imposer sa prétention à l'universalité. L'orthodoxie s'affirme surtout au Proche-Orient, la porte est ouverte pour des influences religieuses que Rome croit avoir refoulées depuis longtemps.

La situation féodale en Occident n'est pas moins compliquée. L'empire germanique, « l'Imperium romanum », est affaibli par la querelle entre les guelfes (ducs de Saxe) et les Hohenstaufen (ducs de Souabe). En 1209, Innocent III a déposé sur la tête de l'antiroi guelfe Otton IV de Brunswick la couronne d'empereur, après que le roi Philippe de Souabe eut été assassiné, en 1208, et bien que son successeur légitime, Frédéric II, ait déjà atteint la majorité. Le pape a fait un mauvais calcul : le guelfe, lui aussi, s'en prend au sud de l'Italie, dont la possession aurait représenté pour le *Patrimonium Petri* un enserrement mortel — si l'on considère qu'Innocent III, plus qu'aucun pape avant lui, recherchait la domination absolue de la papauté sur tous les princes laïcs.

Compte tenu de cette situation instable, la France, où règne, pour l'heure, le roi perspicace qu'est Philippe II, joue de plus en plus le rôle d'arbitre — et celui de fléau de la balance. À sa demande insistante, le pape abandonne le guelfe et fait en sorte que Frédéric (qui était déjà roi de Sicile depuis sa quatrième année) soit élu roi d'Allemagne (1212). La même année, les Capétiens concluent une alliance avec les Hohenstaufen à Vaucouleurs. En 1214, ils emportent la victoire sur l'armée unie des guelfes et des Plantagenêt (Angleterre) au cours de la bataille de Bouvines. Les jours d'Oton sont ainsi comptés, et l'étoile de Frédéric commence à briller.

En Angleterre, le roi Jean Sans-Terre se bat avec les barons locaux (1215, « Magna Charta ») tandis qu'il perd en France un territoire après l'autre. En Espagne, l'alliance d'Alfonse VIII de Castille et de Pierre II (Pedro) d'Aragon remporte à Las Navas de Tolosa une victoire éclatante sur les Maures. La « Reconquista », la reconquête de la péninsule ibérique au profit du christianisme, connaît un nouvel essor.

En Terre sainte, la situation stagne depuis l'échec de la 3ᵉ croisade (1189-1192) que le roi Philippe Auguste et le roi Richard Cœur de Lion avaient entreprise ensemble. L'empereur allemand Frédéric Barberousse s'est noyé lors de sa traversée vers l'Asie Mineure. Le seul gain a été la conquête de Saint-Jean-d'Acre, qui est désormais la capitale du « royaume de Jérusalem », après que la ville sainte a été reconquise par Saladin (1187). La défense des États des croisés, qui fusionnent alors, repose de plus en plus sur deux ordres de chevalerie, les templiers et les Chevaliers de Saint-Jean, car l'ordre des Chevaliers teutoniques commence à se retirer de la « Terra sancta » et se consacre à la colonisation de l'Est (Baltique).

Byzance, si puissante autrefois, est écrasée. « L'Empire latin de Constantinople », son successeur, n'est plus qu'un État faible parmi beaucoup d'autres sur le sol grec, comme l'indique d'ailleurs sa dénomination. Il est à peine en état d'arrêter la marche des peuples des steppes venus de l'Est, et des Turcs qui se renforcent au Proche-Orient.

LA FOISON DES LANGUES DE L'OCCITANIE

La « langue d'oc », l'ancien provençal, était un vaste territoire linguistique englobant de nombreuses variantes, depuis la Catalogne, au-delà des Pyrénées, jusqu'à la Lombardie et l'Adriatique (y compris le « rhéto-roman » de certaines arrière-vallées des Grisons), en passant par l'Aquitaine, l'Occitanie et la Provence. C'était la « *lingua franca* » du Moyen Âge, celle que comprenaient aussi les Castillans et les Francs du Nord, les « Anglais » (qui étaient les seigneurs de la Guyenne et de la Gascogne) et les Allemands, pour autant qu'ils habitaient le Sud de leur vaste empire (Arelat, Montferrat, jusqu'à Spoleto). Le reste des habitants de la péninsule apennine, les villes commerçantes non rattachées à l'Empire et les républiques maritimes dominaient de toute façon ce prolongement autonome du latin, comme le « napolitain » ou le « sicilien ».

Le provençal médiéval n'était donc pas une langue étrangère, mais une culture commune de l'Occident méditerranéen. Comme la zone de pénétration et les marges de cette vaste ceinture connurent à cette époque des évolutions politiques et dynastiques rapides, on donna des orthographes différentes à des mots recouvrant le même sens. C'est un phénomène que nous connaissons bien dans les noms de régions et de localités.

Dans le présent roman, nous avons repris ce principe — pas systématiquement, mais de préférence — pour marquer les origines ou les milieux culturels différents, mais aussi pour établir des distinctions. Pour la quasi-totalité des noms historiques mentionnés ici règne par exemple dans cet espace et à cette époque un besoin presque maniaque d'attribuer des noms différents aux mêmes personnes — par exemple, Ramon/Raymond/Raimond/Raimund, ou Sancho/Sanç/Sanche, mais aussi pour Barbeira/Barbara, nous trouvons toutes les orthographes possibles. On fait certes preuve de plus d'imagination pour les femmes, mais Sanxa/Sança/Sancie, ou Aliénor/Eleonor/Eleonora, ou Beatrix/Beatrice sont largement majoritaires. Les choses sont encore plus difficiles dans le cas de Juana/Joan/Jeanne/Johanna, ou de Jaime/Jacques/Jakob ; elles sont simples, en revanche, dans ceux de Roger, Bernard, Bertrand, Agnès et Marie. Mais ceux-ci apparaissent avec une fréquence remarquable.

Après une longue réflexion, j'ai moi aussi respecté cette diversité des orthographes et des noms, pour pénétrer ce maquis d'alternatives linguistiques et faciliter l'identification des personnes et de leur origine, mais aussi pour faire prendre conscience de la richesse linguistique qui régnait à l'époque.

INDEX GÉNÉRAL

Abréviations :
Ar. : arabe
BLat. : bas latin
Cat. : catalan
Cath : catholique
Esp. : espagnol
Fig. : au sens figuré
Fr. : français
Gasc. : gascon
Héb. : hébreux
Iron. : ironique
Ital. : italien
Lat. : latin
Ling. Fr. : lingua franca
Litt. : sens littéral
Mha. : moyen haut allemand
MLat. : moyen latin
Oc. : langue d'oc
Orig. : à l'origine
Orth. : orthodoxe
Pers. : persan
Prov. : provençal
Rom. : romain
Vf. : vieux français
Vp. : vieux portugais
Vulg. : populaire

A tergo : *lat.* Par-derrière.
Ab l'alen tir vas... (Peire Vidal) : Je respire profondément la brise / Je sens qu'elle vient de Provence / Tout ce qui en vient me fait du bien / Lorsque j'entends que l'on chante ses louanges / J'écoute et je souris / Pour un seul mot, j'en réclame cent / Tant est grand le plaisir que j'éprouve.
Abenturé : *vp.* Aventurier.

Ad instar : *lat.* Encore à prendre, à procéder.

Ad Secundum : *lat.* En deuxième lieu.

Aitals etz plan com al ric nom tanhia : Vous vous montrerez ainsi digne de ce nom si précieux.

Alma redemptoris mater : 1. Sublime mère du Rédempteur / Porte du ciel toujours ouverte / 2. et étoile de la mer / Viens au secours du peuple naufragé qui cherche à se relever ! / 3. À l'étonnement de la nature, tu as mis au monde / ton saint créateur. / Prends pitié des pécheurs.

« *Altas Undas...* » (Raimbaut de Vaqueiras) : Hautes vagues qui venez sur la mer / que fouette le vent et qui vous fait séjourner là-bas (à l'étranger), ne pouvez-vous rien me dire de neuf sur mon ami / qui y partit jadis ? Il n'est jamais revenu ! / Ah, comme avec cet amour, souvent, / il m'a causé des joies et des peines ! / Ah, douce brise qui vient de là / où mon ami dort et séjourne / de sa douce haleine, apporte-moi le souffle / que je puisse l'inspirer ! Tant mon désir est grand ! / Refrain.

Aube : La robe (blanche) des cathares, « *Alva* » en vieux provençal.

Anglès : *vf.* Anglais.

Apage Satanas : *grec* Recule, Satan !

Ar em al freg temps... (Azalais de Porcairagues) : 1. La saison froide a commencé. / Avec la glace, la neige, la boue / les oiseaux se sont tus, / Aucun ne peut plus chanter. / 2. Dénudées sont les branches. / Plus de fleurs, plus de feuilles. / Le rossignol s'est tu / Qui m'éveillait au mois de mai.

Ar me puesc ieu lauzar d'amor (Peire Cardenal) : 1. Désormais je puis louer l'amour, / puisqu'elle ne m'ôte plus la faim et le sommeil, / je ne sens ni le froid ni la chaleur. / Je ne me plains ni ne soupire / et je n'erre pas sans répit dans la nuit. / Je ne suis ni vaincu, ni en proie à la torture / je ne sens ni douleur ni tristesse / je n'envoie plus de messager, / je ne suis ni trahi, ni trompé, / car je l'ai quittée et j'ai rangé mes dés.

Archimandrite : *grec.* Dans le clergé orth. grec, haute fonction religieuse correspondant à peu près à celle « d'abbé ».

Archontes : *grec.* Notables.

Armageddon : *héb.* Bataille précédant la fin des mondes (Révélation de saint Jean, 16,16).

Cubitière : Protège-coudes, partie de l'armure.

Assassins, de « Hashashyn », fumeurs de haschich, à l'origine, secte secrète persane ismaélienne (à partir de 1150 environ et jusqu'en 1254), dont les membres étaient tenus de respecter une obéissance absolue, y compris lorsqu'on leur demandait de commettre un meurtre.

Aulika Pro-Epistata : *grec.* Aulique, sorte de chambellane.

Autodafé : *lat.* « Actus fidei », ayant donné en *vp.* « auto-de-fé », acte de foi, fait de brûler les hérétiques sur des bûchers.

Bassinet : Partie saillante du heaume, destinée à protéger la bouche et le nez.

Basta de palabras : *cat.* Assez de bavardages.

Beguine : *mha.* « Begîne », sœurs profanes, vierges ou veuves menant une vie pieuse et monacale, le plus souvent dans des communautés.

Bénédictins : « Ordo Sancti Benedicti », OSB : l'ordre, qui a pris le nom de son fondateur, Benoît de Nursia, est le plus ancien ordre monacal de l'Occident existant encore à ce jour.

Canis Dominis : *lat.* Chien du seigneur : insulte désignant un dominicain.

Cantica : *lat.* Cantique.

Canzò : *prov.* Chant.

Car il va tan... (troubadour anonyme) : *prov.* Car aucun n'a sa valeur (de chevalier), / par son or, il peut se mesurer à un empereur.

Castel Lavanum : L'actuel Lavelanet.

Caz' del Maurisk : *ling. fr. vulg.* : Queue du Maure.

Chantarai, sitot d'Amor (Sordel) vf. : Je chante, et dussè-je mourir d'amour / Car je l'aime sans manquement / même si je ne vois pas celle / pour laquelle je me consume. / 2. *Refrain* : Ah, à quoi peuvent me servir mes yeux / Si je ne peux posséder / ce que je convoite ! / 3. Même si l'amour me tourmente / et me tue / je ne veux pas me plaindre, / au moins je meurs pour ce qu'il y a de plus noble (sur terre). / 4/ *Refrain* (In : *Er, quand renovella e gensa*).

Che Diaus vos bensigna : *prov.* Que Dieu vous bénisse !

Surcot : Tenue blanche des templiers, frappée de la croix à pattes (« croix pattée »).

Coblas : *vp.* Vers.

Consolatum : *lat.* La consolation, extrême-onction des cathares.

Coordinator Maximus : *lat.* Administrateur suprême.

Coordinator Mundi : *lat.* Administrateur du monde (*iron.*).

Coram publico : *lat.* Aux yeux du public.

Corpus Delicti : *lat.* Objet du crime, instrument du crime.

Corpus delicii : *lat.* Objet de plaisir.

Cui malo ? *lat.* À qui cela nuit-il ?

Danso : *prov.* La danse.

Deinde : *lat.* Ensuite, en deuxième lieu.

Del grand golfe de mar (Gaucelm Faidit) : Aux plus profonds creux de la mer / Aux ruses de tous les ports / Au péril terrifiant du phare / J'ai échappé, Dieu soit loué...

Démiurge : Le créateur des mondes chez Platon ; dans le dualisme gnostique, le dieu créateur, celui qui porte la lumière (Lucifer).

Despotikos : *grec* Tyran, celui qui règne par la violence.

Deus nostra spes... 1. Dieu est notre espoir et notre force / Celui qui, magnifique, nous secourt dans la détresse. / Nous n'avons donc aucune peur, que la terre se soulève / ou que les montagnent tombent dans la mer, / 3/ que ses eaux mugissent et écument / que les montagnes tremblent devant sa fureur. (Extrait de : Psaume 45, prière du mercredi (« Livre des heures »).

Devèr : *prov.* Devoir.

Diaus salvatz la nuestra terra : *prov.* Dieu protège, sauve notre pays.

Cuissots : Partie de l'armure protégeant le haut des jambes (également : cuissardes).

Dies irae, dies illa : *lat.* Jour de colère, oh, ce jour / qui transforme le monde en cendres.

Doctor utriusque : *lat.* Titre complet : doctor juris utriusque ; *lat.* docteur des deux droits (du droit laïc et canonique).

« *Docteur Miel* » : *lat.* Doctor mellifluus, *iron.* Surnom donné à saint Bernard en raison de son éloquence.

Domini Deus, agnus Dei... 1. Seigneur et Dieu, agneau de Dieu, / fils du Père ! Tu ôtes les péchés du monde : prends pitié de nous. / Tu ôtes les péchés du monde : accepte nos implorations. / Tu es assis à la droite du père : prends pitié de nous. (in : liturgie latine, messe chorale IV).

Domna pos vos ai chausida... (anonyme) : 1. Ma dame, puisque je vous ai choisie, recevez-moi (s'il vous plaît) avec bienveillance, / car je vous appartiens / avec toute ma vie ! / 2. Je veux être, pour les jours qu'il me sera donné de vivre / à votre service, à vos ordres / Je ne vous quitterai jamais / pour une autre, qui qu'elle soit.

Dos y dos : *cat.* Deux et deux.

Dos y dos vale seis : *cat.* Deux et deux font six.

Ecclesia catholica romana : *lat.* L'église romaine catholique (*grec* katholicos : universel).

El Bruto : *cat.* Le laid, le cruel.

Endura : *prov.* Endurance, *fig.* choisir le (dur) chemin de la mort (volontaire) par la famine chez les cathares.

Eo ipso : *lat.* Cela va de soi.

Escapadas : *prov.* Écarts, faux pas.

Escudé : *prov.* Écuyer.

Et etz monda : Vous êtes une reine.

Et in arcadia... ego : *lat.* Moi (aussi ?) je... (repose ?) dans les arcades : inscription mystérieuse (épitaphe ?) qui parcourt l'ésotérisme médiéval et qui est censée faire référence au tombeau du Christ.

Exem(p)tis : *lat.* exempté, c'est-à-dire dégagé du paiement des impôts (à l'évêque). Exemption : *Mlat.* « exemptio », libération de la surveillance épiscopale, qui permettait aux personnes physiques et morales et aux territoires de sortir de l'organisation cléricale générale, c'est-à-dire de la surveillance épiscopale. Ces personnes, entités ou territoires peuvent être soumis à l'instance supérieure (exemption passive) ou à une instance spécialement responsable d'elles (exemption active).

Expressis verbis : *lat.* Explicitement.

Faidit (e) : *prov.* (dc l'*ar.* « faïda ») Vengeance du sang, ici : le/la proscrit(e), l'exclu (e) dont la tête est mise à prix.

Farandoul : *prov.* Danse.

Favete nunc linguis : *lat.* Maintenant, fermez-là.

Flammis ne urar... : Pour que je ne m'enflamme pas, / prends-moi, Vierge, sous ta garde / lorsque le juge s'annoncera.

Frances : *prov.* Habitant du royaume de France.

Gardez : Aux échecs, avertissement en cas de péril sur la dame.

Gerontes : *grec* Les anciens.

Gesta Dei per Francos : *BLat.* La faveur de Dieu pour les Français.

Gesta Virginis per catholicos : *lat.* La faveur de la Vierge pour les catholiques.

Gleyiza d'amor : *prov.* L'église d'amour des cathares.

Gloria Patri : *lat.* Loué soit le Père !

Éminence grise : Chef des Services secrets de la curie.

Hagias Triados : *grec ancien.* Sainte Trinité.

Historia Albigensis : *lat.* Histoire des Albigeois.

Historia orientalis seu Hiersolymitana : *lat.* Histoire orientale sur Jérusalem.

Houri : *ar./pers.* Compagne de jeu au paradis islamique.

In servitu Christi : *lat.* Au service du Christ.

Inch'allah : *ar.* Comme il plaît à Dieu !

Infant : *prov.* Le prince héritier.

Interdictum : *lat.* Interdiction ; ici : interdire à une ville l'exercice de la religion (catholique romaine) (retrait des prêtres, interdiction de la sainte messe).

Joseph d'Arimathie : Oncle de Jésus de Nazareth.

Connétable : Haute fonction officielle, correspond à peu près au titre de chef de la police.

Kontoskalion : Un quartier portuaire de Constantinople.

L'Immacolata del Bosco : *lat.* L'Innocente (*litt.* Immaculée) de la forêt.

La nostr'amor vai... (Guilhem de Peitieus) : Il en va de notre amour / comme de la branche de l'aubépine / qui tremble la nuit sur le buisson / sous la pluie et le gel. / Jusqu'à ce que le lendemain matin le soleil / réchauffe les feuilles et les branches avec sa lumière. (in : *Ab la dolchor del vins novel*)

Lancan vei la folha... (Bernart de Ventadour) : Lorsque je vois ensuite les feuilles / tomber de l'arbre / ce qui en rend d'autres mélancoliques / moi je ne peux que m'en réjouir.

Lapis ex coelis : *lat.* Pierre du ciel.

Laudes : *lat.* Louanges ; la prière matinale dans la série des *hores*, les prières de la journée.

Legendo mecum ridete : *lat.* Riez avec moi lorsque vous (le) lirez.

Leitourgia : *grec.* Liturgie.

LS : Loco sigili : *lat.* À la place du sceau (sur les copies), ou encore le lieu où le sceau devait être apposé.

Magnificat : Chant de louanges à Marie.

Malvasier : Vin rouge de Crète.

Mangonneau : petite catapulte avec un bras court et rigide.

Mare nostrum : *lat.* Terme utilisé par les Romains pour désigner la Méditerranée.

Mater superior : La mère supérieure, l'abbesse.

Matines : La prière matinale des moines. Elle a plus tard porté le nom de laudes.

Mellifluus : mielleux, suave.

Memento mori : *lat.* Rappelle-toi que tu dois mourir !

Memorandum menstrualis : *lat.* Rapport mensuel.

Milites templi Salomonis : *lat.* Soldats du temple de Salomon. Désignation officielle des chevaliers du Temple.

Frères mineurs : Les franciscains.

Miral peix : *prov.* Nom d'origine de la ville de Mirepoix (*litt.* : Regardez le poisson).

Morganatique : Mariage de rang inégal, avec droits limités pour les descendants.

Na : Le « Na » devant un nom féminin est l'abréviation, courante en langue d'oc, de « Damna ». Le « a » s'efface devant le « E » de « Esclarmonde ».

navarque : du *grec* nauarchos : amiral.

Nec spe, nec metu : *lat.* Sans espoir et sans crainte.

Nihil obsta ! Nihil obstet ! : *lat.* Que rien ne s'y oppose ! Puisse ne rien s'y opposer !

Nonnes : *lat.* La neuvième, « Nona (ora) », la prière dite pour la neuvième heure de la journée (vers 15 heures).

Noun touca ! Diablou dangeirouso : *prov.* Ne pas toucher ! Diable dangereux.

Oderint dum metuant : *lat.* Ils peuvent bien me haïr, pourvu qu'ils me craignent ! (attribué à Caligula).

Opus magnum : *lat.* Le grand ouvrage (un terme tiré de l'alchimie).

Oremus... : Prions : / Dieu tout-puissant et miséricordieux, protège-nous des menaces qui pèsent sur nous ; / Prépare notre corps et notre âme pour que nous / Accomplissions ta volonté, l'esprit libre. » (in : *Oratio* — 19ᵉ dimanche après la Pentecôte).

Orthos : *grec.* Prière orthodoxe pour le lever du soleil.

Papae dictu : *lat.* La parole du pape (catégorique).

Paraclet : *grec.* Le rédempteur, dans le dualisme gnostique.

Patrimonium Petri : *lat.* l'État de l'Église, *litt.* : la propriété du pape.

Pauperes Spiritu Catholici : *lat.* Pauvres dans l'esprit de (l'Église) catholique.

Pax animae suae : *lat.* Paix à son âme.

Pecunia olet, sed mundum reget : *lat.* L'argent sent mauvais, mais il gouverne le monde.

Per joia recomençar... (anonyme) : 1. De nouveau revient la joie, / hourra, / la reine veut montrer / que l'amour l'enflamme. / 2. *Refrain :* Dansons, dansons / Dansons ensemble. / Pas une vierge, pas un joli gars / hourra, / qui ne tourne aujourd'hui dans la ronde, / dans la ronde joyeuse. / 4. *Refrain.* (Chant de danse provençal, d'après la mélodie « À l'entrada del temps clar »).

Perfecta, perfectus : *lat.* La/le parfait : désigne les cathares initiés, qui avaient pratiquement le rang de prêtres.

Pessimista feliz : *catal* Pessimiste heureuse.

Pez da pot. : *prov. vulg.* Vulve.

Pez de fica : *ling. franc. vulg.* Vulve.

Pius raptor : *lat.* (nom propre) Picuse colère.

Pog : *prov.* Mont conique.

Pontifex Praecox : *lat. (iron.)* : Pape à éjaculation précoce.

Post meridiem : *lat.* L'après-midi.

Praeceptus et comes Vallesiae : *lat.* Précepteur et comte du Valais (Suisse).

Prandium : *lat.* Grand petit déjeuner préparé avec des plats froids.

Prieuré de Sion : mystérieuse société secrète qui fait parler d'elle pour la première fois pendant les croisades du Moyen Âge.

Primes : la première heure de prière, vers 6 heures du matin.

Primae horae : *lat.,* À la première heure.

Primum : *lat.* Premièrement.

Probatio primae noctis : *lat.* Vérification de la première nuit : droit de cuissage.

Qua'a : *ar.* Salle de fête.

Quarantaine : La période de 40 jours était, pendant les croisades, le temps de service normal d'un chevalier. Le terme a été utilisé plus tard pour désigner l'isolement des malades contagieux.

PM. lat. Abréviation pour Pontifex maximus.

Qué grand dolor : *cat.* Quelle grande douleur !

Que nols pot grandir... : Rien ne pouvait les sauver, ni la croix, ni l'autel, ni le Crucifix / Et ces bandits de grand chemin, ces fous, ces brigands, ont abattu les prêtres,/ les femmes et les enfants / Aucun — je veux le croire — n'en est sorti vivant. / Plaise à Dieu de les accepter tous au paradis ! (in : *Canzò Guillem de Tudela,* vers 495 et s.)

Que vos donatz clardat al mon per ver... : Car en vérité, vous portez une lumière en ce monde ! (cf. ci-dessus).

Quel nèy ! prov. Quelle nuit !

Reconquista : *esp.* La reconquête (de la péninsule ibérique sur les Maures).

Regula sine glossa : *lat.* Règle sans commentaire

Rif : Montagne de l'ouest du Maghreb.

Pieux rouges sur fond d'or : couleurs d'Aragon et de Foix, blason d'or rayé de bandes rouges verticales.

Sanctissimum Sacramentum : *lat.* : Le saint sacrement.

Santa Gleyza : prov. : La sainte Église (des cathares).

Sapeurs : Soldats chargés de creuser des galeries pour provoquer l'effondrement de murailles.

Serenissima : La Sérénissime, nom que se donnait la République maritime.

Sixte : prière de la sixième heure du jour (vers midi).

Cheikh : *ar.* Chef de tribu.

Sine dubio : *lat.* Sans doute.

Stande pede : *lat.* De pied ferme.

Statua aena : *lat.* Statue de bronze.

Status spiriti et educationis : *lat.* État du développement intellectuel et de l'éducation.

Strategos : *grec.* Général.

Superba : *ital.* La superbe, la grande ; expression désignant la République maritine de Gênes.

 Tammiel : *v. prov.* Tant mieux.

Tampis pel bous : *v. prov.* Tant pis pour vous !

Te Deum laudamus : *lat.* Nous chantons tes louanges, ô Dieu.

Te mater alma numinis... : Illustre mère de Dieu, écoute / tes enfants implorer / contre les tromperies du démon / accorde-nous la protection de ton manteau.

Temptator spiritus : *lat.* Tentateur de l'esprit.

Terra sancta : *lat.* La Terre sainte.

Tertium : *lat.* Troisièmement.

Terce : *lat.* Prière pour la troisième heure du jour (vers 9 heures du matin).

Testa : *ital.* : La tête.

Trébuchets : Lanceurs de projectiles légers et transportables.

Trobairitz : *prov.* Femme troubadour, ménestrel de sexe féminin.

Tuba, mirum spargens sonum... : La trompette sonnera fort / pénétrera, puissante, dans les fosses, / et les contraindra tous, jusqu'au trône.

Ultima ratio : *lat.* Le dernier moyen.

Unio regni ad imperium : *lat.* Formule désignant « l'union » du royaume (de Sicile) avec l'empire (germanique).

Urbi et orbi : *lat.* À la ville (Rome) et à la terre : formule appliquée aux décrets et aux bénédictions pontificales.

Vêpres : Prière dite au moment où l'on éteint les lumières.

Videant consules : *lat.* Que les consuls l'examinent : que la justice prenne l'affaire en main.

Veni creator spiritus : *lat.* (hymne des croisés, et aujourd'hui chant de Pentecôte) Viens, esprit créateur.

Vigiles : *lat.* La veille, prière nocturne dans l'ordre des « heures ».

Virgo intacta : *lat.* Vierge immaculée.

Viva la muerte : *esp.* Vive la mort !

REMERCIEMENTS POUR LA COLLABORATION
ET LES SOURCES

Je remercie **Roman Hocke**, pour le travail de lecteur généreux et consciencieux qu'il a réalisé sur le texte et qui a animé l'auteur au lieu de le limiter ou de le pousser dans la résignation. Un processus instructif et créatif !

J'adresse mes remerciements à mon agent **Michael Görden**, qui a su guider l'auteur dans le maquis des décisions éditoriales — la bonne gestion joue un rôle tout à fait stimulant dans le management d'un auteur.

Je dois une reconnaissance particulière à mes plus proches collaborateurs, qui saisissent inlassablement et attentivement, depuis des années, mes textes manuscrits à l'ordinateur, accompagnent chaque roman à travers toutes ses versions jusqu'au vaste chantier de la version finale. Ils sont devenus entre-temps de véritables médiévistes : **Sylvia Schnetzer** (saisie centrale), **Dr. Simone Huber** (pour ses recherches et son intuition), **Anke Dowideit-Ceccatelli** (révision générale), ainsi que **Shirin Fatemi** et **Ines Geweyer**.

Auxquels s'ajoutent, pour la liturgie latine, le **Pr. Dario della Porta**, université d'Aquila ; pour le domaine arabo-islamique, **Daniel Speck,** Munich ; pour la généalogie, le président du « Cercle Généalogique du Languedoc », **Jean-Pierre Uguen,** Toulouse. M'ont également aidé les indications fournies par **Jean-François Colosimo**, Paris, sur les questions relatives à l'Église orthodoxe grecque. J'ai été littéralement inspiré par les idées de **Philippe Kreuzer**, Eze s/M, en matière de mythologie crétoise.

Mes remerciements vont aussi à tous les collaborateurs des éditions Gustav Lübbe, qui ont contribué à la naissance du présent roman. Je placerai au premier rang **Walter Fritzsche**, parce qu'il m'a fait entrer dans cette maison — voilà dix ans — et que je le regrette beaucoup. Depuis, je lui dois beaucoup d'autres choses, et notamment pour ce livre.

De nouvelles publications continuent à faciliter mon travail en m'apportant des connaissances récentes ou, plus rarement, renversantes, et à le compliquer par leur grande quantité. Je ne citerai donc que ceux qui ont à mes yeux un lien direct avec les thèmes traités dans ce livre, à commencer, comme le veut la tradition, par le doyen :

Runciman, S., *A History of the Crusades,* Cambridge University Press, 1954.

Runciman, S., *The Medieval Manichee,* Cambridge University Press, 1947.

Belperron, P. *La Croisade contre les Albigeois (1209-1249),* Librairie Académique Perrin, 1942.

Berling, P., *Franziskus oder das zweite Memorandum,* Goldmann, 1989.

Bradbury, J., *The Medieval Siege,* The Boydell Press, 1992.

Brenon, A., *Le vrai visage du catharisme,* Loubatières, 1991.

Canonici, L., (O.F.M.) *Guido II d'Assisi,* Soc. Internaz. di Studi Francescani, 1980.

Costa i Roca, J., *Xacbert de Barbera,* Libres del Trabucaire, 1989.

Demurger, A., *Vie et mort de l'ordre du Temple,* Le Seuil, 1989.

Duby, G., *27 juillet 1214. Le dimanche de Bouvines,* Gallimard, 1973.

Eltz-Hoffmann, L. von, *Kirchenfrauen im Mittelalter,* Quell, 1993.

Eschenbach, W. von, *Parzifal,* Reclam, 1956. (On trouve une édition partielle de *Perceval* en français aux éditions 10/18, 1989.)

Garnier, P., *Montségur — Le trébuchet de Villard de Honnecourt,* Midi-Pyrénées, 1995.

Gimpel, J., *The Medieval Machine*, Victor Gallanez Ltd, 1976.

Girard-Augry, P. (éd.), *Aux origines de l'Ordre du Temple*, Opera, 1995.

Godwin, M., *The Holy Grail*, Labyrinth Publishing, 1994.

Goldstream, N., *Medieval Craftsmen*, British Museum Press, 1991.

Hallam E.M., *Capetian France 987-1328*, Longman House 1980.

Hutchinson, G., *Medieval Ships and Shipping*, Leicester University Press, 1994.

Kantorowicz, E., *L'Empereur Frédréric II*, Gallimard, 1987.

Labande, E.R., *Quelques traits de caractère du roi Saint-Louis et son temps*, Paris, 1876.

Lanczkowski, J., *Lexikon des Mönchtums und der Orde*, VMA, 1997.

Lincoln-Baigent-Leigh, *Der Heilige Gral und seine Erben*, Bastei-Lübbe, 1987.

Magné, J.-R., et Dizel, J. -R., *Les Comtes de Toulouse et leurs descendants*, Christian, 1992.

Montreuil, G. de, *La Continuation de Perceval*, Jaca Book, 1984.

Nelli, R., *Écrivains anti-conformistes du Moyen Âge occitan*, 2 vol., Phébus, 1977.

Niel, F., *Albigeois et Cathares*, Presses Universitaires de France, 1955.

Rahn, O., *Kreuzzug gegen den Gral*, Urban, 1993.

Reznikov, R., *Cathares et templiers*, Loubatières, 1993.

Roll, E., *Die Katharer*, J.-Ch. Mellinger, 1979.

Roquebert, M. et Soula, C., *Citadelles du Vertige*, Privat, 1972.

Roquebert, M., *Les Cathares et le Graal*, Privat, 1994.

Tudèla, G. de, *La Canso*, Loubatières, 1994.

Villehardouin, G. de, *The Conquest of Constantinople*, The Estate of M.R. B. Shaw, 1963.

Vitry, J. de et Miniac, J. (éd.), *Vie de Marie d'Oignies*, Babel, 1997.

Weidelener, H., *Der Mythos von Parsifal und dem Graal*, Augsbourg, 1952.

Zerner-Cardavoine, M. (éd.), *La Croisade albigeoise*, Galli-
mard/Julliard, 1979.

Je dois mon intérêt pour l'histoire à un homme qui me l'a
légué et l'a entretenu jusqu'à ce que je commence à écrire des
romans historiques. Il m'a fait lire d'un bout à l'autre le livre
d'Otto Rahn, *Kreuzzug gegen den Gral*, que j'avais déniché après
la guerre dans sa bibliothèque, et a répondu à mes premières
questions curieuses. Il a toujours suivi mon travail dans un
esprit attentif et critique, et a aussi lu le manuscrit de ce livre.
Mon père Max Henry Berling s'est éteint à l'âge de quatre-
vingt-quinze ans.

Osnabrück,
Le 16 octobre 1999
Peter Berling

TABLE DES MATIÈRES

Photocomposition Nord Compo
Villeneuve d'Ascq

Impression réalisée sur CAMERON par

BRODARD & TAUPIN

GROUPE CPI

La Flèche
en septembre 2000

Imprimé en France
Dépôt légal : septembre 2000
N° d'édition : 6495 – N° d'impression : 4352